Christoph Sinder • Meinolf Gringel • Hartmut Hardt • Hermann Langerbein

Legionellenrisiken in Verdunstungskühlanlagen und Kühltürmen

Christoph Sinder · Meinolf Gringel · Hartmut Hardt
Hermann Langerbein

Legionellenrisiken in Verdunstungskühlanlagen und Kühltürmen

Ursachen und Vermeidung

VDE VERLAG GMBH

Beuth

ICS 27.200; 91.140.30; 43.060.30

Bibliografische Information der Deutschen Nationalbibliothek
Die Deutsche Nationalbibliothek verzeichnet diese Publikation in der Deutschen Nationalbibliografie; detaillierte bibliografische Daten sind im Internet über http://dnb.dnb.de abrufbar.

Bismarckstr. 33
10625 Berlin

Telefon: +49 30 348001-0
Telefax: +49 30 348001-9088
Internet: www.vde-verlag.de
E-Mail: kundenservice@vde-verlag.de

ISBN 978-3-8007-4554-8 (Print)
ISBN 978-3-8007-4555-5 (E-Book)

Saatwinkler Damm 42/43
13627 Berlin

Telefon: +049 30 2601-0
Telefax: +049 30 2601-1260
Internet: www.beuth.de
E-Mail: kundenservice@beuth.de

ISBN 978-3-410-29059-9 (Print)
ISBN 978-3-410-29060-5 (E-Book)

Titelmotiv: BAC Baltimore Aircoil International nv
Satz: Reemers Publishing Services GmbH, Krefeld
Druck: Medienhaus Plump GmbH, Rheinbreitbach
Printed in Germany

2019-12

Vorwort

Das vorliegende Fachbuch richtet sich an die betroffenen Verkehrskreise, wie Anlagenbetreiber, Hersteller, Errichter, Planer, Instandhalter und Aufsichtsbehörden, die sich mit Verdunstungskühlanlagen und Kühltürmen beschäftigen. Es soll dazu beitragen, die mit diesen Anlagen verbundenen hygienischen Risiken, deren Ursachen sowie die zum Problemverständnis notwendigen hygienischen und technischen Hintergründe in verständlicher Weise zu erläutern. Dazu werden die Anforderungen, welche sich aus den gesetzlichen und technischen Regelwerken ergeben, zusammenfassend dargelegt und kommentiert, insbesondere die 42. Bundes-Immissionsschutzverordnung sowie die VDI 2047.

Das Thema berührt mikrobiologisch-hygienische, kältetechnische, wasserchemische, organisatorische und rechtliche Aspekte. Diese Komplexität macht die Zusammenarbeit von Autoren verschiedener Disziplinen für das Fachbuch notwendig, die für die verschiedenen Kapitel verantwortlich sind. Gleichzeitig finden die Leser in diesem Fachbuch aber auch das Ergebnis der gemeinsamen Auslegung der Regelwerke durch die verschiedenen Autoren.

Der Anstoß für dieses Buch kam aus zahlreichen Gesprächen, die insbesondere in Seminaren und Tagungen zu dieser Thematik geführt wurden. Mit ihren Fragen haben die Teilnehmer den Bedarf an einem Fachbuch aufgezeigt, das eine Übersicht zu den verschiedenen Aspekten bietet. Dabei geht es den Autoren nicht darum, ein wissenschaftliches Fachbuch zu erstellen, sondern vor allem den betroffenen Anlagenbetreibern einen verständlichen Überblick zum Thema an die Hand zu geben. Es lässt sich aber nicht verhindern, dass bei den einzelnen Themen auch Detailaspekte aufgeführt werden. Dies ist für das Gesamtverständnis notwendig, insbesondere auch vor dem Hintergrund, dass die Anforderungen aus den gesetzlichen Regelwerken die Umsetzung dieser Details erfordern.

Wir würden uns sehr freuen, wenn die Leser dieses Fachbuchs uns ihre Fragen, Anmerkungen und Kritik zukommen ließen, die wir bei der nächsten Auflage gerne berücksichtigen werden. Das entspricht auch dem Ziel des Buchs, bei der Nutzung dieser Technologie in Zukunft immer besser und sicherer zu werden.

Dr. Christoph Sinder • Dr. Meinolf Gringel • RA Hartmut Hardt • Dipl.-Ing. Hermann Langerbein
im November 2019

Inhaltsverzeichnis

1 Einführung

Verdunstungskühlanlagen und Kühltürme dienen der Wärmeabfuhr aus unterschiedlichen Prozessen und finden seit mehr als einem Jahrhundert ihren Einsatz in der Kältetechnik. Als Technik sind sie etabliert und hinsichtlich ihrer Energieeffizienz zunehmend optimiert. Da sie in zahlreichen Anwendungsfällen erhebliche technische, wirtschaftliche und auch umweltrelevante Vorteile gegenüber anderen Systemen der Kältetechnik haben, sind sie aus vielen Bereichen nicht mehr wegzudenken. Dazu gehören z. B. Energieerzeugungsanlagen oder viele industrielle Prozesse mit dem Bedarf, hohe Wärmelasten abzuführen.

Physikalische Grundlage dieser kältetechnischen Anlagen ist die Wärmeabfuhr und die damit verbundene Kühlung von Prozessen durch das Verdunsten von Wasser in Luft. Dieser kältetechnische Prozess spiegelt sich in verschiedenen Anlagentypen wieder. Dabei gibt es für diese Anlagen unterschiedliche Begriffe und Bezeichnungen, die in den Verkehrskreisen, der Literatur und den Regelwerken Verwendung finden und das gemeinsame Verständnis der Thematik manchmal erschweren. Die größten Anlagen finden sich in Energieerzeugungsanlagen als Naturzugkühltürme, die allein aufgrund ihrer Höhe von bis zu 200 m für alle sichtbare Landmarken darstellen. Der absolut größte Anteil aller mit 30.000 bis 50.000 geschätzten Anlagen ist ventilator-gestützt, der druck- oder saugseitig die Luft im Gegenstromprinzip durch das versprühte oder verrieselte Kühlwasser transportiert. Da diese Anlagen überwiegend eine Kühlleistung unter 200 MW aufweisen, fallen sie in die Gruppe der Verdunstungskühlanlagen. Begrifflich wird aber auch für diese Anlagen häufig der „Kühlturm" herangezogen. Verdunstungskühlanlagen gibt es in unterschiedlichen technischen Ausführungen, die im Markt als Nasskühltürme, Hybride, Adiabatiksysteme etc. bezeichnet werden. Die einzelnen Systeme inkl. ihrer Funktionsweise mit den Vor-/Nachteilen in den verschiedenen Anwendungsbereichen werden in Kapitel 2 beschrieben. Das grundlegende Verständnis der technischen Vorgänge in diesen Anlagen ist notwendig, um den Einfluss der Anlagentechnik, der Werkstoffe, der Betriebsstoffe und der Betriebsweise auf die mikrobiologischen Lebensbedingungen in diesen Systemen zu verstehen. In der Praxis lässt sich so der Einfluss der Anlagentechnik auf die Hygiene deutlich besser beurteilen. Dadurch können alle Beteiligten mögliche Risiken einer Vermehrung und eines Austrags von Krankheitserregern besser identifizieren und Gegenmaßnahmen ergreifen.

Nach den verschiedenen Legionellenausbrüchen wie in Warstein und Ulm, verbunden mit zahlreichen durch Legionellen infizierten Menschen und Todesfällen, wurde diese Notwendigkeit immer deutlicher. Bis in die zweite Hälfte der siebziger Jahre des zwanzigsten Jahrhunderts waren Legionellen und damit ein mit ihnen verbundenes Gesundheitsrisiko nicht bekannt. Erst durch einen Legionellenausbruch in Philadelphia, USA, wurde das mögliche Infektionsrisiko durch diesen Krankheitserreger offensichtlich. Trotzdem hat es noch eine geraume Zeit gedauert, bis dieses Risiko auch für Verdunstungskühlanlagen und Kühltürme erkannt wurde. Legionellen, eine Gruppe von miteinander verwandten Bakterienarten, sind in Süßwasserlebensräumen nach aktuellem Kenntnisstand weltweit verbreitet. In ihren natürlichen Lebensräumen finden sie sich aufgrund eingeschränkter Wachstumsbedingungen scheinbar nur in geringer Zahl. Das ändert sich in wasserführenden technischen Anlagen, wie Verdunstungskühlanlagen und Kühltürmen, wenn die Lebensbedingungen sich für diese Bakterien deutlich verbessern. Einmal mit der Nachspeisung von Kühlwasser in Form von Oberflächen-, Grund- oder Trinkwasser in die Anlage eingebracht, können sich Legionellen dort innerhalb weniger Tage in großer Zahl vermehren. Aktuell ist davon auszugehen, dass Legionellen als Krankheitserreger nur dann zu einer Infektion führen, wenn sie von Menschen inhaliert werden und in die Lunge gelangen. Das kann über den Austrag von Legionellen-haltigem Kühlwasser in Form von Aerosolen aus Verdunstungskühlanlagen und Kühltürmen erfolgen. Auf diese Weise sind erhebliche Legionellen-Emissionen in die Umwelt möglich, die Menschen in der Umgebung solcher Anlagen gefährden. Legionelleninfektionen können sich in leichter Verlaufsform, ähnlich einer Sommergrippe, aber auch als schwere Lungenentzündung auswirken. Letztere scheint nach Einschätzung des Robert Koch-Instituts (RKI) in ca. 30.000 Fällen pro Jahr in Deutschland auf Legionellen zurückzuführen sein. Wie viele davon ursächlich auf Verdunstungskühlanlagen und Kühltürmen zurückgehen, ist nicht bekannt. Es ist auch unbekannt, wie groß die Zahl der durch einen Menschen aufgenommenen Legionellen sein muss, damit es zu einer Infektion kommt. Betrachtet man aber das Risikopotenzial bei der weiträumigen Ausbreitung über die Aerosolausträge in den Kühlwasserschwaden, so wird schnell deutlich, dass Maßnahmen zur Risikominimierung notwendig sind. Anders als bei Trinkwasserinstallationen ist die mögliche Zahl der Betroffenen hier potenziell deutlich höher.

Während in zahlreichen anderen Ländern, wie Frankreich und Großbritannien, aufgrund schwerer Legionellenausbrüche bereits seit Jahren konkrete gesetzliche Regelungen zur Gefahrenvorsorge bei diesen Anlagen getroffen wurden, haben solche in Deutschland auf sich warten lassen. Nachdem es in der Folge des Legionellenausbruchs in Warstein aber zu weiteren Ausbrüchen, wie in Jülich und Bremen, gekommen ist, sind diese Anlagen zunehmend in den öffentlichen Fokus gerückt. Das Risikopotenzial, welches von den Anlagen bei unsachgemäßer Planung, Errichtung, Instandhaltung und/oder Betrieb ausgehen kann, hat sowohl aufseiten des Gesetzgebers als auch bei der technischen Regelwerkssetzung einen Handlungsdruck ausgelöst. Mit der im Juli 2017 veröffentlichten 42. Bundes-Immissionsschutzverordnung (BImSchV) ist ein gesetzliches Regelwerk in Kraft getreten, das Verdunstungskühlanlagen, Kühltürme und Nassabscheider im Anwendungsbereich hat. Letztere werden in diesem Buch nicht behandelt. Als Teil des Immissionsschutzrechts fordert die Verordnung von den Verkehrskreisen den Stand der Technik bei Planung, Herstellung, Errichtung und Betrieb ein. Auslegung und Anwendungsbereich der Verordnung werden in den betroffenen Verkehrskreisen sehr kontrovers diskutiert.

Kapitel 4 gibt nicht nur die Verordnung im Originaltext wieder, sondern beleuchtet die Diskussionen und legt den Text auch aus. Die Anforderungen der Verordnung sind in Teilen sehr spezifisch, in denen es z. B. um die Anzeige der Anlage auf einer Online-Plattform oder die mikrobiologische Überwachung des Kühlwassers geht. Einige grundsätzliche Forderungen, wie die Eignung von Werkstoffen oder Betriebsstoffen, eröffnen aber zahlreiche Handlungsoptionen. Ähnliches gilt für die Betriebsweise, um eine mikrobielle Vermehrung und Ausbreitung von Legionellen zu minimieren. Die Verordnung geht nicht so weit, dass sie die Einhaltung von Legionellengehalten einfordert, die technisch utopisch erscheinen. Mit der Einführung von Prüf- und Maßnahmenwerten für Legionellen im Kühlwasser setzt sie im Normalbetrieb der absoluten Zahl aller Anlagen erreichbare Zielwerte. Deren Einhaltung hat der Anlagenbetreiber regelmäßig durch ein unabhängiges Labor überwachen zu lassen. Sobald es zur Überschreitung dieser Prüf- und Maßnahmenwerte kommt, verpflichtet der Gesetzgeber den Anlagenbetreiber zur Ergreifung von geeigneten Maßnahmen, um wieder einen sicheren Anlagenbetrieb zu gewährleisten. Dabei ist zu berücksichtigen, dass es bei Überschreitung des sogenannten Maßnahmenwerts für Legionellen, der als eine Art Gefahrenwert betrachtet wird, eine Meldepflicht des Anlagenbetreibers an die zuständige Behörde gibt. Auf diesem Weg versucht der Verordnungsgeber, möglichst frühzeitig Informationen über Gefahrensituationen zu erhalten. Diese kann er dann innerhalb der Umgebung einer Anlage mit den Erkenntnissen der Gesundheitsbehörden zu gemeldeten Legionelleninfektionen abgleichen. So sollte sich einerseits sehr frühzeitig ein Legionellenausbruch erkennen und im Weiteren auch eindämmen lassen. Eine neue Forderung der Verordnung betrifft auch die regelmäßige, im Abstand von fünf Jahren durchzuführende, unabhängige Überprüfung der Anlagen durch Sachverständige. Neben verschiedenen weiteren Verpflichtungen des Anlagenbetreibers gilt eine umfängliche Dokumentationspflicht.

Bereits vor Inkrafttreten der Verordnung wurde mit der VDI 2047 Blatt 2 für Verdunstungskühlanlagen ein technisches Regelwerk erarbeitet, dass den Stand der Technik zu den Hygieneanforderungen maßgeblich widerspiegelt. Mit dem Blatt 3 der VDI-Richtlinie 2047 liegt ein solches Regelwerk auch für Kühltürme vor. Neben diesen beiden technischen Regelwerken, die durch die VDI MT 2047 Blatt 4 für Schulungsmaßnahmen zu diesem Thema ergänzt werden, finden sich für die beiden Anlagentypen noch weitere technische Regeln. Abgesehen vom Referenzdokument über die Besten Verfügbaren Techniken bei industriellen Kühlsystemen (BVT) handelt es sich sowohl bei der Richtlinienreihe VDI 2047 als auch der VGB-R 455 und dem VDMA-Einheitsblatt 24649 um nationale technische Regelwerke.

Kapitel 5 stellt diese technischen Regelwerke vor dem Hintergrund der hygienischen Fragestellungen zusammenfassend vor. So soll einerseits das Verständnis der Zusammenhänge zwischen den verschiedenen Teilthemen Mikrobiologie/Hygiene, Anlagentechnik und Kühlwasserqualitäten gefördert werden. Andererseits ist es das Ziel, einen kurzen Überblick zu diesen technischen Regeln zu geben, diese miteinander zu vergleichen und dabei auch die vorhandenen Widersprüche aufzuzeigen. Das ersetzt natürlich im Einzelfall nicht die intensive Lektüre der jeweiligen technischen Regelwerke. Allerdings behandeln sowohl das Referenzdokument über die Besten Verfügbaren Techniken bei industriellen Kühlsystemen (BVT) als auch die VGB-R 455, die beide primär Kühltürme im Anwendungsbereich haben, mikrobiologisch-hygienische Fragestellungen nur am Rande. Hier ist das Blatt 3 der VDI 2047 deutlich aktueller und auf die Hygienethematik fokussiert. Da sich in den Diskussionen zum Umgang mit technischen Regelwerken von privaten Normungsorganisationen oder Verbänden immer wieder auch die Frage nach der rechtlichen Einordnung und deren Verbindlichkeit stellt, wird diese Frage in Kapitel 5 thematisiert. Insbesondere die Blätter der VDI 2047 behandeln die hygienerelevante Anforderungen zu den Themen Planung, Errichtung und Inbetriebnahme, Gefährdungsbeurteilung und Prüfung sowie Betrieb und Instandhaltung, die im Grundsatz auch in der 42. BImSchV beschrieben werden. Es wird dabei an verschiedenen Stellen deutlich, dass die VDI 2047 teilweise eine „Blaupause“ der Verordnung darstellt. Kapitel 5 greift ausschließlich die hygienisch relevanten Aspekte im Zusammenhang mit Verdunstungskühlanlagen und Kühltürmen auf. Diese lassen sich naturgemäß häufig nicht von Anforderungen an den wirtschaftlichen oder technisch sicheren Betrieb trennen.

Es muss das Ziel der Regelwerkssetzung sein, die mit dem Betrieb von Verdunstungskühlanlagen und Kühltürmen verbundenen hygienischen Risiken zu minimieren und weiterhin gleichzeitig einen wirtschaftlichen Anlagenbetrieb zu ermöglichen. Dazu ist es in einem ersten Schritt erforderlich, in den betroffenen Verkehrskreisen das hygienische und technische Wissen um die Risiken, deren Ursachen und mögliche Maßnahmen zur Abhilfe bekannt zu machen. Gleichzeitig bedarf es aber auch gemeinsamer Anstrengungen, um möglichst zahlreiche Erfahrungen,

z. B. rund um die Fragestellungen zur hygienischen Bedeutung von Werkstoffen, zu Wasserqualitäten, zum Einsatz von Betriebsstoffen, der jeweiligen Betriebsweise und den mikrobiologischen Untersuchungen, zusammenzuführen. Nur so wird es auf Dauer möglich sein, die Randbedingungen für den hygienesicheren Betrieb so zu definieren, dass ein maximal wirtschaftlicher Betrieb dieser Anlagen auf Dauer möglich ist. Auf welchem Weg dies zu erreichen ist, lässt sich auch aus den Inhalten der nachfolgenden Kapitel ableiten. Nicht selten kreisen aber bereits zu Beginn der Arbeit an einem Fachbuch Fragen im Kopf des Lesers, von denen wir hier einige antizipiert und mit dem Verweis auf die entsprechenden Kapitel beantwortet haben. Der Leser möge es den Autoren nachsehen, dass einige Fragen keine einfachen Antworten zulassen.

Häufige Fragen zu den verschiedenen Themen und Verweise zu den Kapiteln im Buch:

lfd. Nr.	Frage	Antwort in Kapitel
Grundlagen der Technik von Verdunstungskühlanlagen und Kühltürmen		
1	Was ist ein Kühlturm und was eine Verdunstungskühlanlage; was ist die genaue Definition?	2.5.1; 4.4
2	Was ist unter dem Betrieb von Verdunstungskühlanlagen zu verstehen?	2.5.12
3	Fallen Trockenkühler in den Anwendungsbereich der 42. BImSchV	2.6; 4.4
4	Warum ist bei Verflüssigern ein besonderes Augenmerk auf die Mikrobiologie und die hygienischen Schutzziele gemäß der 42. BImSchV zu legen?	2.8
5	Wie ist die energetische Bewertung von Rückkühlsystemen in Bezug zu den Anforderungen der 42. BImSchV zu sehen?	2.9
Mikrobiologie, Legionellen und gesundheitliche Risiken im Zusammenhang mit Verdunstungskühlanlagen und Kühltürmen		
6	Welche Bedingungen fördern das Wachstum von Mikroorganismen in den Anlagen?	3.1.2; 3.1.5
7	Was sind Biozide, wie wirken sie und unter welchen Randbedingungen?	3.1.7
8	Welche mikrobiologischen Untersuchungen müssen für eine Verdunstungskühlanlage durchgeführt werden?	3.1.6; 4.4
9	Welche mikrobiologischen Untersuchungen müssen für einen Kühlturm durchgeführt werden?	3.1.6; 4.4.
10	Was muss ein Anlagenbetreiber berücksichtigen, wenn er mikrobiologische Untersuchungen beauftragt?	3.1.6.; 4.4
11	Was sagt das Ergebnis der mikrobiologischen Untersuchung der allgemeinen Koloniezahl aus?	3.1.6.2; 3.2
12	Welche Erkrankungen können durch Legionellen ausgelöst werden?	3.2
13	Ab welcher Anzahl von Legionellen im Kühlwasser ist eine Infektion möglich?	3.2
14	Warum ist es notwendig, dass nach Überschreitung des Maßnahmenwerts eine Differenzierung der Legionellen durch eine sogenannte Serotypisierung durchgeführt wird?	3.2; 4.4
15	Wie können die von einer Anlage ausgehenden hygienischen Risiken identifiziert und bewertet werden?	3.3

Gesetzliche Anforderungen an Verdunstungskühlanlagen und Kühltürme

16	Fällt ein Adiabatiksystem im Umlaufbetrieb unter die 42. BImSchV?	**4.4; 5.2.1**
17	Fällt ein Adiabatiksystem mit Frischwasser unter die 42. BImSchV?	**4.4; 5.2.1**
18	Wie ist ein Trockenkühler mit provisorischem Adiabatiksystem (Gardena) zu bewerten?	**4.4; 5.2.1**
19	Fällt ein Hybridkühler unter die 42. BImSchV?	**4.4; 5.2.1**
20	Fällt ein Kaltwassersatz mit Frischwasser-Berieselung unter die 42. BImSchV?	**4.4; 5.2.1**
21	Wer ist im Fall eines Leihgeräts (z. B. Kühlturm) für die Umsetzung der 42. BImSchV verantwortlich?	**4.1**
22	Legt die Aufsichtsbehörde im Falle einer Überschreitung des Maßnahmenwerts einen Kühlturm still, obwohl die gesamte Produktion (z. B. Rechenzentrum) daran hängt?	**4.3**
23	Können im Fall einer Stilllegung (s. Frage 22) Kühlturm/Hybridkühler ohne Wasserkreislauf weiterbetrieben werden?	**4.3**
24	Bei einer Neuinstallation: Ab wann ist die 42. BImSchV anzuwenden; gibt es einen Probebetrieb?	**4.2**
25	Warum wird ein Trockenkühler mit temporärem Adiabatiksystem anders beurteilt (42. BImSchV) als ein Nassabscheider?	**4.4**
26	Was muss man vor dem Hintergrund des Arbeitsschutzrechts beim Betrieb der Anlagen berücksichtigen?	**4.2**
27	Was ist eine hygienisch fachkundige Person?	**4.1**

Anforderungen der technischen Regelwerke an Verdunstungskühlanlagen und Kühltürme

28	Welche rechtliche Bedeutung besitzen technische Regelwerke?	**5.1**
29	Welche Anlagen fallen in den Anwendungsbereich der VDI 2047 Blatt 2?	**5.2.1**
30	Welche Anlagen fallen in den Anwendungsbereich der VDI 2047 Blatt 3?	**5.2.2**
31	Welche Schulungen sind mindestens Voraussetzung für eine hygienisch fachkundige Person?	**5.2.3**
32	Gibt es Anforderungen an den Standort einer Verdunstungskühlanlage?	**5.3.3**
33	Lassen sich aus den technischen Regelwerken Anforderungen an die Ausführung von Tropfenabscheidern ableiten?	**5.3.1**
34	Sind für Werkstoffe von Verdunstungskühlanlagen und Kühltürmen hygienische Anforderungen festgelegt?	**5.3.2**
35	Welche chemisch-physikalischen Untersuchungen sind zur Kontrolle der Kühlwasserqualität vorgegeben?	**4.4; 5.3.6; 5.4.4**
36	Ist der Einsatz von Anlagen zur UV-Desinfektion von Kühlwasser geregelt?	**3.1.7; 5.3.6**

2 Technische Grundlagen von Verdunstungskühlanlagen und Kühltürmen

In diesem Kapitel werden die technischen Grundlagen der Kühlung von Prozessen durch das Verdunsten von Wasser in Luft durch Nasskühltürme, Trockenkühltürme, Hybride (also Trocken- und Nasskühltürme), Adiabatiksysteme etc. beschrieben. Auch wenn sich nicht direkt ein Zusammenhang zwischen diesen grundlegenden technischen Vorgängen im Kühlturm und den in diesem Buch thematisierten mikrobiologischen Themenstellungen herstellen lässt, so ist dieses Verständnis doch notwendig, um in der Praxis die Anlagentechnik und den Einfluss auf die technische Hygiene beurteilen zu können. Weiterhin dient dieses Kapitel der Beschreibung der unterschiedlichen Anlagentechniken und unterstützt somit die richtige Anwendung der 42. BImSchV und der technischen Regelwerke für die verschiedenen Anlagentypen.

2.1 Einleitung

Die Aufgabe eines Kühlturms ist die Abgabe einer Wärmemenge an die Umgebung. Insbesondere Kraftwerke verfügen über einen Kühlturm, um die anfallende Abwärme der Dampfturbinen abzuführen, soweit sie nicht nutzbar ist (z. B. als Fernwärme). Selbst wenn die Wärme genutzt wird (Kraft-Wärme-Kopplung), kann ein Kühlturm unter besonderen Umständen (z. B. verminderter Wärmebedarf im Sommer) die überschüssige Wärme abführen. Ein Kühlturm wird z. B. ständig eingesetzt, um den elektrischen Wirkungsgrad zu erhöhen, indem man den Druck im Wasserdampf-Kondensator vermindert.

Auch wenn bei einem Kraftwerk Flusswasser zur Kühlung verfügbar ist, wird meist ein Kühlturm eingesetzt, um einen Großteil der Abwärme in die Umgebungsluft abzugeben. Hiermit wird ein hoher Wärmeeintrag in den Fluss vermieden, der sonst negative Auswirkungen auf die Fauna und Flora haben könnte. Das zu kühlende Wasser fließt zunächst durch den Kühlturm und wird erst danach durch einen Wärmeüberträger mit Flusswasser noch weiter abgekühlt, um einen höheren Wirkungsgrad des Kraftwerks zu ermöglichen.

Das elementare Grundprinzip eines Kühlturms ist, Wärme vom warmen Kühlwasser auf die kühlere Umgebungsluft zu übertragen. Wegen der geringen Wärmekapazität von Luft müssen durch einen Kraftwerkskühlturm große Luftmengen bewegt werden. Dies geschieht in der Regel rein passiv über den sogenannten Kamineffekt: Die erwärmte Luft im Kühlturm dehnt sich aus, verliert also an Dichte, erfährt somit einen Auftrieb und steigt nach oben. Von unten wird frische Luft nachgeführt. Ein ausreichend starker Kamineffekt erfordert eine gewisse Höhe des Kühlturms. Wesentlich niedrigere Bauformen sind möglich, indem die Luft zusätzlich mit Ventilatoren angetrieben wird. Hierdurch wird ein weiterer Energieaufwand, der den Gesamtwirkungsgrad beeinträchtigt, erforderlich.

Die Effektivität eines Kühlturms kann deutlich gesteigert werden, indem nicht nur die Luft erwärmt, sondern auch Wasser verdunstet wird. In einem solchen Nasskühlturm wird das zu kühlende Wasser versprüht, sodass einerseits ein guter Wärmekontakt mit der Luft erfolgt und andererseits ein Teil des umgewälzten Wassers verdunstet. Die Verdunstung von Wasser in Luft führt zur Wärmeabfuhr als latente Wärmemenge. Oberhalb des Kühlturms kondensiert ein Teil des erzeugten Wasserdampfs wieder aus, wodurch Dampfschwaden entstehen können.

Nasskühltürme sind bedingt durch die latente Wärmeübertragung besonders effektiv, d. h., sie können große Wärmemengen abführen und das Kühlwasser auf relativ niedrige Temperaturen bringen. Nachteile sind der Wasserverbrauch und die Schwadenbildung. Außerdem sind bei Umlaufkühlung (Nutzung des Wassers in einem Kreislauf) Maßnahmen z. B. gegen Algenbewuchs, Verkalkung und Legionellen erforderlich.

An besonders kalten Standorten besteht die Gefahr des Einfrierens. All dies wird mit Trockenkühltürmen vermieden, in welchen das Kühlwasser mit der Luft nicht in Berührung kommt; es durchfließt lediglich einen Wärmeübertrager mit Lamellen, welche die Wärme an die Luft abgeben. Trockenkühltürme sind weniger effektiv und beeinträchtigen somit den Wirkungsgrad der jeweiligen Anwendung (siehe Kapitel 2.6).

Eine Mischlösung ist die Hybridkühlung (siehe auch Kapitel 2.4), bei der Wasser in geringeren Mengen verdunstet. Hier sind starke Ventilatoren nötig, mit denen ein warmer Luftstrom dem Dampf beigemischt wird, sodass die Abluft weniger feucht ist und entsprechend weniger starke Dampfschwaden bildet.

Die thermodynamischen Vorgänge in einem Kühlturm lassen sich mittels der Zustandsgrößen der feuchten Luft beschreiben.

2.2 Zustandsgrößen der feuchten Luft

Luft setzt sich aus einem Anteil trockener Luft und einem Anteil Wasserdampf zusammen und ist daher immer „feuchte Luft". Dies wird an alltäglichen Phänomenen deutlich, wie z. B. anhand des Wasserdampfs, der beim Duschen oder Kochen entsteht und von der Raumluft aufgenommen wird, ebenso bei der Kondensation des in der Luft enthaltenen Wasserdampfs an kalten Oberflächen, z. B. an einer gekühlten Flasche oder an einfachverglasten Fenstern im Winter etc. Betrachtet man Luft, so müssen bei der Definition der Zustandsgrößen die Eigenschaften sowohl der trockenen Luft als auch des Wasserdampfs berücksichtigt werden. Diese Zustandsgrößen und insbesondere Zustandsänderungen von feuchter Luft lassen sich im sogenannten Mollier- oder auch im h,x-Diagramm darstellen.

Richard Mollier (1863 bis 1935) war Professor für angewandte Physik und Maschinenbau in Göttingen und Dresden und ein Pionier der Erforschung physikalischer Daten für die Wärmelehre, insbesondere für Wasser, Dampf und feuchte Luft.

2.3 Aufbau des Mollier- bzw. h,x-Diagramms

2.3.1 Temperatur und Isothermen

Die Temperaturskala dient als Grundmaßstab für das Mollier-Diagramm (siehe Bild 2.1). Je nach gewünschter Temperatur wird sie auf der Vertikalen aufgetragen. In der Klimatechnik variiert die Temperaturskala von etwa –15 °C bis +50 °C. Die Isothermen sind von links nach rechts gezeichnete Hilfslinien. Diese Linien beschreiben einen Zustand mit konstanter Lufttemperatur. Bei 0 °C verläuft die Isotherme parallel zur waagrechten Achse und bei höheren Temperaturen nach rechts zunehmend ansteigend – aufgrund des Wärmeinhalts des hierbei zunehmenden Wassergehalts.

Es wird die Trockentemperatur t, die üblicherweise mit einem herkömmlichen Thermometer gemessen wird, von der Feuchttemperatur t_f unterschieden, die sich an einem mit feuchtem Baumwollgewebe überzogenen Thermometer einstellt. Im Kontakt mit der Luft verdampft das im Baumwollgewebe enthaltene Wasser, sodass durch den Entzug der Verdampfungsenthalpie und der damit verbundenen Abkühlung das Thermometer in ungesättigter Luft eine Temperatur unterhalb der Trockentemperatur anzeigt. Diese Feuchttemperatur ist abhängig von der relativen Feuchte der Luft. Ist die relative Feuchte hoch, wird wenig Wasser verdampfen, das heißt, die Feuchttemperatur liegt dann nur wenig unterhalb der Trockentemperatur. Bei trockener Luft (also geringer relativer Feuchte) liegt die Feuchttemperatur weit unterhalb der Trockentemperatur.

2.3.2 Absolute Feuchtigkeit

Der Wassergehalt beschreibt die absolute Feuchte der Luft x und wird als zweite wichtige Zustandsgröße senkrecht auf einer Achse im Mollier-Diagramm aufgetragen. Diese vertikal verlaufenden Hilfslinien sind Linien mit einem konstanten Wassergehalt. Wenn die Trockentemperatur und der Wassergehalt x bekannt sind, lässt sich der Zustandspunkt dieser Luft im h,x-Diagramm eindeutig festlegen. Die Maßeinheit für die absolute Feuchte oder den Wassergehalt x ist: Gramm Wasser je Kilogramm trockene Luft (g/kg).

Die relative Feuchte bezeichnet das Verhältnis des Wasserdampfanteils in der Luft zum maximalen Wasseranteil, also Sättigung bei gleicher Temperatur T. Die relative Feuchte eines Luftzustands liegt somit zwischen 0 % (trockene Luft) und 100 % (mit Wasserdampf gesättigte Luft) annehmen.

2.3.3 Dampfdruck

Der Druck ist die Kraft (in Newton), die auf eine Oberfläche (in m^2) einwirkt. Der Druck, der durch das Gewicht der Luft auf die Erdoberfläche ausgeübt wird, ist der atmosphärische Druck. Auf Meereshöhe beträgt dieser Druck im Durchschnitt 1.013 mbar = 760 mmHg. Im internationalen Einheitensystem (SI-Einheiten) lautet die Druckeinheit wie folgt:

$$1 \text{ Newton/m}^2 = 1 \text{ N/m}^2 = 1 \text{ Pa (Pascal)}$$

In der Klimatechnik wird die Einheit Bar jedoch häufiger verwendet:

1 bar = 1.000 mbar (Millibar) = 100.000 Pa

Der Dampfdruck des Wasserdampfs ist ein Teil des gesamten Luftdrucks und wird deshalb auch als Teil- oder Partialdruck des Wasserdampfs bezeichnet. Dieser Partialdruck hängt vom Mischungsverhältnis Wasserdampf/trockene Luft ab. Je höher der Wasserdampfanteil ist, umso größer ist der Partialdruck des Wasserdampfs p_D. Man kann deshalb auf einer parallelen Horizontalen zum Wassergehalt x den Partialdampfdruck p_D in mbar darstellen und so aus dem Diagramm leicht ermitteln, welcher Partialdruck p_D einem bestimmten Wassergehalt x g/kg entspricht (beispielsweise: x = 6 g/kg ⇨ $p_D \approx 9{,}5$ mbar).

2.3.4 Sättigungsdruck und Sättigungslinie

Weiterhin existiert der Begriff Taupunkttemperatur t_t, bei der die Luft vollständig (also zu 100 %) mit Wasserdampf gesättigt ist. Dies bedeutet, dass bei Unterschreitung der Taupunkttemperatur die Kondensation des in der Luft befindlichen Wasserdampfs beginnt. Bei der Ermittlung der Masse m in kg einer Luftmenge müssen die Masse der trockenen Luft und die Masse des Wasserdampfs berücksichtigt werden. Die Wasserdampfkonzentration und somit auch der Partialdruck wird so lange erhöht, bis der Sättigungsdruck p_S erreicht ist. Weiterer Wasserdampf kann nicht mehr von der Luft aufgenommen werden, weil der Partialdruck über den Sättigungsdruck steigen würde. In diesem Fall wird der Dampf kondensieren und als feine Nebeltropfen sichtbar werden (z. B. als Schwaden). Der Sättigungsdruck p_S ist abhängig von der Lufttemperatur und vom Luftdruck (konstant im Diagramm). Der Sättigungsdruck p_S kann für jede Temperatur bis 100 °C bestimmt und in das Mollier-Diagramm eingetragen werden. So kann z. B. Luft von 20 °C (bei 1.013 mbar) maximal 14,7 g/kg Wasserdampf aufnehmen. Wenn man im h,x-Diagramm die Sättigungsdrücke der verschiedenen Temperaturen miteinander verbindet, bildet sich die sogenannte Sättigungslinie (Taupunktlinie) ab.

2.3.5 Sättigungstemperatur und Taupunkttemperatur

Stellt man Zustandsänderungen im Mollier-Diagramm dar, zeigt sich, dass die Sättigungslinie sowohl durch Erhöhung des Wassergehalts x als auch durch das Abkühlen der Luft erreicht werden kann. Kühlt man Luft mit einem absoluten Wassergehalt von x = 6 g/kg von +20 °C auf +5 °C ab, so wird bei ca. +6,5 °C die Sättigungslinie erreicht. Eine weitere Abkühlung auf 5 °C muss also zwangsläufig zur Kondensatausscheidung führen. Man bezeichnet deshalb den Schnittpunkt einer vertikalen x-Linie mit der Sättigungslinie als Taupunkt und die entsprechende Temperatur als Taupunkt- oder Sättigungstemperatur. Der Wasserdampf kondensiert an Flächen und Körpern, deren Temperatur unterhalb der Taupunkt- oder Sättigungstemperatur liegt. Es kommt somit zu einer Tropfenbildung. Wenn man z. B. ein Wasserdampf/Luft-Gemisch entfeuchten will, wird man es so tief abkühlen, bis seine Taupunkttemperatur unterschritten wird. Je größer die Taupunktunterschreitung ist, umso höher wird der Entfeuchtungseffekt.

2.3.6 Linien mit konstanter relativer Feuchtigkeit

Entlang der Sättigungslinie (Taupunktlinie) ist die Luft zu 100 % mit Wasserdampf gesättigt, d.h., die relative Feuchte beträgt 100 %. Enthält die Luft aber beispielsweise nur die Hälfte, also 50 % der Sättigungs-Wasserdampfmenge, dann bezeichnet man diesen Sättigungsgrad mit φ = 50 % relativer Feuchte (r. F.). Trägt man nun im h,x-Diagramm (siehe Bild 2.1) zu jeder Temperatur den Punkt mit 50 % der entsprechenden Sättigungs-Wasserdampfmenge ein, so ergibt die Verbindung aller Punkte eine Linie mit einer konstanten relativen Feuchte φ von 50 %.

Beispiel:

- bei einer Temperatur von θ = 17,5 °C, x = 12,4 g/kg: relative Feuchte φ = 100 %
- bei einer Temperatur von θ = 17,5 °C, x = 6,2 g/kg: relative Feuchte φ = 50 %
- bei einer Temperatur von θ = 7,5 °C, x = 6,4 g/kg: relative Feuchte φ = 100 %
- bei einer Temperatur von θ = 7,5 °C, x = 3,2 g/kg: relative Feuchte φ = 50 %

2.3.7 Linien mit konstanter Enthalpie

Die spezifische Enthalpie h der feuchten Luft setzt sich zusammen aus der Enthalpie der trockenen Luft und der Enthalpie des Wasserdampfanteils.

Die Enthalpie des Wasserdampfs besteht wiederum aus zwei Komponenten, nämlich der Verdampfungswärme und der Überhitzungswärme. Um die Enthalpie des Wasserdampfs zu ermitteln, geht man davon aus, dass Wasser bei 0 °C und dem dazugehörenden Sättigungsdruck verdampft. Dazu ist eine Energie von r = 2.500 kJ/(kg·W) erforderlich. Zusätzlich muss die Überhitzungswärme des Wasserdampfs berücksichtigt werden, die mithilfe der spezifischen Wärmekapazität c_{pw} bestimmt wird.

Die Enthalpie h (Wärmeinhalt in kJ/kg) der feuchten Luft setzt sich aus der Enthalpie der trockenen Luft und der des Wasserdampfanteils zusammen. Die spezifische Wasserdampfenthalpie ist viel größer als die von trockener Luft. Daher enthält Wasserdampf einen wesentlichen Anteil der Enthalpie von feuchter Luft. Ab diesem Zustand kann die Enthalpie für jeden Punkt des Graphen berechnet werden, indem der Energieaufwand für die Luftaufheizung und Wassererwärmung summiert wird. Wenn Wasser in die Luft gesprüht wird oder die Luft mit feuchten Oberflächen in Berührung kommt, verdunstet das Wasser und eliminiert die Verdampfungswärme ausschließlich aus der resultierenden Mischung. Da bei diesem Vorgang praktisch keine externe Energie von außen zugeführt oder abgeleitet wird, ändert sich die Enthalpie des Luft/Wasser-Gemischs nicht und die Zustandsänderung setzt sich bei konstanter Enthalpie fort. Dieses ist eine adiabatische Zustandsänderung. Es gibt jedoch eine Verschiebung zwischen dem abnehmenden fühlbaren Anteil und dem zunehmenden latenten Anteil der in der Luft enthaltenen Wärme.

Diese Verschiebung bewirkt, dass die Luft abkühlt. In dem Diagramm wird die Steigung der Linien mit konstanter Enthalpie (Isenthalpen oder Adiabate) durch das Verhältnis zwischen dem sensiblen und dem latenten Wärmeinhalt bestimmt. Vorausgesetzt, dass die Auslegung der Isothermen die unterschiedliche spezifische Wärme von trockener und feuchter Luft berücksichtigt, sind die Isenthalpen parallel. Die Enthalpie-Skala ist im h,x-Diagramm unterhalb der Sättigungslinie dargestellt. Auf dieser Skala können wir die definierte Enthalpie für die Luft mit einer Temperatur von $\theta = 20$ °C und einer absoluten Feuchte von $x = 6$ g/kg, 35 kJ/kg ablesen.

Eine der wichtigsten Berechnungen für die Luftbehandlung ist die Bestimmung der Wärmemenge, die benötigt wird, um die gewünschten Temperatur- und Feuchtigkeitsbedingungen im Raum zu erreichen. In diesem Fall muss die Luft, deren Zustand bekannt ist, durch geeignete Behandlung, wie Mischen, Heizen, Kühlen, Befeuchten oder Entfeuchten, in einen anderen erforderlichen Zustand überführt werden. Die meisten dieser Behandlungsarten führen auch zu einer Veränderung des Wärmeinhalts der behandelten Luft.

In der Thermodynamik bezieht sich die spezifische Enthalpie h, ausgedrückt in kJ/kg, auf den Wärmeinhalt einer 1 kg schweren Substanz. Die absolut trockene Luft mit einer Temperatur $\theta = 0$ °C und einem theoretischen Wassergehalt von $x = 0$ g/kg hat einen definierten Wärmeinhalt $h = 0$ kJ/kg. Dieser Zustand entspricht dem festen Nullpunkt der Enthalpie-Skala.

Enthalpiewerte < 0 kJ/kg werden negativ (–) bezeichnet. Der Unterschied in der Enthalpie, d. h. zwischen den Anfangs- und Endzuständen einer Luftbehandlung, kann leicht grafisch aus dem h,x-Diagramm bestimmt werden. Wird dann die Masse der behandelten Luft in kg mit der grafisch ermittelten Enthalpiedifferenz Δh multipliziert, so ergibt sich die für diese Zustandsänderung erforderliche Wärmemenge in kW.

2.3.8 Feuchtkugel- oder Feuchttemperatur

Ein anderer Ausdruck der Thermodynamik von feuchter Luft ist die sogenannte „Feuchtkugeltemperatur" t_F. Die Luft kann durch Verdampfen des Wassers bis zur Sättigung befeuchtet werden. Wenn das zu verdampfende Wasser bereits die Temperatur der Luft hat, ist für dessen Verdampfung nur eine latente Wärmemenge erforderlich, die durch sensible Wärmeabfuhr (Verdunstungskühlung) der Luft entzogen wird. In dieser Situation tritt also eine Zustandsänderung mit konstanter Enthalpie auf, bis der Sättigungsdruck (Schnittpunkt mit der Sättigungslinie) erreicht ist.

Die Temperatur dieses Schnittpunkts der Isenthalpen mit der Sättigungslinie wird in der Klimatechnik als Feuchtkugeltemperatur oder Kühlgrenze bezeichnet. Will man die Linien mit konstanter Feuchtkugeltemperatur (adiabatisch) in das h,x-Diagramm eintragen, so stellt man fest, dass sie die gleiche Steigung wie die Isenthalpen haben müssen. Für genaue Berechnungen sollte man jedoch sicherstellen, dass die Berechnung der Enthalpie auch auf der Enthalpie des Wassergehalts, bezogen auf 0 °C, basiert.

Im Fall von Adiabaten wird davon ausgegangen, dass die Wassertemperatur zu Beginn der Änderung des Zustands gleich der Temperatur der Luft ist. Dies bewirkt eine leichte Änderung der Neigung von Adiabaten im Vergleich zu Isenthalpen.

Die Feuchtkugeltemperatur wird mit einem Psychrometer gemessen. Das Psychrometer enthält zwei Thermometer. Ein Thermometer befindet sich in einer saugfähigen Stoffsocke, die vor jeder Messung mit reinem Wasser getränkt wird. Während der Messung muss das „nasse" Thermometer dem Luftvolumenstrom der zu messenden Luft ausgesetzt werden, um den Verdampfungsprozess zu bewirken.

Dies geschieht durch einen kleinen installierten Ventilator. Der Messvorgang sollte mindestens so lange dauern (ca. 1 bis 2 min.), bis das nasse Sensorelement die Kühlgrenztemperatur bzw. die Feuchtkugeltemperatur erreicht hat. Mit einem Psychrometer können praktisch alle Luftbedingungen gemessen und in Kombination mit einem h,x-Diagramm definiert werden. Will man im Diagramm die Feuchtkugeltemperatur für einen Punkt der Luftzufuhr bestimmen, so zieht man von diesem Punkt eine Linie parallel zu den Isenthalpen bis zur Sättigungslinie. Die Temperatur des Schnittpunkts dieser Linie mit der Sättigungslinie ist die Feuchtkugeltemperatur dieses Klimatisierungszustands. Für eine definierte Klimaanwendung mit einer Temperatur von $\theta = 20$ °C und einer absoluten Feuchtigkeit von $x = 6$ g/kg ergibt sich eine Feuchtkugeltemperatur von etwa 13 °C.

2.3.9 Dichte

Die Dichte gibt die Masse m in kg einer Substanz mit einem Volumen V von einem Kubikmeter an. Die Dichteeinheit ρ ist daher kg/m^3 feuchte Luft und hängt von drei verschiedenen Kriterien ab:

- vom atmosphärischen Druck: Das h,x-Diagramm wird immer nur für einen bestimmten barometrischen Druck aufgezeichnet. Es ist daher wichtig, sicherzustellen, dass ein Diagramm für die Berechnung der Klimatisierung verwendet wird, das für die entsprechende Höhe über dem Meeresspiegel (also den zugehörigen Luftdruck) gilt. Wenn keine dieser Informationen verfügbar ist, werden die Variablen auf den erforderlichen Luftdruck umgerechnet. Die Dichte der trockenen Luft beträgt bei 0 °C auf Höhe des Meeresspiegels $\rho = 1{,}293$ kg/m^3, die Dichte des Wasserdampfs liegt bei $\rho = 0{,}804$ kg/m^3
- von der Temperatur: Je höher die Temperatur der Luft ist, umso mehr dehnt sie sich aus und ihre Dichte nimmt somit ab.
- von dem Wasserdampfgehalt: Wasserdampf ist spezifisch leichter als Luft. Infolgedessen nimmt die Dichte der Mischung mit zunehmendem Wasserdampfgehalt ab. Linien konstanter Dichte müssen somit nach rechts geneigt sein. Hieraus ergibt sich, dass feuchte Luft, die schwerer ist als trockene Luft, nach oben steigt und dadurch beispielsweise in Gebäuden Schimmelbildung eher im Deckenbereich entsteht.

2.4 Zustandsänderungen im h,x-Diagramm

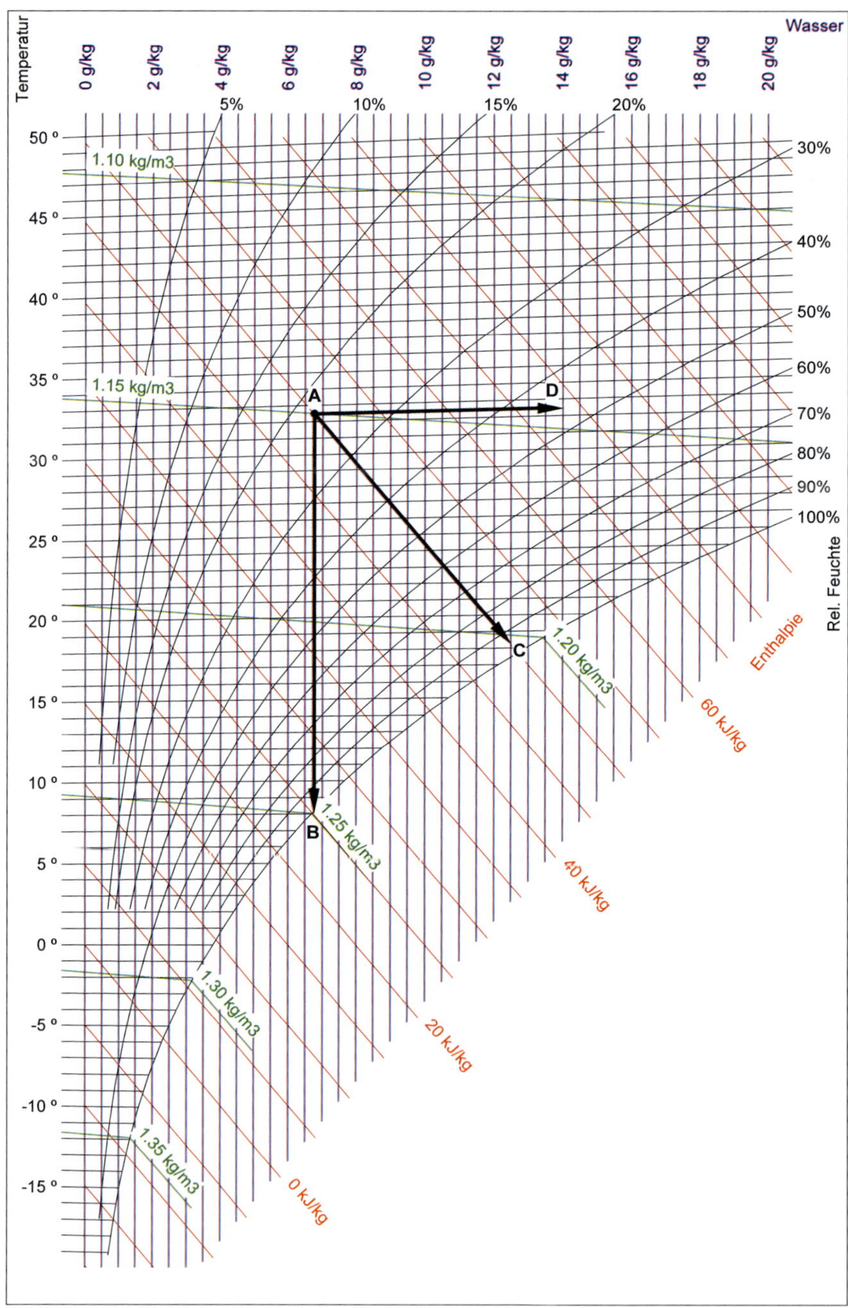

Bild 2.1: Zustandsänderungen im h,x-Diagramm (Quelle: www.dolder-ing.ch)

Sind von einem Luftzustand zwei Zustandsgrößen, zum Beispiel die Trockentemperatur t und die relative Feuchte, bekannt, so lässt sich der Zustandspunkt im h,x-Diagramm darstellen. Werden nun bestimmte Luftbehandlungen durchgeführt, wie Erwärmung oder Abkühlung, so verändert sich die Lage des Zustandspunkts.

Zustandsänderungen beim Erwärmen und Abkühlen

Bei den Zustandsänderungen *Erwärmen* und *Abkühlen* feuchter Luft bleibt der Wassergehalt x konstant, sodass diese Zustandsänderungen im h,x-Diagramm auf einer senkrechten Linie nach oben beziehungsweise nach unten verlaufen. Damit verbunden ist sowohl eine Änderung der Trocken- und Feuchttemperatur als auch der relativen Feuchtigkeit und der spezifischen Enthalpie h der feuchten Luft. Sind beide Luftzustände vor und nach der Erwärmung beziehungsweise Abkühlung bekannt, so können diese ins h,x-Diagramm eingetragen und die jeweils zugehörige Enthalpie h abgelesen werden. Aus der Differenz der beiden spezifischen Enthalpiewerte ergibt sich pro kg trockener Luft die zu- oder abzuführende Wärmemenge. Der dabei übertragene Wärmestrom Q kann mittels des Massenstroms der trockenen Luft berechnet werden.

Zustandsänderungen an einem Oberflächenkühler

Betrachtet man einen Wärmeübertrager, der zur Kühlung der Luft eingesetzt wird, so wird sich bei einer bestimmten Wassertemperatur die oben beschriebene Zustandsänderung einstellen, welche durch die Luftzustände A und B dargestellt sind. Aufgrund der endlichen Wärmeübertragungsfläche und Verweilzeit wird der aus dem Wärmeübertrager austretende Luftstrom die Wassertemperatur nicht erreichen, sondern stets eine etwas höhere Temperatur annehmen. Liegt die Wassertemperatur unterhalb der Taupunkttemperatur des Luftzustands, wird sich der Luftstrom zunächst abkühlen, bis die Sättigungslinie (100 %) im Zustandspunkt B erreicht ist (siehe Bild 2.1). Dann wird ein Teil des in der Luft enthaltenen Wassers auskondensiert.

Befeuchtung mit Sattdampf

Bei der Befeuchtung von Luft mit Sattdampf wird diese bis auf einen bestimmten neuen Luftzustand mit Wasserdampf angereichert. Es ändert sich auch die Dichte (geringe Zunahme), die relative Feuchte (nimmt zu), die Enthalpie und der absolute Wassergehalt der Luft (nehmen zu). Nur die Temperatur bleibt konstant. Dabei ist zur Bestimmung des neuen Luftstands die zugeführte Sattdampfmenge entscheidend. Die Befeuchtung verläuft, wie oben dargestellt, von links (Zustandspunkt A) nach rechts (Zustandspunkt D). Entscheidend ist bei dieser Art der Befeuchtung die Zuführung von gesättigtem Dampf (reiner Dampf von 100 °C, nicht überhitzt).

Befeuchtung/Kühlung mit Wasser (adiabate Kühlung)

Bei der Befeuchtung von Luft mit Wasser befeuchtet und kühlt man diese bis auf einen bestimmten neuen Luftzustand (siehe Bild 2.1; Zustandsänderung A–C). Es ändern sich auch die Dichte (nimmt zu), die relative Feuchte (nimmt zu) und der absolute Wassergehalt der Luft (nimmt zu). Nur die Enthalpie bleibt konstant. Dabei ist zur Bestimmung des neuen Luftstands die zugeführte Wassermenge entscheidend.

Kühlgrenze – Kühlgrenztemperatur (TKG)

Die durch Verdunstungskühlung maximal erreichbare Temperatur wird als Kühlgrenze bezeichnet. Diese für Kühltürme und Adiabatiksysteme relevante Grenztemperatur ist somit nicht die Umgebungstemperatur, sondern die Feuchtkugeltemperatur der Luft. Bei warmen und trockenen Umgebungsbedingungen ist eine Abkühlung bis unterhalb der Umgebungstemperatur möglich. Diese durch Verdunstungskühlung maximal erreichbare Temperatur kann nicht berechnet werden, sondern muss mithilfe des h,x-Diagramms oder iterativ ermittelt werden. Im h,x-Diagramm ergibt sich die Kühlgrenze eines beliebigen Luftzustands als Schnittpunkt der Nebelisotherme mit der Sättigungslinie.

Kühlgrenzabstand (KGA):

Bei luftgekühlten Rückkühlsystemen sind den Rücklauftemperaturen physikalische Grenzen gesetzt. Bei trockenen Systemen sind die Umgebungslufttemperaturen maßgebend und bei Verdunstungssystemen die Feuchtkugeltemperaturen.

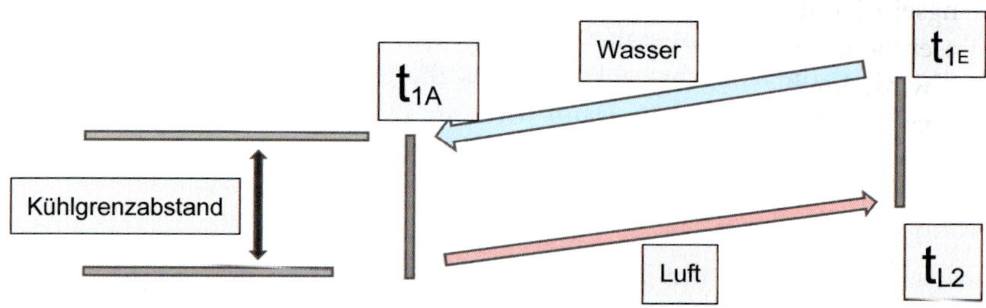

Bild 2.2: Kühlgrenzabstand (KGA)

Bei trockenen Systemen gilt ein Kühlgrenzabstand (KGA) von ca. 6 K bis 8 K noch als wirtschaftlich, d.h., bei 34 °C Außenlufttemperatur kann wirtschaftlich eine Rücklauftemperatur von ca. 40 °C realisiert werden. Bei Verdunstungssystemen gilt ein wirtschaftlicher KGA von 4 K bis 7 K, d.h., man kann Rücklauftemperaturen von 26 °C bis 29 °C realisieren, wenn eine Feuchtkugeltemperatur von 22 °C vorliegt.

2.5 Kühltürme (Verdunstungskühlanlagen)

2.5.1 Definition Kühlturm und Verdunstungskühlanlage

Die 42. BImSchV unterscheidet lediglich drei unterschiedliche Anlagen gemäß ihrem Anwendungsbereich:

> § 1 Anwendungsbereich
>
> (1) Diese Verordnung gilt für die Errichtung, die Beschaffenheit und den Betrieb folgender Anlagen, in denen Wasser verrieselt oder versprüht wird oder anderweitig in Kontakt mit der Atmosphäre kommen kann:
>
> 1. Verdunstungskühlanlagen,
> 2. Kühltürme und
> 3. Nassabscheider.

Gemäß den Begriffsbestimmungen gilt für einen Kühlturm der 42. BImSchV:

> § 2 Begriffsbestimmung
>
> 5. „Kühlturm“: eine Anlage, bei der durch Verdunstung von Wasser Wärme an die Umgebungsluft abgeführt wird, insbesondere bestehend aus einer Verrieselungs- oder Verregnungseinrichtung für Kühlwasser und einem Wärmeübertrager, in der die Luft im Wesentlichen durch den natürlichen Zug, der im Kaminbauwerk des Kühlturms erzeugt wird, durch den Kühlturm gefördert wird, und einer Kühlleistung von mehr als 200 Megawatt je Luftaustritt einschließlich der Nassabscheider, deren gereinigte Rauchgase über den Kühlturm abgeleitet werden; der Einsatz drückend angeordneter Ventilatoren zur Unterstützung der Luftzufuhr ist unschädlich, soweit diese das Charakteristikum des Kühlturms nur unwesentlich beeinflussen.

Gemäß den Begriffsbestimmungen gilt für eine Verdunstungskühlanlage der 42. BImSchV:

> § 11. „Verdunstungskühlanlage“: eine Anlage, bei der durch Verdunstung von Wasser Wärme an die Umgebungsluft abgeführt wird, insbesondere bestehend aus einer Verrieselungs- oder Verregnungseinrichtung für Kühlwasser und einem Wärmeübertrager, ausgenommen Kühltürme.

Diese Definitionen in der 42. BImSchV stellen eine erhebliche Diskrepanz zum allgemeinen Verständnis des Begriffs Kühlturm in der Kälte- und Klimatechnik dar. In der Verordnung werden Anlagen ab einer Kühlleistung von mehr als 200 Megawatt mit natürlichem Zug als Kühlturm und kleinere zwangsbelüftete Anlagen als Verdunstungskühlanlage definiert, wohingegen in der Kälte- und Klimatechnik auch Verdunstungskühlanlagen (gem. Definition 42. BImSchV) als Kühlturm bezeichnet werden. In den folgenden Abschnitten dieses Kapitels sind Anlagen mit natürlichen Zug ausgeklammert, da die Zahl dieser Anlagen überschaubar ist und für deren Betreiber ausreichend detailliertere Literatur vorliegt. Somit sind die Begriffe Kühlturm und Verdunstungskühlanlage in der folgenden technischen Beschreibung (gem. der Verwendung in der Kälte- und Klimatechnik) gleichzusetzen.

2.5.2 Aufbau und Funktion von Verdunstungskühlanlagen

Der Aufbau von Verdunstungskühlanlagen (Kühltürme) umfasst drei Hauptgruppen:

1. bautechnischer Teil
2. kühltechnischer Teil
3. maschineller Teil

Der bautechnische Teil besteht aus dem Kaltwasserbecken zur Sammlung des rückgekühlten Wassers, der Turmkonstruktion und dem Ventilatoraufbau. Die Bauformen sehen Reihen- oder Blockanordnung der Zellen im Gegen- oder Kreuzstrom vor. Bevorzugte Baustoffe sind Stahlbeton, Stahl-Rahmenkonstruktionen und seltener Holz. Kombinationen dieser Baustoffe sind ebenfalls üblich.

Der kühltechnische Teil enthält die Wasserverteilung, den Kühleinbau (Füllkörper) und den Tropfenabscheider. Die Wasserverteilung erfolgt offen mittels Verteilkanälen. Die entsprechenden Wasserverteildüsen unterschiedlicher Bauart verteilen das Warmwasser gleichmäßig über die Oberfläche des Kühleinbaus. Tropfenabscheider sind unbedingt erforderlich, um Wasserverluste, die vom Luftstrom mitgerissen und in die Umwelt ausgetragen werden, zu vermeiden.

Der maschinelle Teil setzt sich zusammen aus den Ventilatoren (Axialventilator oder Radialventilator), dem Antriebssystem und dem Elektromotor.

Eine Verdunstungskühlanlage (Kühlturm) ist grundsätzlich ein Wärmeübertrager, der die technisch nicht nutzbare Wärme eines Kreislaufprozesses an die Umgebung überträgt. Hierzu wird eine ausreichende Luftmenge durch den Kühlturm geführt, um die Wärme des Kühlwassers an die Umgebung abgeben zu können. Die Luftzirkulation (Ein- und Austritt) im Kühlturm geschieht mithilfe eines axialen oder radialen Ventilators. Im Inneren des Kühlturms befinden sich Füllkörper, die für eine vergrößerte Wärmeübertragungsoberfläche sorgen; so kommen Wasser und Luftstrom intensiver miteinander in Berührung. Der erforderliche Luftstrom zur Kühlung wird durch einen Lüfter im Gegen- oder Kreuzstrom zur Wasserstromrichtung erzeugt. Der Auslass-Wasserstrom wird in den Kühlturm gepumpt und gleichmäßig durch Sprühdüsen auf der Kühlerfläche verteilt. Die Verdunstung des Aerosols gegen den Luftstrom findet auf der Kühlerfläche statt und somit erfolgt der Kühleffekt. Das gekühlte Wasser wird in einer Auffangwanne im Boden des Kühlturms gesammelt und umgepumpt. Wie das h,x-Diagramm im Bild 2.1 zeigt, wird die Temperaturdifferenz im Wasserstrom durch den Kühlturm als „Kühlzonenbreite“ bezeichnet. Die Differenz zwischen der Temperatur des Kühlwassers am Austritt aus dem Kühlturm und der Feuchtkugeltemperatur des in den Kühlturm eintretenden Kühlluftstroms ist der „Kühlgrenzabstand“. Da der Partialdruck des Wasserdampfs in der Luft niedriger ist als der im Wasser, verdunstet ein Teil des Wassers (Verdunstungsprinzip). Die benötigte latente Wärmeenergie (Verflüssigungsenthalpie) wird dem Wasser somit entzogen. Obwohl ein Wärmeübergang zwischen dem Wasser und der Luft stattfindet, wird der Kühleffekt vornehmlich durch die Verdunstung des Wasserstroms hervorgerufen; der Luftstrom durch den Kühlturm nimmt dabei den bei der Verdunstung entstehenden Wasserdampf auf. Die Güte dieser Wärmeübertragung ist von der Enthalpie der Luft und ihrer Feuchtkugeltemperatur abhängig. Die Leistung eines Kühlturms wird von den folgenden Faktoren beeinflusst, die für die Verdunstung des Wassers entscheidend sind:

- Geschwindigkeit des Luftvolumenstroms durch den Kühlturm
- Strömungsrichtung des Luftvolumenstroms zum Wassermassenstrom
- berieselte Kühlerfläche, die vom Luftvolumenstrom berührt wird
- Dampfdruckdifferenz zwischen Luft und Wassermassenstrom

In einem Kühlturm werden ca. 2/3 des Wärmestroms (Abwärme) durch Verdunstung (Stoffübertragung) und nur ca. 1/3 des Wärmestroms durch Konvektion (Wärmeübertragung) an die Umgebungsluft abgeführt.

2.5.3 Ventilator-Bauarten

Im Kühlturmbau werden Radial- und Axialventilatoren eingesetzt. Grundsätzlich werden bei kleinen und mittleren Leistungen Radialventilatoren aufgrund der niedrigeren Schallemission bevorzugt. Bei größeren Anlagen wirkt sich die potenzielle Einsparung durch den niedrigeren Energiebedarf der Axialventilatoren stärker aus, sodass dort vermehrt diese Ventilatorbauart eingesetzt wird.

Radialventilatoren haben bessere akustische Dämpfungsmöglichkeiten, eine geringere Bauhöhe, sind einfach zu warten und die Installation im Gebäude ist möglich. Saugbelüftete Anlagen mit Axialventilatoren haben einen geringeren Energiebedarf und benötigen eine geringere Aufstellfläche.

2.5.4 Bauarten von Kühltürmen

Grundsätzlich werden Kühltürme entsprechend ihrer Belüftung in zwei Gruppen eingeteilt:

- mit statischer Belüftung (Naturzug) und
- mit Zwangsbelüftung z. B. mittels Ventilatoren.

Die statische Belüftung wird meistens nur für sehr große Kälteleistungen eingesetzt. Die Zwangsbelüftung wird weiter in zwei Gruppen unterscheiden:

- axialbelüftet saugend oder drückend und
- radialbelüftet saugend oder drückend.

Es gibt verschiedene Bauarten von Kühltürmen, deren Klassifizierung von folgenden Gesichtspunkten abhängt:

2.5.5 Kühltürme mit offenem Kreislauf

Offene Kühltürme geben Wärme von wassergekühlten Systemen an die Atmosphäre ab. Das heiße Prozesswasser wird über einen Füllkörper (Wärmeübertragungsmedium) zur Schnittstelle mit Luft übertragen, die von einem Lüfter durch den Kühlturm geleitet wird. Während der Verdunstungskühlung verdunstet ein kleiner Teil des Wassers, welcher gleichzeitig das restliche Prozesswasser kühlt.

Als offene Kühltürme bezeichnet man die Konstruktionen, bei denen das zu kühlende Wasser in direkten Kontakt mit der Umgebungsluft kommt. Dies führt zur effektivsten Wärmeübertragung zwischen Luft und Wasser, da kein zusätzlicher Wärmeübertrager installiert ist. Das hat jedoch auch zur Folge, dass Schmutzpartikel aus der Luft mit dem Wasser in Verbindung kommen. Der Kühlturm wirkt dann wie ein Luftwäscher, die Schmutzpartikel bleiben im Wasser zurück. Prozesse, die einen direkten Kontakt mit der Luft und eine Verunreinigung des Wassers nicht erlauben, werden meist über Wärmeübertrager vom Kühlturmkreislauf getrennt. Das gleiche gilt auch, wenn andere Medien zu kühlen sind (zum Beispiel Öl). Diese Wärmeübertrager können im Kühlturm eingebaut werden.

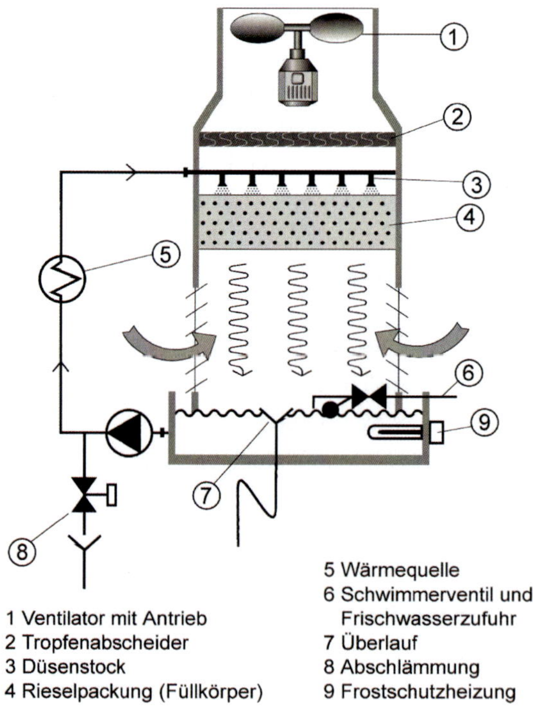

Bild 2.3: Kühlturm mit offenem Kreislauf [2-1]

Die Differenz zwischen der benötigten Kaltwassertemperatur und der Kühlturmfeuchtkugeltemperatur (= Kühlgrenzabstand) bestimmt, wie groß der Kühlturm auszulegen ist. Je kleiner die Differenz bzw. je kleiner der Kühlgrenzabstand ist, desto mehr Wärmeübertragungsoberfläche wird benötigt. In Verdunstungskühltürmen mit offenem Kreislauf (offene Kühltürme) gibt es einen direkten Kontakt zwischen der Luft und dem Wasser, der sich mittels der installierten Füllkörper, die über große Austauschoberflächen verfügen, verstärkt. Je nach Wasserqualität kommen Folien-Füllkörper oder Rieselgitter-Füllkörper zum Einsatz.

Tabelle 2.1: Zusammenfassung: Offener Verdunstungskühlturm [2-1]

maßgebende Kühltemperatur t_F	21–22 °C
wirtschaftlicher KGA	4–8 K
wirtschaftliche Rücklauftemperatur	27–4 °C
Leistungsdichte bez. auf Aufstellfläche	60–80 kW/m^2

Bei Kühltürmen mit eingebauten Wärmeübertragern spricht man von geschlossenen Kühltürmen. Üblicherweise werden die Wärmeübertrager anstelle der Füllkörper eingesetzt. Je nach Bauart können sie in verschiedenen Kühlturmkonstruktionen eingebaut werden. Offene Kühltürme eignen sich für kleinere und mittlere Leistungen.

2.5.6 Kühltürme mit geschlossenem Kreislauf

Bei einem geschlossenen Kühlturm-Kreislauf fließt das zu kühlende Medium (normalerweise Wasser) durch die Rohre des Wärmeübertragers, ohne in direkten Kontakt mit der Außenluft zu gelangen.

In dem Fall wird die Verschmutzung des primären Kreislaufs verhindert. Die Wärme des Mediums (aus dem primären Kreislauf) wird durch die Rohrwandung auf das Wasser übertragen, das ständig über den Wärmeübertrager gesprüht wird (sekundärer Kreislauf).

Der Ventilator, der sich im oberen Teil des Kühlturms befindet, saugt die Luft in Gegenrichtung des Wassers durch den Kühlturm. Dabei verdunsten kleine Mengen des Wassers. Dem Wasser wird die für die Verdunstung benötigte Wärme entzogen und in die Atmosphäre abgegeben. Der Rest des Wassers wird mithilfe einer Pumpe vom Kühlturmbecken zu den Sprühdüsen gepumpt (Sekundärkreislauf). Eine kleine Wärmemenge wird per Konvektion an die Außenluft abgegeben (wie bei einem Luftkühler).

Die Bilder 2.4 und 2.5 beschreiben einen geschlossenen Kühlturm.

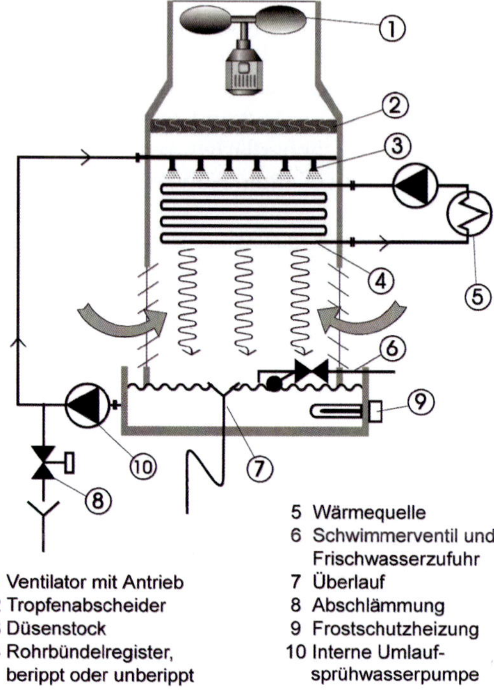

Bild 2.4: Kühlturm mit geschlossenem Kreislauf [2-1]

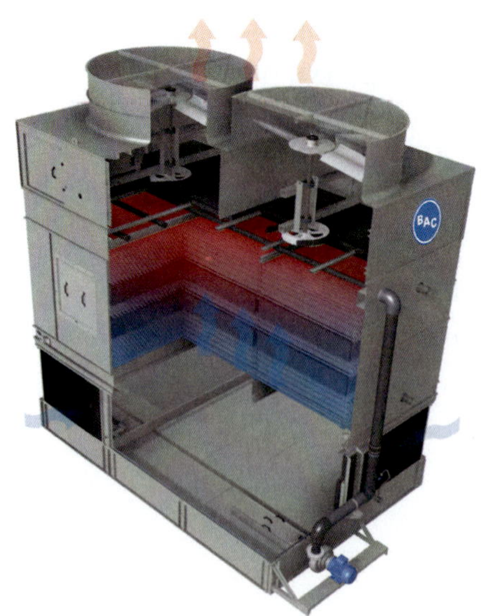

Bild 2.5: Kühlturm mit geschlossenem Wasserkreislauf, Werksbild Baltimore Aircoil International nv

2.5.6.1 Zusammenfassung: Geschlossene Kühltürme

Kühltürme mit geschlossenem Kreislauf oder Verdunstungskühler arbeiten genauso wie der offene Typ, sie leiten jedoch die Wärmelast der Prozessflüssigkeit über einen Wärmeübertrager mit geschlossenem Kreislauf an die Umgebungsluft ab. Dabei ist die Prozessflüssigkeit von der Außenluft isoliert, sodass sie in einem geschlossenen Kreislauf sauber und frei von Verunreinigung bleibt und zwei getrennte Flüssigkeitskreisläufe bestehen:

- ein externer Kreislauf, in dem Sprühwasser über den Wärmeübertrager mit geschlossenem Kreislauf zirkuliert und mit der Außenluft in Kontakt ist.
- ein interner Kreislauf, in dem die Prozessflüssigkeit im Wärmeübertrager mit geschlossenem Kreislauf zirkuliert.

Bei allen o.g. Vorteilen des geschlossenen Kühlturms verbleibt eine verminderte Effizienz, bedingt durch die zusätzliche Wärmeübertragung vom externen auf den internen Kreislauf. Hierdurch begründet sich auch der etwas größere wirtschaftliche Kühlgrenzabstand KGA 7–11 K zu 4–8 K (siehe Tabelle 2.1 und 2.2).

Tabelle 2.2: Zusammenfassung: Geschlossener Verdunstungskühlturm [2-1]

maßgebende Kühltemperatur t_F	21–22 °C
wirtschaftlicher KGA	7–11 K
wirtschaftliche Rücklauftemperatur	28–32 °C
Leistungsdichte bez. auf Aufstellfläche	60–80 kW/m^2

2.5.7 Gegenstrom-Kühltürme mit saugenden Axialventilatoren

Diese Bauform ist die am weitesten verbreitete für zwangsbelüftete Kühltürme. Der Aufbau der Geräte ist einfach und die Aufstellfläche wird effektiv genutzt. Meist werden diese Geräte in industriellen Kühlanlagen eingesetzt. Die Luft wird an den Geräten seitlich durch entsprechende Öffnungen eingesaugt und dann vom oben angebauten Ventilator durch das Gerät geführt.

Das Wasser wird meist seitlich in das Gerät eingespeist und intern über die gesamte Füllkörperfläche verteilt. Je nach Anwendung werden die Geräte entweder mit einer integrierten Wassersammelwanne ausgeführt oder sie haben keinen Boden und das Wasser läuft aus dem Gerät direkt in ein darunterliegendes Becken ab.

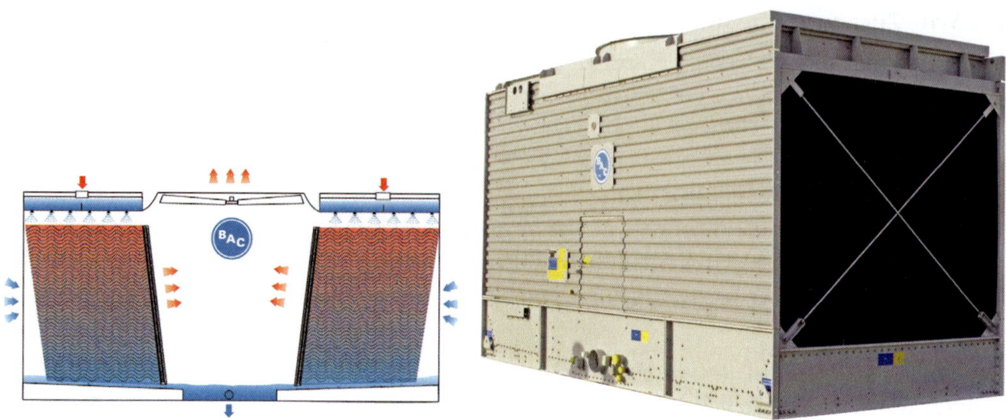

Bild 2.6: Gegenstrom-Kühltürme mit saugenden Axialventilatoren, Werksbild Baltimore Aircoil International nv

2.5.8 Gegenstrom-Kühltürme mit drückenden Axialventilatoren

Bei dieser Konstruktion wird die Luft nicht durch die Geräte gesaugt, sondern von unten in das Gerät eingeblasen. Diese Bauform wird vorzugsweise bei größeren Zellenkühltürmen mit mehreren Ventilatoren oder bei Spezialgeräten für verschmutztes Wasser eingesetzt. Die hohe Lärmabstrahlung macht den Einsatz dieser Geräte an vielen Standorten schwierig.

2.5.9 Gegenstrom-Kühltürme mit Radialventilatoren

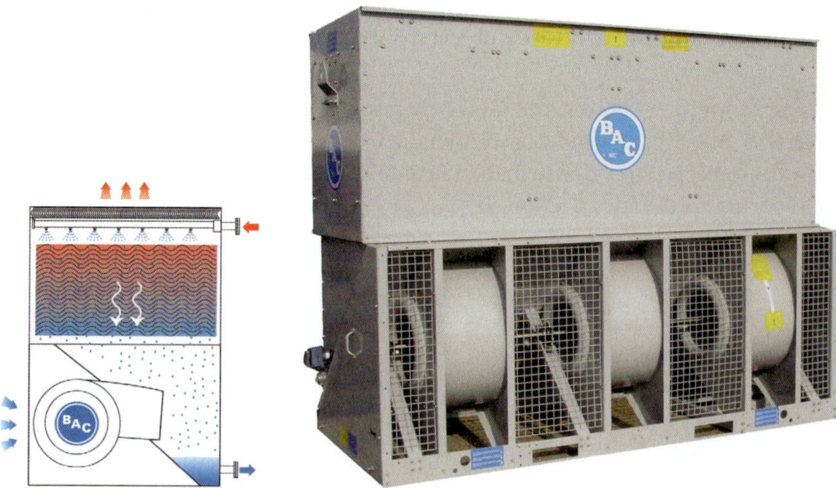

Bild 2.7: Gegenstrom-Kühltürme mit Radialventilatoren, Werksbild Baltimore Aircoil International nv

Die Ventilatoren dieser Kühltürme sind üblicherweise an der Saugseite der Geräte angeordnet. Die „unbelastete“ Luft wird vom Ventilator – oft auch über Schalldämpfer – angesaugt und durch den Kühlturm gedrückt. Im nassen Teil der Geräte strömt das Wasser der Luft entgegen (Gegenstromprinzip).

2.5.10 Kreuzstrom-Kühltürme mit saugenden Axialventilatoren

Bei dieser Kühlturmbauart werden Luft und Wasser nicht im Gegenstrom, sondern im Gleichstrom zueinander durch das Gerät geführt. Das Wasser fließt von oben nach unten durch die Füllkörper, während die Luft horizontal durch das Gerät gesaugt wird. Diese Bauart ist thermodynamisch weniger effektiv als eine Gegenstromanordnung. Der Vorteil der Kreuzstromgeräte liegt darin, dass „Plätschergeräusche“ durch diese Konstruktion vermieden werden und damit eine etwas niedrigere Lärmabstrahlung erreicht werden kann.

2.5.11 Komponenten von Verdunstungskühlanlagen

2.5.11.1 Wasserverteilsystem

Das Wasserverteilsystem kann als offenes Rinnensystem oder als Sprühleitung ausgeführt werden. Das offene System kommt vorzugsweise dort zur Anwendung, wo schwankende Wassermengen vorhanden sind. Wenn mehrere Kreisläufe zusammengeschaltet werden, können die Wassermengen direkt über den Kühlturm geleitet werden. Die Pumpenleistung reduziert sich erheblich, da nur die geodätische Höhe zum Kühlturmeinlauf überwunden werden muss.

Beim häufiger eingesetzten Sprühsystem wird das Kühlwasser durch Düsen über das Rieselpaket gleichmäßig verteilt. Den erforderlichen Düsenvordruck hält die Kühlwasserpumpe aufrecht. Je nach Wasserbeschaffenheit und Druckverhältnissen kommen unterschiedliche Sprühdüsen zum Einsatz. In dem Bild 2.8 sind ① die Sprühdüsen, ② die Sprüharme und ⑥ das Pumpenverteilrohr.

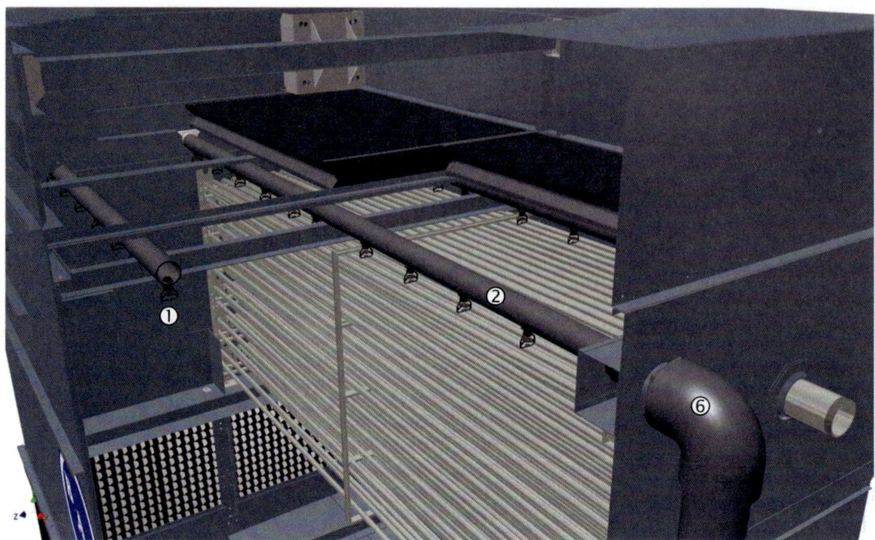

Bild 2.8: Wasserverteilsystem, Werksbild Baltimore Aircoil International nv

Bei Verdunstungskühlanlagen werden in die Wasserverteilrohre, die oberhalb der Einbauten angeordnet sind, in definierten Abständen Sprühdüsen eingesetzt, um die unterhalb der Verteilrohre angeordneten Kühleinbauten gleichmäßig mit fein verteilten Wassertröpfchen zu besprühen. Zwischen den Sprühdüsen und dem Wasserverteilrohr wird ein sogenannter Sprayadapter eingebaut, um die Verbindung zwischen dem Verteilerrohr und der Sprühdüse herzustellen. Die am häufigsten anzutreffenden Anwendungsfälle sind nach unten sprühende Sprühdüsen, welche in den nach unten weisenden Sprayadapter eingeschraubt werden (siehe Bild 2.9).

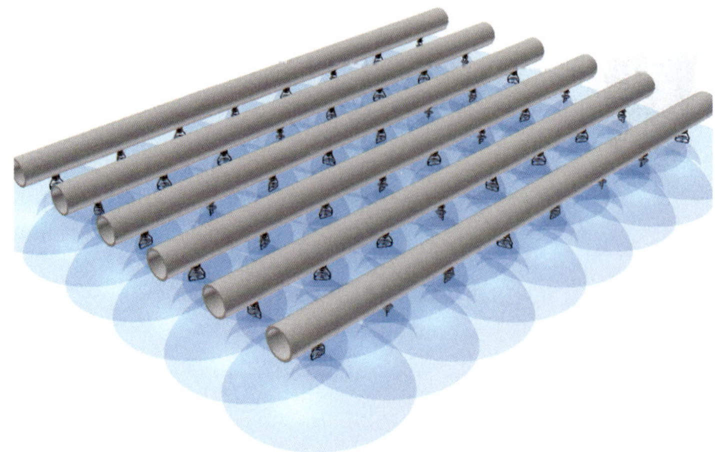

Bild 2.9: Sprühdüsen, Werksbild Baltimore Aircoil International nv

2.5.11.2 Füllkörper

Zur Vergrößerung der Wasseroberfläche, also der wirksamen Fläche zur Wärmeübertragung und zum Stoffaustausch zwischen Wasser und Luft, soll durch die Füllkörper in Verdunstungskühlanlagen eine Vielzahl kleiner Wassertropfen gleichmäßig über die Einbaugrundfläche verteilt werden. Die Füllkörper innerhalb einer Verdunstungskühlanlage müssen folgende Eigenschaften aufweisen:

- effektive Wärmeübertragung
- gute chemische Beständigkeit und hohe Lebensdauer
- geringe Verschmutzungsgefahr
- Eignung für Saison und Dauerbetrieb

Die Erhöhung der Wärmeübertragung und die Verbesserung des Stoffaustauschs wird durch Füllkörper mit unterschiedlichen Prinzipien erreicht, z. B. Tropfenfallsystem und Filmkühlung:

- Tropfenfallsystem: Die Wassertropfen treffen auf die Einbauelemente (Füllkörper) und werden durch den Aufprall weiter aufgeteilt, sodass die Wasseroberfläche ständig vergrößert wird. In den verschiedenen Ebenen erfolgt eine Durchmischung des Wasserstroms, dabei entsteht Turbulenz, die zur verbesserten Abkühlung beiträgt. Die Wasserverteilung erfolgt mittels Schwerkraft.
- Filmkühlung: Der Füllkörper besteht aus senkrechten Wänden, die als Grenzfläche zum Kontakt von Wasser und Luft dienen. Dabei soll der Wasserfilm möglichst dünn bleiben, damit eine effiziente Wasser-Luft-Berührung erfolgt und eine laminare Strömung vermieden wird. Durch Verstärkungsrippen (sogenannte „Stolperkanten") wird gleichzeitig für erneute Turbulenz gesorgt. Die Kontaktzeit zwischen Wasser und Luft lässt sich durch diagonale Anordnung der Kanäle erheblich verlängern. Die Wasserverteilung erfolgt mittels Druck- oder Schwerkraftsystem.

Bild 2.10: Füllkörper, Werksbild Baltimore Aircoil International nv

2.5.11.3 Tropfenabscheider

Ein Tropfenabscheider ist ein verfahrenstechnischer Apparat, der die höhere Trägheit von Flüssigkeitstropfen gegenüber der geringeren Trägheit des sie mitführenden Gases (Luft) nutzt. Dazu wird die feuchte Luft durch Einbauten geführt und die Strömungsrichtung des Gases mehrfach umgelenkt. Aufgrund der höheren Trägheit können die Flüssigkeitstropfen diesen Richtungsänderungen nicht folgen. Deshalb prallen Wassertropfen auf die Oberfläche der Einbauten und setzen sich ab. Die Tropfen fließen nach unten.

Tropfenabscheider werden üblicherweise im Bereich des Apparateausgangs eingebaut. Von Bedeutung ist, wie die transportierte Flüssigkeit abgeleitet und gesammelt wird, um einen erneuten Übergang der Flüssigphase in die Gasphase zu verhindern, weil diese Wärmeübertragung nicht zur Kälteleistung des Kühlturms beiträgt, das Wasser aber „verbraucht" wird. Das Anhaften der Tropfen an den Einbauten wird als „primäre Abscheidung" und das Ableiten des sich gebildeten Flüssigkeitsfilm als „sekundäre Abscheidung" bezeichnet.

Der Tropfenabscheider reduziert in Kühltürmen aller Bauarten den Wasserauswurf und damit die Emissionen. Tropfenabscheider unterscheiden sich durch verschiedene Strömungsrichtungen und durch ihre erreichbaren Abscheidegrade; dementsprechend gibt es verschiedene Typen von Tropfenabscheidern. Entsprechend der Strömungsrichtung wird unterschieden nach Abscheidern für horizontale oder vertikale luftseitigen Anströmung. Unter bestimmten Bedingungen werden Abscheider auch schräg angeströmt.

Die Qualität der Tropfenabscheider entscheidet maßgeblich über die Quantität der Emissionen aus dem Kühlturm, somit ist hierauf ein besonderes Augenmerk bzgl. des hygienischen Betriebs zu legen. In der 42. BImSchV finden sich daher im § 3 „Allgemeine Anforderungen" konkrete Festlegungen zur Notwendigkeit, den Tropfenauswurf durch geeignete Abscheider oder gleichwertige Maßnahmen effektiv zu minimieren (s. a. Kapitel 4).

Bild 2.11: Tropfenabscheider, Werksbild Baltimore Aircoil International nv

Das Thema Tropfenabscheider wird im Kapitel 5.3.1 „Hygieneanforderungen an die Konstruktion" näher behandelt.

2.5.11.4 Schalldämpfer

Kühltürme mit geschlossenem Kreislauf verwenden leise Radiallüfter. Um aber die Geräuschentwicklung noch weiter zu verringern, können Kühltürme durch Schalldämpfer an den Lufteintritts- und -austrittspunkten erweitert werden. Die Schalldämpferauslegung beinhaltet eine Optimierung zwischen dem akustischen Design und dem luftseitigen Druckverlust. So führt eine Konstruktion, welche die Schallemission heruntersetzt, zu einer Erhöhung des Druckverlusts und damit zu höheren Luftschallwerten.

Bild 2.12: Schalldämpfer, Werksbild Baltimore Aircoil International nv

2.5.12 Betrieb von Verdunstungskühlanlagen

2.5.12.1 Aufstellung

Um die optimale Leistung von Verdunstungskühlanlagen nutzen zu können, ist die Aufstellung des Kühlturms von großer Bedeutung. Der Aufstellungsort sollte genügend freien Raum besitzen, sodass der Luftstrom ohne Hindernisse zirkulieren kann. Die vom Kühlturm emittierte Schalleistung aufgrund der Strömung von Wasser und Luft sollte nicht störend sein. Der von dem Kühlturm austretende Luftstrom sollte nicht in direktem Kontakt mit anderen Bauteilen der Anlage kommen, um eine Schädigung durch ständige Belastung mit Feuchtigkeit, z.B. an Gebäuden, zu vermeiden.

Für die Aufstellung einer Verdunstungskühlanlage ist u. a. Folgendes zu beachten:

- direkte Sonneneinstrahlung auf den Wärmeübertrager vermeiden
- Kleinklima um Wärmeübertrager beachten (schwarzes Flachdach, natürliche Luftströmungen)
- luftseitige Kurzschlüsse ausschließen
- Luftverunreinigung durch biologische Umwelteinflüsse, wie Begrasung, vermeiden (Pollenflug)
- Luftverunreinigung durch menschliche Umwelteinflüsse, wie Schadstoffbelastung der Zuluft zum Kühlturm, vermeiden. Der Kühlturm sollte z. B. nicht mit Küchenabluft oder Industrieabluft u. a. betrieben werden.

Die Aufstellung von Verdunstungskühlanlagen wird weiterführend im Kapitel 5.3.3 „Standortauswahl und Aufstellort unter hygienischen Aspekten" behandelt.

2.5.12.2 Leistung / Teillast

Der Kühlturm gewinnt seine Kühlleistung durch Verdampfungsenthalpie bzw. Verdunstungskälte. Je größer die Kühlleistung ist, desto größer ist die verdunstete Wassermenge. Um die Leistung zu bestimmen, sind folgende Angaben erforderlich:

- Wassermassenstrom
- Eintrittstemperatur des Wassers in den Kühlturm
- Austrittstemperatur des Wassers aus dem Kühlturm
- Feuchtkugeltemperatur des eintretenden Luftvolumenstroms in den Kühlturm

Die jahreszeitlichen Klimaschwankungen, tägliche Temperaturveränderungen und geringere Kühllastanforderungen usw. verbessern die Kühlleistung der Kühltürme automatisch, ohne sinnvolle Nutzungsmöglichkeit seitens der Verbraucher. Bedingt durch die o. g. Effekte steigt die Leistung des Kühlturms an, ohne dass diese zusätzliche Leistung benötigt wird. Folglich ist eine erhebliche Energieeinsparung durch einen Teillastbetrieb der Verdunstungskühlanlage möglich, um Angebot und Nachfrage der Kälteleistung aufeinander abzustimmen. Standardkühltürme arbeiten vorwiegend mit Direktantrieben und Zellenkühltürme mit der Antriebskombination Normmotor – Welle – Getriebe, wobei der Axialventilator fliegend auf der Antriebswelle des Getriebes angeordnet wird. Die Antriebstechnik (Direktantrieb oder Getriebe etc.) entscheidet wesentlich über die Möglichkeiten der Teillastregelung.

Die Leistungsregelung von Verdunstungskühlanlagen erfolgt am einfachsten über das Zu- und Abschalten von Kühltürmen bzw. von einzelnen Zellen. Eine weitere gängige Regelungsmethode ist das zyklische Ein- und Abschalten der Ventilatoren, wenn die Temperatur des Austrittswassers unter der minimal zulässigen Temperatur liegt. Hierdurch wird jedoch keine exakte Regelung der Temperatur des Austrittswassers erreicht und es könnte das empfohlene Limit von sechs Starts pro Stunde (Ein- und Ausschalten) der Ventilatoren überschritten werden. Eine zu hohe Anzahl von Starts überlastet einen Elektromotor aufgrund von z. B. Überhitzung. Eine bessere Leistungsregelung ist mit einem zweistufigen Ventilatormotor zu erreichen, mit dem eine zusätzliche Regelstufe zur Verfügung steht. Motoren mit zwei Drehzahlen bieten eine gute Möglichkeit der Leistungsregelung für Kühltürme. Es ergeben sich dabei die folgenden Leistungsstufen: 10 % Kühlturmleistung bei abgeschaltetem Ventilator, 60 % bei halber und

100 % bei voller Drehzahl. Motoren mit zwei Drehzahlen reduzieren auch die Betriebskosten erheblich. Bei halber Drehzahl nimmt der Ventilatormotor nur etwa 15 % seiner Leistung bei Volllast auf. Da die maximale Feuchtkugeltemperatur und die maximale Wärmeübertragungsleistung nur sehr selten gleichzeitig auftreten, wird der Kühlturm zu etwa 80 % der Betriebszeit mit halber Drehzahl betrieben. Auf diese Weise können die Energiekosten während des größten Teils der Betriebszeiten um ca. 85 % gesenkt werden.

Eine optimale Energieeinsparung ist durch eine direkte Ventilatorsteuerung in Abhängigkeit von der Kaltwassertemperatur gegeben. Die Ventilatoren zum Betrieb der Kühltürme werden hierzu mit einem Frequenz-Umformer zur stufenlosen Regelung des Luftvolumenstroms ausgerüstet.

2.5.12.3 Ablaufregelung (Abschlämmen)

Bei dem Verdunstungsvorgang von Wasser in einem Kühlturm ist die benötigte Wassermenge von der Wärmeübertragerfläche abhängig. Um eine optimale Leistung der Anlage nutzen zu können, muss das gekühlte Wasser aufbereitet werden. Das Kühlwasser sollte auf einen reduzierten Salzgehalt gebracht werden, bevor es in die Anlage gepumpt wird, da es immer einfacher ist, den Salzgehalt vorher zu senken als später Ablagerungen im Kühlturm zu entfernen. Die Wanne oder das Becken der Kühlturmanlage besitzt eine Wasserstandsregelung. Bei offenen Kühltürmen ist, je nach Behandlungsprozess, auch eine zusätzlich frische Wassermenge zuzuspeisen, welche das verdunstete Wasser ersetzt. Das ist die sogenannte Abschlämmung, die auf eine ständige Datenerfassung und Auswertung des Leitwerts im Wasser basiert, um die gewünschte Wasserqualität für den Rückfluss zu erreichen. Durch diese Überwachung des Leitwerts kann indirekt der notwendige Wasserbedarf messtechnisch ermittelt werden.

Bei der Verdunstung des Wassers bleiben die darin enthaltenen Mineralstoffe und Verunreinigungen im Wasser zurück. Deshalb ist es wichtig, genauso viel Wasser wie verdunstet nachzuführen, damit Ablagerungen verhindert werden. Geschieht dies nicht, so steigt der Gehalt an Mineralien soweit an, dass sich die Feststoffanteile im Aggregat ablagern und zu starker Verkalkung oder Korrosion führen.

Um die im System erforderliche Gesamtwassermenge zu bestimmen, muss sowohl die verdunstete als auch die abgeflutete Wassermenge ersetzt werden.

Der Verdunstungsverlust ist in erster Linie von der abzuführenden Wärmemenge und vom Zustand der Umgebungsluft abhängig. Als Faustregel für den Verdunstungsverlust bei Auslegungsbedingungen kann man davon ausgehen, dass ca. 0,4 Liter Wasser verdunsten, wenn man eine Wärmemenge von 1.000 kJ abführt [2-5].

Mit den Rohrleitungen sollte außen am Aggregat auch eine Abflutleitung angebracht werden. Diese Abflutleitung muss für die jeweilige Anwendung bzgl. der thermischen Leistung und den Betriebszeiten exakt bemessen und mit einem Messanschluss und einem Ventil versehen sein. Die empfohlene Abflutung für Kühltürme entspricht der Verdunstungsrate von 1,58 l/h pro kW Leistung. Wenn das Frischwasser für das Aggregat relativ frei von Inhaltstoffen ist, könnte die Abflutwassermenge reduziert werden, wobei das Aggregat regelmäßig auf Verschmutzung überprüft werden muss, um sicher zu sein, dass keine Ablagerungen entstehen. Der Vordruck für das Zuspeisewasser sollte zwischen 140 kPa und 340 kPa liegen [2-5].

Bild 2.13: Elektrische Wasserstandregelung, Werksbild Baltimore Aircoil International nv

Bild 2.14: Reinigungsöffnung in der Kühlturmanlage, Werksbild Baltimore Aircoil International nv

Winterbetrieb

Ein Kühlturm kann auch im Winter betrieben werden. Da dann die Temperaturen um den Gefrierpunkt von Wasser liegen können, sind Maßnahmen zu treffen, um das Einfrieren des Wassers in Leitungen und in Auffangwannen während der Betriebspause (in denen dann kein Wasser zirkuliert und folglich einfrieren kann) der Anlage zu verhindern. Folgende Gesichtspunkte sind zu beachten, um den Winterbetrieb zu ermöglichen:

- Die Kühlturmbecken werden in einen frostsicheren Raum (also > 0 °C) aufgestellt. Die Wasserleitungen werden derart installiert, dass Wasser mit allen Rückständen schnell abfließen kann.
- Das Wasserauffangbecken wird mit einer elektrischen Heizung oder einem Heizmantel ausgerüstet, die sich bei den niedrigen Außentemperaturen automatisch einschalten.

Bei allen Kühlturmanwendungen, die eine Temperatur unterhalb des Gefrierpunkts benötigen, sind die o. g. Maßnahmen durchzuführen bzw. es müssen alle ungeschützten wasserleitenden Teile und Rohrleitungssysteme bei einer längeren Betriebspause (z. B. im Winter) komplett entleert werden.

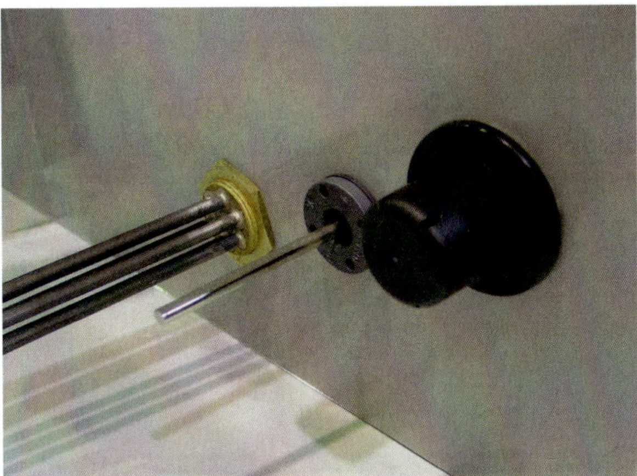

Bild 2.15: Paket mit Heizstäben zum Schutz vor dem Einfrieren des Wassers im Beckenbereich, Werksbild Baltimore Aircoil International nv

2.5.12.4 Wartung von Kühltürmen

Die regelmäßige Inspektion und die daraus resultierenden Wartungsarbeiten an Verdunstungskühlanlagen stellen einen wichtigen Beitrag zur Hygiene des Systems dar. Schon in der Planung ist es sinnvoll, dies zu berücksichtigen und Revisionszugänge zur Kontrolle von hygienisch relevanten Bauteilen vorzusehen, wie z. B. Sprühdüsen, Tropfenabscheider oder Kühlturmpackungen. Auch sollte um den Kühlturm herum eine ausreichend große Verkehrsfläche vorhanden sein, die den einfachen Ausbau von Komponenten, wie Kühlturmpackungen oder Sprühstöcke, ermöglicht.

Neben den Sichtkontrollen und mechanischen Arbeiten bedarf es auch der Untersuchung von Wasserproben. Die Probennahmestellen sind an repräsentativen Stellen vorzusehen. Es ist erforderlich, ein strukturiertes Programm der Wartung und Reinigung zu erstellen. Weiterführende Hinweise zur Wartung von Verdunstungskühlanlagen finden sich in den technischen Regelwerken, die in Kapitel 5 beschrieben werden. Bei der Wartung der Anlage sollten die Hinweise des Lieferanten neben den technischen Regelwerken berücksichtigt werden. Weitere Angaben hierzu finden sich im Kapitel 5.4 „Hygieneanforderungen an Betrieb und Instandhaltung“.

2.6 Trockenkühler

Bei einem Trockenkühler erfolgt die Wärmeabfuhr rein konvektiv, somit kommt das Kühlwasser nicht mit der Luft in Berührung. Das Medium (Wasser oder ein Glykol/Wasser-Gemisch) durchfließt lediglich den Wärmeübertrager mit Lamellen, welcher die Wärme an die Luft abgibt. Trockenkühler sind folgerichtig nicht im Anwendungsbereich der 42. BImSchV erfasst, werden aber der Vollständigkeit halber hier mit aufgeführt. Trockenkühltürme sind aus energetischer Sichtweise weniger effektiv und beeinträchtigen somit den Wirkungsgrad der jeweiligen Anwendung (siehe Kapitel 2.9).

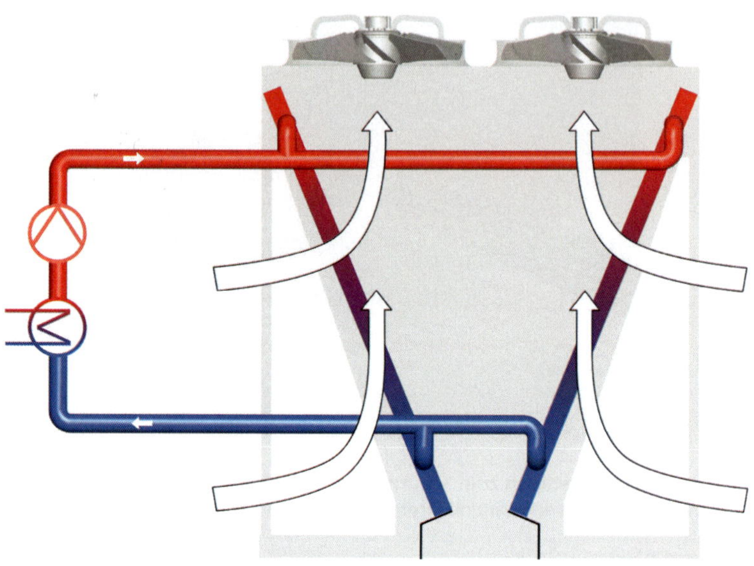

Bild 2.16: Trockenkühler [2-5]

Das Kühlmedium durchströmt die Rohre eines Wärmeübertragers. Als Kühlmedium wird meist ein Glykol/Wasser-Gemisch – wegen der Frostgefahr bei Stillstand der Anlage – eingesetzt. Im Gegenstrom wird mittels Ventilatoren Umgebungsluft an den berippten Wärmeübertrager-Rohren vorbeigeführt. Hierbei wird die Wärme vom Kühlmedium (Rohrinnenseite) an die Umgebungsluft (Rohr- bzw. Lamellenaußenseite) übertragen. Die Grenztemperatur des Trockenkühlers ist die Umgebungslufttemperatur.

Tabelle 2.3: Zusammenfassung: Trockenkühler [2-1]

maßgebliche Kühltemperatur	32–34 °C
wirtschaftlicher KGA	6–8 K
wirtschaftliche Rücklauftemperatur	38–42 °C
Leistungsdichte bez. auf Aufstellfläche	30 kW/m^2

2.6.1 Trockenrückkühler mit Besprühung

Bei einem Trockenrückkühler mit Besprühung (Adiabatik) wird versucht, durch die feine Zerstäubung von Wasser in der Ansaugluft vor dem Kühler diese Ansaugluft abzukühlen. Die feinen Wassertropfen in der Ansaugluft verdunsten, wodurch sich die Lufttemperatur senkt (nicht durch Kühlung, sondern durch Umwandlung von sensibler (fühlbarer) Wärme in latente Wärme). Diesen Vorgang könnte man als adiabat bezeichnen, ist er aber nicht wirklich, weil das eingebrachte Wasser immer über 0 °C liegt (also oberhalb des Nullpunkts der Enthalpie), sodass der Wärmeinhalt (Enthalpie) der Luft etwas zunimmt und somit eine Wärmemenge im

Prozess durch das Wasser zugeführt wird. Eine adiabate Zustandsänderung ist definiert als eine Zustandsänderung ohne Zu- oder Abfuhr von Wärme und wäre (strenggenommen) nur bei der Zufuhr von Wasser von 0 °C möglich.

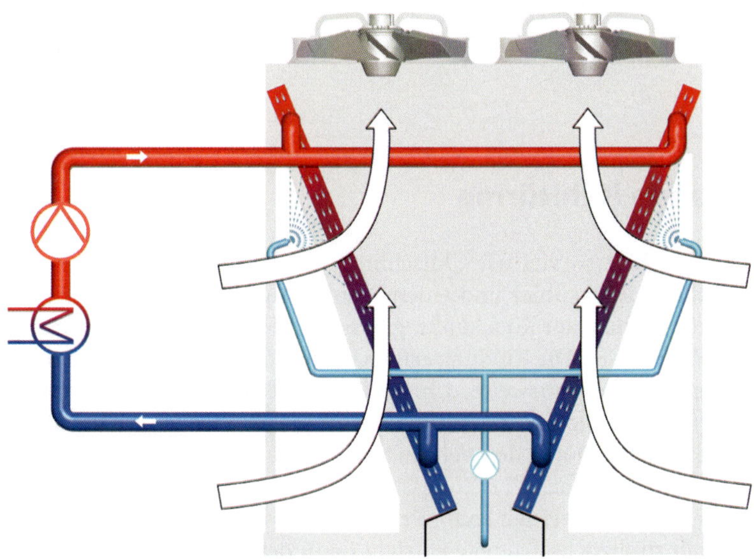

Bild 2.17: Trockenkühler mit Besprühung (Adiabatik) [2-5]

Durch die Besprühung wird der Trockenkühler in seiner Leistungsfähigkeit etwas verbessert. Es zeigt sich aber, dass sich bei den üblichen Konstruktionen bestenfalls die Lufttemperatur um 3–4 K absenken lässt. Eine Abkühlung der Luft auf die Feuchtkugeltemperatur ist nicht möglich. Die Verweilzeit der Tropfen von der Düse bis zum Lamellen-Wärmeübertrager ist viel zu kurz. Infolgedessen entsteht eine Nässung der Lamellen, was den gleichen Effekt hat wie das Besprühen. Die meisten Tropfen werden jedoch über die Ventilatoren ausgetragen. Sowohl bei besprühten Kühlern als auch bei den sogenannten Adiabatik-Kühlern ist eine definierte Benetzung der Lamellenoberfläche nicht möglich. Windeinflüsse, der Grad der Verschmutzung der Lamellenoberfläche, Ungleichmäßigkeit der Luftanströmung etc. sind dafür verantwortlich. Dies hat zur Folge, dass die Leistungsfähigkeit des Kühlers im Fall der Besprühung oder Verdüsung nicht genau berechnet werden kann. Da diese Systeme nicht eindeutig nach dem Verdunstungsprinzip arbeiten, ist eine klare Aussage zur Kühlgrenze nicht möglich. Ist der Trockenkühler nicht für ein Adiabatiksystem oder für eine Benetzung der Lamellenoberfläche ausgelegt, kommt es (bedingt durch einen zu geringen Lamellenabstand) zu einer „Verstopfung" der Lamellen durch einen Wasserfilm, sodass der luftseitige Druckverlust stark ansteigt und der Luftvolumenstrom reduziert wird; auf diese Weise nimmt die zu übertragende Wärmeleistung durch ein Adiabatiksystem eher ab. Dementsprechend sollte vor einer möglichen Nachrüstung eines Trockenkühlers mit einem Adiabatiksystem die Eignung geprüft werden.

Tabelle 2.4: Zusammenfassung: Trockenkühler mit Besprühung (Adiabatik) [2-1]

maßgebende Kühltemperatur	t_f
wirtschaftlicher KGA	8–10 K
wirtschaftliche Rücklauftemperatur	29–31°C
Leistungsdichte bez. auf Aufstellfläche	30 kW/m^2

2.7 Hybride Kühltürme

„Hybrid" bedeutet hier so viel wie „Mischling", womit in der Regel eine Kombination aus einem luftgekühlten Rückkühler und einem Verdunstungskühlturm gemeint ist. Der hybride Verdunstungskühler dient zur Rückkühlung flüssiger Medien oder zur Verflüssigung von Kältemitteln (siehe Kapitel 2.8). Die Kühlung erfolgt mittels Umgebungsluft und durch Verdunstung von Wasser. Bei trockener Fahrweise, d. h. bei tiefer Außenlufttemperatur, wird die Wärme rein konvektiv abgeführt. Bei hoher Außenlufttemperatur werden die Lamellen des Wärmeübertragers mit Wasser benetzt. Durch den Verdunstungseffekt wird die Wärme dann latent abgeführt, woraus eine drei- bis vierfache Leistungssteigerung resultiert bzw. das Kühlwasser unter die Lufttemperatur abgekühlt werden kann. Prinzipiell ist der Apparat wie ein Trockenrückkühler aufgebaut. Durch zusätzliche Bauteile entsteht dann der Hybrid-Trockenkühler. Beim in dem Bild 2.18 dargestellten Kühler sind zwei berippte Wärmeübertragerelemente (Lamellenwärmeübertrager) V-förmig in einem tragenden Stahlgestell angeordnet. Über dem V, zwischen den Wärmeübertragerelementen, sind je nach Größe ein bis vier Axialventilatoren saugend angeordnet. Unter dem Kühler ist eine abgedeckte Wasserwanne angebracht. In der Wasserwanne befindet sich eine Pumpe für die äußere Benetzung der Wärmeübertragerelemente.

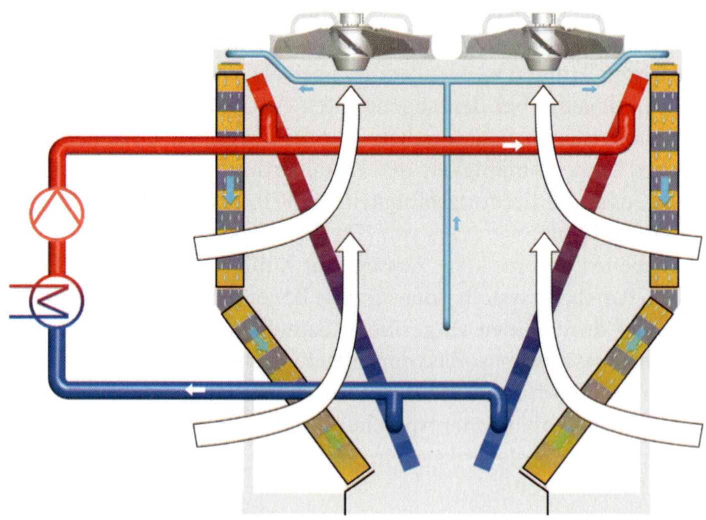

Bild 2.18: Hybrider Kühlturm [2-5]

Das zu kühlende Medium durchströmt die Rohre der zwei V-förmig angeordneten Lamellenwärmeübertrager. Die berippten Außenseiten der Wärmeübertragerelemente werden von der Umgebungsluft umströmt und nehmen so die Wärme des Mediums auf. Die Förderung der Umgebungsluft erfolgt durch die saugend angeordneten Axialventilatoren. Der Antrieb geschieht entweder direkt (Laufrad auf der Motorwelle) oder über einen Kraftriemenantrieb, welcher sich durch eine hohe Lebensdauer und Geräuscharmut auszeichnet.

Das hybride Kühlsystem ist eine Alternative, um Wasser sehr effizient mittels zweier Betriebsweisen zu kühlen: latent und adiabat. Im trockenen Modus wird das zu kühlende Medium auf Raumtemperatur abgekühlt. Im feuchten Betrieb werden die Feuchtigkeitsbedingungen der Luft modifiziert, um kältere Luft als die Umgebungstemperatur zu erzeugen. Luft kühlt die Flüssigkeit und spart deshalb Energie; hierbei ist je nach Anwendung und Qualität des eingesetzten Wassers dessen Behandlung nicht zwingend erforderlich.

Wird der vorgegebene Kühlwassersollwert bzw. Kondensationsdruck bei maximaler Ventilatordrehzahl im trockenen Betrieb (meist zwischen 12 °C und 17 °C Umgebungslufttemperatur) nicht mehr erreicht, veranlasst die Steuerung des Hybridkühlers die Benetzung der äußeren Oberfläche der Wärmeübertrager. Dafür sind über den Längsseiten der Wärmeübertragerelemente offene Kanäle angeordnet, aus denen das Benetzungswasser als Wasserlinie aufgegeben wird. Infolge der Luftströmung und der speziellen Ausbildung der Lamelle ergibt sich ein turbulenter Wasserfilm über die gesamte Lamellentiefe. Je nach Länge der Kühler werden eine oder zwei Benetzungspumpen vorgesehen. Durch die stufenweise Zuschaltung der einzelnen Benetzungszonen ergibt sich eine zusätzliche Optimierung der Steuerung. Unter den Kühlelementen ist eine Wassersammelwanne angeordnet, in der sich geräuschlos das mit großem Überschuss aufgebrachte Benetzungswasser sammelt, das Ablagerungen von Schmutz aus der Umgebungsluft von den Lamellen weitgehend abspült. An der Wasserwanne sind Abschlämmungs- und Frischwasserventile, ferner die Benetzungspumpe und die erforderlichen Sicherheitseinrichtungen wie elektronischer Trockenlaufschutz und die Niveaumessung montiert. Die Aufsalzung des Wassers wird mittels Leitfähigkeitsmessung überwacht, welche in der Benetzungs-Wasserleitung angebracht ist.

Die abgedeckte Wasserwanne wird in der Regel mit einer Frostschutzheizung ausgestattet, jedoch in den meisten Fällen im Winter entleert, da in der kalten Jahreszeit eine Benetzung der Wärmeübertrager nicht mehr erforderlich ist. Das Fassungsvolumen der Wassersammelwanne ist bewusst klein gehalten, damit bei der Abschlämmung und vollständigen Entleerung möglichst wenig Wasser verloren geht. Für die Benetzung genügt enthärtetes Trinkwasser mit einem pH-Wert von 6,5 bis 8,5. Die Eindickung des Benetzungswassers wird von der Steuerung überwacht, bei Erreichung der zulässigen Grenzwerte abgeflutet und Frischwasser zugeführt. Die Ventilatoren werden mittels Frequenzumformer stufenlos reguliert. Dies führt häufig zu einer erheblichen Stromeinsparung, insbesondere wenn der Kühler unterhalb des Auslegungspunkts oder im Teillastbereich betrieben wird. Eine luftseitige Trennung der Ventilatoren erfolgt aus Gründen der besseren Zugänglichkeit nicht. Die Ventilatoren sind parallelgeschaltet, damit alle jederzeit mit der gleichen Drehzahl betrieben werden können. Die Steuerung übernimmt einerseits die Überwachung des Benetzungswasser-Kreislaufs des Kühlers und andererseits die Leistungsregulierung. Für die Leistungsregulierung werden drehzahlgeregelte Ventilatoren eingesetzt, wofür Frequenzumformer zum Einsatz kommen. Ferner erfolgt die lastabhängige Zu- und Abschaltung der Benetzungspumpen. Zur Überwachung und Steuerung des Benetzungswassers gehört die Leitfähigkeitsmessung, mit Ansteuerung des Abschlämm- und Frischwasserventils, sowie eventuell die Ansteuerung einer Biozidosierpumpe. Die Niveauüberwachung und der Trockenlaufschutz werden zusätzlich überwacht. Die Steuerung ist vor allem auf Betriebssicherheit und Sparsamkeit in Bezug auf Wasser- und Stromverbrauch des gesamten Kühlkreislaufs ausgerichtet.

Tabelle 2.5: Zusammenfassung: Hybride Kühlturme [2-1]

maßgebende Kühltemperatur	t_l und t_f
wirtschaftlicher KGA	4–8 K
wirtschaftliche Rücklauftemperatur	25–29 °C
Leistungsdichte bez. auf Aufstellfläche	60–80 kW/m^2

Tabelle 2.6: Vorteile hybrider Trockenkühler [2-1]

Merkmale	Vorteile
Der hybride Trockenkühler hat einen geschlossenen Kühlwasserkreislauf.	• Das Kühlwasser wird nicht durch Luftverschmutzungen und Sauerstoff kontaminiert.
Der hybride Trockenkühler arbeitet schwadenfrei unter allen klimatischen Bedingungen.	• keine Akzeptanzprobleme • kein Industrieschnee • keine Nachbarschaftsprobleme • keine Probleme mit Behörden
Der hybride Trockenkühler arbeitet mit geringstmöglichem Wasserverbrauch, weil er den größten Teil des Jahres trocken läuft.	• niedrige Betriebskosten • kleinere Investitionskosten für die Verrohrung und Wasseraufbereitung
Mit hybriden Trockenkühlern können kleine Kühlgrenzabstände noch wirtschaftlich realisiert werden.	• tiefere Kondensationstemperatur • kleinere Kältemaschine • geringerer Stromverbrauch • kleines Bauvolumen • geringes Gewicht
freie Kühlung möglich	• Energieeinsparung
Der hybride Trockenkühler arbeitet geräuscharm.	• problemlose Einhaltung von Auflagen • ohne Einsatz teurer Schalldämpfer
Der hybride Trockenkühler hat einen sehr geringen Stromverbrauch.	• niedrige Betriebskosten
Die Wärmeübertrager werden drucklos benetzt, das Sekundärwasser wird nicht versprüht.	• keine Aerosolbildung • dadurch Legionelleninfektion nahezu ausgeschlossen

2.8 Verflüssiger

Ein Verflüssiger (oft auch als Kondensator bezeichnet) ist die Komponente im Kältemittelkreislauf zur Wärmeabfuhr. Das gasförmige Kältemittel wird durch den Entzug der Kondensationswärmemenge verflüssigt und steht dann als flüssiges Kältemittel unter hohem Druck (Kondensationsdruck) dem Kreislauf (thermodynamischer Kreisprozess) wieder zur Verfügung. Die Güte dieser Wärmeübertragung ist einer der wesentlichen Faktoren für eine energieeffiziente Kälteerzeugung (s. a. Kapitel 2.9). Aufgrund der hohen Heißgastemperaturen der Kältemittel (z. B. sind typische Kondensationstemperaturen von Kältemitteln je nach Anwendung R134a 50 °C, NH_3 ca. 70 °C) stellen sich bei Verdunstungskondensatoren höhere Wassertemperaturen ein als bei Verdunstungskühlanlagen (Kühltürmen). Bedingt durch ein höheres Temperaturniveau ist ein besonderes Augenmerk auf die Mikrobiologie und die hygienischen Schutzziele gemäß der 42. BImSchV zu legen.

Grundsätzlich werden Verflüssiger nach der Funktionsweisen bzw. dem Medium (z. B. Luft oder Wasser) unterschieden:

- luftgekühlte Verflüssiger
- wassergekühlte Verflüssiger
- Verdunstungsverflüssiger
- Hybridverflüssiger

Es werden die folgenden Bauarten von Verflüssigern eingesetzt:

- Bündelrohrverflüssiger
- Koaxialverflüssiger
- Plattenverflüssiger
- luftgekühlte Verflüssiger
- ventilatorbelüftete Verflüssiger (Axialverflüssiger, Radialverflüssiger)
- Verdunstungsverflüssiger
- Hybridverflüssiger

Der Verflüssiger hat die Aufgabe, den im Verdampfer und Kältemittelverdichter entstandenen Wärmestrom im Kältemittel an ein Kühlmittel (z. B. Wasser oder Luft) abzugeben. Da ein Wärmstrom nur dann fließen kann, wenn eine Temperaturdifferenz vorhanden ist, muss die Verflüssigungstemperatur immer über der Kühlmitteltemperatur liegen. Bis auf die Verdunstungs- und Hybridverflüssiger arbeiten alle anderen Bauarten trocken, sodass keine Legionellengefahr gegeben ist und daher im Zusammenhang dieses Buchs nicht näher erläutert werden.

2.8.1 Verdunstungsverflüssiger

Bei Verdunstungsverflüssigern werden die Rohrleitungen außen mit dem Luftstrom in Kontakt gebracht und zusätzlich mit Wasser besprüht. Durch den Verdunstungseffekt entzieht das auf den Rohrleitungen verdunstende Wasser dem Kältemittel den notwendigen Wärmestrom zur Kondensation. Der dabei an der Rohroberfläche verdunstende Wasserstrom ist relativ gering gegenüber dem Kühlturmbetrieb. Der Verdunstungsverflüssiger ist eine Kombination zwischen luftgekühltem Verflüssiger und einem Kühlturm.

Der benötigte Frischewasservolumenstrom setzt sich aus dem Wasservolumenstrom durch Verdunstung und dem Überschusswasser zusammen. Das benötigte Wasser wird in der Regel durch Leitungswasser ersetzt. Die Einspeisung erfolgt über ein Schwimmerventil, das eine eingestellte Wasserhöhe in der Wanne hält. Günstig ist es, wenn der Verflüssiger und die Wanne im Winter entleert werden können. Der Verflüssiger kann dann mit Luft betrieben werden, wobei zu beachten ist, dass die Kühlleistung nur noch ca. 50 % beträgt, was in dieser Jahreszeit kein Nachteil ist, da die Kälteleistung im Winter normalerweise abnimmt. Sind allerdings auch im Winter 100 % an Kälteleistung erforderlich, ist der Verdunstungsverflüssiger auch auf 100 % Leistung für den „trockenen Betrieb" auszulegen. Im Sommer ist dies jedoch viel zu hoch und es muss mit einer (herunter-)geregelten Leistung gearbeitet werden.

Bild 2.19: Verdunstungsverflüssiger, Werksbild Baltimore Aircoil International nv

Aufgrund des zunehmenden Umweltbewusstseins und der ständig steigenden Kosten für Frischwasser verlieren Verflüssiger für Frischwasserbetrieb immer mehr an Bedeutung. Wasser ist ein kostbares Gut und muss in engen Verbrauchsgrenzen gehalten werden. Solche Verflüssiger sollten nur dann eingesetzt werden, wenn Kälteanlagen in der Nähe von natürlich vorhandenen Wasserquellen betrieben werden. Dabei kommt der Auswahl des dafür geeigneten Werkstoffs (sehr korrosionsbeständig) eine besondere Bedeutung zu. Gerade hier ist auch auf den Verschmutzungsfaktor (Foulingfaktor) zu achten. Für Frischwasser kann eine Verflüssigungstemperatur zwischen 10 K und 15 K über der Eintrittstemperatur des Frischwasserstroms zugrunde gelegt werden. Diese Differenz ermöglicht eine Erwärmung des Frischwasserstroms zwischen 8 K und 10 K, was sich günstig auf die Kosten auswirkt und eine Temperaturdifferenz zwischen der Verflüssigungstemperatur und der Austritttemperatur des Frischwasserstroms von ca. 5 K zulässt.

2.8.2 Hybride Verflüssiger

Der hybride Verflüssiger ist ein mit Wasser berieselter Wärmeübertrager, in dem der Kältemitteldampf in den Innenohren durch Abführen des Wärmestroms verflüssigt wird. Durch das Berieseln wird die Leistung des Verflüssigers gegenüber der des luftgekühlten Verflüssigers um das Drei- bis Vierfache gesteigert. Dadurch ist es möglich, dass der hybride Verflüssiger im Vergleich mit einem luftgekühlten Verflüssiger einen geringen Luftvolumenstrom und weniger Platz benötigt sowie einen niedrigeren Schallpegel aufweist.

Hybride Verflüssiger werden oft dann eingesetzt, wenn ein geschlossener Kältemittelkreislauf erforderlich ist und die Verflüssigungstemperatur im Sommer unter der von luftgekühlten Verflüssigern liegen soll. Offene Kühlturme und Verdunstungsverflüssiger haben hinsichtlich der Verkalkung, Korrosion und Algenbildung entsprechende Probleme.

Funktionsprinzip

Wenn die Umgebungstemperatur nahe an oder sogar höher als die Verflüssigungstemperatur liegt, bleiben die Versorgungsventile geschlossen und die Wärmeübertragung erfolgt rein konvektiv. Die Kühlerfläche kann mit Wasser bei höheren Temperaturen berieselt werden, dadurch wird der Wärmestrom teilweise latent und teilweise konvektiv in Form von Wasserdampf an die Umgebung abgegeben. Im Winter sinken die Umgebungstemperatur und oftmals auch die abzuführende Wärmemenge. In diesem Fall kann der Hybridverflüssiger auf Trockenbetrieb umgeschaltet werden. Während dieses Betriebs wird überhaupt kein Wasser verbraucht.

Vorteile von Hybridverflüssigern

- geringer Wasserverbrauch
- niedriger Energieverbrauch
- Minderung der Geräuschemission
- niedrige Kältemittelfüllung
- einfache Reinigung
- hohe Wartungsfreundlichkeit

Bild 2.20: Hybridverflüssiger [2-1]

2.9 Energetische Bewertung von Rückkühlsystemen

Im Rahmen der Diskussionen um die mikrobiologischen und hygienischen Gefahrenpotenziale von Verdunstungskühlanlagen im Kontext der 42. BImSchV könnte man – ohne die Berücksichtigung der Energieeffizienz – vorschnell Trockenkühler präferieren. Dieses Kapitel zur energetischen Bewertung von Rückkühlsystemen legt die Grundlagen, um eine ganzheitliche Bewertung der unterschiedlichen Anlagentechniken vornehmen zu können. Es besteht grundsätzlich die Gefahr, dass die praktische Umsetzung der 42. BImSchV zukünftig bei Planungsbüros und Entscheidungsträgern derartig hohe Hürden für Verdunstungskühlanlagen aufbaut, dass es zu einem deutlichen Rückgang dieser Technologie führen könnte. Das wiederum hätte eine bedeutende Minderung der Energieeffizienz bei der Kälteerzeugung in allen Branchen zur Folge. Somit ist die Möglichkeit der energetischen Bewertung von Rückkühlsystemen ein wichtiges Thema, wenn man im Rahmen der 42. BImSchV in Kombination mit der VDI 2047 über die Auswirkungen der Reglementierungen des Betriebs von Verdunstungskühltürmen nachdenkt. Insbesondere müssen Anlagenplanern und Betreibern diese thermodynamischen Grundlagen zur energetischen Bewertung der Anlagentechnik zur Verfügung gestellt werden, um zu einer ganzheitlichen Sichtweise (Mikrobiologie und Energieeffizienz) zu gelangen.

2.9.1 Grundlagen für die wirtschaftliche Betrachtung

Die Kosten eines Rückkühlsystems setzen sich aus den Investitions-, Wartungs- und Betriebskosten zusammen. Neben dem Energiebedarf für die Ventilatoren und Pumpen fallen bei Verdunstungskühlern noch die Kosten für Frischwasser, Wasseraufbereitung und Abwasser an, die bei Trockenkühlern entfallen. Um allerdings Trockenkühler mit anderen Rückkühlsystemen korrekt zu vergleichen, muss der Jahresenergiebedarf der Kältemaschine berücksichtigt werden: Da ein Trockenkühler auf einem höheren Temperaturniveau als ein Verdunstungskühler arbeitet, ist für den Trockenkühler die Kältemaschine mit einem schlechteren EER (Leistungszahl) und somit einem entsprechend höheren Jahresenergiebedarf zu berücksichtigen.

Andererseits sind bei Verdunstungskühlern der höhere Wartungsaufwand und die Leistungsgröße zu beachten, was den Einsatz bei bestimmten Anwendungen mit geringem Leistungsbedarf verhindern kann, da die erreichte Energieeinsparung den Aufwand nicht rechtfertigt.

2.9.2 Leistungszahl der Kälteanlage

Für den Betreiber einer Kälteanlage ist die Leistungszahl seiner Kälteanlage von wirtschaftlichem Interesse. Die Leistungszahl ist das Verhältnis von nutzbarer Kälteleistung zum gesamten (elektrischen) Leistungsbedarf der Kälteanlage bei einem definierten Betriebszustand. Die Wechselwirkung der Temperaturdifferenzen in den Wärmeübertragern und Fluiden hat dabei einen direkten Einfluss auf die Verdampfungs- und Verflüssigungstemperatur bei der Kälteerzeugung. In der Kältetechnik wird die Leistungszahl als das Verhältnis von Nutzen zum Aufwand (engl. EER, Energy Efficiency Ratio) bezeichnet.

$$\varepsilon = \frac{\text{Nutzen}}{\text{Aufwand}}$$

$$\varepsilon = \frac{Q_0}{P_{el}}$$

Der Nutzen ist die Nutzkälteleistung Q_0 – der für die Anwendung nutzbare Wärmestrom (thermische Leistung). Der Aufwand ist die für den Betrieb einer Kälteanlage erforderliche elektrische Leistung P_{el}. Die Leistungszahl ist somit das Verhältnis zweier Leistungen bei einer stationären Betriebsbedingung. Sie ändert sich, wenn sich Verdampfungs- und/oder Verflüssigungstemperatur ändern. Bild 2.21 zeigt den Kältemittelkreislauf im log p,h-Diagramm: Die Linie 1-2 ist eine isentrope Verdichtung; das Kältemittel wird im Kompressor von p_0 auf p_c verdichtet. 2-3 ist die Wärmeabfuhr im Verflüssiger (Kondensator), 3-4 die Expansion des vorher unter Druck verflüssigten Kältemittels im Expansionsventil und 4-1 die Wärmeaufnahme im Verdampfer, also der Nutzen. In diesem Diagramm lassen sich der Aufwand (Δh_w), also die Verdichtung, und der Nutzen (Δh_0) direkt auf der h-Achse als Strecken ablesen und als Leistungszahl ins Verhältnis setzen (die Enthalpie h multipliziert mit dem umlaufenden Kältemittelmassenstrom ergibt die Leistung in kW). Es wird deutlich, dass bedingt durch eine schlechtere Wärmeübertragung am Verflüssiger (z. B. durch den Einsatz eines Trockenkühlers anstelle eines Verdunstungskühlers) die Linie 2-3 nach oben steigt und der Aufwand (Δh_w) größer wird. Die Leistungszahl wird somit kleiner. Stellt man die obige Gleichung zur Berechnung der Leistungszahl nach der elektrischen Leistung um, lässt sich der Mehraufwand an elektrischem Strom (Leistung P_{el} in kW·Zeit) in kWh berechnen.

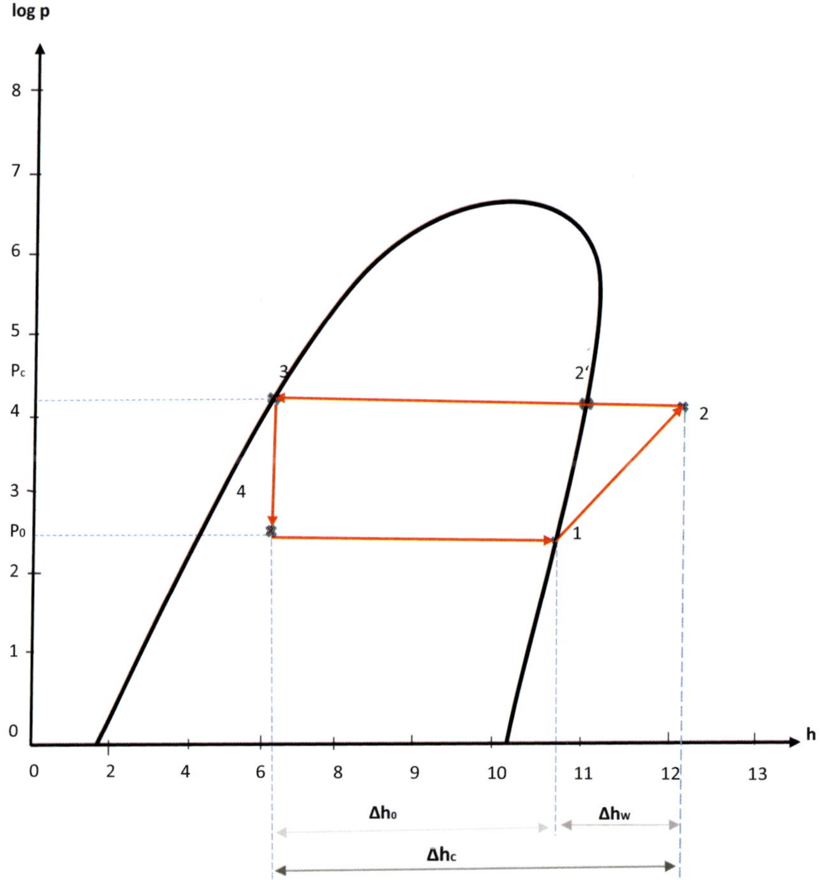

Bild 2.21: Leistungszahl der Kälteerzeugung

2.9.3 Temperaturdifferenzen an Wärmeübertragern

Temperaturdifferenzen an Wärmeübertragern vergrößern den zu überwindenden Temperaturhub bei der Kälteerzeugung und haben somit einen erheblichen Einfluss auf die Energieeffizienz. Je größer die benötigte Temperaturdifferenz für den Wärmeübergang an den Wärmeübertragern ist, desto größer ist die zu erbringende Mehrarbeit am Verdichter (Kälteerzeugungseffizienz). Somit ist für eine energieeffiziente Anlagenausführung eine geringe Temperaturdifferenz an den Wärmeübertragern anzustreben. Bild 2.22 zeigt die Temperaturdifferenzen im Kältemittelkreislauf auf der wärmeaufnehmenden Seite (Verdampfer), $\Delta T_K = T_{Nutz} - T_{Verdampfung}$, und auf der abgebenden Seite (Kondensator), $\Delta T_W = T_{Umgebung} - T_{Kondensation}$.

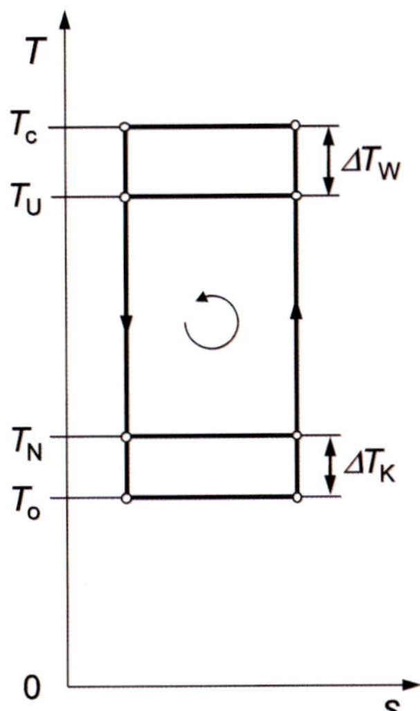

Bild 2.22: Temperaturdifferenzen an Wärmeübertragern [2-3]

Eine Kältemaschine erzeugt genau genommen keine „Kälte", sondern transportiert eine Wärmemenge von der Wärmequelle zur Wärmesenke. Ohne Temperaturunterschied wird keine Wärme übertragen. Gemäß dem zweiten Hauptsatz der Thermodynamik erfolgt der Wärmetransport ausschließlich von warmen zu kalten Temperaturen. Die sogenannte Grädigkeit (Temperaturdifferenzen an Wärmeübertragern) ist ein Qualitätsmerkmal für Wärmeübertrager bzw. auch für Verflüssiger in der Kältetechnik.

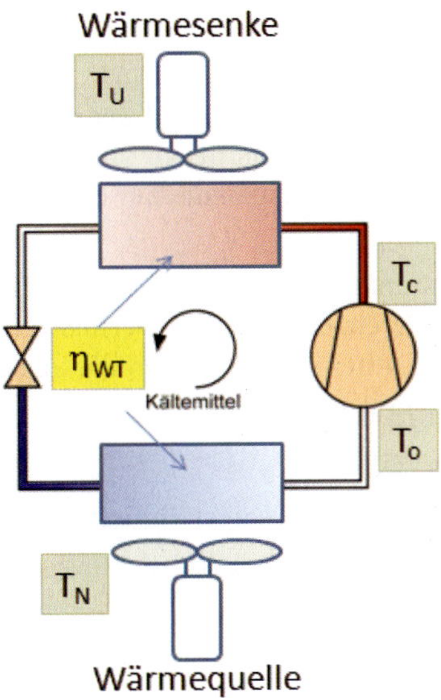

Bild 2.23: Wärmetransport [2-3]

Bauart / Ausführung		1. Fluid		2. Fluid		Temperaturdifferenz [K]		Vorgabe bei Wasser [1, 2]	
		Art	Zusatz	Art	Zusatz	zulässig	empfohlen	Druckverlust [bar]	Spreizung [K]
Lamellen-Wärmeübertrager	Verdapfer (trocken)	Luft	Eintritt	Kältemittel	—	≤ 10	≤ 7	—	—
	Verdapfer (überflutet)	Luft	Eintritt	Kältemittel	—	≤ 8	≤ 5	—	—
	Verflüssiger	Luft	Eintritt	Kältemittel	—	≤ 13	≤ 8	—	—
	Wärmetauscher	Luft	Eintritt	Kaltwasser	Eintritt	≤ 10	≤ 7	≤ 0,8	—
		Luft	Eintritt	Kühlwasser	Austritt	≤ 8	≤ 6	≤ 0,8	—
Platten-Wärmeübertrager	Verdapfer (trocken)	Wasser [1]	Eintritt	Kältemittel	—	≤ 10	≤ 2 - 4	≤ 0,8	—
	Verdapfer (überflutet)	Wasser [1]	Eintritt	Kältemittel	—	≤ 4	≤ 1 - 2	≤ 0,8	—
	Verflüssiger	Wasser [1]	Austritt	Kältemittel	—	≤ 5	≤ 1 - 2	≤ 0,5	4-8
	Wärmetauscher	Wasser [1]	Mittelwert	Wasser [1]	Mittelwert	≤ 3	≤ 1 - 2	≤ 0,8	—
Rohrbündel-Wärmeübertrager	Verdapfer (trocken)	Wasser [1]	Austritt	Kältemittel	—	≤ 5	≤ 3	≤ 0,5	4-8
	Verdapfer (überflutet)	Wasser [1]	Austritt	Kältemittel	—	≤ 3,5	≤ 1,5	≤ 0,5	4-8
	Verflüssiger	Wasser [1]	Austrtitt	Kältemittel	—	≤ 3,5	≤ 1,5	≤ 0,5	4-8
Koaxial-/ Doppelrohr-Wärmeübertrager	Verdampfer	Wasser [1]	Austritt	Kältemittel	—	< 6	≤ 3	≤ 0,5	—
	Verflüssiger	Wasser [1]	Austritt	Kältemittel	—	< 6	≤ 3	≤ 0,5	—
Hybrid-Wärmeübertrager	Verflüssiger	Luft	Feucht	Kältemittel	—	≤ 12	= 8	—	—
	Wärmetauscher	Luft	Feucht	Wasser [1]	Austritt	≤ 10	= 6 - 8	≤ 0,8	4-6
Kühlturm	Verflüssiger	Luft	Feucht	Kältemittel	—	≤ 12	≤ 8	—	—
	offene Bauart	Luft	Feucht	Wasser [1]	Austritt	= 6	= 4	≤ 0,5	—
	geschlossene Bauart	Luft	Feucht	Wasser [1]	Austritt	= 8	= 6	≤ 0,5	—

[1] Kühl- und Kaltwasser (auch als Gykolgemisch)

[2] Die Pumpenantriebsleistung der Kälteträger darf 1% der gesamten Verflüssiger-/ Verdampferleistung im Vollastfall nicht überschreiten

Bild 2.24: Grädigkeiten von unterschiedlichen Wärmeübertragern gemäß VDMA-Einheitsblatt 24247

Die Daten im Bild 2.24 zeigen den Stand der Technik bzgl. dieser Grädigkeiten von unterschiedlichen Wärmeübertragern gemäß VDMA-Einheitsblatt 24247. Die Überprüfung dieser Temperaturunterschiede bei praktischen Anwendungen können einen Anhaltspunkt für die Qualität und die Verschmutzung von Wärmeübertragern geben (hierzu wurde diese Tabelle ursprünglich erarbeitet) und somit auch als Bewertungsgrundlage für die hygienische Bewertung der Anlagentechnik herangezogen werden. Unter der Anwendung der vorangegangenen Ausführungen lässt sich schnell erkennen, welche Konsequenz der Einsatz eines Wärmeübertragers mit kleinerem ΔT (Trockenkühler anstelle eines Kühlturms) hat. ([2-3], [2-4] und [2-5])

2.9.4 Vergleich unterschiedlicher Rückkühlsysteme

Nachdem die Bedeutung der Wärmeübertragung auf der wärmeabgebenden Seite des thermo dynamischen Kreisprozesses zur Kälteerzeugung im vorangegangenen Abschnitt beschrieben wurde, kann nun die Bewertung der unterschiedlicher Rückkühlsysteme (vom Trockenkühler bis zum Verdunstungskühler) erfolgen.

Zusammenfassung: Bauart und Funktionsprinzip der Verflüssiger und Rückkühler beeinflussen die realisierbaren Temperaturdifferenzen zwischen Verflüssigungs- und Wärmesenkentemperatur. Als Anhaltswert bei 32 °C Lufttemperatur gelten die folgenden Temperaturdifferenzen:

- für luftgekühlte Verflüssiger: 13 K
- für Verdunstungsverflüssiger: 5 K
- für luftgekühlte Rückkühlwerke mit wassergekühltem Verflüssiger: 18 K
- für Kühltürme (Verdunstungskühler) mit wassergekühltem Verflüssiger: 10 K

Es werden mit einem luftgekühlten Verflüssiger (Bild 2.25) Temperaturunterschiede zwischen der Umgebungstemperatur t_U und der erreichbaren Kondensationstemperatur t_C von ca. 13 K benötigt. Wohingegen ein Verdunstungsverflüssiger bis auf 5 K an die Umgebungstemperatur herankommt. Hierdurch wird die Kondensationstemperatur um 8 K niedriger gefahren (Vergleich Trocken- zum Verdunstungsverflüssiger), siehe auch Bild 2.24.

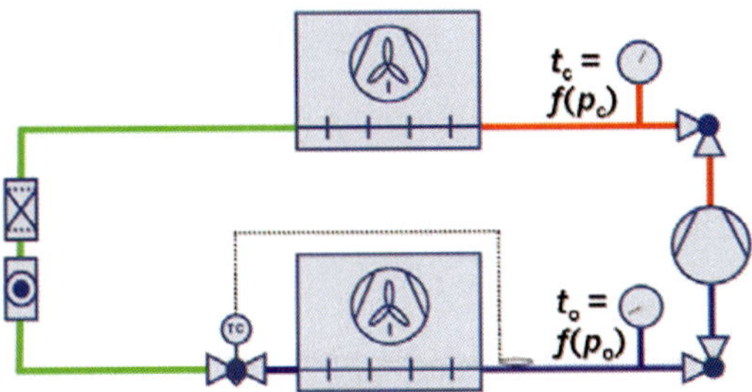

Bild 2.25: Kälteanlage mit luftgekühltem Verflüssiger [2-4]

Im Gegensatz zu einem luftgekühlten Verflüssiger (wo das Kältemittel direkt in der Wärmeübertragung steht) wird in einem sogenannten luftgekühltem Rückkühlwerk (siehe Bild 2.26) aufgrund der zusätzlichen Wärmeübertragung eine um ca. 5 K höhere Temperaturdifferenz erforderlich.

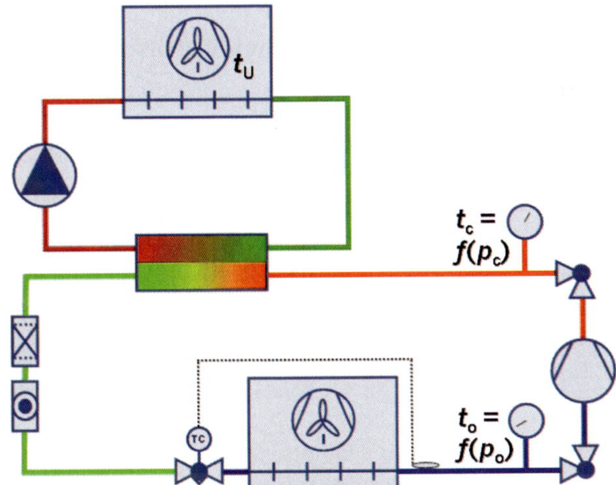

Bild 2.26: Kälteanlage mit luftgekühltem Rückkühlwerk [2-4]

Im praxisnahen Einsatz ist festzustellen, dass sich zur Erstellung einer energieeffizienten Kälteanlage die Reduzierung der Temperaturdifferenzen meist stärker auswirken als beispielsweise die Verwendung einer besseren Energieeffizienzklasse, z. B. der Verdichter.

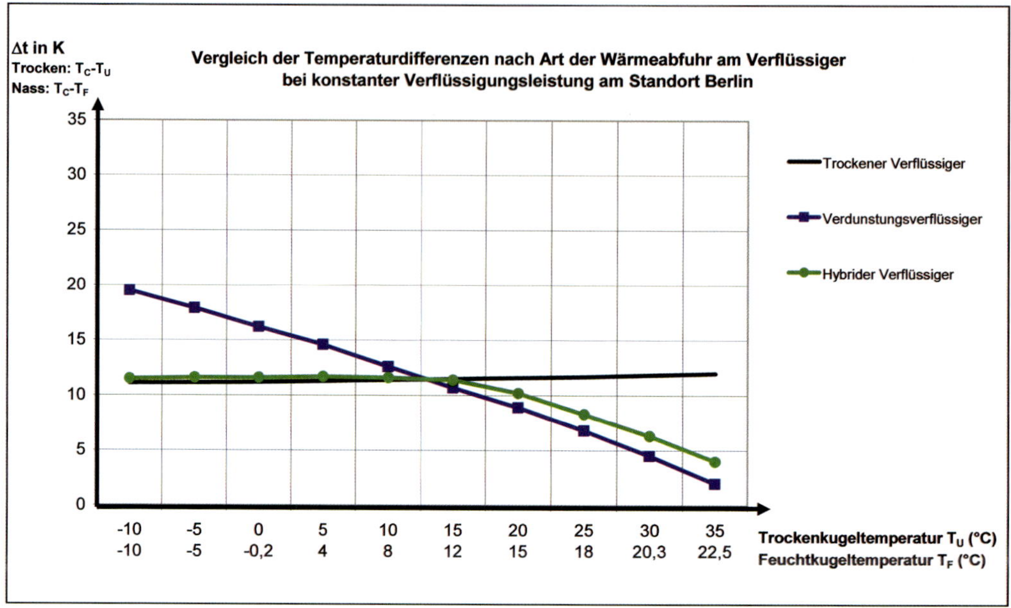

Bild 2.27: Vergleich der Temperaturdifferenzen auf der Wärmesenkenseite [2-4]

Die in Tabelle 2.7 angegebenen möglichen Temperaturdifferenzen lassen sich direkt zur Bewertung der Energieeffizienz verwenden.

Tabelle 2.7: Temperaturdifferenzen der unterschiedlichen Rückkühlsysteme inkl. einem Druckabfall, der einer Temperaturdifferenz von 1 K entspricht [2-4]

Bauart	luftgekühlter Verflüssiger	Verdunstungs-verflüssiger	luftgekühltes Rückkühlwerk mit wassergekühltem Verflüssiger	Kühlturm (Verdunstungskühler) mit wassergekühltem Verflüssiger
$\Delta t_W = t_C - t_U$	13 (= 12 +1)	5 (= 4 + 1)	18 (=17 + 1)	10 (= 9 + 1)
t_C/t_U	45 / 32	37 / 32	50 / 32	42 / 32

Das Potenzial zur Energieeinsparung wird hauptsächlich durch Reduzierung des Temperaturhubs zwischen Wärmequelle und Wärmesenke sowie durch den Einsatz von effizienten Wärmeübertragern erreicht. In Abhängigkeit der Betriebsparameter, der Lastprofile und dem Jahresgang der Temperaturen kann bei einem Absenken der Verflüssigungstemperatur um 1 K etwa 1–3 % und bei einem Erhöhen der Verdampfungstemperatur um 1 K etwa 3–4 % Energieeinsparung erreicht werden.

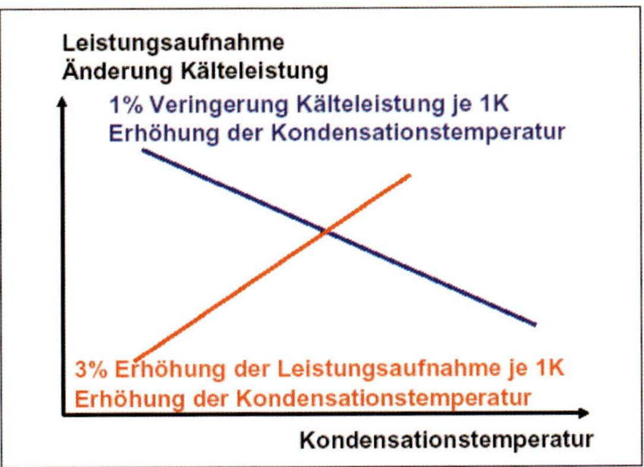

Bild 2.28: Einfluss der Kondensationstemperatur auf die Kälte- und Antriebsleistung von z. B. Ammoniak-Kälteanlagen [2-5]

Mit diesen gewonnenen Erkenntnissen lassen sich die unterschiedlichen Systeme zur Verflüssigung im Kältemittelkreislauf bzgl. der Energieeffizienz überschlägig vergleichen bzw. bewerten, vorausgesetzt, es werden die gleichen Betriebsparameter (z. B. Umgebungstemperatur 32 °C etc.) zugrunde gelegt.

Der Vergleich luftgekühlter Verflüssiger (erreichbare Kondensationstemperatur 45 °C) mit einem luftgekühlten Rückkühlwerk (erreichbare Kondensationstemperatur 50 °C) ergibt eine Energieeinsparung zwischen ca. 5 % und 15 %.

Der Vergleich Verdunstungsverflüssiger (erreichbare Kondensationstemperatur 37 °C) mit einem luftgekühlten Rückkühlwerk (erreichbare Kondensationstemperatur 50 °C) ergibt eine Energieeinsparung zwischen ca.13 % und 39 %.

Somit ergeben sich erhebliche Einsparpotenziale bedingt durch die optimale Auswahl des Rückkühlsystems.

3 Grundlagen der Mikrobiologie und Ursachen des Hygienerisikos

Zum Verständnis von Hygienerisiken in Verdunstungskühlanlagen und Kühltürmen ist ein Grundwissen über Mikroorganismen sowie deren Eigenschaften und Wachstumsbedingungen in diesen „technischen Lebensräumen" erforderlich. Gleichzeitig sollten die möglichen negativen gesundheitlichen Auswirkungen der hier relevanten Mikroorganismen und die Ursachen der damit verbundenen Hygienerisiken bekannt sein. Die wesentlichen Grundlagen für dieses Verständnis der Risiken und Zusammenhänge findet sich in diesem Kapitel. Zur Vertiefung der mikrobiologischen oder hygienisch-medizinischen Grundlagen findet sich im Literarturverzeichnis eine Auswahl von entsprechenden Fachbüchern [3-1; 3-2; 3-3]. Leider liegen aktuell nur wenige zusammengefasste Übersichtdarstellungen zum Vorkommen von Mikroorganismen in Verdunstungskühlanlagen und Kühltürmen vor. Eine Ausnahme bildet die Literatur zu Legionellenausbrüchen, wozu Walser et al. [3-4] eine ausgezeichnete Übersicht verfasst haben. Diese ist auch in die VDI 4250 Blatt 2 eingeflossen und wird in Kapitel 3.2.2 aufgegriffen.

3.1 Mikrobiologische Grundlagen

Nach einer kurzen Einführung über Mikroorganismen und deren Einordnung in die Systematik der Lebewesen folgt hier ein Überblick zu deren grundlegenden Eigenschaften und Wachstumsbedingungen. Anschließend wird der Fokus auf Mikroorganismen in den technischen Lebensräumen *Verdunstungskühlanlage* und *Kühlturm* geworfen.

3.1.1 Mikroorganismen

Zu den Mikroorganismen werden Lebewesen gezählt, die als mikroskopisch kleine Organismen lange Zeit der menschlichen Wahrnehmung und damit auch unserer Erkenntnis entzogen waren. Erst mit der Entwicklung geeigneter Mikroskope wurde dem Menschen vor ca. 150 Jahren diese Welt erschlossen. Mit der Mikrobiologie hat sich in der Folge eine Wissenschaftsdisziplin als Teil der Biologie entwickelt, die in allen unseren Lebensbereichen von Bedeutung ist.

Mikroorganismen standen nach heutigem Kenntnisstand nicht nur am Anfang der Entwicklung des Lebens auf diesem Planeten, sondern besiedeln offensichtlich auch alle Regionen und machen den größten Teil der Biomasse der Erde aus. Sie bestimmen die meisten Stoffkreisläufe auf der Erde maßgeblich mit und sind dabei auch primär für den Abbau des organischen Materials verantwortlich. Ohne Mikroorganismen würde das Leben auf diesem Planeten, wenn es überhaupt möglich wäre, ein ganz anderes Gesicht haben. Unsere menschliche Existenz hängt in einem hohen Maße an ihnen. Das trifft im Positiven wie leider auch im Negativen zu. Menschen versuchen seit Jahrtausenden, schon zu Zeiten ohne die Kenntnis dieser Lebewesen, deren negativen Einflüssen entgegenzuwirken. Mikroorganismen oder deren Bestandteile verursachen eine Vielzahl von Erkrankungen beim Menschen und waren bis zur Entdeckung von Antibiotika zu allen Zeiten mit hoher Wahrscheinlichkeit eine maßgebliche Todesursache. Auch wenn sich das heute durch eine Vielzahl von Hygienemaßnahmen in vielen Lebensbereichen (Ernährung, Wohnen, Körperpflege etc.) massiv verbessert hat, sind Mikroorganismen immer noch eine der weltweit häufigsten Todesursachen. Dabei spielen Infektionen durch die zahlreichen Krankheitserreger und damit verbundenen Infektionskrankheiten, wie Lungenentzündungen, weiterhin eine zentrale Rolle (siehe Kapitel 3.2). Menschen haben daher seit der Frühzeit versucht, Maßnahmen gegen schädliche Mikroorganismen zu entwickeln.

Die Zuordnung von Mikroorganismen in das Ordnungssystem des Lebens wurde in den letzten Jahrzehnten aufgrund neuer Erkenntnisse immer wieder angepasst. In der Taxonomie als Teilgebiet der Biologie, das die Lebewesen in einer Systematik erfasst, kommen Mikroorganismen in fast jedem Reich (nach Woese vorgeschlagene Ordnungsgruppe) vor. Einige Reiche zeichnen sich dadurch aus, dass dort ausschließlich Mikroorganismen vorkommen. Dabei ist zu berücksichtigen, dass Viren und Prionen infektiöse Partikel sind und nicht zu den Lebewesen zählen. Sie tauchen daher in der Ordnungssystematik der Lebewesen nicht auf, was auf der Definition von Lebewesen beruht. So haben Viren und Prionen weder eine zelluläre Struktur noch einen eigenständigen Stoffwechsel oder weisen eine eigenständige Vermehrung auf. Lebewesen werden grundsätzlich in *Prokaryoten* und *Eukaryoten* unterschieden. Prokaryoten sind Organismen, deren Zellen keinen Zellkern besitzen; unter diesen findet man ausschließlich Mikroorganismen. Dagegen zeichnen sich Eukaryoten durch einen Zellkern aus. Derartige Organismen sind sowohl höher organisierte Pflanzen und Tiere als auch bestimmte Gruppen von Mikroorganismen, wie z. B. Algen oder Amöben.

Die Organismenreiche der Bacteria, Archea, Fungi, Protista sowie Plantae umfassen die wichtigsten Mikroorganismengruppen. Bezogen auf die hier betrachteten Lebensräume Verdunstungskühlanlage und Kühlturm ist davon auszugehen, dass sich Mikroorganismen aus allen genannten Organismenreichen dort wiederfinden können. Die größte gesundheitliche Relevanz für den Menschen haben dabei nach dem jetzigen Kenntnisstand Mikroorganismen aus dem Reich der Bacteria. Es sollte aber keinesfalls unberücksichtigt bleiben, dass viele Organismen aus den anderen Gruppen speziell über die Bildung von Belägen (Biofilmen) auf den Oberflächen von Anlagenbauteilen, wie z. B. Wärmetauscher, einen erheblichen negativen wirtschaftlichen Einfluss auf den Anlagenbetrieb haben können. Nicht selten sind diese Lebewesen auch eine zentrale Voraussetzung für das Vorkommen von gesundheitlich relevanten Bakterien, wie Legionellen.

Unterhalb der Ordnungsebene eines Reichs wie den Bacteria gibt es weitere Ordnungsebenen für Lebewesen. Die jeweilige Zuordnung erfolgt anhand definierter Merkmale, wobei die Verwandtschaft mit abnehmender Hierarchiestufe bis zur Art oder Unterart immer enger wird (siehe Bild 3.1). Und damit natürlich auch die Zahl gemeinsamer Merkmale. Im Fall von Bakterien ist die Zuordnung einzelner Lebewesen zu spezifischen Arten, wie z. B. *Legionella pneumophila*, mit besonderen Herausforderungen verbunden. Das hängt primär mit den Auslegungen des Artbegriffs zusammen, der häufig in der Biologie mit einer angenommenen Fortpflanzungsgemeinschaft gekoppelt ist. Gleichzeitig gibt es dann in der Regel auch noch äußerliche Merkmale, die bei vielen Organismen eine Abgrenzung ermöglichen. Bei Bakterien ist das ungleich schwieriger, da es dort keine klassischen Fortpflanzungsgemeinschaften gibt und die „äußerlichen" (morphologischen) Unterschiede wenig ausgeprägt sind. Daher nutzt man in der Regel biochemische Unterscheidungsmerkmale, die z. B. auf spezifischen Stoffwechselleistungen, wie der Nutzung unterschiedlicher Nährstoffe, beruhen. Alternativ erfolgt eine genetische Artdifferenzierung, die anhand des Aufbaus der Erbinformation und deren Übereinstimmung zwischen zwei Organismen ermittelt wird. Diese Schwierigkeiten bei der Differenzierung sind häufig ein weiterer Grund für Probleme beim Nachweis bestimmter Bakterienarten, z. B. auch von Legionellen im Kühlwasser. So z. B. weist die hygienisch bedeutendste Art, *Legionella pneumophila*, auch noch verschiedene Serotypen auf. Das bedeutet, dass sich innerhalb der Art *Legionella pneumophila* noch weitere Bakteriengruppen anhand serologischer Tests, also mit Antikörpern, nachweisen lassen. Für den Nachweis dieser Bakterien ist das von besonderer Bedeutung, da die Fähigkeiten zur Infektion bei den einzelnen Serotypen sehr unterschiedlich ausgeprägt ist. Ohne hier auf tiefere fachliche Details einzugehen, lässt das vielleicht die besonderen Herausforderungen beim Nachweis und der Beurteilung von Mikroorganismen in Systemen, wie Verdunstungskühlanlagen (VKA) und Kühltürmen, erahnen.

Domäne	Bakterien
Klasse	Gammaproteobacteria
Ordnung	Legionellales
Familie	Legionellaceae
Gattung	Legionella
Spezies (Auswahl)	– L. anisa – L. birminghamensis – L. bozemanii – L. cincinnatiensis – L. dumoffi – L. feeleii – L. gormanii – L. hackeliae – L. jodarnis – L. lansingensis – L. longbeachae – L. maceachernii – L. micdadei – L. oakridgensis – L. parisiensis – L. pneumophila (16 Serogruppen) – L. sainthelensi – L. tusconensis – L. wadsworthii

Bild 3.1: Klassifikation von Mikroorganismen am Beispiel der Gattung *Legionella*

3.1.2 Eigenschaften und Wachstumsbedingungen von Mikroorganismen

Mikroorganismen weisen eine Reihe von Merkmalen auf, die typisch für diese Gruppe von Lebewesen sind und sie von den anderen Organismen weitestgehend unterscheiden [3-5]. Dazu zählen primär:

- hohe Stoffwechselaktivitäten
- hohe Vermehrungsraten
- große Vielfalt unter den Zellen
- hohe Stoffwechselvielfalt
- große Verbreitung

Die hohen Stoffwechselaktivitäten basieren vor allem auf das hohe Verhältnis von Zelloberfläche und Zellvolumen. Bei durchschnittlichen Zellgrößen von 0,5–2,0 µm erlaubt dies einen ausgeprägten Stoffaustausch mit der Umgebung, z. B. über die Aufnahme von Nährstoffen aus dem umgebenden Kühlwasser. Geringe Größe und hohe Stoffwechselaktivität sind dann wiederum Voraussetzung für vergleichsweise sehr große Vermehrungsraten. Sie beruhen auf einem Prozess, bei dem nach Verdopplung der Erbinformation diese anschließend auf die beiden Tochterzellen des sich teilenden Mikroorganismus verteilt werden. Mit Generationszeiten (Verdopplungszeiten der Zellen) von 30–40 Minuten bei Hefen, als den am schnellsten wachsenden Pilzen, und ca. 21 Minuten bei *Escherichia coli*, einem Darmbakterium, wird das Vermehrungspotenzial sehr deutlich. Aufgrund der Zweiteilung von Mikroorganismen entspricht die Zunahme der einer exponentiellen Funktion:

2^0	2^1	2^2	2^3	2^4	2^5	2^n
1	2	4	8	16	32	

Stellt man diesen Prozess grafisch dar, wird der exponentielle Verlauf offensichtlich (siehe Bild 3.2). Es handelt sich allerdings um einen idealen Verlauf, wie er praktisch nur unter optimalen Bedingungen im Labor zu erwarten ist. Stattdessen finden sich unterschiedliche Wachstumsphasen von Bakterien. Das gilt sowohl für Laborversuche, in denen die Wachstumsbedingungen weitestgehend kontrolliert und konstant gehalten werden können, als auch für das Wachstum in einer VKA als Lebensraum. Wachstumsbedingungen können dort natürlich erheblich schwanken, was im Alltag auch die Regel ist.

Das Wachstum von Mikroorganismen zeichnet sich durch verschiedene Phasen aus, die je nach Bedingungen unterschiedlich ausgeprägt sind. Mit dem Eintrag von Mikroorganismen in ein Medium (Beimpfen einer Laborkultur oder dem Bakterieneintrag in eine VKA über das Zusatzwasser) kommt es zu einer sogenannten Lag-Phase (Verzögerungsphase). Gleichwohl die Wachstumsbedingungen eine direkte Vermehrung der Mikroorganismen zulassen, erfolgt in dieser Anpassungsphase noch keine relevante Vermehrung. Das hat in der Regel damit zu tun, dass die Mikroorganismen vorher unter anderen äußeren Bedingungen (Nährstoffe, pH-Wert etc.) lebten und ihren Stoffwechsel erst auf die neuen Bedingungen umstellen müssen. Im Labor dauert diese Lag-Phase in der Regel eine kurze Zeitspanne (oft weniger als eine Stunde), während die Bedingungen in einer „natürlichen“ Umwelt wie einer VKA komplett anders sind. Hier lässt sich keine wirklich verlässliche Prognose abgeben, wie lange diese Phase andauert.

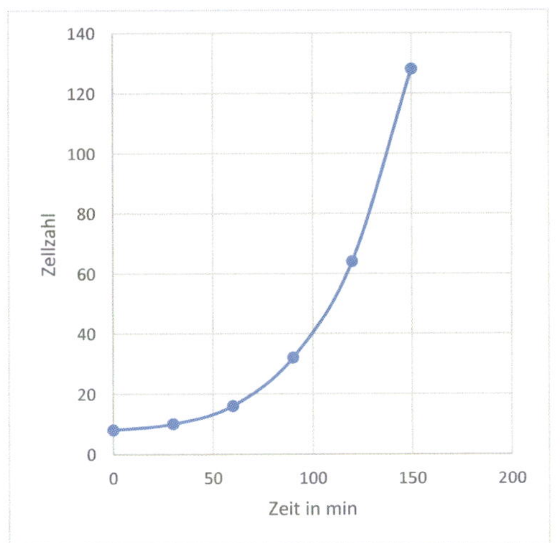

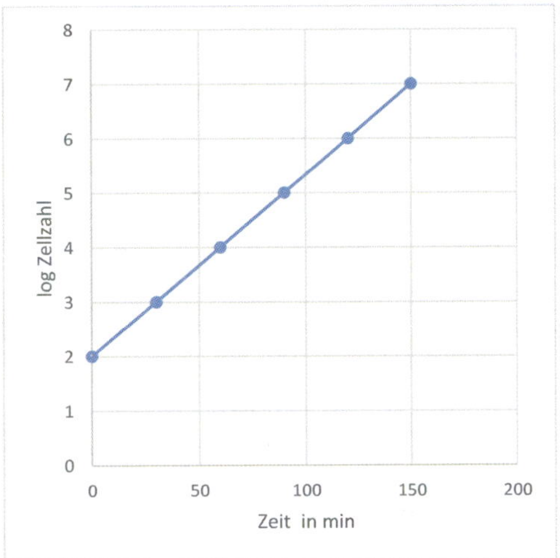

Bild 3.2: Darstellung der Zunahme von Mikroorganismen unter idealen Bedingungen im arithmetischen (links) und halblogarithmischen (rechts) Maßstab

Im nächsten Schritt findet man in der Regel die Log-Phase, die eigentliche Wachstumsphase, welche durch eine exponentielle Vermehrung gekennzeichnet ist. Wie lange diese Phase andauert und wie hoch die Teilungsrate ist, die damit auch die Höhe der Zellzahl maßgeblich mitbestimmt, hängt von den Wachstumsbedingungen (insbesondere vom Nährstoffangebot) ab. Sobald diese nicht mehr gegeben sind, setzt anschließend die stationäre Wachstumsphase ein, die durch einen Wachstumsstopp gekennzeichnet ist; in dieser Phase bleibt die Zellzahl etwa gleich. In Abhängigkeit von der Empfindlichkeit der Mikroorganismen kommt es bei längerem Andauern der stationären Phase zu einem Absterben der Mikroorganismen, womit die Absterbephase einsetzt (siehe Bild 3.3).

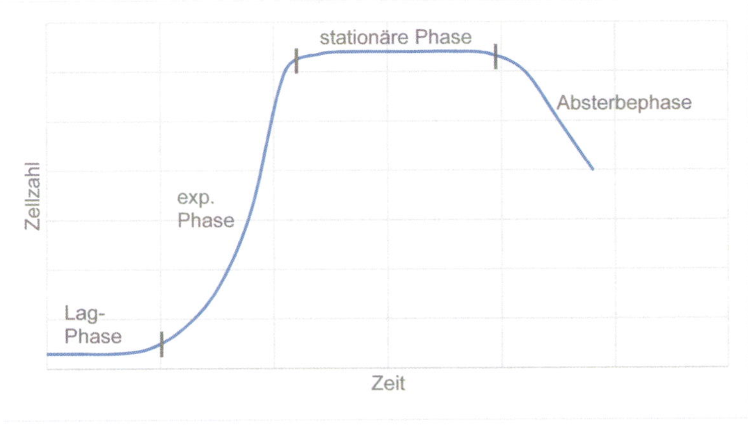

Bild 3.3: Wachstumsphasen von Mikroorganismen in arithmetischer Darstellung

Für den Fall, dass die Wachstumsbedingungen optimal sind, lassen sich so innerhalb kürzester Zeit enorme Mikroorganismenzahlen nachweisen. Das Wachstum und damit die Vermehrungsrate sind aber naturgemäß für alle Mikroorganismenspezies durch limitierende Bedingungen begrenzt. Begründet sind diese Limitierungen einerseits in den Stoffwechselprozessen der Mikroorganismen selbst sowie andererseits durch die Umweltbedingungen und damit verbundenen Einflussfaktoren. Dabei werden die mikrobiellen Stoffwechselprozesse in drei Gruppen zusammengefasst:

- Katabolismus (Abbau von Stoffen, wie z. B. den Nährstoffen Zucker und Fette)
- Intermediärstoffwechsel (Kreislauf und/oder Umbau von Stoffen des eigenen Zellstoffwechsels)
- Anabolismus (alle Stoffwechselprozesse, die zur Neusynthese von zelleigenen Stoffen, wie z. B. Enzymen oder Zellwandbestandteilen, beitragen)

Die Umgebungsbedingungen beeinflussen auf unterschiedliche Weise das Wachstum und auch die Überlebensfähigkeit von Mikroorganismen, was im Wesentlichen mit deren Einfluss auf die o. g. Stoffwechselprozesse zusammenhängt. Dabei muss berücksichtigt werden, dass der Einfluss von Umweltfaktoren in Abhängigkeit von der jeweiligen Spezies der Mikroorganismen extrem unterschiedlich ausfallen kann. Zurückzuführen ist das unter anderem auf die evolutionäre Entwicklung und damit verbundene Anpassung dieser Organismen. Diese ist über die Umweltfaktoren in ihren Lebensräumen maßgeblich beeinflusst worden. So haben bestimmte Umweltfaktoren, wie vergleichsweise niedrige Sauerstoffgehalte in bestimmten Lebensräumen, über Mutationen im Erbgut zu Anpassungsprozessen und der Selektion spezifischer Mikroorganismen geführt. Die Anpassungen bringen es gleichzeitig mit sich, dass die Spezies bei den aktuellen Sauerstoffgehalten der Atmosphäre gar nicht mehr lebensfähig sind. Zu den wesentlichen Umweltfaktoren für Mikroorganismen gehören:

- die Wasseraktivität und osmotische Effekte
- die Temperatur
- die Wasserstoffionen-Konzentration (pH-Wert)
- der Sauerstoffgehalt
- der Kohlendioxidgehalt
- der hydrostatische Druck
- die Konzentration chemischer Substanzen als Wachstumssubstrate

Da Mikroorganismen wie alle Lebewesen auf Wasser angewiesen sind, ist dies ein zentraler Umweltfaktor. Mit dem Austrocknen bestimmter Lebensräume, wie z. B. den Anlagenteilen einer VKA, kommt es zu einer massiven Beeinträchtigung der Überlebensaussichten. Allerdings können manche Mikroorganismen sogenannte Dauerformen (z. B. Sporen) bilden. Diese überstehen ungünstige Lebensbedingungen mehr oder minder lange und sind bei Änderung hin zu günstigen Umweltfaktoren in der Lage, wieder eine Vermehrung zu bewirken. In anderen Fällen ist Wasser zwar in ausreichendem Maße vorhanden, die Anwesenheit von osmotisch aktiven Substanzen, wie Salzen, führen aber zu einer mangelnden Verfügbarkeit des Wassers für Mikroorganismen. So werden viele Mikroorganismen bereits bei Salzkonzentrationen von 2,5 % NaCl zunehmend gehemmt. Diesen Umstand macht man sich z. B. seit Jahrtausenden durch Pökeln zunutze.

Ein weiterer ganz entscheidender Umweltfaktor ist die Temperatur. Gerade auch im Zusammenhang mit krankheitsverursachenden Mikroorganismen, wie Legionellen. Dabei gibt es für jede Spezies einen sogenannten biokinetischen Temperaturbereich. Er ist gekennzeichnet durch die minimale (T_{min}), die optimale (T_{opt}) und die maximale (T_{max}) Wachstumstemperatur (siehe Bild 3.4). Während es zwischen der minimalen und der optimalen Temperatur zu Steigerung der Vermehrungsrate kommt, fällt diese im Bereich zwischen optimaler und maximaler Temperatur wieder ab. Außerhalb dieses biokinetischen Temperaturbereichs findet bei Mikroorganismenspezies kein Wachstum mehr statt. Dieser Temperaturbereich kann sich in Abhängigkeit von der Spezies erheblich unterscheiden (siehe Tabelle 3.1).

Tabelle 3.1: Zuordnung von Mikroorganismen nach ihren biokinetischen Temperaturbereichen

Mikroorganismus	T_{min} (C°)	T_{opt} (C°)	T_{max} (C°)
hyperthermophil	> 60	> 80	< 115
thermophil	> 25	> 50-80	< 85
mesophil	> 8	15-45	< 50
psychrophil	< 0	< 15	< 20

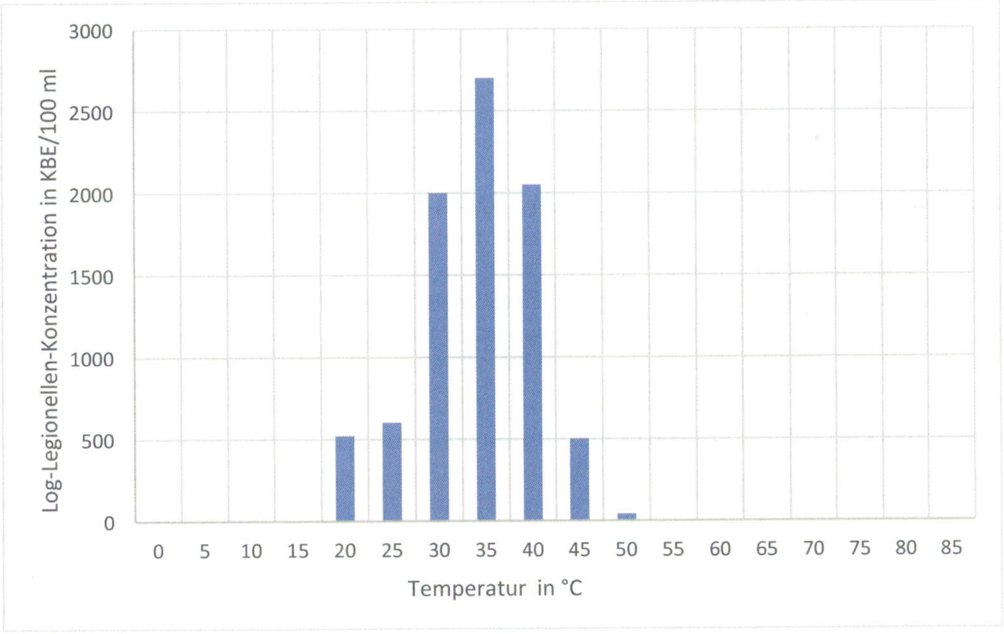

Bild 3.4: Wachstum von Legionellen in Abhängigkeit von der Temperatur

Die Mehrzahl der Mikroorganismenspezies sind mesophil und können unterhalb von T_{min} nicht wachsen, aber relativ lange überleben. Eine Temperaturerhöhung oberhalb T_{max} hemmt zunächst das Wachstum und führt bei einem weiteren Temperaturanstieg zum Absterben der

Mikroorganismen. Der Umstand, dass Veränderungen des biokinetischen Temperaturbereichs einer Mikroorganismenspezies nur in sehr engen Grenzen durch mutative Anpassungen im Erbgut möglich sind, macht die thermische Abtötung in zahlreichen Anwendungsbereichen zu einem probaten Mittel der Bekämpfung (siehe Kapitel 3.1.7). Krankheitsverursachende Mikroorganismen, wie Legionellen oder Pseudomonaden, weisen häufig einen ähnlichen biokinetischen Temperaturbereich auf. Sofern möglich, sollte daher versucht werden, diesen Temperaturbereich in technischen Lebensräumen, wie Trinkwasser-Installationen oder VKA, zu vermeiden. Da das häufig aus prozesstechnischen Gründen nicht erreichbar ist, sollten weitere Faktoren, die zur Steigerung des Gehalts an Krankheitserregern in einem System führen können, minimiert werden (z. B. Nährstoffe, Stagnation des Wassers).

Die Wasserstoffionen-Konzentration (pH-Wert) ist ein weiterer wichtiger Umweltfaktor. Auch hier gibt es, wie bei den anderen Umweltfaktoren, einen pH-Wert-abhängigen Wachstumsbereich, der je nach Mikroorganismenspezies sehr unterschiedlich sein kann. Die meisten humanpathogenen Bakterien sind neutrophil und besitzen ein Wachstumsoptimum bei einem neutralen pH-Wert um 7,0. Toleriert werden durch diese Bakterien häufig Bereiche zwischen pH 4,5 und 8,5. Hierin ist der Grund zu sehen warum bestimmte Anlagen, in denen das Wasser oberhalb bzw. unterhalb dieser pH-Werte liegt, aus dem Geltungsbereich der 42. BImSchV herausgenommen wurden (siehe Kapitel 4). Extrem ungünstige Wachstumsbedingungen im Bereich des pH-Werts für Legionellen reduzieren deren Vermehrungsrisiko praktisch auf annähernd null.

Der Sauerstoffgehalt als Umweltfaktor kann je nach Mikroorganismenspezies das Wachstum stark fördern, hemmen oder auch zur Abtötung führen. Man kennt obligat aerobe Mikroorganismen, die unbedingt auf die Anwesenheit von Sauerstoff angewiesen sind. Sie benötigen den Sauerstoff primär für die sogenannte Atmungskette, also ähnlich wie wir Menschen, im Rahmen der Stoffwechselprozesse zur Energiegewinnung. Andererseits ist Sauerstoff in mancher Form (Ozon, Hydroxylradikal etc.) für zahlreiche Mikroorganismen ein giftiger Stoff und bedarf daher einer Entgiftung in den Organismen. Diese Abwehrmechanismen haben Grenzen, was man sich bei der Bekämpfung von Mikroorganismen zunutze macht (siehe auch Kapitel 3.1.7). Neben den oben genannten Mikroorganismen kennt man fakultativ aerobe Spezies, die in Gegenwart von Sauerstoff leben können, diesen aber für ihr Überleben nicht zwingend benötigen. Von den mikroaerophilen bis zu den obligat anaeroben Mikroorganismen gibt es Spezies, die mit geringen Mengen leben können bzw. ohne Sauerstoff leben müssen.

Kohlendioxid ist als Umweltfaktor nur für sogenannte autotrophe Mikroorganismen von herausragender Bedeutung. Ähnlich den Pflanzen benötigen diese CO_2 zur Kohlenstoffgewinnung und dem Aufbau entsprechender Substanzen. Sogenannte heterotrophe Mikroorganismen benötigen CO_2 nur in sehr geringen Mengen. Ein weiterer Umweltfaktor, der von untergeordneter Bedeutung ist, ist der hydrostatische Druck. Die meisten Mikroorganismen haben bei Drücken bis 100 bar keine relevanten Einschränkungen des Wachstums.

Von zentraler Bedeutung für das mikrobielle Wachstum ist dagegen der Einfluss chemischer Substanzen, die entweder als Nährstoff benötigt werden oder auch einen hemmenden bzw. gar abtötenden Einfluss haben. Letztere Stoffe werden am Beispiel von Bioziden im Kapitel 3.1.7 behandelt. Neben dem Vorhandensein von Wasser sind die darin gelösten Substanzen, aus denen die Mikroorganismen ihr Zellmaterial aufbauen und die Energie gewinnen, als Nährstoffe obligat. Dabei sind, ähnlich wie bei den anderen beschriebenen Umweltfaktoren, die Ansprüche der verschiedenen Arten von Mikroorganismen an die Nährstoffe außerordentlich verschieden. Im Grundsatz gilt, dass die für das Wachstum der jeweiligen Mikroorganismen geeigneten Lebensräume eine bestimmte Zusammensetzung an Nährstoffen oder Elementen aufweisen müssen, die in verwertbarer Form am Aufbau der Zellsubstanz beteiligt sind. Deren chemische Zusammensetzung ist im Wesentlichen durch die Elemente Kohlenstoff, Sauerstoff, Wasserstoff, Stickstoff, Schwefel, Phosphor, Kalium, Calcium, Magnesium und Eisen geprägt. Nach heutigem Kenntnisstand sind diese in allen Organismen vorhanden. Daneben benötigen Mikroorganismen noch Spurenelemente, die in verschiedener Auswahl und Menge verfügbar sein müssen. Dazu gehören z. B. Mangan, Kupfer, Zink, Kobalt oder Natrium. Bei den Kohlenstoff- und Energiequellen sind es die sogenannten heterotrophen Mikroorganismen, die anders als die autotrophen Organismen nicht in der Lage sind, CO_2 als Hauptkohlenstoffquelle zu nutzen. Die heterotrophen Mikroorganismen, zu denen auch Legionellen und Pseudomonaden gehören, beziehen den Zellkohlenstoff primär aus organischen Nährstoffen. Das sind z. B. Fette (Lipide), Zucker (Kohlenhydrate) oder Eiweiße (Proteine), die in der Natur häufig als Polymere (z. B. Cellulose und Stärke) vorkommen. Um diese als Kohlenstoff- und Energiequelle zu verwerten, müssen diese Polymere in der Regel in ihre Monomere zerlegt und in gelöster Form in die Zelle der Mikroorgansimen aufgenommen werden. Sehr häufig findet man bei Mikroorganismenspezies für das Wachstum im Labor noch den Bedarf an Ergänzungsstoffen. Diese sogenannten Suppline sind Stoffe, die von diesen Organismen nicht selbst in ihrem Stoffwechsel synthetisiert werden können. Solche Mikroorganismen können in natürlichen Lebensräumen offensichtlich deshalb überleben, weil sie in enger Beziehung mit anderen Organismen leben. Letztere scheinen solche Stoffe auszuscheiden, welche dann wiederum von anderen aufgenommen werden. Legionellen gehören in eine Gruppe von Bakterien, die Suppline benötigen.

Nährstoffeinträge finden über das Zusatzwasser und das Auswaschen von Luftinhaltsstoffen durch das Verrieseln oder Versprühen des Kühlwassers in VKA oder Kühltürme statt. Darüber hinaus muss berücksichtigt werden, dass auch Produkte zur Wasserbehandlung, wie zum Korrosionsschutz oder der Härtestabilisierung, Nährstoffe in signifikanten Mengen in das Kühlwasser eintragen. Um mikrobielles Wachstum zu reduzieren, ist es essentiell, diesen Faktoren im Betrieb besondere Beachtung zu schenken. Im Rahmen der Analytik des Kühlwassers sollten daher, neben den z. B. für Härteausfällung und Korrosion relevanten Untersuchungsparametern, auch Inhaltsstoffe für das mikrobielle Wachstum betrachtet werden.

Die Vielfalt der Mikroorganismenspezies auf der Erde beruht im Wesentlichen auf ihrer sehr großen Varianz im Stoffwechsel. Aufgrund des außerordentlich langen Entwicklungszeitraums dieser Gruppe von Lebewesen sind im Zuge der Evolution offensichtlich unterschiedliche Strategien entstanden, um aus chemischen Stoffen, wie sie in den jeweiligen Lebensräumen vorkommen, Kohlenstoff und Energie zu beziehen. Daher finden sich Mikroorganismen auch in fast allen bisher untersuchten Lebensräumen dieses Planeten.

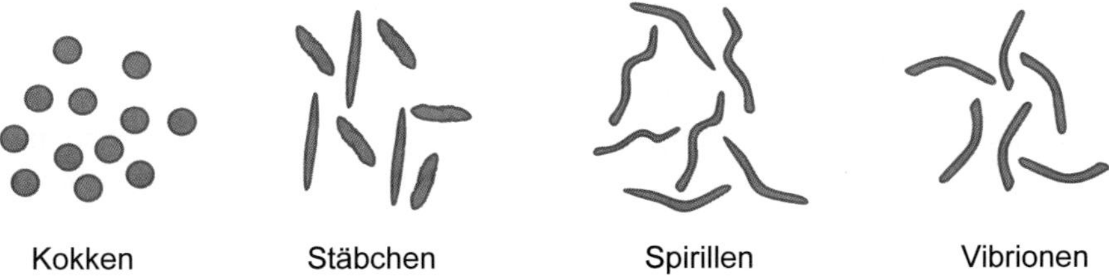

Bild 3.5: Erscheinungsformen von Bakterien

3.1.3 Legionellen

Legionella spp. birgt nach aktuellem Kenntnisstand das größte von VKA und Kühltürmen ausgehende Infektionsrisiko. Es handelt sich bei dieser Gruppe von Mikroorganismen um gramnegative, stäbchenförmige Bakterien, die zur Familie der Legionellaceae gehören und keine Sporen als Überdauerungsformen bilden. Ihre Lebensweise ist aerob. Im RKI Ratgeber, Stand 25.02.2013, werden 57 Bakterienarten angegeben, die zudem mindestens 79 unterschiedliche Serogruppen umfassen [3-26]. Alle Legionellen sind als potenziell humanpathogen einzustufen. Sie besitzen eine Länge von ca. 2–20 µm und einen Durchmesser von 0,3–0,9 µm.

Nach aktuellem Kenntnisstand sind Legionellen überall im wässrigen Millieu verbreitet [3-6]. Neben dem Vorkommen in natürlichen Gewässern (Flüssen, Seen etc.) treten sie auch im Schlamm oder im Erdboden auf. In der Regel scheint Legionella spp. in natürlichen Lebensräumen nur in geringer Zahl von < 100 KBE/100 ml vorzukommen. Wie die Untersuchungen zum Legionellenausbruch in Warstein gezeigt haben, kann es aber zu massiven Legionelleneinträgen in Oberflächengewässer kommen. Ursächlich war der Eintrag in den Fluss Wester offensichtlich auf eine Kläranlage zurückzuführen. Im Rahmen der Untersuchungen in Warstein wurden dann im Fluss Wester bis zu 20.000 KBE Legionellen/100 ml Flusswasser nachgewiesen [3-7]. Aus den natürlichen Lebensräumen gelangen Legionellen in künstliche Wassersysteme, wie Trinkwasserinstallationen, Luftbefeuchter in raumlufttechnischen Anlagen oder Verdunstungskühlanlagen und Kühltürmen. Die Fortbewegung erfolgt über Flagellen (Geißeln). Die Vermehrungstemperatur liegt zwischen ca. 25 °C und 45 °C, das Optimum bei 37 °C. Ein Wachstum ist bei pH-Werten von 5,5 bis 9,2 möglich [3-8].

Man geht nach heutigem Wissen davon aus, dass sich Legionellen primär intrazellulär in Protozoenarten, wie Acanthamoeba spp., Naegleria spp., Hartmanella spp., Tetrahymena pyriformis, Tetrahymena vorax, vermehren [3-9]. Protozoen sind üblicherweise für Legionellen und auch andere Bakterien Fressfeinde. Nach der Aufnahme durch die Protozoen umschließen diese die Legionellen in einer Vakuole. In der Folge findet dann in der Vakuole die Verdauung der aufgenommenen Bakterien statt. Legionellen besitzen offensichtlich in bestimmten physiologischen Zuständen die Fähigkeit, sich vor dieser Verdauung zu schützen, und nutzen stattdessen Protozoen als Lebensraum. Damit nutzen Legionellen Protozoen nicht nur selbst als Nahrungsquelle, sondern auch als Schutzzone; so wirken die Zellwände der Protozoen bspw. bei chemischer Desinfektion als Schutzhülle. Im Fall von Amöben wurde festgestellt, dass diese chlorresistent bis zur Chlorkonzentrationen bis 50 ppm sind. Intrazelluläre Legionellen werden somit von den Zellwänden der Amöben geschützt [3-9]. Weiterhin wird davon ausgegangen, dass Legionellen vermehrt in Biofilmen vorkommen. Auch dort finden sie im Vergleich zur reinen Wasserphase sehr wachstumsfreundliche Bedingungen, da die enge Verbindung mit anderen Organismen zu einer besseren Nährstoffversorgung führt. Daneben bildet ein Biofilm auch einen guten Schutzraum, z. B. gegen Desinfektionsmittel (siehe auch Kapitel 3.1.4). Wie aus der Literatur hervorgeht, nutzt *Legionella pneumophila* außerdem die Algenblüte als Kohlenstoff- und Energiequelle [3-10].

Der Nährstoffbedarf der Legionellen besteht unter anderem aus eisenhaltigen Salzen, wie z. B. Eisen(III)-pyrophosphat [3-11]. Die Eisenkonzentration im Wasser scheint ein wichtiger Wachstumsfaktor zu sein. Für die Vermehrung von Legionellen liegt die optimale Konzentration von Eisen bei 25 mg/L bis 50 mg/L [3-12]. Des Weiteren werden α-Ketoglutarat und L-Cystein von den Legionellen verstoffwechselt, aber auch weitere Stickstoff- und Kohlenstoffquellen werden genutzt [3-11]. Die Konzentration an gelöstem Sauerstoff liegt bei 6 mg/L bis 6,7 mg/L.

Legionellen sind Katalase-positiv, womit es zu einem Toleranzbereich gegenüber dem Biozid Wasserstoffperoxid kommt. Wasserstoffperoxid kann von Legionellen mithilfe des Enzyms Katalase zu Sauerstoff und Wasserstoff umgewandelt werden. Die Wirkung von Bioziden gegenüber Legionellen hängt von verschiedenen Faktoren ab. Bedingungen, wie pH-Wert, Temperatur, Medienzusammensetzung etc., haben Einfluss auf die Wirkung des Biozids. Wichtig ist auch die Wirkstoffkonzentration. Dieser Faktor muss bei der Bekämpfung von Legionellen beachtet werden. Die Einflussfaktoren der Umgebung, in dem das Biozid zur Legionellenbekämpfung eingesetzt wird, müssen also berücksichtigt werden, bevor die Auswahl eines geeigneten Biozids getroffen werden kann.

3.1.4 Mikroorganismen und Biofilme

Mikroorganismen kommen in VKA und Kühltürmen nicht nur freilebend im Wasser vor, sondern nach aktueller Kenntnislage primär in sogenannten Biofilmen. Darunter wird im Allgemeinen eine Gemeinschaft verschiedener Mikroorganismen, wie Bakterien, Pilzen, Hefen und Einzeller, verstanden, die sich in einer Oberflächenschicht befinden und miteinander oder auch an Grenzflächen angeheftet sind [3-12]. Diese Oberflächenschicht besteht aus einer weitgehend mikrobiell produzierten Matrix aus extrazellulären polymeren Substanzen (EPS). Bestandteile der EPS sind Polysaccharide, Proteine, Lipide und Nukleinsäuren [3-13]. In der Matrix sind häufig weitere organische und anorganische Substanzen eingelagert. Biofilme sind in der Umwelt allgegenwärtig verbreitet. Sie stellen die häufigste Form mikrobiellen Lebens dar und der größte Teil der Mikroorganismen (99 %) lebt vermutlich in Biofilmen [3-14]. Sofern die Lebensbedingungen geeignet sind, besiedeln sie dabei nahezu alle Oberflächen. Die Voraussetzungen für die Bildung von Biofilmen sind gering. Sobald Grenzflächen, ausreichend Nährstoffe und Feuchtigkeit vorhanden sind, erfolgt die Oberflächenbesiedlung durch Mikroorganismen, die dann einen Biofilm ausbilden [3-15].

Für das Entstehen von Biofilmen kommen nicht nur Grenzflächen zwischen Wasser und festen Oberflächen in Betracht, sie bilden sich auch zwischen Wasser und Luft sowie zwischen einem festen Material und der Atmosphäre. Auf diese Weise werden auch eher extreme Lebensräume, wie zum Beispiel heiße Quellen, besiedelt. Mikrobielles Wachstum im Biofilm hat gegenüber freilebendem Wachstum unter anderem den Vorteil des erhöhten Schutzes gegenüber antimikrobiellen Substanzen jeder Art, wie vom Menschen eingebrachte Desinfektionsmittel oder auch von anderen Mikroorganismen abgegebene Substanzen. Wie verschiedene Untersuchungen gezeigt haben, sind Bakterien und Pilze im Biofilm bis zu tausendfach weniger sensibel gegenüber antimikrobiellen Substanzen als freilebende Mikroorganismen [3-16]. Gründe dafür sind in der Komplexität des Biofilms, der erhöhten Zelldichte und der physiologischen Zellbeschaffenheit im Vergleich zu planktonischen Mikroorganismen zu sehen. Zusammensetzung und Struktur von Biofilmen sowie extrazelluläre Substanzen reduzieren vermutlich das Eindringen antimikrobieller Substanzen. Im Verlauf des Wechsels von planktonischem, also freilebendem Wachstum, zum Biofilmwachstum in einer Gemeinschaft erfahren Mikroorganismen massive Veränderungen [3-17]. Sobald sich Bakterien an Oberflächen anlagern, kommt es zu Veränderungen von Zellstruktur und Stoffwechselprozessen [3-18]. Dieser Übergang zur Lebensweise in Biofilmen ist offensichtlich ein komplexer Prozess, der dazu führt, dass Bakterien einen biofilmspezifischen Phänotyp aufweisen. Schon kurz nach der Anlagerung zeigen sich deutlich veränderte Eigenschaften [3-18].

Grundsätzlich lässt sich die Bildung von Biofilmen in nichtsterilen wässrigen Systemen, wie sie VKA und Kühltürme darstellen, nicht verhindern. Kritisch werden Biofilme dann, wenn sie zu deutlich negativen Begleiterscheinungen in solchen Systemen führen. In der Regel spricht man dann von Biofouling. Damit verbunden sind, je nach System und besiedelter Oberflächen, z. B. eine biologisch induzierte Korrosion von Metallen oder die Verschlechterung des Wärmeübergangs in Wärmeübertragern durch die isolierende Wirkung der Beläge. Hinzu kommt, dass Biofilme ein ständiges Reservoir für Krankheitserreger wie Legionellen und *Pseudomonas aeruginosa* sein können. Die Schutzwirkung gegen Desinfektionsmittel erschwert die Bekämpfung von Mikroorganismen in solchen Systemen deutlich (siehe Kapitel 3.1.7). Nicht selten lassen sich nach einer Desinfektionsmaßnahme innerhalb kurzer Zeit wieder hohe Zahlen an Krankheitserregern in solchen Systemen nachweisen. Ursächlich ist das wahrscheinlich auf gute Wachstumsbedingungen für die nicht abgetöteten Mikroorganismen zurückzuführen. Diese nutzen offensichtlich die Bestandteile der abgetöteten Organismen und setzten sich kurzfristig in dem System durch. Bei der Bekämpfung von Biofilmen ist daher in der Regel mit einem langwierigen Prozess und einigen Rückschlägen zu rechnen. Aus diesen Gründen ist es wichtig, die Entstehung von ausgeprägten Biofilmen in solchen Systemen durch eine geeignete Betriebsweise zu verhindern. Dazu gehört auch, die Lebensbedingungen für Mikroorganismen und die Biofilmbildung möglichst ungünstig zu gestalten.

3.1.5 Verdunstungskühlanlagen und Kühltürme als Lebensräume von Mikroorganismen

Lange Zeit hat man der Frage nach der hygienischen Bedeutung von Mikroorgansimen in Verdunstungskühlanlagen (VKA) und Kühltürmen wenig Bedeutung beigemessen. Wenn Mikroorganismen in diesen Anlagen Aufmerksamkeit geschenkt wurde, dann lag der Fokus primär in deren negativem Einfluss auf den technisch-wirtschaftlichen Anlagenbetrieb. Das betraf z. B. die Bildung von Biofilmen und damit verbundener mikrobieller induzierter Korrosion. Im Unterschied zu anderen technischen Systemen, wie Trinkwasser-Installationen oder der Lebensmittelproduktion, war der Zusammenhang zwischen dem Auftreten von spezifischen mikrobiellen Krankheitserregern und VKA bzw. Kühltürmen als Quelle dieser Gesundheitsbeeinträchtigungen nicht direkt ersichtlich. Eine der ersten Arbeiten zu diesem Thema wurde 1972 von Grandjean und Joshi unter dem Titel „Immissionen von Naturzugkühltürmen aus der Sicht der Umwelthygiene“ [3-19] veröffentlicht. Darin wurde bereits auf die fehlenden mikrobiologischen Daten zur Bewertung der Hygienesituation hingewiesen.

3.1.5.1 Kühltürme nach 42. BImSchV als Lebensraum für Mikroorganismen

Mitte der 1970er-Jahre hat sich die Situation in Deutschland mit der Durchführung einer Studie zur grundlegenden Klärung der Frage nach den hygienischen Auswirkungen von „Nasskühltürmen“ für diese Art von Anlagen geändert. Die Studie wurde von 17 Kraftwerksbetreibern getragen und von der VGB-Forschungsstiftung organisatorisch betreut. Mit der Durchführung der Studie waren die Hygiene-Institute der Universitäten Mainz und Bonn sowie die Universitäten RWTH Aachen und Karlsruhe betraut. Die Ergebnisse der Studie wurden in mehreren Beiträgen veröffentlicht [3-20]. In der aufwendig angelegten Studie wurden sowohl Untersuchungen zur Wasserqualität und deren Veränderungen im Rahmen des Kühlturmbetriebs als auch Messungen zur Emission und Immission von Bakterien aus Kühltürmen durchgeführt. Die Studie und die damit verbundenen Messungen erstreckten sich über die Jahre 1974 bis 1976 und erfolgten an vier unterschiedlichen Kraftwerken und deren Kühltürmen. Im Rahmen der Studie wurde auch untersucht, inwieweit die Mikroorganismenemission beim Kühlturmbetrieb zu einer Erhöhung der Mikroorganismengehalte in der Außenluft führt bzw. inwieweit sich die mikrobielle Zusammensetzung in der Umgebungsfläche der Kühltürme verändert. Dazu wurden an den jeweiligen Kühltürmen umfangreiche mikrobiologische, chemisch-physikalische und technische Untersuchungen durchgeführt [3-21]. Neben Emissions- und Immissionsmessungen zur Bestimmung von Mikroorganismen in der Luft wurde das Rohwasser unbehandelt und nach unterschiedlichen Verfahren der Wasseraufbereitung als Zusatz- und Nutzwasser sowie als Abflut untersucht.

Um die mikrobiologische Zusammensetzung des Kühlwassers zu erfassen, wurde die Gesamtkoloniezahl (siehe Verfahren zur allgemeinen Koloniezahl im Kapitel 3.1.6) im Kühlkreislaufwasser (Nutzwasser) mit verschiedenen Nachweisverfahren untersucht. Darüber hinaus wurden das Kühlkreislaufwasser auf *Pseudomonas aeruginosa*, Enterokokken und Enterobakterien analysiert. Die beiden Letztgenannten bilden Bakteriengruppen ab, die in der Umwelt weit verbreitet sind, aber auch Darmbakterien und verschiedene Krankheitserreger umfassen. Im Jahr dieser Messungen, 1975, waren Legionellen noch unbekannt. Ansonsten entsprach die Auswahl der mikrobiologischen Untersuchungsparameter in der Studie den damals bekannten umwelthygienisch relevanten und üblicherweise betrachteten Mikroorganismen für wassertechnische Anlagen. Als Ergebnis konnte nachgewiesen werden, dass die Gesamtkoloniezahl im Kühlkreislaufwasser in Abhängigkeit von der Rohwasserquelle (Fluss, Kanal, Grundwasser) und der Jahreszeit zwischen ca. 10^3 KBE/ml und 10^5 KBE/ml schwankt. Auch die Ergebnisse im Kühlkreislaufwasser für *Pseudomonas aeruginosa*, Enterokokken und Enterobakterien zeigen eine deutliche Varianz und liegen zwischen nicht nachweisbar und ca. 10^3 KBE/ml für Enterobakterien. Im Durchschnitt zeigen die Gehalte an Mikroorganismen im Sommer höhere Werte als im Winter. Gleichzeitig konnte nachgewiesen werden, dass die Gesamtkoloniezahl im Kühlwasser gegenüber dem als Rohwasser eingesetzten Oberflächenwasser bis zu einem Faktor von 30 ansteigen kann. Dagegen scheint ein ausgeprägter Anstieg von Enterobakterien im Kühlwasser nur bei stärkerer Anreicherung mit organischem Material aufzutreten. Es wurde außerdem aufgezeigt, dass auch die selektive Vermehrung von *Pseudomonas aeruginosa* im Kühlkreislauf auftritt. Offenbar erhöht sich auch hier die Wahrscheinlichkeit mit der organischen Belastung im Kühlwasser bzw. bereits mit dem Zusatz von phosphathaltigem Konditionierungsmitteln. Vergleichbar mit heutigen Untersuchungsergebnissen konnte keine Korrelation zwischen dem Parameter für die Gesamtkoloniezahl und einem der untersuchten Parameter für Krankheitserreger aufgezeigt werden. Auch die heutige Ergebnislage lässt keine Korrelation zwischen der allgemeinen Koloniezahl sowie *Legionella spp.* oder *Pseudomonas aueruginosa* zu. Es ist daher grundsätzlich fraglich, inwieweit der Parameter allgemeine Koloniezahl, der der Gesamtkoloniezahluntersuchung aus der Studie nahekommt, überhaupt ein sinnvoller Untersuchungsparameter für die Risikobetrachtung in Kühlwasser ist. Neben dem Kühlkreislaufwasser wurden in den vier Kühltürmen auch Kondensationsproben der Kühlturmschwaden und Mikroorganismengehalte in den Kühlturmschwaden direkt bestimmt. Auffällig ist dabei die fehlende Korrelation zwischen dem Gehalt an Mikroorganismen im Kühlkreislaufwasser und denen in den Schwaden. In keinem der vier untersuchten Kraftwerke konnte bei den Messkampagnen eine solche Korrelation festgestellt werden. Auf diese Weise lässt sich daher leider im Rahmen einer

Risikobetrachtung für den Austrag von Krankheitserregern mit den Kühlturmschwaden keine Prognose über einen sinnvollen Gefahrenwert im Kühlwasser abgeben. Es konnten bei den Luftkeimmessungen in den Kühlturmschwaden bis zu ca. 10^4 KBE/m^3 für die Gesamtkeimzahl bestimmt werden. Verglichen mit den Gesamtkoloniezahlgehalten im Kühlwasser zeigten sich dabei beim Austrag über Aerosole direkt oberhalb des Tropfenabscheiders Keimreduktionsraten von durchschnittlich einer Zehnerpotenz. Dabei schwankten die Keimreduktionsraten sehr stark. Dieses Ergebnis ist ein Indiz für den Einfluss auf die Überlebenswahrscheinlichkeit innerhalb des Kühlturms. Weiterhin ergaben Messungen in Höhe von ca. 1 m oberhalb des Tropfenabscheiders im Kühlturm um bis zu 50 % höhere Luftkeimzahlen als im Bereich der Kühlturmkrone. Eine Abnahme der Luftkeimzahlen beim Transport durch den Kühlturm zeigte sich bei allen untersuchten Anlagen. Erklären lässt sich dieses Phänomen durch eine möglicherweise erhöhte Absterberate aufgrund der verschiedenen Einflussfaktoren (wie z. B. tiefe Temperaturen der angesaugten Umgebungsluft oder erhöhte Wassertemperaturen aus dem Kühlprozess) im Kühlturm. Aufgrund der Schwierigkeiten aus den Feldversuchen wurden in einer Teilstudie [3-22] Laboruntersuchungen zur Bestimmung der Absterberate von Mikroorganismen durchgeführt. Die Messungen wurde mit dem Testkeim E. coli, einer Keimart aus der Gruppe der Enterobakterien, durchgeführt. Dabei wurden die thermodynamischen Einflussgrößen in den Kühlturmschwaden in einem Prüfstand simuliert. Im Ergebnis zeigte sich dabei:

- Bei vollständiger Tropfenbeladung der Kühlturmschwaden bleibt die Fähigkeit der in den Schwaden mitgeführten Mikroorganismen, Kolonien zu bilden, weitestgehend erhalten. Es zeigt sich keine ausgeprägte Absterberate.
- Bei Schwaden, die nicht mit Tropfen gesättigt sind, können zwei Fälle unterschieden werden:
  1) Wenn in den Versuchen in den ungesättigten Schwaden keine Sekundärluft eingebracht wurde, zeigte sich wie bei Sättigung der Schwaden mit Tropfen keine Abhängigkeit der Absterberate der Mikroorganismen von der relativen Feuchte.
  2) Im Unterschied dazu zeigte die Zumischung von ungesättigter Sekundärluft eine deutliche Abnahme der Fähigkeit, Kolonien zu bilden, und damit einen Anstieg der Absterberate.

Insgesamt zeigen die Studienergebnisse, dass gerade die Messung und Bewertung der Emission von Mikroorganismen aufgrund der extrem komplexen Randbedingungen in Kühltürmen mit einer hohen Unsicherheit verbunden sind. So lassen sich die im Kühlturmschwaden gemessenen Keimgehalte nicht alleine aufgrund von deren Konzentration im Kühlwasser erklären. Die Autoren gehen daher davon aus, dass Effekte wie der Mitriss von Tropfen aus den Kühlturmeinbauten oder auch die Keimgehalte in der vom Kühlturm angesaugten Außenluft zu den erhöhten Werten führen. Hinzu kommt der Umstand einer spezifischen Empfindlichkeit der jeweiligen Mikroorganismusspezies auf verschiedene Einflussfaktoren beim Aerosoltransport durch den Kühlturm. Trotzdem konnten in der Feldstudie immer noch Immissionsraten in der Größenordnung von 10^8 KBE/s aus einem Kühlturm gemessen werden. Die in der Studie durchgeführten Immissionsmessungen zeigten sowohl im Nahumfeld der Kühltürme als auch die in größerer räumlicher Entfernung keinerlei damit verbundenen Auffälligkeiten im Vergleich zur Hintergrundbelastung mit Mikroorganismen. Messungen und parallel durchgeführte Ausbreitungsberechnungen lassen bereits bei leichtem Wind auf eine weite Ausbreitung der Schwaden in der Atmosphäre schließen. Der nachfolgende Auszug [3-22] aus der Studie fasst die Einschätzung des Infektionsrisikos durch die Autoren im Rahmen der Emission von Krankheitserregern aus Kühltürmen zusammen:

> „Aus dem Keimgehalt im Schwaden von Kühltürmen mit gut ausgebildeten Tropfenabscheidern wurden bei Umrechnung auf den Gehalt an Krankheitserregern lediglich Werte ermittelt, die nach Verdünnung in der Atmosphäre sowie nach der Einwirkung von schädigenden Faktoren eine dermaßen geringe Immission erwarten lassen, dass das Risiko einer Infektion durch Inhalation oder Verschlucken vernachlässigbar klein wird. Eine Gefährdung ist daher in der Praxis nicht zu erwarten."

Zum Zeitpunkt dieser Einschätzung war das Ausmaß des potenziellen Risikos durch *Legionella spp.* noch nicht wirklich bekannt. Offensichtlich konnten die Erfahrungen des ersten beschriebenen Legionellenausbruchs in den USA (1976/77 in Philadelphia) nur am Rande in die Überlegungen zur damaligen Studie einfließen, was aber aufgrund der unterschiedlichen Emissionsquelle nicht verwunderlich erscheint. Allerdings weisen die Autoren der Studie bereits zum damaligen Zeitpunkt auf die Notwendigkeit hin, diesem Erreger besonderes Augenmerk zu schenken. Wie sich inzwischen gezeigt hat, waren diese Hinweise durch die Autoren mehr als gerechtfertigt.

Die Einschätzung der Studie zum Emissionsverhalten von Naturzugkühltürmen lässt sich auch theoretisch ableiten. In Tabelle 3.2 und Bild 3.6 werden das Emissionsverhalten, die einzelnen Schritte und Einflussfaktoren zusammenfassend beschrieben. Voraussetzung ist die mikrobielle Legionellenvermehrung im Kühlturm (Schritt 1) und die anschließende Aerosolbildung beim Kühlprozess (Schritt 2). Zu einer Emission (Schritt 3) kommt es, wenn legionellen-haltige Aerosole den Tropfenabscheider passieren. In der Folge kommt es zur sogenannten Transmission (Schritt 4), bei der sich die Kühlturmschwaden mit der Umgebungsluft vermischen. Diese Schritte sind die Voraussetzung, dass es zu einer relevanten Immission von Legionellen (Schritt 5) in der Umgebungsluft, und damit überhaupt zu einem Expositionsrisiko für Menschen kommt. Gleichwohl es bei den thermischen Bedingungen zu einer Emission und anschließender Transmission in hohe Luftschichten kommt, lässt sich ein Restrisiko auch bei dieser Anlagenart nicht ausschließen. Das zeigen auch Messungen von Werner und Pietsch [3-23], die dazu 1991 Ergebnisse veröffentlichten. Bei diesen Messungen wiesen sie sowohl in der Kühlwassertasse als auch den Kühlwasserschwaden *Legionella pneumophila* der Serogruppen 1 und 6 nach. In der Kühlwassertasse wurden ca. 60.000 KBE Legionellen/100 ml gemessen, die mit einer Konzentration von 217 KBE Legionellen/m^3 im Schwaden verbunden waren. Es wurde keine Immissionsrate (KBE/s) angegeben. Allerdings ist bei den hohen Volumenströmen dieser Anlagenart damit zu rechnen, dass es hier zu einer erheblichen Emission gekommen ist.

Aktuellere Untersuchungen zum Nachweis von Legionellen in Kühltürmen finden sich im Zusammenhang mit dem Legionellenausbruch im September 2014 in Jülich, bei dem es zu 30 Erkrankungen und einem Todesfall kam. Diesen Fall haben die damaligen Behörden zum Anlass genommen, auch bei den Kraftwerksbetreibern in Nordrhein-Westfalen Messergebnisse von Legionellenuntersuchungen in den Kühltürmen abzufragen, die im Rahmen der Selbstüberwachung durchgeführt wurden. Die entsprechenden Untersuchungsergebnisse wurden vom VGB PowerTech e. V. auf seiner Homepage veröffentlicht [3-24]. Dort finden sich die Ergebnisse der mikrobiologischen Untersuchungen aus dem Zeitraum 01/2013 bis 11/2014 für insgesamt 64 Anlagen, welche zu einem überwiegenden Anteil auch auf Legionellen untersucht wurden.

Aufgrund des verbleibenden Risikos fallen auch Kühltürme in den Anwendungsbereich der 42. BImSchV. Letztlich haben die Erkenntnisse zum Immissionsverhalten aber dazu beigetragen, dass in Kühltürmen der Maßnahmenwert für Legionellen mit 50.000 KBE Legionellen/100 ml in der 42. BImSchV gegenüber dem für Verdunstungskühlanlagen um den Faktor 5 höher angesetzt wurde (siehe Kapitel 4.4).

Tabelle 3.2: Emissionsverhalten – Schritte und Einflussfaktoren/Maßnahmen (VDI 2047-3)

Schritt				
1	**2**	**3**	**4**	**5**
mikrobiologische Vermehrung	Aerosolbildung	Emission	Transmission	Immission
Bedingungen, die eine starke Vermehrung oder eine Aufkonzentration von Mikroorganismen begünstigen	Prozess, bei dem es zu einer Aerosolbildung kommen kann	Aerosole, gegebenenfalls legionellenhaltig, passieren den Tropfenabscheider und gelangen in die Atmosphäre	Vermischung des Schwadens mit der Umgebungsluft	Exposition von Menschen und Eintrag in andere Anlagen
Beispiele für Einflussfaktoren/Maßnahmen zur Beherrschung				
Einhaltung der Hygieneanforderungen nach dieser Richtlinie	Ausführung der Verrieselung im Kühlturm	Ausführung des Kühlturms (Bauart, Höhe, Froude-Zahl) und Einsatz dafür geeigneter Tropfenabscheider		Maßnahmen zum Schutz von Menschen, u. a. Arbeitsschutzmaßnahmen beim Betreten des Kühlturms oder bei Reinigungsarbeiten, Infektionsschutz

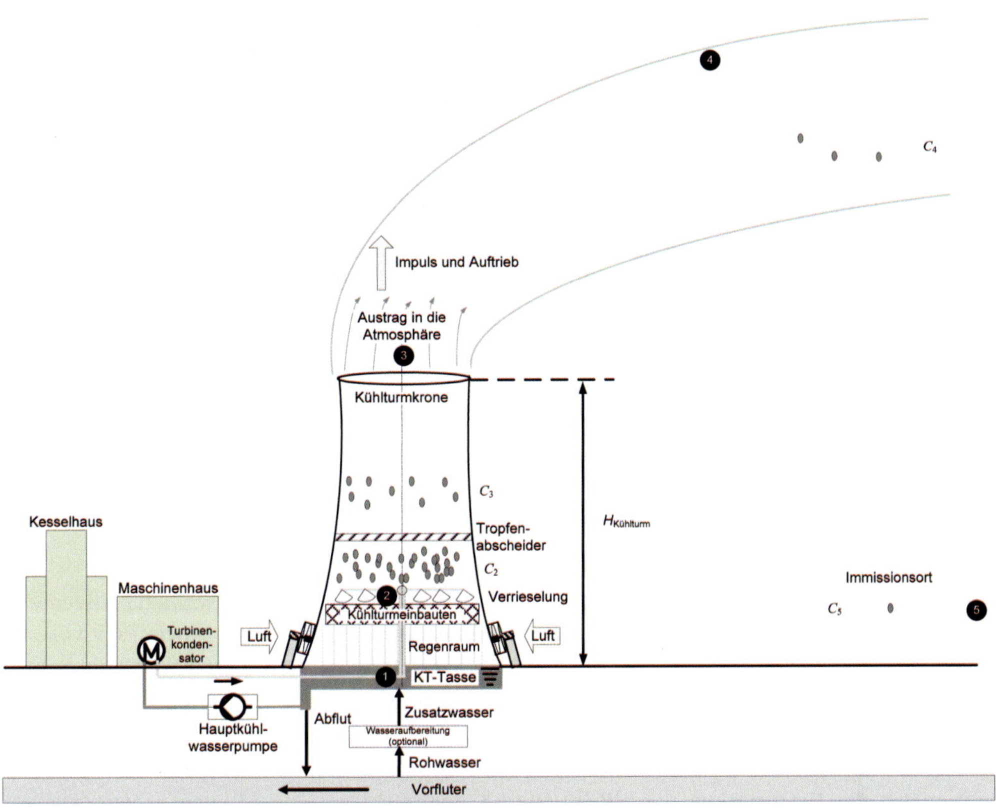

Bild 3.6: Emissionsverhalten unabhängig von Kühlturmbauarten (VDI 2047-3)

3.1.5.2 Verdunstungskühlanlagen nach 42. BImSchV als Lebensraum für Mikroorganismen

Im Unterschied zu den umfänglichen Untersuchungen von Kühltürmen hat es einige Jahrzehnte gedauert, bis in Deutschland eine umfassendere Studie zu einer größeren Zahl von Verdunstungskühlanlagen vor dem Hintergrund der Hygienesicherheit initiiert und veröffentlicht wurde. Diese wurde 2004 vom Bayerischen Landesamt für Gesundheit und Lebensmittelsicherheit (LGL) durchgeführt [3-25]. Hintergrund war die zunehmende Kenntnis über Legionellenausbrüche in benachbarten Ländern. Auch der Ausbruch in der nordfranzösischen Region Pas-de-Calais in 2003 und 2004 mit 86 Erkrankten und 17 Todesfällen scheint ein Anstoßfaktor für diese Untersuchungen gewesen zu sein. Ursache dieses Legionellenausbruchs waren sehr wahrscheinlich Legionellen aus einer VKA der Fa. Noroxo in der Stadt Harnes.

Obwohl bis zum damaligen Zeitpunkt in Deutschland noch keine derartigen Ausbrüche bekannt waren, wurde deutlich, dass es nur wenige Erkenntnisse zum hygienischen Zustand dieser Anlagen gab. Ziel dieser Untersuchung in 2004 war es daher, „die Hygienesituation von Verdunstungskühlanlagen in Bayern zu ermitteln".

Dazu wurden im Zeitraum Juli bis November 2004 insgesamt 199 VKA betrachtet, die über eine Standortrecherche der Gesundheitsämter erfasst wurden. Aufgrund der fehlenden Meldepflicht kann es sich natürlich nicht um eine vollständige Betrachtung aller Anlagen in der Region handeln. Zu berücksichtigen ist, dass die Teilnahme an der Untersuchung durch die identifizierten Betreiber freiwillig erfolgte. Es ist vielleicht nicht unbedingt zu erwarten, dass ein Betreiber mit schlecht gewarteten Anlagen sich an dieser Untersuchung beteiligt hat. Wie hoch die Zahl der Betreiber war, die eine Teilnahme abgelehnt haben, wurde in der Untersuchung nicht veröffentlicht.

Neben der Durchführung von mikrobiologischen Untersuchungen durch das LGL wurden verschiedene Angaben zu den VKA beim Betreiber abgefragt. Diese betrafen:

- Angaben zum Betreiber (optional)
- Bauart und Anzahl der Verdunstungskühlanlagen
- Betriebsdaten
- Montagedaten
- bisheriges mikrobiologisches Monitoring
- Wartung, Reinigung und Desinfektion

Dagegen wurden von den VKA keine technischen Daten erfasst.

Mikrobiologische Untersuchungen des Kühlwassers erfolgten auf die Parameter allgemeine Koloniezahl (nach Trinkwasserverordnung alter Fassung), *Legionella spp.* sowie *Pseudomonas aeruginosa.* Im Fall von positiven Legionellenbefunden erfolgte jeweils deren Serotypisierung.

Im Rahmen der Untersuchung wurden insgesamt 238 Proben aus 199 Einrichtungen analysiert. Die Autoren der Studie stellten dabei fest, dass die mikrobiologische Kühlwasserqualität in der Mehrzahl der VKA einen „annehmbaren hygienischen Zustand“ aufwies. Erwartungsgemäß wurden bei der Bestimmung der allgemeinen Koloniezahl erhöhte Mikroorganismenzahlen festgestellt, wobei aber ca. 75 % der Proben eine Koloniezahl von $\leq 10^4$ KBE/ml aufwiesen – eine Grenze, die in der Vergangenheit in den technischen Regelwerken, wie der VDI 6022 und 2047, als hygienisch akzeptabel eingeordnet wurde. Ein Nachweis von Legionellen wurde in ca. 13 % der Proben festgestellt. Bezogen auf die aktuellen Prüf- und Maßnahmenwerte der 42. BImSchV lagen 95 % aller Proben unterhalb des Prüfwerts 2 von $\geq 10^3$ KBE Legionellen/100ml. Bei der Serotypisierung zeigte sich folgendes Bild der Verteilung von Legionellen:

- Legionella non-pneumophila: 20 %
- Legionella pneumophila: 80 %
  - Serotyp 1: 50 %
  - Serotypen 2 bis 14: 30 %
  - nicht serotypisierbar: 20 %

Auffällig war mit 36 % der relativ hohe Probenanteil mit einem positiven Befund an *Pseudomonas aeruginosa.* Aus diesen Ergebnissen lässt sich für diese Anlagen ein erhöhtes Risiko für das Betriebspersonal ableiten (siehe Kapitel 3.2). Ein Zusammenhang der Gehalte an Legionellen und der jeweiligen allgemeinen Koloniezahl in den Proben konnte nicht festgestellt werden. Es konnte ein schwacher Trend zu höheren Koloniezahlen bei Legionellen und Pseudomonas mit zunehmender Kühlwassertemperatur bei der Probenahme ermittelt werden. Insgesamt vermuten die Autoren als Hauptgrund für die geringe Legionellenhäufigkeit die niedrige mittlere Probentemperatur von 22 ± 6 °C.

Wie die Autoren der Studie feststellen, sollte „trotz der erfreulich geringen Anzahl positiver Legionellen-Proben [...] wegen der bekanntermaßen diskontinuierlichen Keimkonzentration von Legionellen in Kühlwasserproben besonderes Augenmerk schon bei der Planung auf konstruktive Faktoren als auch auf betriebliche Faktoren gelegt werden". Auch werden in der Studie regelmäßige Untersuchungen auf Legionellen empfohlen. Insbesondere „um dauerhaft ungünstige Betriebsbedingungen aufzudecken".

Die Auswertung der Betriebsdaten zu den untersuchten Verdunstungskühlanlagen geschah primär vor dem Hintergrund möglicher Zusammenhänge des mikrobiologischen Zustands mit den betrieblichen Präventions- und Hygienemaßnahmen. Dazu gehörten Wartung, Reinigung, Prüfung der Kühlwasserzusammensetzung und mikrobiologische Analysen. Dabei zeigte sich, dass der Einsatz von Korrosionsschutzmitteln häufig mit höheren allgemeinen Koloniezahlen einherging. Als Erklärung wurde das erhöhte Nährstoffangebot der Mikroorganismen durch die Korrosionsschutzmittel vermutet. Auffällig war auch das Ergebnis von weniger häufig hohen allgemeinen Koloniezahlwerten bei kontinuierlicher Bioziddosierung im Unterschied zu Anlagen ohne Biozid bzw. mit Biozidstoßdosierung. Wie in der Studie postuliert wird, ist eine verlässliche Prognose zum möglichen Vorkommen von Legionellen in VKA anhand von Faktoren wie Reinigungs- oder Vorbeugemaßnahmen nicht möglich. Im Umkehrschluss zeigt dies, dass Wartungs-, Reinigungs- und andere Präventionsmaßnahmen kein Garant für eine hygienesichere VKA sind. Das spontane Auftreten hoher Legionellenkonzentrationen liegt in deren Lebensweise begründet. Die Studie zeigt, dass für eine bessere Legionellenprävention in den Anlagen offensichtlich noch deutlich mehr Daten erfasst werden müssen. Inwieweit sich dann daraus Präventionsmaßnahmen ableiten lassen, die das Legionellenrisiko signifikant reduzieren, bleibt abzuwarten,

3.1.6 Nachweis von Mikroorganismen in Verdunstungskühlanlagen und Kühltürmen

Um das hygienische Risiko beim Betrieb von Verdunstungskühlanlagen und Kühltürmen zu bewerten, müssen nicht alle dort vorkommenden Mikroorganismen nachgewiesen werden. Es besteht auch keine Notwendigkeit, die vollständige Zusammensetzung der mikrobiellen Lebensgemeinschaft zu bestimmen. Solches Wissen über derartige technische Lebensräume wäre primär von akademischem Interesse. Untersuchungen dieser Art würden den Aufwand für den Nachweis von Mikroorganismen in den Anlagen drastisch erhöhen. Derartige Forderungen machen aber weder Sinn noch finden sie sich in der 42. BImSchV (siehe Kapitel 4.4) oder den technischen Regelwerken wieder (siehe Kapitel 5).

Ziel des Nachweises von Mikroorganismen in Verdunstungskühlanlagen und Kühltürmen ist es primär, das Ausmaß der Belastung mit relevanten Krankheitserregern zu ermitteln. Das so erzielte Ergebnis ist Teil der Beurteilung zur Hygienesicherheit der Anlage. Dementsprechend liegt es nahe, diejenigen Mikroorganismen nachzuweisen, von denen man Kenntnis über eine negative gesundheitliche Auswirkung im Zusammenhang mit dem Anlagenbetrieb besitzt. Nach dem aktuellen Wissensstand sind das primär die bereits beschriebenen Bakteriengruppe der Legionellen und das Bakterium *Pseudomonas aeruginosa*. Beiden wird ein erhöhtes gesundheitsrelevantes Risikopotenzial (siehe Kapitel 3.2.1) zugesprochen, wobei die 42. BImSchV ausschließlich den Nachweis von Legionellen einfordert. Darüber hinaus muss gemäß der Verordnung in Verdunstungskühlanlagen (nicht in Kühltürmen!) auch die allgemeine Koloniezahl bestimmt werden. Dieser Untersuchungsparameter dient zur Beurteilung der mikrobiellen Qualität des Nutzwassers und umfasst nach der 42. BImSchV alle Mikroorganismen, „die nach genormten Verfahren auf oder in einem definierten Nähragarmedium anzüchtbar sind und Kolonien bilden". Im Sinne der 42. BImSchV bildet der Parameter „allgemeine Koloniezahl" im Kühlwasser den Anlagenzustand ab, der den ordnungsgemäßen Betrieb darstellt, sofern der Referenzwert als Normalzustand des Nutzwassers eingehalten wird (siehe Kapitel 4.4). Dieser gilt als „hygienesicherer" Betrieb. Der Parameter „allgemeine Koloniezahl" ist demnach kein direkter Indikator für eine Gefahrenlage. Er zeigt lediglich, dass sich für die mit der jeweiligen Methode erfassten Mikroorganismen die Wachstumsbedingungen in der Anlage verbessert oder verschlechtert haben.

Die oben beschriebenen Merkmale von Mikroorganismen und deren Vielfalt stellen den Nachweis von Mikroorganismen vor besondere Herausforderungen. Das gilt insbesondere für Lebensräume, in denen unterschiedliche Mikroorganismen teils auch noch in verschiedenen Lebensformen und -stadien vorkommen. Um die Richtigkeit und Vergleichbarkeit der Ergebnisse aus den Anlagen entsprechend dem jeweiligen Kenntnisstand bestmöglich sicherzustellen, wurden in der 42. BImSchV (siehe Kapitel 4.4) sowie in den technischen Regelwerken sehr konkrete Vorgaben für die Nachweisverfahren der relevanten Mikroorganismen festgelegt. Das betrifft sowohl die Entnahme von Proben aus den Anlagen als auch den weiteren analytischen Nachweis der Mikroorganismen im Labor. Nur auf Basis so erzielter Ergebnisse lässt sich insbesondere der Abgleich mit den Prüf- und Maßnahmenwerten für Legionellen vornehmen. Betrachtet man die Konsequenzen für den Betreiber bei Überschreitung dieser Werte oder bei einem Legionellenausbruch, sollte auch die rechtliche Bedeutung diese Vorgehensweise leicht nachvollziehbar sein. Nur methodisch sichere Messergebnisse stellen ein geeignetes Beweismittel im Streitfall dar.

3.1.6.1 Probenahme für mikrobiologische Untersuchungen

Bereits die Probenahme ist ein zentrales Element für den Nachweis von Mikroorganismen in Verdunstungskühlanlagen und Kühltürmen. Grundsätzlich ist bei Probenahmen zu unterscheiden zwischen Aufgabenstellungen, die im Labor eine Übertragung der Wasserproben auf einen Nährboden (siehe Bild 3.10) verlangen, sowie denen, wo dies direkt bei der Probenahme durch die Verwendung von Eintauch-Nährböden (siehe Bild 3.8) erfolgt. Erstere kommen bei den sogenannten Laboruntersuchungen zum Einsatz, während Eintauch-Nährböden häufig bei den betriebsinternen Überprüfungen Verwendung finden. In beiden Fällen gilt, dass nur eine geeignete Probenahme in der Folge auch zu einem aussagefähigen Untersuchungsergebnis für das jeweilige System führt. Mögliche Fehler bei der Probenahme sind daher zu vermeiden. Nach 42. BImSchV §§ 3, 4 und 7 (siehe Kapitel 4.4) wird aus diesem Grund sowohl für die Probenahmen als auch die anschließende mikrobiologische Analyse im Rahmen der Laboruntersuchungen eine Akkreditierung nach DIN EN ISO/IEC 17025 gefordert. Das bedeutet, dass sowohl das Labor als auch seine Probenehmer sich den Qualitätsanforderungen dieser Norm durch den Akkreditierer, der Deutschen Akkreditierungsstelle (DAkkS), stellen müssen. Wichtig ist, dass auch die jeweiligen Untersuchungsverfahren akkreditiert sind. So ist es z. B. nicht ausreichend, wenn das Labor eine Akkreditierung nach DIN EN ISO/IEC 17025 für die Untersuchung von Legionellen im Trinkwasser besitzt. Die Akkreditierung muss für Kühlwasser gelten, was mit einer angepassten Untersuchungsmethodik einhergeht. Eine Untersuchung mit der für Trinkwasser vorgegebenen Methode würde mit hoher Wahrscheinlichkeit zu einem nicht aussagefähigen Ergebnis führen.

Probenehmer, die Kühlwasserproben entnehmen, müssen nicht zwingend Mitarbeiter des akkreditierten Labors sein. Sie sind aber in das Qualitätsmanagementsystem des Labors einzubinden. Voraussetzung ist dazu eine vertragliche Vereinbarung zwischen dem Probenehmer und dem Labor, worin seine Unabhängigkeit bei dieser Tätigkeit sicherstellt ist. Gleichzeitig ist er so zur Einhaltung der Qualitätsanforderungen verpflichtet. Dies schließt auch die Probenehmer im Rahmen der regelmäßigen Überwachung durch den Akkreditierer ein. Neben der persönlichen Eignung des Probenehmers, wie Unabhängigkeit und Zuverlässigkeit, muss er die erfolgreiche Teilnahme an einer Probenehmerschulung für Trinkwasser sowie an einem Seminar nach VDI 2047 Blatt 2 nachweisen. Auf diese Weise soll garantiert werden, dass der Probenehmer sowohl die notwendigen Kenntnisse für die Probenahme als auch das grundlegende Wissen zum Aufbau und der Funktionsweise von Verdunstungskühlanlagen und Kühltürmen aufweist.

Für die mikrobiologische Probenahme im Rahmen der Laboruntersuchungen nach 42. BImSchV liegen normative Vorgaben aus zwei technischen Regelwerken vor. Dies sind die

- DIN EN ISO 19458 Wasserbeschaffenheit: Probenahme für mikrobiologische Untersuchungen

  sowie die

- Empfehlung des Umweltbundesamts (UBA) zur Probenahme und dem Nachweis von Legionellen in Verdunstungskühlanlagen, Kühltürmen und Nassabscheidern.

Auch wenn letztere das Wort „Empfehlung" im Titel trägt, so ist die Veröffentlichung des UBA eine verbindlich anzuwendende Regel. Die DIN EN ISO 19458 beschreibt zahlreiche grundlegende Anforderungen an die mikrobiologische Probenahme für Wasserproben, die auf verschiedene mikrobiologische Untersuchungsparameter (z. B. Legionellen und Pseudomonaden) anwendbar sind. Im Unterschied dazu geht die UBA-Empfehlung sehr dezidiert auf die Belange der Probenahme, den anschließenden Nachweis von Legionellen und die Angabe des Untersuchungsergebnisses für genau dieses Verfahren ein. Sie nimmt dabei an verschiedenen Stellen konkreten Bezug auf grundsätzliche Aspekte der Probenahme, die überwiegend in der DIN EN ISO 19458 geregelt sind.

Die UBA-Empfehlung umfasst inhaltlich:

- Anforderungen an das Untersuchungslabor
- Anforderungen an die Probenahme mit den Aspekten:
  - Probenahmeplanung
  - Probenahmestellen und Art der Probenahme
- Probenahmeprotokoll
- Transport und Lagerung der Proben
- Nachweis von Legionellen durch Kultivierung

Die Vorgaben der UBA-Empfehlung dienen dem Ziel einer einheitlichen Probenahme, Analytik, Auswertung und Ergebnisangabe. Bei den Anforderungen an das Untersuchungslabor fordert die UBA-Empfehlung:

> „Für den Nachweis von Legionellen in Kühlwässern von Verdunstungskühlanlagen und Kühltürmen sowie in Waschwässern von Nasswäschern kann nur ein Labor beauftragt werden, das für den Nachweis von Legionellen in Wässern nach ISO 11731 (1998) und DIN EN ISO 11731-2 (2008) [Hinweis der Autoren: inzwischen geändert in DIN EN ISO 11731: 2019-03] sowie für die Probenahme nach DIN EN ISO 19458 gemäß DIN EN ISO/IEC 17025 akkreditiert ist. D. h., das Labor ist dafür verantwortlich, dass von der Probenahme bis zum Prüfbericht alle rechtlichen und normativen Anforderungen erfüllt sind. Da bei den Wasserproben aus Verdunstungskühlanlagen, Kühltürmen oder Nasswäschern oft eine hohe Begleitflora auftritt, muss das Labor Erfahrung mit Wässern mit hoher Begleitflora nachweisen können. Im Labor muss eine Standardarbeitsanweisung vorliegen, die den Nachweis von Legionellen in Wässern mit hoher Begleitflora abdeckt. Spätestens ein Jahr nach Inkrafttreten der Verordnung müssen die Laboratorien eine Akkreditierung speziell für die in der Verordnung genannten Wässer besitzen."

Demnach sind bei der Probenahme gemäß UBA-Empfehlung die grundlegenden Vorgaben der DIN EN ISO 19458 einzuhalten. Wichtig ist dabei, „dass der Zeitpunkt der Probenahme den Normalbetrieb der Anlagen widerspiegelt". So ist z.B. für die regelmäßigen Laboruntersuchungen nach 42. BImSchV ein genügend großer zeitlicher Abstand zu einer Reinigungs- oder Desinfektionsmaßnahme einzuhalten. Eine solche Maßnahme hat naturgemäß einen erheblichen Einfluss auf den „Normalbetrieb" und repräsentiert daher in der Regel nicht die „normale" mikrobiologische Wasserqualität. Im Rahmen der Planung der Probenahme muss berücksichtigt werden, dass diese bei Anlagen, denen Biozid zugegeben wird, grundsätzlich zeitlich vor einer Bioziddosierung erfolgt. Der zeitliche Abstand zwischen Dosierung und Probenahme sollte so groß wie möglich gehalten werden. Sofern Kühlwasserproben Biozide enthalten, muss dieses im Rahmen der Probenahme möglichst deaktiviert werden. Werden die Biozide in der Wasserprobe nicht deaktiviert, führt das in der Regel dazu, dass sich im Wasser befindliche lebende Mikroorganismen auf dem zum Nachweis verwendeten Nährmedien nicht vermehren, da sie im Wachstum gehemmt werden (siehe Kapitel 3.1.5). Im Ergebnis kommt es dann zu „falsch negativen" Ergebnissen. Es sind also Mikroorganismen vorhanden, die mit dem Verfahren aber nicht nachweisbar sind. Ursache ist eine Hemmung des Bakterienwachstums durch das Biozid, welches mit auf den Nährboden gelangt. Daher müssen bereits im Vorfeld der Probenahme die notwendigen Informationen über die eingesetzten Biozide durch den Anlagenbetreiber an das Labor mitgeteilt werden, außerdem der Zeitpunkt der Bioziddosierung sowie die Menge und Art des Biozids. Informationen über die Möglichkeiten der Deaktivierung von Bioziden im Rahmen von Probenahme und Nachweis finden sich in Kapitel 3.1.5. Das UBA führt in seiner Empfehlung dazu aus, dass es zum praktischen Einsatz von Inaktivierungsmitteln für Kühlwasserproben aus Verdunstungskühlanlagen, Kühltürmen und Nasswäschern zum Veröffentlichungszeitpunkt nur wenige Erkenntnisse vorliegen und Forschungsbedarf besteht. Gemäß UBA-Empfehlung müssen Kühlwasserproben für den Legionellennachweis mit einem Probenvolumen von mindestens 100 ml genommen werden.

Probenahmestellen und Art der Probenahme

Die UBA-Empfehlung orientiert sich hinsichtlich der Entnahmestellen für Proben und der Probenahmeart sowohl an der VDI 2047-2 als auch an der DIN EN ISO 19458. Mikrobiologische Probenahmen von Wasser sind von verschiedenen Randbedingungen abhängig. Grundsätzlich muss dabei berücksichtigt werden, dass es sich hier um den Nachweis von Lebewesen handelt. Das bedingt unter anderem, dass man es nicht mit Lösungen, sondern Suspensionen zu tun hat, was allein schon mit Besonderheiten (z. B. eine inhomogene Verteilung der Mikroorganismen im Wasser) verbunden ist. Die Vorgehensweise bei der Probenahme hängt darüber hinaus maßgeblich vom jeweiligen Zweck ab. So unterscheidet die DIN EN ISO 19458 zwischen dem Zweck a) der Überprüfung von behördlichen Vorgaben (wie sie z. B. die Prüf- und Maßnahmenwerte der 42. BImSchV darstellen), dem Zweck b) der Charakterisierung von Verunreinigungen und dem Zweck c) der Identifizierung der Verunreinigungsquellen.

In der DIN EN ISO 19458 werden hinsichtlich der Probenahme Anforderungen betreffend der

- Probenahmestellen,
- Probenahmetechnik und dem
- Transport und der Lagerung

definiert. Probenahmestellen müssen grundsätzlich repräsentativ sein und Veränderungen der Wasserqualität, z. B. zeitlicher Art, berücksichtigen. Im Fall von Verdunstungskühlanlagen und Kühltürmen machen dazu die VDI 2047 Blatt 2 und 3 sowie die UBA-Empfehlung entsprechende Vorschläge, wo Proben entnommen werden können. Grundsätzlich ist die Eignung der Probenahmestellen abhängig von konstruktiven und betrieblichen Randbedingungen der VKA oder des Kühlturms. An der Probenahmestelle muss repräsentatives Nutzwasser beprobt werden können, daher darf die Entnahmestelle z. B. nicht in der Nähe des Eintritts des Zusatzwassers (zum Ausgleich von Nutz-/Kreislaufwasserverlusten) liegen. Ein überproportionaler Zusatzwasseranteil würde ansonsten das Ergebnis des Nutzwassers verfälschen.

Die Probenahme soll aus Entnahmearmaturen nach DIN EN ISO 19458 Zweck a) erfolgen (desinfizierbare Probenahmearmaturen) oder alternativ gegebenenfalls an Dauerläufern (z. B. ein freier Nutzwassereinlauf in die Wanne der VKA). Für den Untersuchungszweck sollte die Nutzwasserprobe in Verdunstungskühlanlagen möglichst zwischen der Pumpe und der Verrieselung entnommen werden; geeignete Zapfstellen sind dafür eine zentrale Voraussetzung, die als desinfizierbare, vorzugsweise abflammbare, Entnahmearmatur einzurichten sind. Diese muss in Strömungsrichtung vor der Bioziddosierung lokalisiert sein.

Alternativ ist die Probe als Schöpfprobe aus der Kühlturmwanne oder als verrieseltes Kreislaufwasser zu gewinnen. Die Probenahme sollte grundsätzlich immer an den gleichen Stellen erfolgen, welche direkt an der Anlage oder im Anlagenplan gekennzeichnet ist. Diese müssen mit den Angaben im Prüfbericht und im Probenahmeprotokoll übereinstimmen

Hinsichtlich der Probenahmetechnik fordert die DIN EN ISO 19458 entsprechend geschultes Personal. Umfangreich beschrieben sind die Anforderungen an geeignete Probenbehälter. Für die im Zusammenhang mit VKA und Kühltürmen relevanten Untersuchungen der allgemeinen Koloniezahl von *Legionella spp.* sowie gegebenenfalls von *Pseudomonas aeruginosa* sind sterile Probenahmegefäße zu verwenden (siehe Bild 3.7). Werden Schöpfproben aus der Kühlturmwanne entnommen, so müssen Behälter oder Schöpfbecher verwendet werden, die sowohl innen als auch außen steril sind. Wichtig ist bei dieser Art der Probenahme die Vermeidung des Eintrags von Ablagerungen oder Biofilmen, die von Oberflächen in die Wasserprobe gelangen können. Die Probe sollte daher weder an der Kühlwasserwanne noch direkt an der Wasseroberfläche entnommen werden. Das Regelwerk des UBA empfiehlt dazu die Verwendung einer Probenahmestange und die Probe 10–30 cm unterhalb der Wasseroberfläche zu entnehmen. Nicht selten sammeln sich an der Wasseroberfläche aufschwimmende Partikel, wie z. B. durch den Luftstrom in die Anlage eingetragene organische Partikel oder auch abgelöste Flocken von Biofilmen aus der Anlage selbst.

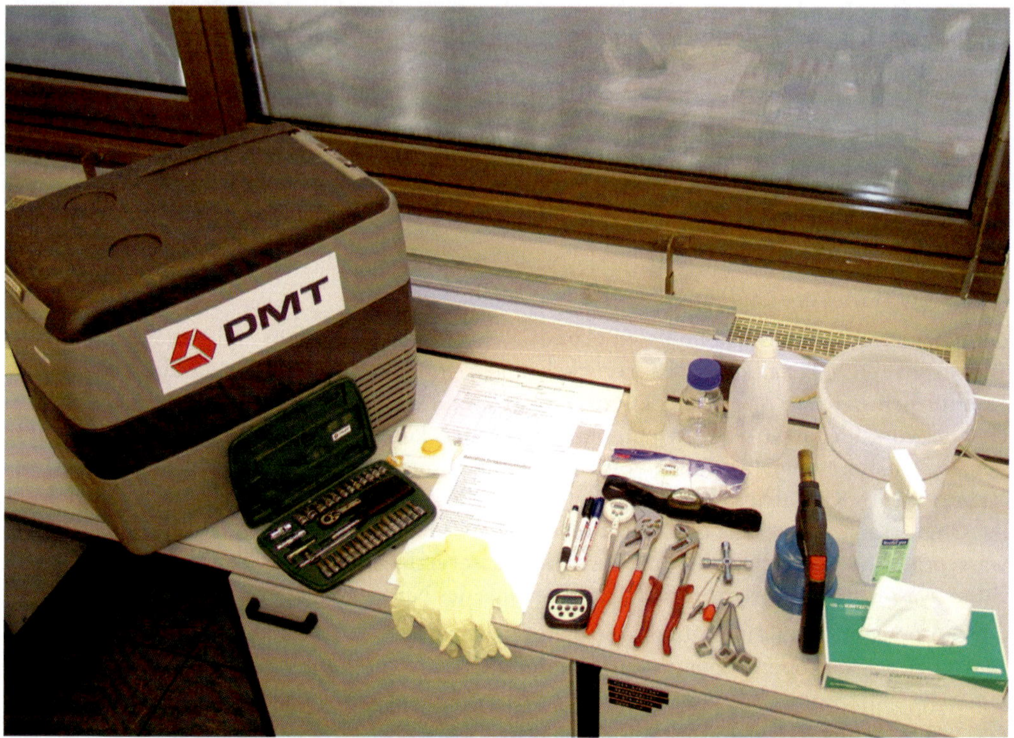

Bild 3.7: Ausstattung für die Probenahme (Bild: DMT)

Probenahmeprotokoll

Ohne eine entsprechende Dokumentation der Probenahme gehen in der Regel im Rahmen des Untersuchungsprozesses wichtige Informationen verloren noch lassen sich im Nachgang unklare Ergebnisse angemessen interpretieren. Die UBA-Empfehlung für Legionellennachweise sieht daher vor, dass das Probenahmeprotokoll mindestens folgende Punkte enthält:

- Name und Adresse des Auftraggebers
- Standort der Anlage mit vollständiger Anschrift und Anlagenbezeichnung
- Exakte Bezeichnung der Probenahmestellen
- Datum und Zeitpunkt der Probenahme
- Name und Unterschrift des Probenehmers
- Art der Probe (z. B. Nutzwasser, Waschwasser, Zusatzwasser)
- Probennahmetechnik (z. B. an Armatur oder Schöpfprobe, Art der Desinfektion)
- Temperatur des Wassers bei Probenahme
- Auffälligkeiten bei der Probenahme, die das Ergebnis beeinflussen könnten

Probentransport und -lagerung

Über die eigentliche Probenahme hinaus sind der Probentransport und die Probenlagerung der Kühlwasserproben für die Zuverlässigkeit des Untersuchungsergebnisses relevant. Vom Grundsatz her sollte zwischen der Entnahme der Kühlwasserproben und der späteren Laboranalyse möglichst wenig Zeit liegen. Hinsichtlich der Kühlwasserproben, die nach der UBA-Empfehlung auf Legionellen analysiert werden sollen, führt das Regelwerk aus, dass

> „[...] diese vorzugsweise innerhalb von 24 h nach Probenahme im Labor angesetzt werden; jedoch nicht später als 48 h nach Probenahme“. Bei kurzen Transportzeiten (< 8 h) können die Proben bei Umgebungstemperatur transportiert werden. Die Proben sind aber geschützt vor Licht und starken Temperatureinwirkungen zu transportieren (z. B. in Kühlboxen). Bei längeren Transportzeiten (> 8 h) sind die Proben gekühlt – idealerweise auf 5 ± 3 °C – und lichtgeschützt zu transportieren (z. B. Kühlboxen mit Kühlakkus). Es ist darauf zu achten, dass die Proben nicht gefroren werden. Die Temperatur muss überwacht und aufgezeichnet werden. Die Transportbedingungen müssen dokumentiert werden. Die Lagerung der Proben im Labor muss bei 5 ± 3 °C erfolgen“.

Weitestgehend damit übereinstimmende Anforderungen finden sich für Legionellen in der DIN EN ISO 19458. Wasserproben, die auf den Parameter allgemeine Koloniezahl oder *Pseudomonas aeruginosa* untersucht werden, sollen gemäß letztgenannter Regel innerhalb von acht Stunden nach Probenahme im Labor angesetzt werden, spätestens aber nach zwölf Stunden. Die Proben für die Bestimmung der allgemeinen Koloniezahl sind gekühlt (5 ± 3 °C) zu transportieren.

Probenahme betriebsinterner mikrobiologische Überprüfungen

Im Unterschied zu den Laboruntersuchungen gibt es in der 42. BImSchV (§ 4 Verdunstungskühlanlagen bzw. § 7 Kühltürme) für die Probenahme bei betriebsinternen mikrobiologischen Überprüfungen keine Forderung nach einer Akkreditierung. Bei den betriebsinternen Überprüfungen handelt es sich in der Regel um eine Bestimmung der allgemeinen Koloniezahl.

Trotz fehlender Vorgaben für eine Akkreditierung schließt das naturgemäß nicht aus, dass auch die dafür verantwortlichen Probenehmer mindestens eine entsprechende Unterweisung bzw. Schulung nach VDI 2047 Blatt 2 erhalten. Es sind dabei die notwendigen Grundlagen für eine „richtige Probenahme“ zu vermitteln. Die Probenahme für diese Untersuchung wird im Anhang C der VDI 2047 Blatt 2 (siehe Kapitel 5.4.4.2) beschrieben. Sie erfolgt mittels sogenannter Eintauch-Nährmedien (Dip-Slides) (siehe Bild 3.8) und erfordert daher keine Entnahme einer Wasserprobe, wie sie für die Laboruntersuchungen erforderlich ist. Im Unterschied zu den Laboruntersuchungen wird das Nährmedium direkt in das zu untersuchende Wasser eingetaucht.

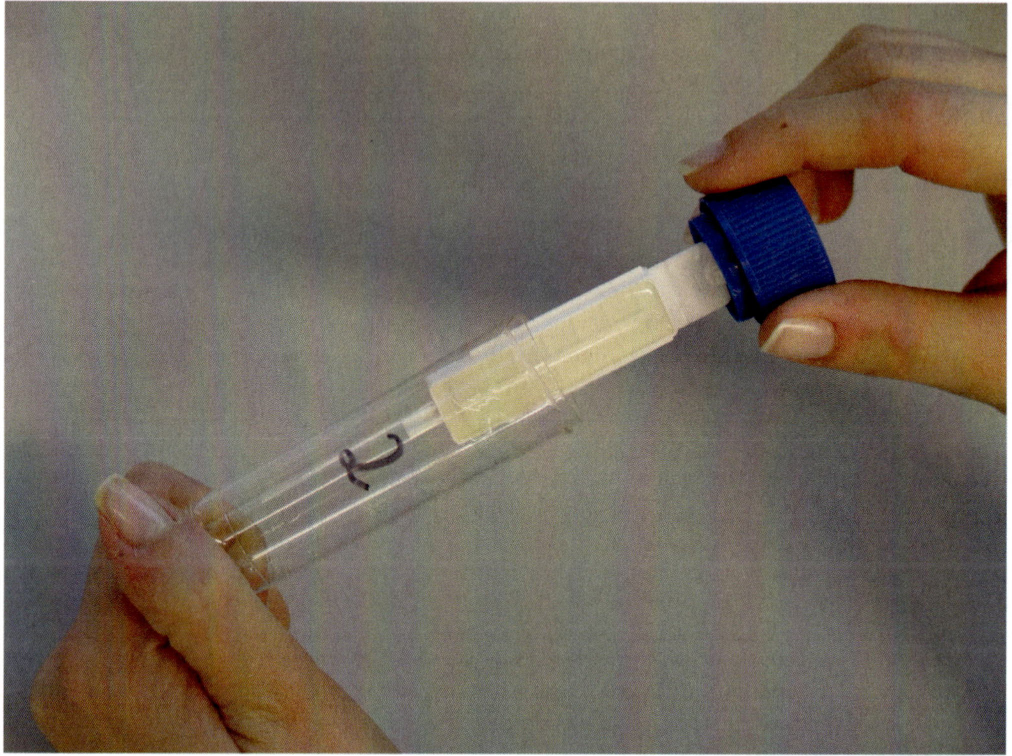

Bild 3.8: Eintauch-Nährmedium (Dip-Slides) für die betriebsinterne mikrobiologische Überprüfung (Bild: DMT)

Gemäß der VDI 2047 Blatt 2 gilt bei dieser Art der Probenahme:

- Das Gehäuse des Nährmediums ist geeignet zu beschriften.
- Der Nährmediumträger darf nur am Griff angefasst werden.
- Sofern das Nährmedium berührt wurde (außer mit dem zu beprobenden Wasser) ist es zu verwerfen, da die Ergebnisse verfälscht werden.
- Das Nährmedium des Dip-Slides ist für 5–10 s vollständig in das zu beprobende Kühlwasser einzutauchen.
- Das überschüssige Wasser muss anschließend abtropfen.
- Der untere Rand des Nährmediumträgers ist abzustreifen und direkt wieder zu verschließen.
- Das Nährmedium ist in den Transportbehälter stellen.
- Das Protokoll ist ausfüllen mit: Probenbezeichnung, Probenehmer, Datum und Uhrzeit, Wassertemperatur, Probenahmestelle.

Anschließend ist das Eintauch-Nährmedium direkt in den Brutschrank (siehe Kapitel 3.1.4.2) zu stellen oder fachgerecht ins Labor zu transportieren. Konkrete Vorgaben für Transportzeiten oder Temperaturen finden sich im Regelwerk nicht. Im Unterschied zu den Laboruntersuchungen sollte bei den Eintauch-Nährmedien nicht die Gefahr einer Vermehrung der Mikroorganismen in einer Wasserprobe während des Transports bestehen, da diese sich bereits auf dem Nährmedium befinden. Allerdings gilt das nur für den Fall, dass es in der Probe nicht zur Kondenswasserbildung kommt.

Bei der hier zusammengefassten Vorgehensweise aus der VDI 2047 Blatt 2 muss berücksichtigt werden, dass die spezifischen Gebrauchsanweisungen der Hersteller gegebenenfalls davon abweichen können. Wie schon bei der Probenahme für die Laboruntersuchungen beschrieben, müssen natürlich auch für die betriebsinternen mikrobiologischen Überprüfungen die Anforderungen an die Probenahmestellen hinsichtlich Eignung erfüllt werden.

3.1.6.2 Laboruntersuchung und Analyse von Mikroorganismen

Der Nachweis von Mikroorganismen ist mit besonderen Herausforderungen verbunden, was naturgemäß einerseits an deren Größe, den oft geringen äußerlichen Unterschieden, den teilweise wechselnden Merkmalen gleicher Mikroorganismenarten bei unterschiedlichen Lebensbedingungen und deren Vielfalt liegt, um hier nur einige Aspekte zu benennen. Zur Bewertung der mikrobiologischen Situation in einer Anlage, also z. B. der Anzahl aller dort vorhandenen Mikroorganismen und dem Vorkommen und der Anzahl spezifischer Mikroorganismen, bedarf es daher der Anwendung unterschiedlicher Nachweisverfahren.

Für die Bestimmung von Mikroorganismen im Labor kommt der direkte Nachweis, der Nachweis von Mikroorganismenbestandteilen oder die indirekte Bestimmung, z. B. über bestimmte biochemische Merkmale, in Betracht. Bei den nachfolgend beschriebenen Verfahren, die auch in den gesetzlichen und technischen Regelwerken vorgeschrieben sind, handelt es sich ausschließlich um direkte Nachweisverfahren. Eine Ausnahme bildet lediglich die Serotypen-Bestimmung von Legionellen, welche bei Überschreitung des Maßnahmenwertes aus der 42. BImSchV (siehe Kapitel 4.4) durchgeführt werden muss. Dieses Verfahren erfolgt mit den mittels eines Kulturverfahrens in der Kühlwasserprobe bereits als *Legionella spp.* nachgewiesenen Bakterien. Anschließend werden diese mittels geeigneter Antikörper darauf getestet, welcher Serotyp von *Legionella pneumophila* vorliegt oder ob Nonpneumophila-Legionellen dominieren.

Als direkte Nachweisverfahren sind lediglich sogenannte Kulturverfahren zugelassen. Die Verfahren basieren im Prinzip darauf, die Mikroorganismen mit der Wasserprobe – im Fall von Kühlwasser Bakterien – auf ein sogenanntes Nährmedium aufzubringen. Ein Nährmedium enthält in der Regel die Nährstoffe, welche für das Wachstum der gesuchten Mikroorganismen notwendig sind. Gleichzeitig stellt es weitere Wachstumsbedingungen, wie z. B. die erforderliche Feuchtigkeit oder den pH-Wert, sicher. Grob lassen sich Nährmedien in Basisnährmedien, selektive Nährmedien und Spezialnährmedien unterscheiden. In Basisnährmedien finden sich in der Regel Nährstoffe, die für eine größere Gruppe von Mikroorganismen geeignete Wachstumsbedingungen darstellen. Der Nachweis der allgemeinen Koloniezahl beruht auf einem solchen Basisnährmedium. Auf diese Weise gibt man einem breiten Spektrum an Bakterien die notwendigen Wachstumsstoffe, um sich auf diesem Nährmedium zu vermehren. Von den einzelnen Bakterien, die mit der Wasserprobe auf das Nährmedium aufgetragen und dort im Optimalfall vereinzelt sind, geht die Vermehrung aus. Diese verläuft über die Teilung der Bakterienzelle. Aufgrund der kurzen Teilungszyklen kommt es innerhalb von Stunden bis Tagen zu einer deutlichen Vermehrung der ursprünglich einzelnen Bakterienzelle. Es entsteht eine Kolonie dieser Bakterienzelle, die als Kolonie bildende Einheit (KBE) bezeichnet wird. Diese Kolonie wird ab einer bestimmten Größe auf dem Nährmedium mit dem bloßen Auge sichtbar und zeichnet sich durch mehr oder minder spezifische äußerliche Merkmale aus (siehe Bild 3.9).

Bild 3.9: Nährmedium mit Bakterienkolonien (Bild: DMT)

Kolonieform, -größe und -farbe sowie deren Oberflächenstruktur gehören z. B. dazu. Anhand dieser Merkmale lässt bis zu einem gewissen Grad eine Bestimmung der Mikroorganismen durchführen. Beim Nachweis der allgemeinen Koloniezahl geht es aber nicht um die Bestimmung konkreter Mikroorganismenspezies, sondern ausschließlich um die Gesamtzahl. Im Fall von Krankheitserregern, wie *Legionella spp.* oder *Pseudomonas aeruginosa*, versucht man entweder eine Gruppe oder eine einzelne Spezies zu bestimmen. Dazu bedarf es in der Regel des Einsatzes von Selektivnährmedien und häufig noch der Bestimmung weiterer Merkmale dieser Spezies. Je nach Mikroorganismenspezies ist das mit einem erheblichen Aufwand verbunden und dauert Tage bis Wochen.

Dazu ist es erforderlich, dass die Nährmedien mit den auf ihnen befindlichen Mikroorganismen aus den zu untersuchenden Proben bei definierten Bedingungen, speziell einer stabilen Temperatur, für eine festgelegte Zeit „bebrütet“ werden. Brutschränke sind letztlich bei konstanter Temperatur und anderen Bedingungen betriebene Klimaschränke, in denen die Mikroorganismen auf den Nährmedien geeignete Vermehrungsbedingungen vorfinden. Arbeiten mit Mikroorganismen spielen sich in der Regel unter Bedingungen ab, die einerseits eine negative

Beeinflussung des Untersuchungsergebnisses verhindern, so z. B., indem durch den Labormitarbeiter oder die Laborluft weitere Mikroorganismen in die Probe eingetragen werden. Auf der anderen Seite birgt aber natürlich das Arbeiten mit Krankheitserregern das Risiko einer Infektion. Für diese Tätigkeiten existieren daher, je nach Risikoklasse des Krankheitserregers, teilweise erhebliche Sicherheitsanforderungen an die Laborausstattung bzw. die persönliche Schutzausrüstung des Personals. In der Regel werden die Arbeiten daher auch bei geringem Risiko ohne Krankheitserreger in einer sogenannten Laminar-Flow-Box durchgeführt, siehe Bild 3.10. Durch eine entsprechende Luftführung und geeignete Luftfilter wird sowohl eine versehentliche Kontamination der Probe während der Prüfung vermieden als auch ein Austrag der Mikroorganismen.

Bild 3.10: Arbeiten mit Mikroorganismen in einer Laminar-Flow-Box (Bild: DMT)

Bestimmung der allgemeinen Koloniezahl

Unter der „allgemeinen Koloniezahl" versteht die 42. BImSchV (siehe Kapitel 4.4) einen „Parameter zur Beurteilung der hygienischen Qualität des Nutzwassers; er umfasst alle Mikroorganismen, die nach genormten Verfahren auf oder in einem definierten Nähragarmedium anzüchtbar sind und Kolonien bilden". Die Ergebnisse dieser Untersuchung und die Höhe der allgemeinen Koloniezahl zeigen also, im Unterschied zum Nachweis von Krankheitserregern (z. B. Legionellen), keine direkte Gesundheitsgefahr an. Hohe Mikroorganismenzahlen können aber ein Indikator für gute mikrobiologische Wachstumsbedingungen oder auch den Eintrag von mikrobiologischen Kontaminationen in einem System sein. Damit steigt die Wahrscheinlichkeit, unter diesem breiten Spektrum an Mikroorganismen auch Krankheitserreger zu finden.

Für die Bestimmung der allgemeinen Koloniezahl standen bis zur Veröffentlichung des Fachmoduls für Ermittlungen im Bereich der 42. BImSchV durch die Bund-/Länderarbeitsgemeinschaft für Immissionsschutz im April 2018 zwei Methoden zur Wahl. Erfasst werden bei der Bestimmung der allgemeinen Koloniezahl primär die aeroben (benötigen Sauerstoff) und fakultativ anaeroben (können mit und ohne Sauerstoff überleben) sowie die heterotrophen (benötigen organische Wachstumssubstrate) Mikroorganismen. In der Regel handelt es sich in den untersuchten Anlagen um Bakterien.

Bei den Labormethoden für die allgemeine Koloniezahl in den Kühlwasserproben konnten bisher die Verfahren gemäß § 15 der Trinkwasserverordnung oder alternativ nach DIN EN ISO 6222 eingesetzt werden. Das Verfahren nach Trinkwasserverordnung ist nach Veröffentlichung des Fachmoduls 42. BImSchV der Bund-/Länderarbeitsgemeinschaft inzwischen nicht mehr anzuwenden.

Alle Anlagenbetreiber, welche die Bestimmung der allgemeinen Koloniezahl nach dem in der Trinkwasserverordnung beschriebenen Verfahren durchgeführt haben, müssen heute auf Basis der DIN EN ISO 6222 untersuchen lassen. Das bedeutet auch den Referenzwert neu zu ermitteln.

Die Bestimmung nach den Vorgaben des in DIN EN ISO 6222 beschriebenen Verfahrens eignet sich auch bei höheren Mikroorganismenzahlen im Zusatzwasser oder dem Nutzwasser. Die Bestimmung erfolgt durch das Plattengussverfahren und nachfolgender Bebrütung auf Komplexnährmedien. Als Koloniezahl wird die Zahl der sichtbaren Kolonien definiert, die sich bei 22 ± 2 °C nach einer Bebrütungsdauer von 68 ± 4 Stunden bzw. 36 ± 2 °C und einer Bebrütungsdauer von 44 ± 4 Stunden bilden.

Je nach Erfahrungswerten für die zu erwartenden Mikroorganismenzahlen im Wasser werden unterschiedliche Wasserprobenvolumen auf den Nährboden aufgebracht. Die Untersuchung von Kühlwasser erfolgt i. d. R. mit 0,1 ml Probenvolumen unverdünnt sowie 1:10, 1:100 und 1:1.000 verdünnt. Die Angabe der Ergebnisse erfolgt in KBE (Kolonie bildende Einheiten)/ml, getrennt für die beiden Bebrütungstemperaturen. Im Plattengussverfahren liegt die Obergrenze für die Auswertung der Gesamtzahl an Kolonien gemäß DIN EN ISO 8199:2008 bei 300 KBE/Platte. Es wird diejenige Verdünnung für die Ergebnisangabe herangezogen, auf der maximal 300 KBE/Platte gezählt werden. Sind auf allen Verdünnungsstufen > 300 KBE gewachsen, wird im Bericht > 300.000 KBE/ml bzw. > 3.000.000 KBE/ml angegeben.

Bestimmung von Pseudomonas aeruginosa

Die Bestimmung von *Pseudomonas aeruginosa* erfolgt nach den Vorgaben der DIN EN ISO 16266 durch Membranfiltration der Wasserprobe (auf dem Filter werden die Mikroorganismen zurückgehalten) und nachfolgender Bebrütung auf Selektivnährmedien (der Membranfilter wird auf das Nährmedium aufgelegt). Bei der Bestimmung im Rohwasser und im Zusatzwasser für Verdunstungskühlanlagen wird eine Membranfiltration der Probe (100 ml bzw. 250 ml) mit nachfolgender Bebrütung auf Selektivnährmedien durchgeführt. Die Nachweisgrenze der Membranfiltration liegt je nach Ansatzvolumen bei 1 KBE/100 ml (Ansatzvolumen 100 ml) bzw. 1 KBE/250 ml (Ansatzvolumen 250 ml). Zur Bestimmung im Nutzwasser wird eine Membranfiltration mit je 2 ml und 10 ml unbehandelter Kühlwasserproben durchgeführt. Das Ansatzvolumen von 2 ml wird durch Zugabe von sterilem Wasser auf 10 ml aufgefüllt. Die Nachweisgrenze ist abhängig von dem jeweils auswertbaren Ansatz.

Die Identifizierung der relevanten Keime erfolgt anhand folgender Merkmale:

- Wachstum auf CN-Agar und Bildung von Pyocyanin oder
- Wachstum auf CN-Agar und Fluoreszenz und Ammoniakbildung aus Acetamid oder
- Wachstum auf CN-Agar und rötlich/braune Kolonien und Oxidase-positiv und Fluoreszenz (auf Kings B Agar) und Ammoniakbildung aus Acetamid.

Die Angabe der Ergebnisse erfolgt in KBE *Pseudomonas aeruginosa*/100 ml bzw. /250 ml. Bei der Membranfiltration und bei der Ausplattierung liegt die Obergrenze für die Auswertung der Gesamtzahl an Kolonien (Ziel- und Nicht-Zielkolonien) gemäß ISO 8199:2018 bei 80 KBE/Platte bzw. bei 300 KBE/Platte.

Bestimmung von Legionellen

Der Nachweis von Legionellen (*Legionella spp.*) erfolgt gemäß den Vorgaben der

- Empfehlung des UBA zur Probenahme und zum Nachweis von Legionellen in Verdunstungskühlanlagen, Kühltürmen und Nassabscheidern sowie der
- ISO 11731.

Wasserproben aus Verdunstungskühlanlagen und Kühltürmen weisen häufig eine hohe Begleitflora (weitere Mikroorganismen in der Probe) auf. Diese führt dazu, dass die Bestimmung von Legionellen ohne geeignete Maßnahmen zur Reduktion der Begleitflora zu falschen Ergebnissen führen kann. Die Bestimmung von Legionellen erfolgt daher auf einem für diese selektiven Nährmedium (GVPC, siehe Bild 3.11) und bezieht zur Vorbehandlung sowohl eine Säure- als auch eine Hitzebehandlung mit ein. Auf diesem Weg kann ein Teil der Begleitflora reduziert werden.

Im Rahmen der Überprüfung der Anlagen muss von 10 KBE/100 ml bis zu > 10.000 KBE/100 ml (Verdunstungskühlanlagen) bzw. > 50.000 KBE/100 ml (Kühltürme) ein großer Nachweisbereich für die Legionellenkonzentration abgedeckt werden. Daher werden die Wasserproben sowohl über eine Membranfiltration, was zu einer niedrigen Nachweisgrenze aufgrund der Anreicherung der Legionellen aus einer größeren Probenmenge führt, als auch über das direkte Ausplattieren der Wasserprobe auf dem Nährmedium (Verfahren mit höherer Nachweisgrenze) parallel untersucht.

Mit der Membranfiltration können Legionellenkonzentrationen im Bereich von ca. 100 KBE/100 ml mit einer akzeptablen Messunsicherheit nachgewiesen werden. Um die Begleitflora, und damit das Risiko nicht auswertbarer Wasserproben zu reduzieren, werden dazu 20 ml Probe filtriert und vorab je ein Ansatz einer Säure- bzw. einer Hitzebehandlung unterzogen. Es werden also auf diese Weise zwei Teilproben auf unterschiedliche Weise untersucht.

Beim zweiten Verfahren, dem direkten Aufbringen (Ausplattieren) der Wasserprobe auf den Nährboden, werden 0,1 ml und 0,5 ml Probenvolumina verwendet. Von der Originalprobe (ohne Vorbehandlung) werden nur 1 x 0,1 ml ausplattiert, da erfahrungsgemäß zahlreiche Proben von der Begleitflora überwachsen werden. Parallel zur Originalprobe werden Ansätze mit Säure- und Hitzebehandlung zur Reduktion der Begleitflora durchgeführt. Für dieses Verfahren werden insgesamt sechs Proben auf Nährmedien ausplattiert.

In der Summe werden im ersten Schritt der Legionellenbestimmung also acht Teilproben einer Nutzwasserprobe untersucht. Sofern auf diesen Proben Kolonien nachgewiesen werden, die Legionellen-spezifische Merkmale aufweisen, müssen diese in einem weiteren Schritt überprüft werden. Hierbei werden die Legionellen-verdächtigen Bakterienkolonien auf den Nährmedien auf ein weiteres Nährmedium übertragen, wiederholt bebrütet und auf Wachstum kontrolliert. Das führt zu einem ausgesprochen aufwendigen Verfahren für den Nachweis dieser Gruppe von Krankheitserregern.

Trotz dieses Aufwands kann laut UBA-Empfehlung erfahrungsgemäß nur in ca. 80 % der untersuchten Kühlwasserproben ein quantitatives, statistisch abgesichertes Ergebnis für belastete Kühlwässer erhalten werden. Durch die mögliche Hemmung des Wachstums von Legionellen auf dem GVPC-Nährmedium aufgrund der Begleitflora steigt mit deren Konzentration auch die Messunsicherheit des Ergebnisses und das Risiko von Minderbefunden. Dies führt im Prüfbericht zu einer sehr differenzierten Ergebnisdarstellung für Legionellen. Mit deren Verständnis tun sich die beteiligten Verkehrskreise, insbesondere die Anlagenbetreiber, schwer. Hier hilft nur, sich für die Lektüre der UBA-Empfehlung ein wenig mehr Zeit zu nehmen oder das jeweilige mikrobiologische Labor zu kontaktieren und sich die Auslegung der Legionellenergebnisse erläutern zu lassen. Das Endergebnis wird im Prüfbericht pro 100 ml Originalprobe des Kühlwassers zusammen mit der für die Ergebnisermittlung ausgewählten Teilprobe angegeben.

Betriebsinterne mikrobiologische Überprüfung

Für die in der 42. BImSchV vorgesehene betriebsinterne mikrobiologische Überprüfung gibt es keine konkrete Verfahrensvorgabe (siehe Kapitel 4.4.). In der VDI 2047 Blatt 2 wird diese Überprüfung als Bestimmung der allgemeinen Koloniezahl empfohlen. Ziel dieser Untersuchung ist, die Einhaltung des Referenzwerts als Normalzustand des Kühlwassers (siehe Kapitel 4.4) im 14-tägigen Zyklus durch Dip-Slides (Eintauch-Nährmedien) zu überprüfen – parallel zu den Laboruntersuchungen. Die VDI 2047 Blatt 2 spricht von einer „Abschätzung der Gesamtkoloniezahl (Bakterien)“. Sofern sich die Bestimmung der allgemeinen Koloniezahl mittels Dip-Slides für die Überprüfung des Nutzwassers als nicht aussagekräftig erweist, sollen alternative Untersuchungsmethoden herangezogen werden. Als Beispiele werden Schnelltests angeführt. Als Kriterium für die Eignung einer Methode als betriebsinterne mikrobiologische Überprüfung gilt nach VDI 2047 Blatt 2, dass diese „Veränderungen im Prozess, die eine mikrobiologische Veränderung erwarten lassen“, widerspiegeln. Es sollen außerdem keine „starken Schwankungen der Gesamtkoloniezahl ohne Veränderung im Prozessverlauf auftreten“. Bisher gibt es aber nach unserem Kenntnisstand keine Dip-Slides-Methode zur Bestimmung der allgemeinen Koloniezahl, die nachweislich mit dem Verfahren für die Laboruntersuchungen korreliert. Daher müsste das mikrobiologische Verfahren für die betriebsinterne Überprüfung jeweils im Einzelfall für eine Verdunstungskühlanlage überprüft werden. Aufgrund dieser Situation stellt sich die Frage nach der grundsätzlichen Eignung der betriebsinternen mikrobiologischen Überprüfungen. In jedem Fall wäre aufwendig zu bestimmen, ob es eine Korrelation zwischen dem für die Referenzwert-Bestimmung vorgeschriebenen Laborverfahren und dem Dip-Slides-Verfahren gibt.

Hinsichtlich der Methodik der Anwendung der Eintauch-Nährmedien (Dip-Slides) ist festzustellen, dass die Entnahme einer Kühlwasserprobe und deren anschließende Weiterverarbeitung im Labor entfällt. Mit der Probenahme ist das zu untersuchende Wasser, einschließlich der darin befindlichen Mikroorganismen, bereits auf dem Nährmedium. Dieses Nährmedium muss anschließend in einen Brutschrank und die kulturelle Anzucht der Mikroorganismen soll bei einer Bebrütungstemperatur von 30 ± 2 °C über 44 ± 4 Stunden erfolgen. Es wird empfohlen, dazu dauerhaft die gleichen Materialien einzusetzen. Bei der Auswertung der Dip-Slides, also der Bestimmung der Anzahl an Mikroorganismen, sollen die vom Hersteller den Testkits beigefügten Abbildungen genutzt werden. In der Regel erlauben diese nur eine Abschätzung der Kolonie bildenden Einheiten, die in KBE pro Milliliter (KBE/ml) angegeben werden soll. Eine genauere Auswertung mit valideren Ergebnissen ist bei Vorliegen entsprechender Erfahrungen in einem mikrobiologischen Labor möglich.

Bei diesen Vorgaben muss berücksichtigt werden, dass es vonseiten der Hersteller von Dip-Slides durchaus andere Gebrauchsanweisungen geben kann und die eingesetzten Nährmedien sich unterscheiden können. Hilfreich wäre es, hier für die Zukunft eine Vereinheitlichung hinsichtlich der zu verwendenden Dip-Slides-Nährmedien zu erreichen. Daher soll hier darauf hingewiesen werden, dass es sich methodisch bedingt eher um eine Abschätzung als eine exakte Messung handelt. Mittels der Dip-Slides-Untersuchungen lässt sich in der Regel nicht auf die Einhaltung des Normalzustands (Referenzwert nach 42. BImSchV) schließen.

3.1.7 Bekämpfung von Mikroorganismen

Mit der Bekämpfung von Mikroorganismen, die für den Menschen schädlich sind, beschäftigt sich primär die wissenschaftliche Disziplin der Hygiene. Häufig als reine Teildisziplin der Medizin betrachtet, geht sie im Grundsatz weit darüber hinaus. Schon in der Antike hat Hippokrates (460–377 v. Chr.) die Wundbehandlung mit abgekochtem Wasser praktiziert und damit Methoden der Abtötung von Mikroorganismen eingesetzt, ohne diese letztlich zu kennen. Das Wissen darum war in allen Kulturkreisen mehr oder weniger weit verbreitet und wurde nicht nur in der medizinischen Behandlung eingesetzt, sondern z. B. auch bei der Haltbarmachung von Lebensmitteln, was eine entscheidende Rolle auch für die Entwicklung der menschlichen Gesellschaften gespielt hat. Die Hygiene hat als Disziplin zur Verhütung von Krankheiten sowie zur Steigerung von Wohlbefinden und Leistungsfähigkeit der Menschen [3-26] an ihrer entscheidenden Rolle für unseren Fortbestand auf diesem Planeten nicht an Bedeutung verloren. Dabei ist die Prävention und Bekämpfung von Infektionen eine entscheidende Aufgabe der Epidemiologie, der Lehre vom Auftreten, den Ursachen sowie der Verhütung von Infektionskrankheiten. Auch Infektionen aus technischen Systemen, wie Trinkwasserinstallationen, Verdunstungskühlanlagen und Kühltürmen, spielen dabei eine Rolle (siehe Kapitel 3.2).

In der Hygiene unterscheidet man verschiedene Methoden zur Bekämpfung von Krankheitserregern. Dazu zählen die Sterilisation, Konservierung, Antiseptik und Desinfektion. Im Zusammenhang mit der Bekämpfung von Mikroorganismen in Kühltürmen und Verdunstungskühlanlagen ist lediglich die Desinfektion von Bedeutung. Wichtig ist hier die Abgrenzung zur Methode der Sterilisation, denn diese führt im Ergebnis zur Sterilität, d. h. der „Abwesenheit von lebensfähigen Mikroorganismen" [3-1]. Als Sterilisationsverfahren kommen Hitze (sowohl trocken als auch in Kombination mit Dampf), Bestrahlung (ionisierende und nicht-ionisierende Strahlung), Gassterilisation (z. B. Ethylenoxid oder Wasserstoffperoxid-Gasplasma) und auch Filtration zur Anwendung. Betrachtet man diese Verfahren vor dem Hintergrund einer möglichen Anwendung in Kühltürmen und VKA, wird schnell deutlich, dass ein Einsatz hier sowohl aus praktischen als auch wirtschaftlichen Gründen keinen Sinn ergibt. Als offene Systeme, die sowohl Rohwasser und Betriebsstoffe als auch Außenluft in den Prozess einbringen, führt eine Sterilisation der Anlagen entweder nicht dauerhaft zum Ziel oder ist völlig unwirtschaftlich. Das gilt für jede der aktuell verfügbaren Sterilisationsmethoden. Es ist aber auch gar nicht erforderlich, derartige Anlagen steril zu betreiben, da allein das Vorhandensein von Mikroorganismen keine negative Beeinflussung des Betriebs mit sich bringt.

Im Unterschied zur Sterilisation ist die Desinfektion gängige und häufig auch unverzichtbare Methode der Bekämpfung von Mikroorganismen in den hier betrachteten Anlagen. Der Begriff der Desinfektion wird, wie auch die oben beschriebene Sterilität, nicht durchgängig einheitlich definiert und unterlag im Laufe der Jahrzehnte immer wieder Veränderungen. In weiten Verkehrskreisen besteht inzwischen Konsens darüber, dass unter

Desinfektion das gezielte Abtöten oder das irreversible Inaktivieren von Infektionserregern verstanden wird. Dabei muss die Zahl der Infektionserreger, z. B. im Kühlwasser oder auf den Anlagenoberflächen, soweit minimiert werden, dass davon keine Infektion mehr ausgehen kann.

Hier sei vorweggenommen, dass es nach dem aktuellen Kenntnisstand zwar unterschiedliche Infektionsdosen (Anzahl der Bakterien, die mit einer gewissen Wahrscheinlichkeit zu einer Infektion beim Menschen führen) gibt, aber grundsätzlich bereits ein einzelner Erreger ausreicht. Vor dem Hintergrund der in Kapitel 3.2 beschriebenen Zusammenhänge zwischen Infektionserregern und der notwendigen Zahl für eine Infektion lässt sich erahnen, dass der Begriff nicht unumstritten ist. Dem Thema Desinfektion sind zahllose Veröffentlichungen gewidmet [3-1], sodass hier nur eine Übersicht vor dem Hintergrund der behandelten Anlagen und verwendeten Desinfektionsverfahren zusammengefasst wird. Es kann dabei hinsichtlich der Desinfektionsmaßnahmen zwischen der Art der Durchführung, wie

- Wischdesinfektion,
- Sprühdesinfektion,
- Desinfektion durch Hitzeeinwirkung,
- Desinfektion durch Bestrahlung,

unterschieden werden oder nach dem jeweils zu desinfizierenden Gegenstand oder Medium, wie

- Oberflächendesinfektion,
- Geräte- oder Instrumentendesinfektion,
- Wasserdesinfektion,
- Luftdesinfektion.

In Abhängigkeit von der Aufgabenstellung wird außerdem zwischen einer kontinuierlichen oder einer anlassbezogenen Desinfektion unterschieden.

Eine kontinuierliche Desinfektion findet häufig Anwendung bei der Behandlung von Nutz- oder Zusatzwasser für VKA und Kühltürme. Je nach System und Herkunft des Zusatzwassers kann diese Vorgehensweise dazu dienen, einen zusätzlichen Eintrag durch Mikroorganismen zu minimieren. Bei der kontinuierlichen Nutzwasserbehandlung durch eine Desinfektion soll die Zahl der Mikroorganismen, speziell die von Infektionserregern wie Legionellen, im System in vertretbaren Grenzen gehalten werden.

Anlassbezogene Desinfektionsmaßnahmen sind dagegen in der Regel auf Situationen bezogen, in der eine inakzeptable Erhöhung der Mikroorganismenzahl im System festgestellt wurde. Das kann auf die allgemeine Koloniezahl und ausgeprägte Biofilme bezogen sein oder auch auf erhöhte Zahlen an *Legionella spp.* oder *Pseudomonas aeruginosa.* In erstem Fall sind die anlassbezogenen Desinfektionen dann nicht in einem offensichtlichen Hygienerisiko begründet, sondern haben eher präventiven Charakter. Bei erhöhten Zahlen von Infektionserregern in den Systemen dient die Desinfektion der Gefahrenabwehr.

Hinweise zur Desinfektion im Zusammenhang mit Verdunstungskühlanlagen und Kühltürmen finden sich in der VDI 2047-2 (siehe Kapitel 5). Als Desinfektionsverfahren kommen grundsätzlich sowohl chemische als auch physikalische Verfahren zum Einsatz. Die chemische Desinfektion beruht dabei auf dem Einsatz von Bioziden, die der Biozid-Verordnung (EU) unterliegen, welche Biozidprodukte in Artikel 3 Absatz 1 a) als

> „[...] jeglichen Stoff oder jegliches Gemisch in der Form, in der er/es zum Verwender gelangt, und der/das aus einem oder mehreren Wirkstoffen besteht, diese enthält oder erzeugt, der/das dazu bestimmt ist, auf andere Art als durch bloße physikalische oder mechanische Einwirkung Schadorganismen zu zerstören, abzuschrecken, unschädlich zu machen, ihre Wirkung zu verhindern oder sie in anderer Weise zu bekämpfen",

sowie

> „[...] jeglichen Stoff oder jegliches Gemisch, der/das aus Stoffen oder Gemischen erzeugt wird, die selbst nicht unter den ersten Gedankenstrich fallen, und der/das dazu bestimmt ist, auf andere Art als durch bloße physikalische oder mechanische Einwirkung Schadorganismen zu zerstören, abzuschrecken, unschädlich zu machen, ihre Wirkung zu verhindern oder sie in anderer Weise zu bekämpfen",

definiert. Es dürfen nach Biozidverordnung nur zugelassene Biozidprodukte verwendet werden. Diese sind im Anhang V der EU-Biozid-Verordnung „Biozidproduktarten und ihre Beschreibung" unter der Produktart 11 „Schutzmittel für Flüssigkeiten in Kühl- und Verfahrenssystemen – Produkte zum Schutz von Wasser und anderen Flüssigkeiten in Kühl- und Verfahrenssystemen gegen Befall durch Schadorganismen, wie z. B. Mikroben, Algen und Muscheln", geregelt. Dabei ist zu berücksichtigen, dass diese Produktart keine Produkte zur Desinfektion von Trinkwasser oder von Wasser für Schwimmbäder umfasst. Außerdem unterliegen Biozide der Gefahrstoffverordnung, wenn sie gefährliche, z. B. reizende oder ätzende Eigenschaften, haben. Davon ist in der Regel auszugehen und bedeutet, dass die anwendenden Mitarbeiter auf das jeweilige Biozid geschult und unterwiesen werden müssen (GefStoffV, § 16, Abs. 3 in Verbindung mit TRGS 500). Sollte die Gesundheit von Menschen oder anderen als den Zielorganismen durch die Biozide beeinträchtigt werden, dürfen sie nicht eingesetzt werden (GefStoffV, § 16, Abs. 3 in Verbindung mit TRGS 500, Punkt 5.1 (10)).

Desinfektionsverfahren unterscheiden sich teilweise deutlich hinsichtlich ihrer Wirksamkeit gegenüber verschiedenen Mikroorganismen. Es werden mit A bis D vier Wirkungsbereiche von Desinfektionsverfahren unterschieden, siehe Tabelle 3.3.

Tabelle 3.3: Desinfektionsverfahren: Wirkungsbereiche

Wirkungsbereich	Abtötung bzw. Inaktivierung
A	vermehrungsfähige Bakterien, einschließlich Mycobakterien; Pilze sowie Pilzsporen
B	Viren
C	bakterielle Sporen bis zur Widerstandsstufe von Sporen von Bacillus anthracis
D	bakterielle Sporen bis zur Widerstandstufe von Sporen von Clostridium perfringens

Hinsichtlich der Relevanz für Verdunstungskühlanlagen und Kühltürme spielt lediglich der Wirkungsbereich A eine Rolle. Bei den chemischen Desinfektionsverfahren und den verwendeten Bioziden gibt es mehr oder weniger unspezifische Wirkmechanismen auf die Zielorganismen. Bei der Schädigung der Mikroorganismen spielen vor allem Reaktionen mit Proteinen (Eiweißdenaturierung), Enzymblockaden (Stoffwechselschädigungen) oder Schädigungen der Zellmembran (Außenhülle der Mikroorganismen) mit unterschiedlichen Folgen eine Rolle. Diese z. B. im Vergleich zu Antibiotika weitestgehend unspezifischen Wirkungsmechanismen erschweren den Mikroorganismen eine Resistenzbildung. Das gilt im Besonderen für die oxidierend wirkenden Biozide, deren antimikrobielle Wirkung primär auf den bei der Reaktion freigesetzten sehr reaktiven Sauerstoffradikalen beruhen. Wie bereits im Kapitel 3.1.2 beschrieben, benötigen Mikroorganismen unterschiedlich hohe Sauerstoffmengen bzw. sind nur unter bestimmten Sauerstoffkonzentrationen überhaupt lebensfähig. Sauerstoff ist dabei für das Leben vieler Mikroorganismen sowohl überlebensnotwendig (z. B. aufgrund der Rolle von O_2 in der Zellatmung) als auch mehr und minder schädigend. Dies beruht auf dem Umstand, dass es in Gegenwart von O_2 immer zur Bildung von Sauerstoffradikalen kommt, die zellschädigend wirken. Die Stoffwechselmechanismen der Mikroorganismen, die dem entgegenwirken und quasi zur Reparatur oder dem Austausch von geschädigten Zellkomponenten dienen, sind aber in ihrer Reparaturfähigkeit begrenzt. Damit sind Mikroorganismen nur bis zu einer bestimmten Menge an Sauerstoffradikalen überlebensfähig. Zu den oxidierenden Bioziden, die Sauerstoffradikale oder basierend auf ihrem Sauerstoffanteil andere Radikale bilden, gehören z. B.:

- Ozon
- Peressigsäure
- Chlordioxid
- anorganische Chlor- und Bromverbindungen
- Wasserstoffperoxid

Die Zugabe der oxidativen Biozide erfolgt entweder durch direkte Zugabe des Produkts oder durch spezielle technische Einrichtungen, wie Ozon- oder Chlordioxiderzeugung. In einem weiteren Verfahren wird über eine Elektrolyse aus Natriumchlorid, Wasser und elektrischem Strom eine niedrig konzentrierte, hypochlorige Säure erzeugt. Das Insitu-Verfahren wird direkt beim Anwender vor Ort realisiert, siehe Bild 3.12. Dazu wird in der Regel Trinkwasser enthärtet, mit einer Kochsalzlösung angereichert und einem Reaktor zugeführt. Das entstehende Biozid wird über einen Stapelbehälter direkt dem Kühlwasser zudosiert. Wirkstoffabhängige Proportionaldosierungen oder Steuerungen über Redoxwerte sind einfach zu realisieren. Hypochlorige Säure ist wirksam gegen unterschiedliche Mikroorganismen und greift auch Biofilme an.

Bild 3.11: Anlage zur Herstellung hypochloriger Säure über ein Elektrolyseverfahren (Bild: Deutsche Novochem GmbH & Co. KG)

Neben den oxidativen kommen nicht oxidierend wirkende Biozide zur Anwendung, wie z. B.

- Glutardialdehyd
- quaternäre Amoniumsalze
- Isothiazolinone

Nicht oxidierend wirkende Biozide finden sich in einem breiten Spektrum von chemischen Substanzen. Ihre jeweilige Wirkung auf Mikroorganismen hängt daher ganz maßgeblich von der Substanzklasse (z. B. oberflächenaktive Substanzen) ab. In Tabelle 3.4 sind beispielhafte Wirkstoffe, die als Biozide in Verdunstungskühlanlagen und Kühltürmen Verwendung finden, aufgeführt. Die dort angegebenen Eigenschaften sowie Wirkungsbereiche sind häufig Spannbreiten und für den Einzelfall jeweils zu überprüfen. Tabelle 3.5 fasst für einige Biozide die Vor- und Nachteile zusammen. In der VDI 2047 Blatt 2 finden sich dazu weitere Beispiele.

Es hängt jeweils von den Bedingungen des Systems im Einzelnen ab, ob ein Wirkstoff für das angestrebte Ziel der Bekämpfung von Mikroorganismen geeignet ist. Auch innerhalb des Wirkungsbereichs A (siehe Tabelle 3.3) ist die Wirksamkeit der dort eingesetzten Biozide nicht für alle Mikroorganismen gleich. Wenn ein Biozidwirkstoff für einen solchen Anwendungszweck zugelassen ist, bedeutet es nicht, dass es zur Bekämpfung aller potenziell vorkommenden Mikroorganismen geeignet ist. So muss die Wirksamkeit des eingesetzten Biozidprodukts gegen Legionellen durch eine Prüfung nach DIN EN 13623 nachgewiesen sein. Mit Biozidprodukt ist hier die gesamte Formulierung, also in der Regel die Substanzmischung, die dem Produkt zugrunde liegt, gemeint. Es ist also nicht so, dass die Zulassung eines bestimmten Wirkstoffs, wie z. B. Wasserstoffperoxid, automatisch für alle Produkte verschiedener Hersteller mit diesem Wirkstoff gelten. Der Wirkungsbereich eines speziellen Wirkstoffs ist immer eingeschränkt. Wie weit diese Einschränkung den jeweiligen Anwendungsbereich reduziert, muss im Einzelfall überprüft werden. So kann es durchaus sein, dass ein Wirkstoff, wie z. B. Isothiazolinone, für eine kontinuierliche Desinfektion im System sehr gut geeignet ist und die zu bekämpfenden Mikroorganismen unterhalb der akzeptablen Menge hält. Wegen einer fehlenden Kurzzeitwirkung ist der Wirkstoff aber für eine anlassbezogene Desinfektion, häufig auch als Stoßdosierung bezeichnet, zur schnellen Bekämpfung hoher Mikroorganismengehalte ungeeignet.

Biozide haben nicht nur Einfluss auf die Mikroorganismen in dem zu desinfizierenden System, sondern auch bei deren Nachweis im Labor. Wenn die auf Mikroorganismen zu untersuchende Wasserprobe noch Biozid enthält und dieses mit auf den Nährboden gelangt, so hemmt es dort das Wachstum noch lebender Mikroorganismen (siehe Kapitel 3.1.6). Auf diese Weise wird ein „falsch negatives“ Ergebnis vorgespiegelt, da die Biozidkonzentration nicht zur Abtötung der Mikroorganismen geführt hat. Um derartige Effekte beim Mikroorganismennachweis zu vermeiden, werden der zu untersuchenden Wasserprobe bestimmte Stoffe oder Stoffgemische zur Inaktivierung der Biozide zugegeben (siehe Tabelle 3.4). Es gibt für die meisten Biozide derartige Inaktivierungsmittel (Enthemmer). Dazu gehört z. B. Natriumthiosulfat, das primär bei oxidativ wirkenden Bioziden eingesetzt wird. Ferner gehören dazu auch Detergenzien wie Tween 80 oder Substanzen wie Cystein oder Histidin. Einige Inaktivierungsmittel können allerdings auch einen negativen Einfluss auf die Mikroorganismen selbst haben. Die Vorgehensweise ist also teilweise kritisch und bedarf beim Mikroorganismennachweis der Abstimmung mit dem jeweiligen Labor. Weiterhin wird zu dieser Thematik noch Forschungsbedarf gesehen, siehe UBA-Empfehlung.

Tabelle 3.4: Beispiele für Biozid-Wirkstoffe, deren Wirkungsspektrum, geeigneter pH-Bereich für den Einsatz sowie empfohlene Inaktivierungsmittel für die mikrobiologische Analyse (VDI 2047 Blatt 2)

Biozid-Wirkstoff	Wirkungsspektrum*			pH-Bereich	Inaktivierungsmittel
	B	P	A		
nicht oxidative Biozid-Wirkstoffe					
Isothiazolinone	(+)	+	+	6–9,5	Natriumthioglykolat
Glutaraldehyd	+	o	o	6–8,5	L-Histidin; Glycin
quaternäre Ammoniumsalze	+	+	o	6--14	Lecithin, Polysorbat 80, Saponin
oxidative Biozid-Wirkstoffe					
Wasserstoffperoxid	+	+	+	6–9	Katalase
Chlordioxid	+	+	+	6–10	Natriumthiosulfat
Chlor/Hypochlorit	+	+	+	6–7,5	Natriumthiosulfat

*B: Bakterien; P: Pilze; A: Algen; + geeignet, (+) bedingt geeignet, o weniger geeignet)

Tabelle 3.5: Beispielhafte Eigenschaften ausgewählter Biozidwirkstoffe

Biozid-Wirkstoff	Eigenschaften, Merkmale
nicht oxidative Biozid-Wirkstoffe	
Isothiazolinone	breites Wirkspektrum, keine Kurzzeitwirkung, allergieauslösend
Glutaraldehyd	neigt bei Anstieg des pH-Werts zur Polymerisation, allergieauslösend
quaternäre Ammoniumsalze	fördert Schaumbildung, allergieauslösend
oxidative Biozid-Wirkstoffe	
Wasserstoffperoxid	Risiko der Inaktivierung durch bakterielle Enzyme (Katalase), umweltverträgliche Abbauprodukte
Chlordioxid	hohe Wirksamkeit auch bei geringen Einsatzkonzentrationen, auch gegen Biofilm wirksam
Chlor/Hypochlorit	Risiko der AOX-Bildung (adsorbierbare organisch gebundene Halogene)

Für den Einsatz von Bioziden in Verdunstungskühlanlagen und Kühltürmen gibt es eine Reihe von Anforderungen, wie

- möglichst niedrige Einsatzkonzentrationen
- eine rasche Wirkung
- keine schnelle Inaktivierung
- ein breites Wirkspektrum gegenüber Mikroorganismen
- eine möglichst geringe Gesundheitsbeeinträchtigung
- wenig negative Umwelteinflüsse

Grundsätzlich ergibt sich die erforderliche Menge an Biozidwirkstoff aus dem Gesamtvolumen des Nutzwassersystems, dem Volumen an Zusatzwasser, der Wasserbeschaffenheit, der Verweilzeit im System sowie der geforderten Zielkonzentration ab. Letztere ist abhängig vom Biozidwirkstoff, aber auch von der Art der Kontamination mit Mikroorganismen. So bedarf es für die Bekämpfung von *Pseudomonas aeruginosa* in der Regel höherer Wirkstoffkonzentrationen als im Durchschnitt. Auch das Ausmaß der Belastung der Verdunstungskühlanlage mit Mikroorganismen ist von Bedeutung, da der Wirkstoff bei der Abtötung bzw. der Inaktivierung der Mikroorganismen verbraucht wird. Bei einer anlassbezogenen Desinfektion in Form einer Stoßdosierung sind in der Regel höhere Wirkstoffkonzentrationen notwendig als bei einer kontinuierlichen Desinfektion. Weiteren Einfluss hat auch die Konzentration organischer sowie anorganischer Substanzen, die im Wasser gelöst oder als Partikel sowie als Ablagerungen auf Oberflächen vorliegen können. In der Regel haben diese einen mehr oder minder großen Einfluss auf Verbrauch und/oder Inaktivierung des Wirkstoffstoff. So ist es leicht nachvollziehbar, dass die aus oxidativen Bioziden, wie Chlordioxid, gebildeten Sauerstoffradikale nicht zwischen den organischen Molekülen in der Zellwand eines Bakteriums und organischen Schmutzpartikeln im Wasser differenzieren. Der Effekt ist der gleiche, der Wirkstoff reagiert in beiden Fällen ab. Möglichst niedrige organische und/oder anorganische Stoffgehalte sind daher wichtig, um mit geringen Biozidkonzentrationen Mikroorganismen bereits wirksam zu bekämpfen.

Um die optimale Wirkung der Biozidwirkstoffe zu erzielen, ist der pH-Wert des Einsatzbereichs von erheblicher Bedeutung (siehe Tabelle 3.4). Abhängig vom jeweiligen pH-Wert im Kühlwasser kommt es zu einer chemischen Veränderung der Wirkstoffe, z. B. durch die Dissoziation von Wasserstoffprotonen bei der hyperchlorigen Säure:

$$HOCl \leftrightarrow OCl + H^+$$

Die Gleichgewichtskonzentration ist vom pH-Wert abhängig. Bei pH-Werten unter 7,5 liegt überwiegend HOCl vor, welche ein deutlich höheres Oxidationsvermögen als das Anion OCl^- aufweist.

Neben den bereits benannten notwendigen Einsatzkonzentrationen von Biozidwirkstoffen sind die Kontaktzeiten für die Wirkung essenziell. Damit verbunden ist, dass die Wirkstoffkonzentration während der Einwirkzeit auf die Mikroorganismen die notwendige mikrobiozide Konzentration nicht unterschreiten darf. Zu einer Abtötung bzw. Inaktivierung einer ausreichenden Anzahl von Mikroorganismen kommt es nur, wenn die Einwirkzeit lang genug ist. Geschieht das nicht, so können die Mikroorganismen ihre entstandenen Schäden, z. B. an der Zellwand, wieder „reparieren". Außerdem steigt damit das Risiko einer Steigerung der Widerstandsfähigkeit der Mikroorganismen gegen die Wirkstoffe, die gemeinhin mit dem Begriff *Resistenz* belegt ist. Es wird dabei zwischen der „natürlichen" und der „erworbenen" Resistenz unterschieden. Erstere liegt in einer Mikroorganismenart bereits vor und richtet sich häufig gegen Wirkstoffe und/oder Wirkungen, die auch in natürlichen Systemen schon vorkommen. Das können z. B. oxidative Wirkungen von H_2O_2 sein, die in vielen Organismen über das Enzym Katalase in ihren negativen Auswirkungen reduziert werden. „Erworbene" Resistenzen sind häufig auf Veränderungen (Mutationen) im Erbgut (DNA) der Mikroorganismenart zurückzuführen, die dann angepasste Strukturen oder Stoffwechselprozesse mit sich bringen. Das könnten z. B. Änderungen an der Zellwand sein, die ein Eindringen des Biozidwirkstoffs erschweren. Neben Veränderungen des Erbguts durch Mutationen können auch sogenannte Resistenzplasmide von Mikroorganismus zu Mikroorganismus übertragen werden. Dabei handelt es sich um

Erbgutbausteine, die zwischen den Organismen ausgetauscht werden können. Im Unterschied zu oxidativen Bioziden, die sehr unspezifisch wirken, ist das Risiko einer Resistenzbildung bei den spezifischer wirkenden nicht oxidativen Bioziden größer. Hier sollte der Biozidwirkstoff in gewissen Abständen gewechselt werden. In der VDI 2047 Blatt 2 wird ein Wechselrhythmus von drei Monaten empfohlen.

Auch die Temperatur des Kühlwassers und damit die jeweilige Jahreszeit haben einen Einfluss auf Desinfektionsvorgänge. So laufen die Desinfektionsmechanismen bei niedrigen Temperaturen in aller Regel langsamer ab als bei höheren. Einfluss haben bei manchen Wirkstoffen auch Hilfsstoffe, wie oberflächenaktive Substanzen, die die mikrobiozide Wirkung des Desinfektionsmittels erhöhen können. Wie beim negativen Einfluss von organischen Substanzen auf die Desinfektion schon beschrieben, kann es aber auch den umgekehrten Effekt auslösen. Hier wird deutlich, dass gerade in komplexen Systemen die Auswahl eines geeigneten Biozidwirkstoffs eine herausfordernde Aufgabe darstellt. Häufig ist es notwendig, sich an den richtigen Wirkstoff in der richtigen Konzentration heranzutasten. Dabei spielt das System Verdunstungskühlanlage und Kühlturm sowie die verbauten Materialien und Aggregate, aber auch die Betriebsweise eine Rolle. So beeinflussen die Fließgeschwindigkeiten des Kühlwassers, eine geringe Durchströmung oder gar stagnierendes Kühlwasser den Erfolg einer Desinfektion maßgeblich. Auch eine Verriegelung der Absalzung während der Dauer der Bioziddosierung sowie die notwendige Nachlaufzeit sind dabei zu berücksichtigen. Nicht zuletzt müssen die wasserrechtlichen Vorgaben eingehalten werden.

Neben der Bekämpfung von Mikroorganismen mit chemischen Biozidwirkstoffen kommen auch physikalische Verfahren zum Einsatz. Diese Art der Desinfektion kann über die Einwirkung von Hitze (thermisch) oder Strahlen (aktinisch) erzielt werden. Die thermische Desinfektion führt durch Proteindenaturierung zur Zerstörung von Zellbestandteilen, die entweder eine Stoffwechsel- oder Strukturfunktion besitzen. In Verdunstungskühlanlagen und Kühltürmen stellt die thermische Desinfektion eine sehr spezifische Ausnahme dar. Ein Grund ist, dass die notwendigen Temperaturen > 70 °C in solchen Systemen in der Regel nicht erzielt werden können. Fehlende Einrichtungen zur Erreichung solcher Temperaturen im Kühlwasser und die mangelnde Beständigkeit der in den Anlagen verbauten Materialien sind dafür ursächlich.

Ultraviolette (UV) Strahlen finden sich dagegen häufiger in Verdunstungskühlanlagen, siehe Bild 3.13. Dieses Verfahren wird primär zur Desinfektion von Wasser und Luft verwendet, hat aber, wie alle physikalischen Verfahren, einen eingeschränkten Einsatzbereich. UV-Strahlung hat im Wellenlängenbereich von etwa 240 nm bis 290 nm eine desinfizierende Wirkung und beruht auf einer Schädigung des Erbmaterials (der DNA bzw. RNA). Sie wirkt daher indirekt auf Mikroorganismen, indem es zum Verlust bzw. der Einschränkung der Vermehrungsfähigkeit kommt. Dabei muss berücksichtigt werden, dass diese Veränderungen des Erbmaterials durch zelluläre Reparaturmechanismen teilweise wieder rückgängig gemacht werden können. Die notwendige Bestrahlungsdosis für eine Desinfektion, die eine Funktion von Bestrahlungsstärke und Zeit ist, hängt maßgeblich von der Mikroorganismenart ab. Die Strahlungsintensität reduziert sich mit dem Quadrat vom Abstand der UV-Quelle. Somit ist dieses Verfahren räumlich eingeschränkt und lässt sich dementsprechend nicht für eine Systemdesinfektion einsetzen. Stattdessen findet es Anwendung, indem es im Leitungssystem an geeigneter Stelle oder in der Wanne der Verdunstungskühlanlage eingesetzt wird. Die UV-Desinfektion eignet sich nur bei Wässern, deren UV-Absorption dies zulässt. Einschränkungen gibt es immer dann, wenn die Trübung des Wassers durch gelöste oder partikuläre Bestandteile die Strahlungswirkung deutlich einschränkt. Da feste Stoffe von UV-Strahlung nicht durchdrungen werden können, kommt es hier zu einer „Schattenwirkung", welche den Desinfektionserfolg einschränkt. Daher kommt in der Regel nur vergleichsweise sauberes Nutzwasser oder Zusatzwasser, z. B. Trinkwasser oder Wasser aus einer Wasseraufbereitung, für dieses Verfahren in Frage. Dabei darf der spektrale Schwächungskoeffizient (SSK) bei der Wellenlänge von 254 nm (SSK 254) im Normalbetrieb nicht mehr als 20 m^{-1} betragen (VDI 2047 Blatt 2). Normative Vorgaben zu UV-Bestrahlungssystemen für die Desinfektion in der Wasserversorgung finden sich in der Arbeitsblattreihe DVGW 294. Um die Einhaltung der Bestrahlungsanforderungen sicherzustellen, müssen solche Systeme über eine wirksame Messeinrichtung für die UV-Bestrahlung verfügen. Ein Vorteil der UV-Desinfektion ist fehlende Resistenzbildung bei Mikroorganismen, solange die Bestrahlung mindestens 400 J/m^2 beträgt.

Bild 3.12: Anwendung einer UV-Anlage zur Kühlwasserdesinfektion in der Wanne einer VKA (Bild: DMT)

Grundsätzlich ist es nicht möglich, pauschal eine Aussage zu treffen, welches Desinfektionsverfahren und welches Desinfektionsmittel für eine spezielle Anlage und Situation geeignet ist. Hier bedarf es immer wieder der vorherigen Prüfung der Randbedingungen und der konkreten Ziele der Desinfektionsmaßnahme. Es ist daher zwingend notwendig, sich systematisch an die richtige Vorgehensweise heranzuarbeiten.

3.1.8 Förderung mikrobiellen Wachstums durch Werkstoffe aus organischem Material

VKA und Kühltürme bestehen je nach Bauart auch aus Komponenten, die aus organischen Werkstoffen, wie Kunststoffen oder Holz, gefertigt sind. Zwischen diesen Werkstoffen und den Mikroorganismen, die diese Lebensräume besiedeln, gibt es einen wechselseitigen Einfluss. So können Mikroorganismen die Werkstoffe teilweise zersetzen und damit in ihrer Funktion und Haltbarkeit beeinträchtigen. Auf diese Weise führt die Verwendung solcher Werkstoffe in VKA und Kühltürmen aber auch gleichzeitig zu Wachstumsbedingungen, die Mikroorganismen fördern oder hemmen. Möglich ist das durch die Abgabe von Werkstoffbestandteilen, die den Mikroorganismen als Wachstumssubstrat dienen. Je nach Art und Fertigung von Kunststoffen geben diese mehr oder minder viele verstoffwechselbare, molekulare Stoffe ab. Das können z. B. Monomere der langkettigen Kunststoffpolymere sein oder auch Weichmacher und andere Kunststoffadditive. Die Abgabe dieser Stoffe unterliegt in der Regel einem langsamen Prozess, sodass es zu einer beständigen Nachlieferung an Wachstumssubstrat kommt. Eine Abgabe dieser verstoffwechselbaren Substanzen kann aber auch durch den Angriff der Mikroorganismen, z. B. über deren Abgabe von zersetzenden Stoffen, erfolgen. Je nach eingesetzter Werkstoffmenge (z. B. als Kunststoffrohrleitung oder auch Rieselkörper) sollten die abgegebenen Stoffmengen in der Regel aber nur wenig Wachstumssubstrat bieten, insbesondere im Verhältnis zu den Stoffmengen, die beim Verdunstungsprozess aus dem Luftstrom ausgewaschen werden. Trotzdem können sie dazu führen, dass sich primär auf den Werkstoffoberflächen Biofilme leichter und auch ausgeprägter ausbilden, wenn es aus dem Werkstoff zu einem zusätzlichen Substrateintrag kommt. Die gilt vor allem für Anlagenbereiche mit Wasserstagnation.

Neben Kunststoffen können hier unbehandelte Materialien aus Holz einen Einfluss ausüben. Bei Holz kommt hinzu, dass je nach Holzart auch noch seine Struktur durch Mikroorganismen zersetzt wird. Dieses Phänomen lässt sich auch bei manchen Kunststoffen feststellen. Neben der Wachstumsförderung von Mikroorganismen können diese oder die von ihnen abgegebenen Stoffwechselprodukte auch die Kunststoffe selber schädigen oder die Funktion kunststoffhaltiger Bauteile beeinflussen. Dabei werden Kunststoffe direkt durch den Abbau des Kunststoffs als Wachstumssubtrat oder indirekt über die Stoffwechselprodukte von Mikroorganismen geschädigt.

Die technischen Regelwerke fordern vor diesem Hintergrund, dass die eingesetzten Werkstoffe nicht oder nur in geringem Maße durch Mikroorganismen verstoffwechselbar sein dürfen (s. Kapitel 5.32). Das gilt für alle Materialien, deren Oberflächen mit dem Kühlwasser in Kontakt kommen. Als Standardprüfnorm für Kunststoffe wird die DIN EN ISO 846 herangezogen. Alternativ kann das DVGW Arbeitsblatt W 270, für die Prüfung von Kunststoffen im Anwendungsbereich von Trinkwasser entwickelt, für Kühlwasser mit geringem Nährstoffgehalt angewendet werden. Gleichwohl in der VDI 2047-2 als geeignete Norm für die Fragestellung zur Wachstumsförderung benannt, dienen die in der DIN EN ISO 846 beschriebenen Prüfungen zur Beurteilung der Einwirkung bestimmter Pilze, Bakterien sowie der in Erde vorhandenen Mikroorganismen gegenüber Kunststoffen. Dabei wird nicht die biologische Abbaubarkeit von Kunststoffen geprüft. Auch wird nicht primär der Fragestellung nachgegangen, inwieweit ein Werkstoff das Wachstum von Mikroorganismen fördert. Der Einfluss der Werkstoffe auf die Hygienesicherheit einer Verdunstungskühlanlage oder eines Kühlturms steht bei dieser Prüfung nicht im Vordergrund. Art und Umfang der Einwirkungen der Mikroorganismen werden in dem Prüfverfahren entweder durch das Wachstumsverhalten der Test-Mikroorganismen und/oder durch die Bestimmung der Änderung festzulegender physikalischer Eigenschaften bewertet. Dementsprechend schwierig ist auch die Bewertung über dieses Prüfverfahren, inwieweit ein Kunststoff für die Anwendung in Verdunstungskühlanlagen und Kühltürmen geeignet ist, ohne die Hygienesicherheit der Anlage zu sehr zu beeinträchtigen. Dahingehend erscheint der Prüfansatz des DVGW Arbeitsblatts W 270 für diese Fragestellung geeigneter. Allerdings ist die Übertragbarkeit der Ergebnisse aus den Erfahrungen, die mit der Prüfung von Trinkwasser und Kunststoffen gemacht wurden, auf den Einsatz von Kühlwasser offensichtlich nur begrenzt möglich. Vor diesem Hintergrund offenbart sich hier der Bedarf für die Entwicklung eines angepassten Prüfverfahrens, wobei aber zu berücksichtigen bleibt, dass die Einträge von organischem Material in das Kühlwasser, speziell über den Lufteintrag, um Größenordnungen über dem Nährstoffangebot aus den Kunststoffen liegt.

3.2 Gesundheitliche Risiken und Legionellenausbrüche

Mikroorganismen und deren Bestandteile begleiten den Menschen in allen Phasen und Lebensräumen seines Daseins. Wir leben in einer Lebensgemeinschaft mit ihnen und sie sind nicht nur „Mitbewohner“ unseres Körpers, sondern auch quasi ein „Teil“ von uns. So sind sie unter anderem maßgeblich an unseren Verdauungsprozessen beteiligt und sorgen auf diese Weise mit für unser Wohlbefinden und unsere Gesundheit.

Aber Mikroorganismen und deren Bestandteile können auch in erheblichem Maße gesundheitliche Risiken für den Menschen bergen. Dies tun sie in sehr unterschiedlichem Ausmaß und in Abhängigkeit vom einzelnen Menschen und seinem jeweiligen Zustand. Einfache Ursache-Wirkungsbeziehungen lassen sich daher bei Mikroorganismen und den durch sie ausgelösten Erkrankungen nur in den seltensten Fällen ableiten, was die Risikobetrachtung erschwert.

Wie in Kapitel 3.1 beschrieben, sind es nach aktuellem Kenntnisstand primär Mikroorganismen aus der Gruppe der Bakterien, die das größte Risikopotenzial für den Menschen beim Betrieb von Verdunstungskühlanlagen und Kühltürmen darstellen. Das bedeutet natürlich nicht, dass ausschließlich diese Mikroorganismen dort zu finden sind. Es heißt auch nicht, dass die aktuelle Risikobetrachtung hinsichtlich der Mikroorganismen vollständig und abschließend ist. Bis zum Jahr 1976/77 kannte man Legionellen als Bakteriengattung nicht. Natürlich gab es Legionellen aber schon vor deren Entdeckung. Es werden durch diese Bakterien auch vor dem ersten bekannten Legionellenausbruch in Philadelphia, USA, Menschen erkrankt und verstorben sein. Demnach ist nicht auszuschließen, dass es weitere, bisher unbekannte Mikroorganismen gibt, die über diese und andere technische Anlagen bereits heute die Gesundheit von Menschen beeinträchtigen.

Bei der Betrachtung gesundheitlicher Risiken durch Mikroorganismen und deren Bestandteilen ist es hilfreich, sich an der Risikomethodik und den Erkenntnissen aus dem Arbeitsschutzrecht zu orientieren, wie sie z. B. in der TRBA 400 beschrieben sind. Natürlich beschränkt sich das gesundheitliche Risiko nicht auf die in den Anlagen Beschäftigten, sondern ist aufgrund der Emissionen aus diesen Anlagen und den damit verbundenen Immissionen auch für Dritte in deren Umgebung relevant. Kühlwasseraerosole und darin befindliche Legionellen machen nicht am „Firmenzaun“ halt.

3.2.1 Gesundheitliche Risiken durch Mikroorganismen und deren Bestandteile

Eine gesundheitliche Gefährdung durch biologische Stoffe, wie Mikroorganismen oder deren Bestandteile, setzt voraus, dass es zu einer Exposition kommt – also dem Kontakt zwischen Mensch und Stoff. Das Risiko einer gesundheitlichen Beeinträchtigung hängt von der Dauer der Exposition sowie der Art und der Menge an biologischem Stoff ab. Ein weiterer wichtiger Faktor ist der Gesundheitszustand des einzelnen Menschen.

Bei der Exposition mit biologischen Stoffen sind verschiedene Aufnahmepfade möglich:

- Atemwege (inhalativ): Aufgrund ihrer Größe sind Bioaerosole inhalierbar und können sich, je nach Größe, in allen Lungenteilen bis hin zu den Lungenbläschen niederschlagen.
- Mund (oral): Mit biologischen Stoffen belastete Hände oder Materialien können beim Essen, Trinken oder Rauchen zu einer Aufnahme führen, z. B. im Rahmen von Instandhaltungsmaßnahmen an Verdunstungskühlanlagen (VKA).
- Haut oder Schleimhäute (perkutan): Bei Kontakt mit belasteten Oberflächen (z. B. Bakterienbeläge auf Rieselkörpern in VKA) können insbesondere über Verletzungen sowie vorbestehende Hautveränderungen (z. B. Akne, Neurodermitis) biologische Stoffe in den Körper eindringen.

Bei Beschäftigten an Verdunstungskühlanlagen und Kühltürmen sind alle drei beschriebenen Aufnahmepfade relevant. Für alle Betroffenen, d. h. sowohl die Beschäftigten als auch Dritte, dürfte derzeit die Aufnahme von Bioaerosolen über die Atemwege am bedeutsamsten sein. Das gilt besonders für die Aufnahme von Legionellen.

Bioaerosole

Nach TRBA 500 sind Bioaerosole luftgetragene Teilchen und Tröpfchen biologischer Herkunft, die die Gesundheit des Menschen durch infektiöse, allergische oder toxische (giftige) Wirkmechanismen beeinflussen können. Bioaerosole können ausgesprochen komplexe organische Zusammensetzungen aufweisen. Im Einzelnen lassen sich in Bioaerosolen pflanzliche, tierische und mikrobielle Bestandteile unterscheiden, die nicht selten auch anorganische Staubanteile aufweisen. Bioaerosole treten in der Umwelt überall auf. So geht aus der Literatur hervor, dass in der Bundesrepublik Deutschland mehr als 12 Millionen Arbeitnehmer mit Bioaerosolen exponiert sind (siehe Bild 3.13). Arbeitsmedizinisch-epidemiologisch begründete Grenzwerte für Bioaerosol in der Luft am Arbeitsplatz liegen seitens der Berufsgenossenschaften oder des Gesetzgebers jedoch nicht vor. Das gilt auch außerhalb des arbeitsschutzrechtlichen Geltungsbereichs, also z. B. für die Schimmelpilzbelastung in privaten Wohnungen.

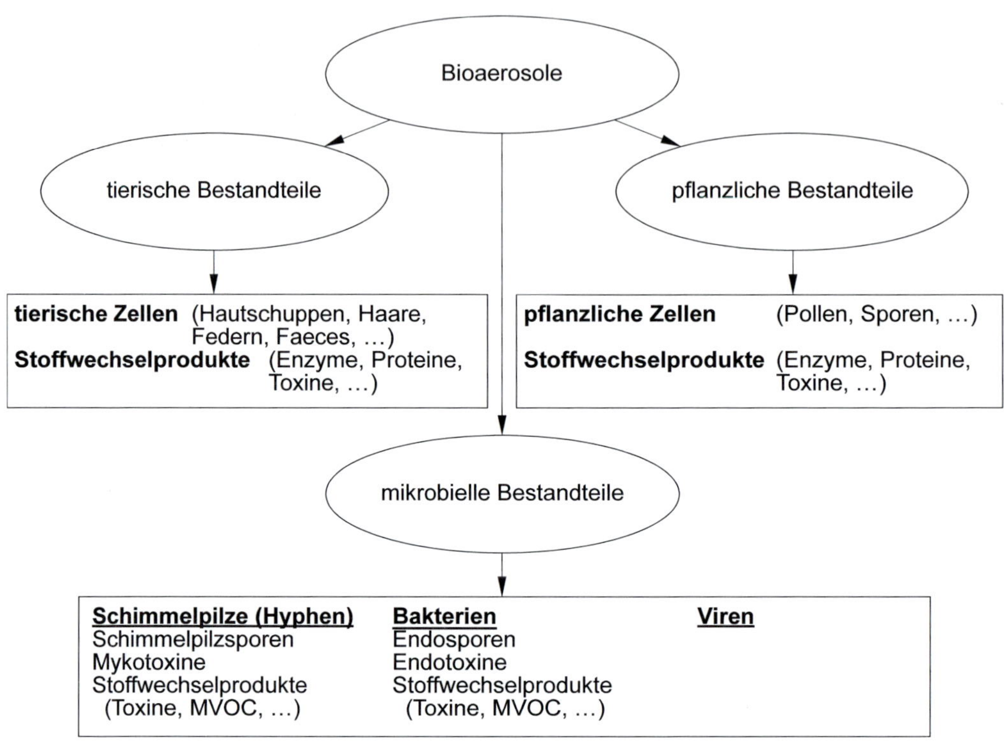

Bild 3.13: Veranschaulichung der komplexen Zusammensetzung von Bioaerosolen

Die Entstehung von Bioaerosolen erfolgt durch feinster Verteilung (Dispersion) fester oder flüssiger Materie in der Luft. Charakteristische Eigenschaften sind Dichte, elektrostatische Merkmale, Hydrophobizität und Korngrößenverteilung. Entsprechend ihrer Zusammensetzung kann die Entstehung von Bioaerosolen an unterschiedlichen Orten stattfinden. Potenzielle Quellen sind unter anderem durch menschliche Aktivitäten aufgewirbelte Mikroorganismen, die als Parasiten oder Saprophyten Tiere, Pflanzen und deren Produkte besiedeln (z. B. bei der Heuernte), Tiere und Menschen selbst (z. B. Husten, Reden oder Niesen) und mit Mikroorganismen belastete Wasserreservoire (z. B. Whirlpool, Verdunstungskühlanlagen oder Abwasserkanalstufen). Eine 1 m^2 große sprudelnde Wasseroberfläche kann dabei in einer Sekunde ca. $3 \cdot 10^6$ luftgetragene Tröpfchen freisetzen. Vernebelt wird potenziell keimbelastetes Wasser auch durch Hochdruckreinigungsgeräte bei der Entfernung von Biofilmen in VKA und natürlich beim Prozess der Verdunstungskühlung in den verschiedenen Anlagentypen.

Die biologischen Auswirkungen von Bioaerosolen korrelieren mit den Partikelgrößen. Wichtig ist dabei der aerodynamische Durchmesser, der das Verhalten eines gasgetragenen Partikels unter Einbeziehung von Parametern, wie die geometrische Größe, die Dichte und die Form, beschreibt. So werden Partikel mit einem aerodynamischen Durchmesser über 8 µm bereits in der Nase herausgefiltert. Partikel, die eine Größe von ≤ 8 µm aufweisen, können thorakale Bereiche erreichen, und nur Teilchen, die kleiner als 4 µm sind, gelangen bis in die Alveolen (Lungenbläschen) (DIN EN 481).

Das Retentionsverhalten, also die Zurückhaltung und der Verbleib von Partikeln in der Lunge, ist von ihrem Abscheideprinzip abhängig. Partikel mit einer Größe von 1 µm bis 4 µm werden aufgrund ihrer Trägheit aus dem Luftstrom (Impaktion) auf dem Lungengewebe abgelagert. Mit abnehmender Partikelgröße reduziert sich der Effekt der Impaktion. Für Partikel unterhalb 80 nm gilt die Diffusion als Abscheideprinzip. Dabei bewegt sich ein Stoff zum Ort seiner niedrigeren Konzentration (infolge der Brown-Molekularbewegung). Die Menge des pro Zeiteinheit diffundierten Stoffs ist abhängig vom Konzentrationsgradienten, der Distanz zwischen den Messpunkten, Größe und Beschaffenheit (Permeabilität) der Austauschfläche, an der die Diffusion stattfindet. Unlösliche Bioaerosolpartikel, die größer als 1 µm sind, können im luftleitenden (bronchialen) Bereich aus dem Atemtrakt befördert werden. In den Lungenbläschen (Alveolen), dem Ort an dem der Austausch von Sauerstoff und Kohlendioxid stattfindet, nehmen Alveolarmakrophagen (Zellen der Immunabwehr) die Schadstoffpartikel auf. Dadurch können ultrafeine biopersistente Stäube in das Lungengewebe gelangen und ihre Wirkung entfalten (siehe Bild 3.14).

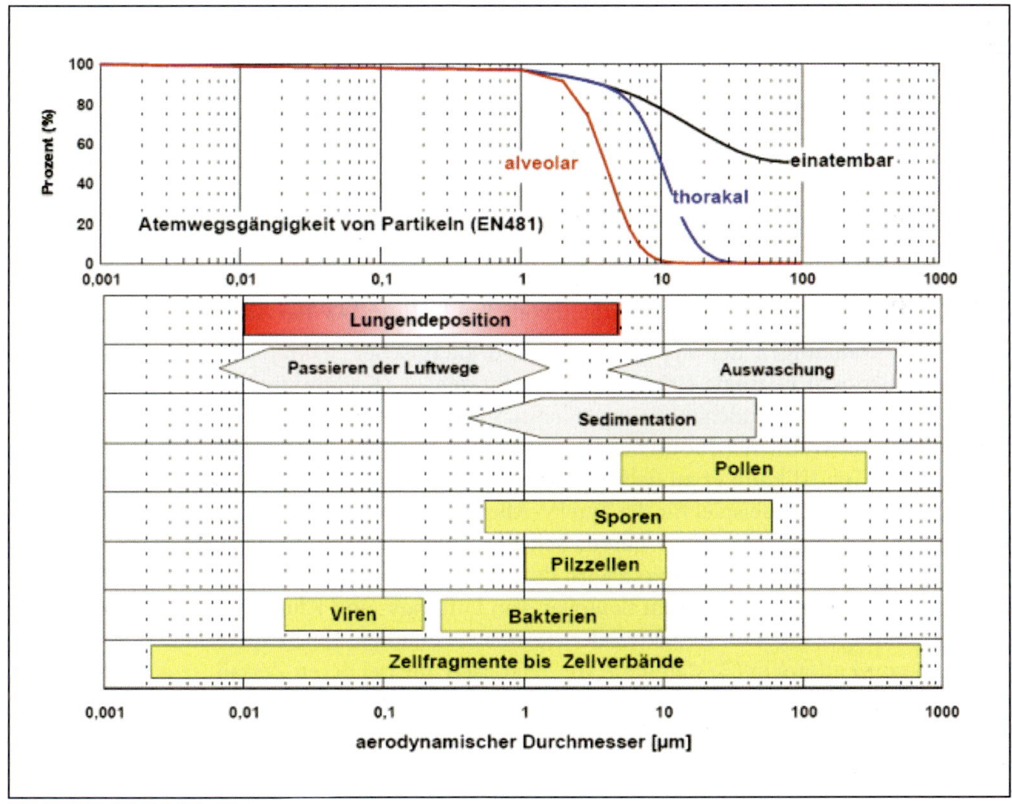

Bild 3.14: Schematische Darstellung der Atemwegsgängigkeit und Größenbereich verschiedener Bioaerosolpartikel [3-27]

3.2.1.1 Gesundheitliche Auswirkungen durch Bioaerosole

Menschen sind im Alltag und speziell im Umfeld von Verdunstungskühlanlagen oder anderen Emittenten einem breiten Spektrum unterschiedlicher Bioaerosole ausgesetzt. Grundsätzlich kann ihre Aufnahme inhalativ, oral und perkutan erfolgen. Das größte Risiko liegt nach gegenwärtigem Kenntnisstand auf der inhalativen Seite. Bioaerosole können u. a. eine allergene, toxische, reizende, infektiöse aber auch eine den Geruch beeinflussende sowie Entzündungen auslösende Wirkung aufweisen. Über allergische und toxische Wirkungen liegen aktuell vor allem Informationen aus dem Bereich von Innenraumbelastungen vor, die durch Bioaerosole aus raumlufttechnischen Anlagen, in der Regel mit Luftbefeuchtungseinrichtungen, verursacht wurden. Aufgrund ähnlicher mikrobieller Belastungen in den aus Verdunstungskühlanlagen und Kühltürmen stammenden Bioaerosolen ist trotz schlechter Datenlage auch hier ein potenzielles Risiko nicht auszuschließen. Dieses Risiko dürfte sich aufgrund der starken „Verdünnung“ der Bioaerosole in der Außenluft und den damit verbundenen geringen Immissionswerten aber wahrscheinlich nur im Nahumfeld dieser Anlagen auswirken. Dementsprechend betrifft es vornehmlich Beschäftigte, die an oder im nahen Umfeld der Anlagen länger tätig sind. Anders sieht das im Fall möglicher Infektionen aus, die über Bioaerosol assoziierte Krankheiterreger auch in deutlich größerem Abstand vom Emittenten ausgelöst werden können.

Allergische Reaktionen

Allergien als Überempfindlichkeitsreaktionen des Immunsystems auf bestimmte Allergene werden bereits seit einigen Jahrzehnten im Zusammenhang mit Bioaerosolen aus technischen Anlagen diskutiert. Primär lag dabei der Fokus auf Schimmelpilzbestandteilen als Allergene, die prinzipiell alle in der Lage sind, Allergien hervorzurufen. Vier Typen der allergischen Reaktion werden entsprechend des Ablaufs ihres Krankheitsprozesses und des klinischen Bilds unterschieden. Schimmelpilze können Allergien vom Typ I, III und IV hervorrufen.

Typische Erkrankungen der Typ I-Allergie sind allergischer Schnupfen, Asthma bronchiale und eine allergisch bedingte Erkrankung der Bindehaut (Konjunktivitis). Symptome äußern sich z. B. in Juckreiz, Bindehautrötung, Fließschnupfen und Atemnot. Ungefähr 15-20 % der Bevölkerung in westlichen Industrienationen klagen über manifeste Typ I-Allergien. Bei der Allergie vom Typ III kann es zu fiebrigen Erkrankungen, Gelenk-, Gefäß- und Nierenentzündungen kommen. Ein Beispiel für die Typ IV-Allergie ist die exogen-allergische Alveolitis, auch Befeuchterlunge genannt, welche bereits seit den 1980er-Jahren des letzten Jahrhunderts als Berufskrankheit anerkannt ist. Diese wird durch mit Bakterien und Schimmelpilzen kontaminierten Luftbefeuchtern, speziellen Bauteilen von Lüftungs- und Klimaanlagen, hervorgerufen. Die Erkrankung kann entweder akut oder chronisch verlaufen. Eine Exposition hoher Konzentrationen von Endotoxin (Bestandteile von Bakterien, die bei deren Zerfall freigesetzt werden) oder von Schimmelpilzsporen wird als Ursache für die akut verlaufende Krankheitsform angenommen. Akute Symptome wie Schüttelfrost, Fieber, trockener Husten, zunehmende Atemnot beginnen vier bis sechs Stunden nach der Exposition. Längerfristige Expositionen niedriger Konzentrationen von Endotoxin oder von Sporen verursachen hingegen chronische Symptome.

Vergiftungen (Intoxikationen)

Im Zusammenhang mit lüftungstechnischen Anlagen konnten auch Vergiftungen durch Endotoxine nachgewiesen werden. Seit über einem Jahrhundert ist bekannt, dass bestimmte Bakteriengruppen, zu denen auch humanpathogene Bakterien, wie beispielsweise *Haemophilus influ-*

enza, Legionella pneumophila und *Pseudomonas aeruginosa,* gehören, ein hitzestabiles Toxin tragen, das 1904 von Richard Pfeiffer als Endotoxin bezeichnet wurde. Der Begriff wurde von Pfeiffer unter der Annahme gewählt, dass das Toxin aus dem Inneren der Bakterien stammt, um diese Substanzklasse von den hitzelabilen, aktiv von den Bakterien abgegebenen und freigesetzten Exotoxinen abzugrenzen. Als Endotoxine bezeichnet man nach heutiger Terminologie die Gesamtheit toxischer Zellwandprodukte entsprechender Mikroorganismen. Im Allgemeinen sind Endotoxine zellgebunden und werden nur bei Auflösung der Bakterienzellmembran in großen Mengen freigesetzt. Besonders luftgetragene Endotoxine sind medizinisch relevant.

Infektionskrankheiten

Infektionen über Bioaerosol assoziierte Krankheitserreger und damit einhergehende Infektionskrankheiten stellen nach dem aktuellen Kenntnisstand das größte Risikopotenzial von Verdunstungskühlanlagen und Kühltürmen dar (VDI 4250 Blatt 2). Eine Infektion wird als „das aktive oder passive Eindringen von Infektionserregern in einen Wirt“ bezeichnet, „häufig über die Zwischenstufen Anheftung (Adhäsion), Vermehrung und Besiedlung (Kolonisation)“ [3-1]. Damit bezieht sich der Begriff „Infektion“ primär auf das Eindringen und die Ausbreitung des Krankheitserregers im Menschen. Mit „Infektionskrankheit“ wird dagegen ein Komplex von krankhaften Vorgängen im Menschen in der Folge einer Infektion bezeichnet. Diese können auf die Mikroorganismen (Schadwirkungen, Läsionen, Toxinwirkungen) oder auf die Abwehrreaktionen des betroffenen Menschen (Fieber, Rötungen, Schüttelfrost u. a.) zurückgehen [3-1]. In der Regel zeigt eine Infektionskrankheit drei Phasen und beginnt mit der Inkubationsphase. Diese weist meist keine Krankheitssymptome auf und ist durch eine niedrigschwellige Vermehrung von Infektionserregern gekennzeichnet. Im weiteren Verlauf kommt es entweder über die zunehmende Vermehrung zu einer Ausbreitung der Erreger oder die Bildung von Toxinen. Diese sogenannte Generalisationsphase ist häufig mit unspezifischen Symptomen wie Fieber oder Kopfschmerzen verbunden und mündet in die Manifestierungsphase. Hier erst treten die für die Infektionskrankheit typischen Krankheitssymptome in Erscheinung.

Infektionskrankheiten des Menschen werden durch unterschiedliche Erreger hervorgerufen. Dazu gehören und Viren sowie Bakterien und Pilze, Einzeller (Protozoen) und Tiere. Die Zahl der den Menschen potenziell infizierenden Erreger liegt bei etwa 550 Bakterienarten und 320 Pilzarten. Darüber hinaus finden sich ca. 300 parasitische Wurmarten (Helminthen), ca. 200 Virenarten und ca. 60 Protozoenarten [3-2]. Im Zusammenhang mit Verdunstungskühlanlagen und Kühltürmen ist nach dem gegenwärtigen Kenntnisstand primär von einem Infektionsrisiko durch Bakterien ausgehen.

Ob es nach dem Eindringen eines Mikroorganismus überhaupt zu einer Infektion kommt, hängt von verschiedenen Eigenschaften der Krankheitserreger ab. In diesem Zusammenhang werden Mikroorganismen, die Infektionen verursachen können, als pathogen bezeichnet. Bei der Pathogenität handelt es sich um eine konstante Eigenschaft, die prinzipiell eine Infektionskrankheit auszulöst. Unterschiedliche Stämme eines mikrobiellen Krankheitserregers können jedoch zu unterschiedlichen Krankheitsbildern führen, die dann auch mehr oder minder schwer verlaufen. Diese Erregereigenschaft wird als Virulenz bezeichnet, die durch verschiedene Faktoren, den Pathogenitätsfaktoren, beeinflusst wird.

In Kapitel 3.1 wurde bereits aufgezeigt, dass Verdunstungskühlanlagen und Kühltürme als Reservoir von Infektionserregern gelten. Beiden Anlagen ist es gemeinsam, dass sie Aerosole generieren, welche bei mikrobieller Kontamination des Wassers inhaliert werden können. Das größte Risikopotenzial geht dabei nach aktuellem Kenntnisstand durch eine Infektion mit Legionellen aus.

Infektionen durch Legionellen: Legionellose

Bakterien der Gattung *Legionella* können beim Menschen zu Infektionen führen. Die Zahl der bekannten Legionellenarten schwankt je nach Quelle. So wurden von C. Lück (Universitätsklinikum der TU Dresden, Referenzlabor für Legionellen) auf einer VDI-Tagung zum Thema im Februar 2019 eine Zahl von ca. 65 bekannten Legionellenarten genannt, während im Epidemiologischen Bulletin des Robert-Koch-Instituts (RKI) vom 30.03.2015 noch von etwa 57 verschiedenen Legionellenarten mit mindestens 79 verschiedenen Serogruppen ausgegangen wird. Als Serogruppe oder -typ werden Variationen innerhalb der Unterarten von Bakterien mithilfe von serologischen Tests über Antikörper unterschieden. Diese sind in der Regel auf bestimmte Merkmale auf der Zelloberfläche der Bakterien zurückzuführen und durch eine geeignete Labordiagnostik erkennbar. Nach dem aktuellen Kenntnisstand muss angenommen werden, dass alle bekannten Legionellenarten potenziell humanpathogen sind. Für die Erkrankungen beim Menschen besitzt *Legionella pneumophila*, Serogruppe 1, die größte Bedeutung (s. a. Tabelle 3.6). Gleichwohl lässt sich zum aktuellen Zeitpunkt für keine Legionellenart ausschließen, dass sie zu einer Infektion führt. Für den Fall einer Risikobetrachtung durch eine mit Legionellen kontaminierte Anlage macht es aber aufgrund der bisherigen Erkenntnisse einen erheblichen Unterschied, ob es sich um *Legionella pneumophila Serogruppe 1* oder andere Legionellenarten handelt.

Tabelle 3.6: Anzahl der Fälle einer bestätigten Legionärskrankheit, die dem RKI im Jahr 2013 mitgeteilt wurde, differenziert hinsichtlich der für den jeweiligen Krankheitsfall nachgewiesene Legionellenart und Serogruppe (aus [3-28])

Erregerspezies	Anzahl	Anteil (%)
***Legionella pneumophila*, darunter:**	**778**	**97,5**
Legionella pneumophila Serogruppe 1	401	50,3
Legionella pneumophila Serumpool ohne Serogruppe 1	13	1,6
Legionella pneumophila Serumpool mit Serogruppe 1	5	0,6
Legionella pneumophila Serogruppe 2	2	0,3
Legionella pneumophila Serogruppe 7	2	0,3
Legionella pneumophila Serogruppe 8	1	0,1
Legionella pneumophila Serogruppe 12	1	0,1
Legionella Pneumophila Serogruppe unbekannt	353	44,2
Legionella, andere Spezies als *L. pneumophila*	**20**	**2,5**
gesamt	**798**	**100,0**

Voraussetzung für eine Infektion ist in der Regel die Inhalation von Aerosolen mit Legionellen. Grundsätzlich möglich ist dies aber auch über das Verschlucken legionellenhaltigen Wassers, was auf diesem Weg in den Atemtrakt kommt (Aspiration). Das RKI geht davon aus, dass primär legionellenhaltige Amöbenpartikel für die Übertragung wichtig sind. Amöben sind als Einzeller Fressfeinde von Bakterien und nehmen diese auf, indem sie diese quasi umschlingen und als Verdauungstrakt sogenannte Vakuolen bilden. Darin werden die Bakterien dann durch die Abgabe von Verdauungsstoffen der Amöbe aufgelöst. Die Virulenz von Legionellen wird offensichtlich intrazellulär in den Amöben aktiviert. Damit erklärt sich auch das Dosis-Wirkungs-Paradox beim Auftreten von Legionellosen. So finden sich teilweise bei hoch legionellenkontaminierten Wassersystemen keine Infektionen. Andererseits werden Infektionsfälle trotz minimaler Legionellenkontamination im Wasser nachgewiesen. Das spricht für eine Infektion durch legionellenhaltige Amöbenpartikel, die beim Labornachweis mit den gängigen Untersuchungsmethoden nicht nachweisbar sind (s. a. Kapitel 3.1). Nach Angaben des RKI gelten als vorrangige Infektionsquellen „sanitäre Einrichtungen, wie z. B. Bad/Dusche, Whirlpools sowie Verdunstungskühlanlagen/Rückkühlwerke von lüftungstechnischen Anlagen" [3-28].

Das RKI differenziert die Erkrankungen anhand des Infektionsorts in vier sogenannte Expositionsbereiche:

1. Erkrankungen, die während eines Aufenthalts in einer medizinischen Einrichtung (Krankenhaus, Kurklinik, Rehabilitationseinrichtung) erworben wurden (nosokomial)
2. Erkrankungen, die im Zusammenhang mit dem Aufenthalt in einer Pflegeeinrichtung (Seniorenheim, Behindertenheim) stehen
3. reiseassoziierte Erkrankungen, die im Zusammenhang mit den damit verbundenen Übernachtungen in Hotels und anderen Unterkünften (Pension, Campingplatz, Kreuzfahrtschiff) aufgetreten sind
4. ambulant erworbene Erkrankungen, bei denen der Infektionsort im privaten bzw. beruflichen Umfeld des Erkrankten zu suchen ist

Es wird bei der Legionellose zwischen zwei Krankheitsbildern differenziert (s. a. Tabelle 3.7). Dabei handelt es sich um das der „Sommergrippe" ähnliche Pontiac-Fieber, welches nach dem Ort der ersten beschriebenen Fälle in Pontiac, USA, benannt wurde. Mit leichten grippalen Symptomen, wie Kopf- und Gliederschmerzen, Thoraxschmerzen, trockenem Husten und Fieber, zeigt diese Form der Legionellose eine leichte Verlaufsform. Nach Angaben des RKI bedarf es aufgrund der fehlenden Pneumonie (Lungenentzündung) auch keiner Antibiotikatherapie. Todesfälle sind dem RKI nicht bekannt.

Anders verhält es sich bei der sogenannten Legionärskrankheit, deren Bezeichnung auf die erste beschriebene Legionellenepidemie zurückgeht. Diese trat unter Mitgliedern der amerikanischen Legion während eines Veteranentreffens im Jahr 1976 in Philadelphia, USA, auf. Das Krankheitsbild zeigt eine schwere atypische Form der Lungenentzündung und beginnt nach Angaben des RKI meist mit Frühsymptomen, wie „allgemeinem Unwohlsein, Gliederschmerzen, Kopfschmerzen, unproduktivem Reizhusten". Im Weiteren kommt es nach Aussagen des RKI „innerhalb weniger Stunden zu Thoraxschmerzen, Schüttelfrost, Temperaturanstieg auf 39-40,5 °C, gelegentlich auch Abdominalschmerzen mit Durchfällen und Erbrechen". Da auch das Zentralnervensystem beteiligt ist, kann es zu Benommenheit bis zu schweren Verwirrtheitszuständen kommen. Die Genesung ist in der Regel langwierig. Als Krankheitsfolgen sind teilweise eine eingeschränkte Lungenfunktion oder eine Lungenfibrose (verstärkte Bindegewebsbildung zwischen den Lungenbläschen und den sie umgebenden Blutgefäßen) beschrieben. Die Sterblichkeit wird je nach Quelle mit ca. 5 % bis 15 % angeführt. Bisher wurde keine direkte Übertragung der Erkrankung von Mensch zu Mensch beobachtet.

Zur Therapie gegen Legionellen eignen sich nur Antibiotika mit einer guten intrazellulären Aufnahme. Das RKI verweist bei der Behandlung auf Levofloxacin in maximaler Dosierung als Mittel der Wahl. Als Therapiedauer werden bei immunkompetenten Patienten fünf bis zehn Tage und bei abwehrgeschwächten Patienten bis zu drei Wochen angegeben. Nach aktuellen Kenntnissen wurden weder bei Patienten noch in Umweltproben Legionellen mit Resistenzen gegen die therapeutisch eingesetzten Antibiotika gefunden.

Tabelle 3.7: Klinik der Infektion mit Legionellen (Daten aus RKI und CAPNETZ)

Kriterien	**Legionärskrankheit (schwere Verlaufsform)**	**Pontiac-Fieber (leichte Verlaufsform)**
Erkrankungsquote	1–5 % der Exponierten	> 90 % der Exponierten
Inkubationszeit	2–10 Tage	5–66 Stunden
Symptome	hohes Fieber, Kopf-, Glieder-, Muskelschmerzen, Atemnot, Durchfall, Verwirrtheit	Fieber, Kopf-, Glieder-, Muskelschmerzen, Verwirrtheit, **„Sommergrippe"**
Lungenerkrankung	**Lungenentzündung** (atypische Pneumonie)	keine Lungenentzündung
Erkrankungsdauer	> 30 Tage	2–5 Tage
Todesrate	5–15 %	Keine
Erkrankungen (in D)	bis 30.000 / a	> 80.000 / a

Im Jahr 2001 wurde mit dem Infektionsschutzgesetz auch eine Meldepflicht für die Legionellose eingeführt. Seitdem steigen die registrierten Fallzahlen kontinuierlich. Mit 1.281 Erkrankungen wurden im Jahr 2017 die bisher höchsten Zahlen gemeldet. Von den gemeldeten Fällen sind 50 Patienten verstorben (letzte verfügbare Zahlen aus dem Infektionsepidemiologischen Jahrbuch 2017 des RKI) [3-29].

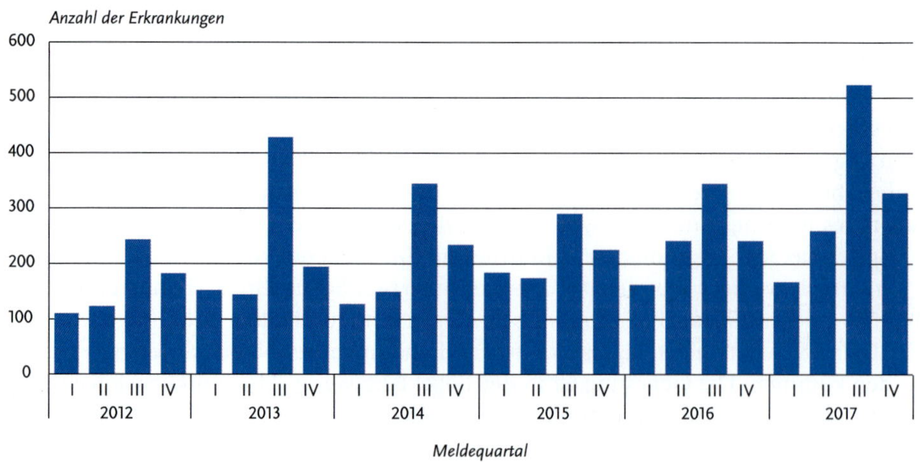

Bild 3.15: Übermittelte Legionellosen in Deutschland (2012 bis 2017; aus [3-29])

Die an das RKI im Rahmen der allgemeinen Meldepflicht übermittelten Fallzahlen repräsentieren voraussichtlich nur einen Bruchteil der tatsächlichen Erkrankungen. Bei Weitem nicht alle Fälle der Legionärskrankheit werden auch als solche erkannt. Es ist daher mit hoher Wahrscheinlichkeit von einer erheblichen Untererfassung auszugehen. Auf Basis der Hochrechnungen des Kompetenznetzwerks für ambulant erworbene Pneumonien (CAPNETZ) sind mit ca. 15.000 bis 30.000 Neuerkrankungen pro Jahr in Deutschland zu rechnen. Dies ist auch darauf zurückzuführen, dass das Krankheitsbild allein keine Rückschlüsse auf den ursächlichen Erreger zulässt. Inwieweit ein Patient von einer Legionellen-Pneumonie betroffen ist, lässt sich nur durch eine spezifische Laboruntersuchung auf Legionellen sicher feststellen. Eine solche wird im medizinischen Betrieb selten veranlasst, was dann wiederum zu einer seltenen Identifizierung und Meldung der Legionärskrankheit führt.

Menschen mit einem geschwächten Immunsystem haben nach den vorliegen Daten ein deutlich höheres Risiko zu erkranken. Ähnliches gilt für ältere Menschen, bei denen bereits andere Erkrankungen vorliegen. Auch Patienten mit eingeschränkt funktionsfähigem Immunsystem (z. B. nach einer Organtransplantation) zeigen ein besonderes Infektionsrisiko. Zu den Risikofaktoren gehören aber auch hoher Nikotin- und Alkoholkonsum. Männer erkranken signifikant häufiger als Frauen, wofür es aktuell noch keine Erklärung gibt. Die Erkrankung trifft vorwiegend Erwachsene, während Kinder und junge Erwachsene selten infiziert waren. Ähnliches gilt für die Wahrscheinlichkeit, an der Legionärskrankheit zu versterben, die mit zunehmendem Alter deutlich steigt.

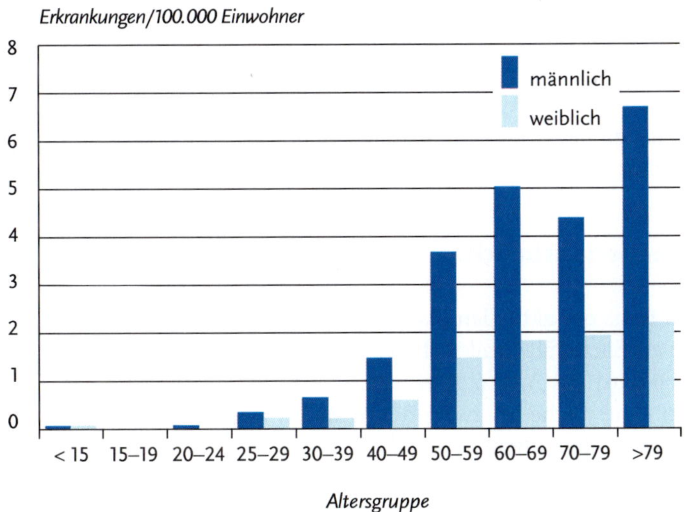

Bild 3.16: Übermittelte Legionellosen pro 100.000 Einwohner nach Alter und Geschlecht, Deutschland (2017: n=1.279; aus [3-29])

Infektionen durch Pseudomonas aeruginosa

Neben Legionellen gilt *Pseudomonas aeruginosa* als ein Problemkeim in technischen Anlagen wie VKA und Kühltürmen. Es ist ein äußerst anspruchsloses, überall verbreitetes Stäbchenbakterium und an allen Orten, die ausreichend Feuchtigkeit bieten, wie Waschbecken, Spülmaschinen, Toiletten, Badewasser, aber auch im Verdauungstrakt von Mensch und Tier oder sogar in Desinfektionsmitteln und destilliertem Wasser, zu finden. Charakteristisch für *Pseudomonas aeruginosa* sind der lindenblütenartige Geruch und die vier verschiedenen Farbpigmente, die ausgebildet werden können.

Auf trockenen Flächen reduzieren sich die Überlebensmöglichkeiten und die Bakterien überdauern dort nur wenige Stunden. Das Nährstoffangebot spielt bei der Ausbreitung nur eine untergeordnete Rolle. Auch in destilliertem Wasser bleiben sie lange lebensfähig und pathogen. Die Übertragung von *Pseudomonas aeruginosa* erfolgt häufig durch Kontaktinfektionen über andere Personen oder Gegenstände, dagegen dürfte die Übertragung durch infizierte Aerosole vermutlich relativ selten sein.

Man geht davon aus, dass zahlreiche Krankenhausinfektionen durch dieses Bakterium verursacht werden. Es weist eine hohe Pathogenität auf und verursacht verschiedene Krankheiten. So löst es Pneumonien (Lungenentzündungen), Harnwegsinfekte, Ohrentzündungen, Hirnhautentzündungen, Wundinfektionen, Darmentzündungen oder Entzündungen auf Brandwunden bis hin zur Sepsis (lebensbedrohlicher Zustand, der ausgelöst wird, falls die körpereigene Abwehr gegen eine Infektion die eigenen Gewebe und Organe schädigen) aus. Die durch Pseudomonas verursachte Sepsis hat die höchste Sterblichkeitsrate unter allen Formen der Sepsis. Dabei ist diese umso höher, je schwächer das Immunsystem des betroffenen Patienten ist. Das RKI hat 2017 sechs nosokomiale Ausbrüche mit 21 Patienten aufgeführt, von denen fünf verstarben [3-29]. Besondere Risikogruppen stellen Patienten mit Mukoviszidose, Aids oder aus dem Intensivpflegebereich dar, für gesunde Menschen ist das Risiko deutlich geringer. So tritt der Keim manchmal bei Gehörgangentzündungen nach Schwimmbadbesuchen und/oder bei urologischen Infektionen auf. *Pseudomonas aeruginosa* ist im Sinne der Trinkwasserverordnung ein definierter Krankheitserreger, von dem selbst eine geringe Menge im Trinkwasser nicht tolerierbar ist, da der Erreger aufgrund seiner Anspruchslosigkeit in ungünstigen Fällen schwere gesundheitliche Beeinträchtigungen beim Menschen verursachen kann.

3.2.2 Legionellenausbrüche

Das RKI geht auf Basis der aktuellen Datenlage davon aus, dass die Mehrzahl der registrierten Legionellosefälle als Einzelfälle und nicht als Ausbruch der Krankheit angesehen werden müssen. Als Ausbruch wird das Auftreten einer durch Krankheitserreger ausgelösten Erkrankung bezeichnet, sofern eine solche bei zwei oder mehr Personen in zeitlichem Zusammenhang mit der Exposition auftrat oder auftritt. Exemplarisch lässt sich diese Annahme auch aus den Daten des Epidemiologischen Jahrbuchs 2017 [3-29] ableiten. So können 600 der 1.281 registrierten Erkrankungen anhand der übermittelten Angaben den vier möglichen Expositionskategorien (Krankenhaus; Pflegeeinrichtung; reiseassoziiert; privater/beruflicher Bereich) zugeordnet werden, in deren Umfeld die Infektion gegebenenfalls erfolgt ist. Mit 295 der 600 zuordbaren Legionellosefälle steht die Exposition im privaten und beruflichen Umfeld an erster Stelle. Es folgten die reiseassoziierten Erkrankungen (237 Fälle), gefolgt von 48 Erkrankungen, die mit einem Aufenthalt in einem Krankenhaus verbunden waren, und 20 Erkrankungen während eines Aufenthalts in einer Pflegeeinrichtung.

Gleichwohl wurden dem RKI im Jahr 2017 auch zwölf Häufungen an Legionellenerkrankungen übermittelt, die auf ein Ausbruchsgeschehen schließen lassen. Mit 15 labordiagnostisch bestätigten Erkrankungen, darunter vier Todesfällen, kam es im August / September 2017 zu einem Ausbruch in einem Krankenhaus in Mühlheim an der Ruhr. Die Ursache lag wahrscheinlich in der Trinkwasserinstallation des Krankenhauses begründet, da in verschiedenen Patientenzimmern erhöhte Legionellenwerte im Trinkwasser festgestellt wurden und bei der Typisierung der Legionellen aus dem Trinkwasser die gleiche Serogruppe von Mikroorganismen nachgewiesen werden konnte. Das lässt auf einen sehr wahrscheinlichen Zusammenhang schließen.

Der größte bisher nachgewiesene Legionellenausbruch in Deutschland ereignete sich im August und September 2013 im Stadtgebiet von Warstein, NRW. Im Zuge dieses Ausbruchs erkrankten nach dem Epidemiologischen Bulletin des RKI [3-28] insgesamt 159 Menschen, darunter 60 Frauen sowie 99 Männer im Alter von 19 bis 94 Jahren, an einer Pneumonie durch Legionellen. Der Ausbruch fand im Zeitraum zwischen dem 2. August und dem 6. September 2013 statt (s. a. Bild 3.17). Zwei der Erkrankten verstarben infolge der Pneumonie. Als für den Ausbruch verantwortlicher Legionellenstamm wurde aus verschiedenen Patientenproben mittels genetischer Feintypisierung *Legionella pneumophila*, Serogruppe 1, Subtyp Knoxville nachgewiesen.

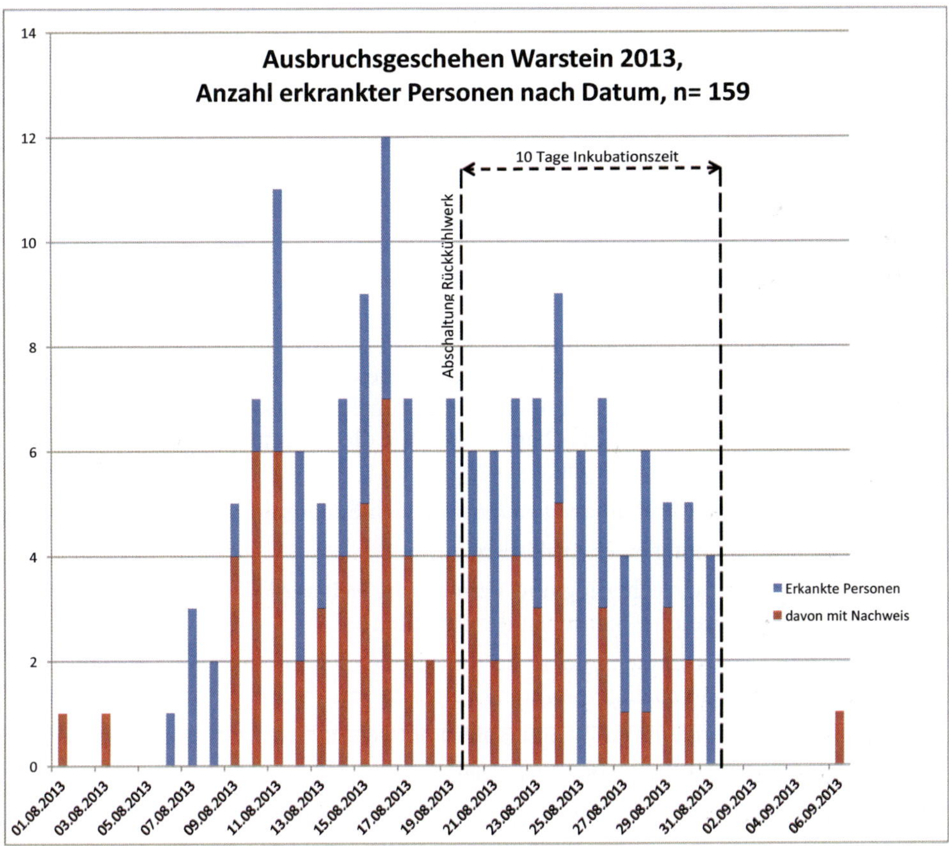

Bild 3.17: Verlauf des Legionellenausbruchs in Warstein [3-28]

Der Ausbruch wurde rückblickend durch eine Arbeitsgruppe um Prof. Martin Exner vom Universitätsklinikum Bonn umfassend analysiert und beschrieben [3-28]. Dazu wurde nicht nur der Ausbruchsverlauf in Warstein und die Vorgehensweise der Beteiligten (Behörden, Untersuchungsstellen, Politik etc.) betrachtet, sondern auch mit anderen bekannten Legionellenausbrüchen verglichen. Daraus hat die Arbeitsgruppe dann Empfehlungen für eine weitere Optimierung der grundsätzlichen Anforderungen an ein Ausbruchsmanagement abgeleitet.

Wie sowohl der Bericht der Arbeitsgruppe um Prof. Exner [3-30] als auch das RKI in seinem Epidemiologischen Bulletin [3-28] ausführen, wurden als potenzielle Infektionsquellen die Verdunstungskühlanlagen zweier Unternehmen identifiziert. Nach den damaligen Untersuchungsergebnissen der zuständigen Behörden gilt es als wahrscheinlich, dass mit Legionellen kontaminiertes Abwasser einer industriellen Vorreinigungsanlage aus einem ortsansässigen Unternehmen in ein nahes Klärwerk geleitet wurden. Das dort gereinigte, aber weiterhin mit einer hohen Konzentration an Legionellen kontaminierte Abwasser wurde anschließend in den örtlichen Fluss Wester eingeleitet; aus diesem bezog ein zweites Unternehmen das Wasser für den Betrieb seiner Verdunstungskühlanlage. In beiden Unternehmen führte das zu einer massiven Kontamination der Verdunstungskühlanlagen mit Legionellen, die in beiden Fällen als Aerosol in die Außenluft gelangten. Auf diese Weise kam es zu einer Exposition zahlreicher Menschen im Stadtgebiet von Warstein.

Der für den Ausbruch verantwortliche Legionellenstamm konnte sowohl in den Patientenproben als auch in den Verdunstungskühlanlagen der beiden Unternehmen sowie der Kläranlage und dem Fluss Wester nachgewiesen werden [3-28]. Mit den Maßnahmen, welche die Behörden zur Beseitigung der Infektionsquellen ergriffen hatten, konnte der Ausbruch 28 Tage nach Beginn des Ausbruchsmanagements durch die Behörden für beendet erklärt werden. Die Zahl der Erkrankten, die mediale Präsenz des Ausbruchs und die ausgegebenen Reisewarnungen inklusive der Absage einer überregional bekannten Veranstaltung haben dieses Ereignis im kollektiven Gedächtnis verankert.

Im Rahmen der Berichterstattung zum Legionellenausbruch in Warstein und den zum Vergleich herangezogenen Erkenntnissen im Zusammenhang mit weiteren Ausbrüchen ziehen Prof. Exner und seine Mitarbeiter Schlüsse für ein effizientes Ausbruchsmanagement. Entscheidend sind dabei vor allem die zeitnahe Feststellung eines ungewöhnlichen Ereignisses durch Registrierung der Häufigkeit klinisch auffallender Legionelleninfektionen. Dazu gehören eine rasche klinische und mikrobiologische Diagnostik sowie die Kenntnis der klassischen Übertragungswege dieser Infektionserkrankung.

Kriterien für ein ideales Ausbruchmanagement sind nach Exner und Mitarbeiter [3-30]:

- extrem zeitnahe Erkennung eines Auslöseereignisses
- sofortige diagnostische Absicherung und Vermeidung weiterer Erkrankungsfälle bzw. Kontrolle der Gefahrensituation – Sicherheit der Patienten
- umgehende Analyse der Epidemiologie, der Infektionsreservoire und Übertragungswege mittels molekularer Typisierungsverfahren (Vergleich von Patienten und Umweltisolaten)
- gute Risiko- und Krisenkommunikation (sofern notwendig)
- Einführung nachhaltiger Präventionsstrategien
- Analyse der Wirksamkeit über längeren Zeitraum ohne Wiederauftreten
- Defizitanalyse ggf. durch unabhängige Evaluation
- Publikation, um andere Institutionen an der Fehleranalyse teilhaben zu lassen

Mitentscheidend für die Geschwindigkeit der Eindämmung eines Ausbruchs ist die Kenntnis über die Lage potenzieller Infektionsquellen. Gerade im Fall von Verdunstungskühlanlagen und Kühltürmen ist das Risiko einer sehr weit streuenden Belastung mit Legionellen in der Umgebung gegeben. Man muss davon ausgehen, dass je nach Wetterbedingungen und geografischem Standort eine Exposition von Menschen in einem Umkreis von mehreren Kilometern stattfindet. Das bedeutet in einer dicht besiedelten Region eine Gefahr für gegebenenfalls mehrere hunderttausend Menschen. Andere Infektionsquellen, wie Trinkwasser-Hausinstallationen oder Whirlpools, stellen naturgemäß ein Risiko für weniger Menschen dar. Es war daher konsequent, dass mit Inkrafttreten der 42. BImSchV auch eine Anzeigepflicht der betreffenden Anlagen vorgeschrieben wurde (s. a. Kapitel 4.4). Damit liegen jetzt die Voraussetzungen vor, sehr schnell die Infektionsquelle ausfindig zu machen und den Ausbruch einzudämmen. Diese Erkenntnis hat sich sicherlich auch aufgrund der umfangreichen Analyse des Ausbruchs in Warstein und der Empfehlungen von Prof. Exner und seinen Mitarbeitern durchgesetzt.

Eine Übersicht über weitere Ausbruchsfälle im Zusammenhang mit Legionelleninfektionen, die aus Verdunstungskühlanlagen stammen, bietet die Veröffentlichung von Walser et al. [3-4], die auch Eingang in die VDI 4250 Blatt 2 gefunden hat. Die Auswertung der veröffentlichen Literatur stammt aus den Jahren 2001 bis 2012. Im Rahmen dieser Recherche konnten insgesamt 19 Ausbrüche mit Legionelleninfektionen im Umfeld von Verdunstungskühlanlagen ermittelt werden. Die recherchierten Ausbrüche ereigneten sich in zwölf Ländern. Insbesondere in Spanien und Großbritannien kam es mit sechs bzw. drei Fällen zu wiederholten Ausbrüchen. Bei den insgesamt 1609 bestätigten Legionellosefällen kam es während der 19 Ausbruchsfälle zu 102 Todesfällen. Tabelle 3.8 gibt einen Überblick über die wesentlichen Daten aus dieser Untersuchung.

Tabelle 3.8: Legionellenausbrüche, die im Zusammenhang mit Verdunstungskühlanlagen stehen (Auszug aus VDI 4250 Blatt 2)

Jahr	Stadt (Land)	Ausbruchsdauer (Tage)	bekannte Erkrankungsfälle	Todesfälle	Letalität (%)
2001	Murcia (E)	24	449	6	1
2003	Hereford (GB)	43	28	2	7
2003/04	Pas-de-Calais (F)	93	86	18	21
2005	Vic-Gurb (E)	36	55	3	5
2006	Amsterdam (NL)	25	31	3	10
2010	Ulm/Neu-Ulm (D)	15	64	5	8
2013	Warstein (D)	29	160	2	1

Für den bisher größten Ausbruch mit Legionelleninfektionen werden die Verdunstungskühltürme eines Krankenhauses in Murcia, Spanien, verantwortlich gemacht. In diesem Zusammenhang wurden im Umgebungsbereich 449 Fälle der Legionärskrankheit bestätigt [3-4]. Abgesehen von dem Ausbruch 2006 in Pamplona, Spanien, kam es bei allen anderen ermittelten Ausbrüchen zu Todesfällen. Die Sterblichkeitsrate der Infizierten lag bei durchschnittlich 6,3 %. Im Fall der beiden Ausbrüche mit Betroffenen aus medizinischen Pflegeeinrichtungen lagen diese mit 28 % und 29 % deutlich höher. Hier wird das offensichtliche Risiko für derartigen

Personenkreise deutlich. In der Studie wurden auch Expositionsdaten erfasst, die exemplarisch in Tabelle 3.9 dargestellt sind.

Tabelle 3.9: Exemplarische Expositionsdaten zu den in Tabelle 3.8 dargestellten Legionellenausbrüchen (Auszug aus VDI 4250 Blatt 2)

Stadt (Land)	Nutzung der VKA	Jahres-zeit	Wetterlage	Lufttemp. (°C)	Distanz zw. Fällen u. VKA
Murcia (Spanien)	Krankenhaus	Juni/Juli	Inversion		< 1,3 km
Hereford (GB)	k.A.	Okt./Nov.	k.A.		< 0,5 km
Pas-de-Calais (F)	Petrochemie	Nov./Jan.	k.A.		< 12 km
Vic-Gurb (E)	Industrieanlage	Okt./Nov.	r.F. 83%	14	0,2–2,7 km
Amsterdam (NL)	k.A.	Juni/Juli	k.A:	15–25	k.A.
Ulm/Neu-Ulm (D)	Klimaanlage	Dez./Jan.	Inversion	-10–10	k.A.
Warstein (D)	Industrieanlage	Aug./Sep.	r.F. 52-96%	13–25	k.A.

Die in der Studie beschriebenen Ausbrüche von Legionelleninfektionen geben nur wenige Informationen über Ausbreitungsfaktoren oder die damit verbundene meteorologische Situation wieder. Daher lässt sich dieser Expositionspfad nur bedingt mit konkreten Risikofaktoren hinterlegen. Meteorologische Bedingungen spielen einerseits für die eigentliche Ausbreitung der Bioaerosole eine große Rolle, aber auch für Überlebensraten der Legionellen in den Aerosolen aus den Verdunstungskühlanlagen. Trotz einiger Untersuchungen zu diesem Thema ist eine verlässliche Ausbreitungsberechnung für Bioaerosole, speziell auch mit Legionellen, nach dem aktuellen Stand nur sehr eingeschränkt möglich. Da aber eine Reihe von Legionellenausbrüchen, wie im Jahr 2003/4 im Pas-de-Calais, Frankreich, oder im Jahr 2005 in Sarpsborg, Norwegen, Legionelleninfektionen im Umkreis von 6 km bis ca. 10 km Entfernung aufweisen, muss bei ungünstigen meteorologischen Bedingungen von einem hohen Risikopotenzial ausgegangen werden.

3.3 Gefährdungsbeurteilung für Verdunstungskühlanlagen und Kühltürme

Die beschriebenen negativen Auswirkungen von verschiedenen Mikroorganismen auf den Menschen machen eine Risikobetrachtung und auch Maßnahmen zur Risikominimierung bzw. Gefahrenabwehr notwendig. Diese Verpflichtung ergibt sich aus verschiedenen Schutzzielen, die sich aus der bestehenden Rechtsordnung an mehreren Stellen ableiten lässt. So gilt sie grundsätzlich für jegliche Form der Gefahrenabwehr, wie sie im Bürgerlichen Gesetzbuch (BGB) im § 1004 verankert ist, aber auch für das Arbeitsschutzrecht, das diese Forderung zum Schutz der Beschäftigten aufstellt. Im Fall von Verdunstungskühlanlagen und Kühltürmen wird sie in der 42. BImSchV im § 3 Absatz 4 erhoben (s. a. Kapitel 4.4), wonach der Betreiber sicherzustellen hat, „dass vor der Inbetriebnahme oder der Wiederinbetriebnahme für die Anlage eine Gefährdungsbeurteilung unter Beteiligung einer hygienisch fachkundigen Person erstellt wird". Sie soll eine Risikoanalyse zur Identifizierung möglicher Gefährdungen und der Betrachtung des Risikos hinsichtlich des potenziellen Schadensausmaßes sowie der Eintrittswahrscheinlichkeiten für Gefährdungen umfassen. Eine Risikobewertung soll nachfolgend die Risiken hinsichtlich ihrer potenziellen Auswirkungen auf die hygienische Sicherheit bewerten und abschließend die daraus abzuleitenden Maßnahmen festlegen.

Der rechtliche Hintergrund dazu wird im Kapitel 4 eingehend beschrieben und erörtert. Im Folgenden sollen die theoretischen und methodischen Informationen für eine Gefährdungsbeurteilung zusammenfassend dargestellt werden, wie sie zum Beispiel in der VDI 2047 für VKA und Kühltürme gefordert wird. Dort ist die Gefährdungsbeurteilung mit den Teilaspekten

- Arbeitsschutz,
- Immissionsschutz sowie
- Anlagensicherheit

aufgenommen, was auf eine differenzierte Schutzzielbetrachtung verweist (s. a. Kapitel 4).

3.3.1 Gefährdungsbeurteilungen bei biologischen Gefährdungen im Arbeitsschutz

Zur Methodik von Gefährdungsbeurteilungen im Bereich des Arbeitsschutzes finden sich an verschiedensten Stellen theoretische und methodische Hilfestellungen in der Literatur. Schutzziel sind hier jeweils die Beschäftigten eines Unternehmens, die vor Gefährdungen durch Biostoffe bei der Arbeit zu schützen sind. Dabei ist grundsätzlich zu unterscheiden zwischen einer tätigkeitsbezogenen sowie einer arbeitsplatzbezogenen Gefährdungsbeurteilung. Erstere würde z. B. Anwendung für Beschäftigte finden, die an Verdunstungskühlanlagen oder Kühltürmen Tätigkeiten ausführen (Reinigen, Inspizieren etc.) und dabei auch in direkten Kontakt mit den Gefährdungen durch Biostoffe, wie die beschriebenen Mikroorganismen, kommen. Bei einer arbeitsplatzbezogenen Gefährdungsbeurteilung würden dagegen z. B. die Nähe einer Verdunstungskühlanlage und das damit verbundene Risiko von Bioaerosolemissionen, die über Fenster oder lüftungstechnische Anlagen auch für Beschäftigte in anderen Arbeitsräumen eine Gefährdung darstellen. Während im ersten Fall z. B. primär persönliche Schutzmaßnahmen (wie Schutzmasken) von zentraler Bedeutung für die Beschäftigten sind, liegt in zweitem Fall der Fokus auf der Anlagensicherheit und der Verhinderung einer Ausbreitung von Bioaerosolen bzw. deren Ansaugung in die naheliegenden Arbeitsräume. In beiden Fällen regeln es primär die Biostoffverordnung und die nachgeordneten Technischen Regeln für Biologische Arbeitsstoffe (TRBA), die eine gute Hilfestellung sind bei der Durchführung von Gefährdungsbeurteilungen zum Schutz der Beschäftigten.

Im Zusammenhang mit Tätigkeiten an VKA sowie Kühltürmen und den auftretenden Gefährdungen für Beschäftigte im Umfeld dieser Anlagen handelt es sich nach BioStoffV § 7 Nr. 2 primär um

> die berufliche Arbeit mit Menschen, Tieren, Pflanzen, Produkten, Gegenständen oder Materialien, wenn aufgrund dieser Arbeiten Biostoffe auftreten oder freigesetzt werden und Beschäftigte damit in Kontakt kommen können.

Dabei liegen in der Regel „nicht gezielte Tätigkeiten" im Sinne der BioStoffV § 7 Absatz 8 vor, wenn die Tätigkeiten weder „auf einen oder mehrere Biostoffe unmittelbar ausgerichtet sind" noch „der Biostoff oder die Biostoffe mindestens der Spezies nach bekannt sind" oder „die Exposition der Beschäftigten im Normalbetrieb hinreichend bekannt oder abschätzbar ist".

Auch bei „nicht gezielten Tätigkeiten" hat der Arbeitgeber, ob nun als Anlagenbetreiber oder Dienstleister, für diesen nach BioStoffV § 4 eine Gefährdungsbeurteilung durchzuführen. Dort heißt es im Absatz 1:

Im Rahmen der Gefährdungsbeurteilung nach § 5 des Arbeitsschutzgesetzes hat der Arbeitgeber die Gefährdung der Beschäftigten durch die Tätigkeiten mit Biostoffen vor Aufnahme der Tätigkeit zu beurteilen. Die Gefährdungsbeurteilung ist fachkundig durchzuführen. Verfügt der Arbeitgeber nicht selbst über die entsprechenden Kenntnisse, so hat er sich fachkundig beraten zu lassen.

Der Arbeitgeber hat die Gefährdungsbeurteilung bei Änderungen der Arbeitsbedingungen oder neuen Erkenntnissen unverzüglich zu aktualisieren und spätestens nach zwei Jahren zu überprüfen.

Nach BioStoffV § 4 Absatz 3 hat der Arbeitgeber für die Gefährdungsbeurteilung insbesondere Folgendes zu ermitteln:

1. Identität, Risikogruppeneinstufung und Übertragungswege der Biostoffe, deren mögliche sensibilisierende und toxische Wirkungen und Aufnahmepfade, soweit diese Informationen für den Arbeitgeber zugänglich sind; dabei hat er sich auch darüber zu informieren, ob durch die Biostoffe sonstige die Gesundheit schädigende Wirkungen hervorgerufen werden können,
2. Art der Tätigkeit unter Berücksichtigung der Betriebsabläufe, Arbeitsverfahren und verwendeten Arbeitsmittel einschließlich der Betriebsanlagen,
3. Art, Dauer und Häufigkeit der Exposition der Beschäftigten, soweit diese Informationen für den Arbeitgeber zugänglich sind,
4. Möglichkeit des Einsatzes von Biostoffen, Arbeitsverfahren oder Arbeitsmitteln, die zu keiner oder einer geringeren Gefährdung der Beschäftigten führen würden (Substitutionsprüfung),
5. tätigkeitsbezogene Erkenntnisse
   a) über Belastungs- und Expositionssituationen, einschließlich psychischer Belastungen,
   b) über bekannte Erkrankungen und die zu ergreifenden Gegenmaßnahmen,
   c) aus der arbeitsmedizinischen Vorsorge.

Es handelt sich bei den Tätigkeiten an VKA und Kühltürmen um Tätigkeiten ohne Schutzstufenzuordnung nach BioStoffV § 5. Wenn bei diesen Tätigkeiten eine der in § 4 Absatz 3 Nr. 1 und 3 genannten Informationen nicht ermittelt werden kann, weil z. B. das „Spektrum der auftretenden Biostoffe Schwankungen unterliegt oder Art, Dauer, Höhe oder Häufigkeit der

Exposition wechseln können", müssen die für die Gefährdungsbeurteilung notwendigen Informationen aus den Bekanntmachungen der entsprechenden Arbeitsschutzgremien (Berufsgenossenschaften etc.), „Erfahrungen aus vergleichbaren Tätigkeiten oder sonstigen gesicherten arbeitswissenschaftlichen Erkenntnissen" herangezogen werden.

Eine konkrete Handlungshilfe liefert die TRBA 400, welche eine Anleitung zur Gefährdungsbeurteilung und Unterrichtung der Beschäftigten bei Tätigkeiten mit biologischen Arbeitsstoffen darstellt. Da an Arbeitsplätzen im Zusammenhang mit dem Betrieb von VKA und Kühltürmen gleichzeitig unterschiedliche Gefährdungen (Biostoffe, Gefahrstoffe, Lärm etc.) auftreten können, sollten diese zunächst getrennt erfasst und beurteilt werden. Abschließend sollten diese in einer umfassenden Gefährdungsbeurteilung zusammengeführt werden. Unterschiedliche Gefährdungsbeurteilungen, z. B. nach BioStoffV oder Arbeitsstättenverordnung, erscheinen wenig zielführend, da die Schutzmaßnahmen aufeinander abzustimmen sind. Das methodische Vorgehen bei der Gefährdungsbeurteilung umfasst die in dem Bild 3.18 dargestellten Schritte.

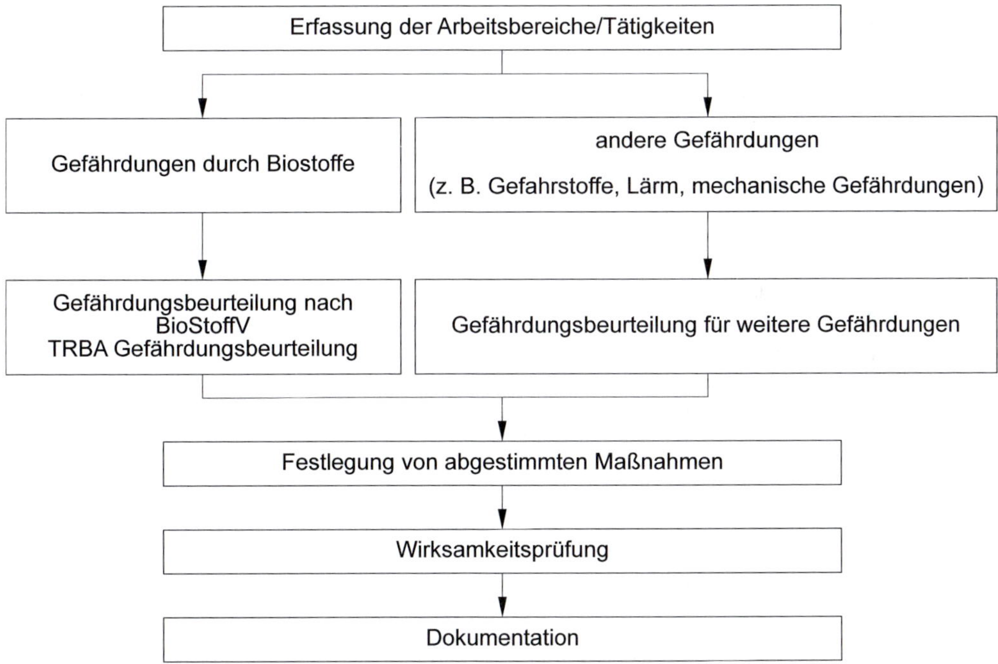

Bild 3.18: Methodik der Gefährdungsbeurteilung für Biostoffe als Teil der Beurteilung aller Arbeitsbedingungen nach § 5 ArbSchG (aus TRBA 400)

Bei der Gefährdungsbeurteilung von Nicht-Schutzstufentätigkeiten, worunter alle Tätigkeiten mit Biostoffen fallen, die nicht in Laboratorien, in der Versuchstierhaltung, in der Biotechnologie oder in Einrichtungen des Gesundheitsdienstes stattfinden, ist der erste Schritt die Informationsermittlung. Die TRBA 400 unterscheidet dabei zwischen den tätigkeitsbezogenen und den biostoffbezogenen Informationen.

Tätigkeitsbezogene Informationen, wie Betriebsabläufe und Arbeitsverfahren, sind so zu erfassen, dass die jeweiligen Tätigkeiten hinsichtlich

- „der Möglichkeit einer Freisetzung von Biostoffen und einer Exposition der Beschäftigten,
- der Art der Exposition sowie
- der Höhe, Dauer und Häufigkeit der Exposition insbesondere bei Biostoffen mit sensibilisierenden oder toxischen Wirkungen“

betrachtet werden müssen. Sofern Beschäftigte bei ihren Tätigkeiten mit Biostoffen in Kontakt kommen können, liegt entsprechend eine Exposition vor. Umfang und Art der Exposition sowie die Eigenschaften des Biostoffs sind entscheidend für das Ausmaß der Gefährdung. Bei der Exposition ist der Aufnahmepfad von zentraler Bedeutung. Wie in Kapitel 3.2.1.2 beschrieben, sind bei infektiösen Biostoffen unterschiedliche Übertragungswege für das Infektionsgeschehen des jeweiligen Erregers von zentraler Bedeutung. Auch die sensibilisierenden oder toxischen Wirkungen von Biostoffen kommen primär bei der Aufnahme belasteter Luft über die Atemwege zum Tragen.

Für die Auswahl geeigneter Schutzmaßnahmen ist die Kenntnis über die Art der Exposition entscheidend. Schutzmaßnahmen haben die Unterbrechung der Übertragungswege bzw. der Aufnahmepfade von Biostoffen zum Ziel. Aufgrund der Betriebsabläufe und Arbeitsverfahren ist bei direkten Tätigkeiten an VKA oder Kühltürmen sowohl der Aufnahmepfad über die Luft als auch die Haut von Relevanz. Die Inhalation von Bioaerosolen und der Hautkontakt mit Spritzwasser oder Biofilmen auf Oberflächen führen zur Exposition. Daher sind für beide Schutzmaßnahmen zu ergreifen, die sowohl den Hautschutz als auch den Atemschutz betreffen.

Um Beschäftigte in der Umgebung vor Bioaerosolen zu schützen, sind persönliche Schutzausrüstungen keine adäquate Maßnahme, da das Arbeitsschutzrecht hier im ersten Schritt technische und/oder organisatorische Maßnahmen vorgibt. Daher kann die Exposition nur über eine Reduktion der Bioaerosol-Emissionen aus den betreffenden Anlagen und in der Folge minimierten Immissionswerten verhindert werden. Eine Gefährdungsbeurteilung für diese Zielgruppe kann nur wie eine immissionsbezogene Gefährdungsbeurteilung gehandhabt werden (siehe nachfolgende Abschnitte).

Neben den Expositionspfaden sind die biostoffbezogenen Informationen für die Gefährdungsbeurteilung von zentraler Bedeutung. Bei nicht gezielten Tätigkeiten (im Gegensatz zu Arbeiten in Laboren oder Bioreaktoren) mit Biostoffen, wie sie bei der Exposition mit Kühlwasser vorliegen, können die vorkommenden Biostoffe nicht umfassend und konkret ermittelt werden. Aufgrund unterschiedlicher Randbedingungen und Einflussfaktoren, wie Anlagenart, Kühlwassertemperatur oder pH-Werten, kann die Biostoffzusammensetzung zeitlich und örtlich sehr stark variieren. Nach den vorliegenden Informationen (s. a. Kapitel 3.1) ist damit zu rechnen, dass mit Legionellen spp. und *Pseudomonas aeruginosa* mindestens zwei Mikroorganismengruppen bzw. -arten regelmäßig in diesen Anlagen auftreten, die zu Infektionen führen können. Beide gehören in die sogenannte Risikogruppe 2 und sind hinsichtlich ihrer Übertragungswege bzw. Aufnahmepfade bekannt.

Die Einstufung von Biostoffen erfolgt entsprechend des von ihnen ausgehenden Infektionsrisikos gemäß BioStoffV § 3 nach dem Stand der Wissenschaft in die folgenden Risikogruppen 1–4:

1. Risikogruppe 1: Biostoffe, bei denen es unwahrscheinlich ist, dass sie beim Menschen eine Krankheit hervorrufen,
2. Risikogruppe 2: Biostoffe, die eine Krankheit beim Menschen hervorrufen können und eine Gefahr für Beschäftigte darstellen könnten; eine Verbreitung in der Bevölkerung ist unwahrscheinlich; eine wirksame Vorbeugung oder Behandlung ist normalerweise möglich,
3. Risikogruppe 3: Biostoffe, die eine schwere Krankheit beim Menschen hervorrufen und eine ernste Gefahr für Beschäftigte darstellen können; die Gefahr einer Verbreitung in der Bevölkerung kann bestehen, doch ist normalerweise eine wirksame Vorbeugung oder Behandlung möglich,
4. Risikogruppe 4: Biostoffe, die eine schwere Krankheit beim Menschen hervorrufen und eine ernste Gefahr für Beschäftigte darstellen; die Gefahr einer Verbreitung in der Bevölkerung ist unter Umständen groß; normalerweise ist eine wirksame Vorbeugung oder Behandlung nicht möglich.

Als maßgebliche Kriterien für die Einstufung werden dabei u. a. ihre Pathogenität, die Schwere der Krankheit und die Vorbeugungs- bzw. Behandlungsmöglichkeiten herangezogen (s. a. TRBA 450). Bei der Einstufung von Biostoffen in Risikogruppen wird ausschließlich deren Wirkung auf gesunde Menschen betrachtet. Dementsprechend müssen bei einer Gefährdungsbeurteilung Risikogruppen mit prädisponierenden Faktoren, wie genetische Dispositionen, Vorerkrankungen, Konstitution, eingeschränktem Immunsystem oder Diabetes mellitus, besonders betrachtet werden. Sensibilisierende und toxische Wirkungen werden bei der Einstufung in Risikogruppen nicht berücksichtigt.

Die Technischen Regeln für Biologische Arbeitsstoffe TRBA 460 bis 466 enthalten die Einstufungen von Biostoffen in Risikogruppen:

- TRBA 460 „Einstufung von Pilzen in Risikogruppen"
- TRBA 462 „Einstufung von Viren in Risikogruppen"
- TRBA 464 „Einstufung von Parasiten in Risikogruppen"
- TRBA 466 „Einstufung von Prokaryonten (Bacteria und Archaea) in Risikogruppen"

Gemäß TRBA 400 werden bei der Beurteilung der Infektionsgefährdung im Rahmen der Gefährdungsbeurteilung die nachfolgenden Gefährdungskategorien als Konvention festgelegt:

- Keine oder eine vernachlässigbare Infektionsgefährdung:
  - Es kommen nur Biostoffe der Risikogruppen 1 und 2 vor und eine Exposition ist unwahrscheinlich oder geringfügig.
  - Es kommen nur Biostoffe der Risikogruppen 1 und 2 vor und eine Exposition gegenüber diesen Biostoffen besteht. Es gibt aber keine Erkenntnisse zum Auftreten berufsbedingter Infektionskrankheiten bei diesen oder vergleichbaren Tätigkeiten oder Arbeitsbedingungen.

- Infektionsgefährdung vorhanden:
  - Es kommen Biostoffe der Risikogruppen 1 und 2 vor und eine Exposition gegenüber diesen Biostoffen besteht. Es gibt Erkenntnisse zum Auftreten berufsbedingter Infektionskrankheiten bei diesen oder vergleichbaren Tätigkeiten oder Arbeitsbedingungen.
  - Wenn mit einer Exposition gegenüber Biostoffen der Risikogruppe 3 zu rechnen ist, ist grundsätzlich davon auszugehen, dass eine Infektionsgefährdung vorhanden ist.

Auf Basis dieser Konvention ergibt sich für die Tätigkeiten an oder im Umfeld von VKA und Kühltürmen eine vorhandene Infektionsgefährdung, der durch entsprechende Schutzmaßnahmen begegnet werden muss. Dabei steigen die Anforderungen mit der Höhe der Gefährdung, z. B. durch hohe Mikroorganismengehalte im Kühlwasser der Anlagen. Bei Tätigkeiten mit vorhandener Infektionsgefährdung müssen die Schutzmaßnahmen geeignet sein, eine Exposition der Beschäftigten zu minimieren.

Als Schutzmaßnahmen beim Betrieb von VKA und Kühltürmen kommen bauliche, technische und organisatorische Maßnahmen sowie die persönliche Schutzausrüstung (PSA) in Betracht. PSA, wie z. B. Atemschutz, ist dann angemessen, wenn auch nach Ausschöpfung der baulichen, technischen und organisatorischen Maßnahmen der Schutz der Beschäftigten nicht ausreichend gewährleistet ist. Hinsichtlich der baulichen, technischen und organisatorischen Schutzmaßnahmen finden sich im Kapitel 5.3 zahlreiche Vorschläge und Anforderungen, die speziell dem technischen Regelwerk VDI 2047 (s. Kapitel 5.2) entstammen. Welche Risikofaktoren dabei zu betrachten sind, ist dem nachfolgenden Kapitel zu entnehmen.

3.3.2 Gefährdungsbeurteilung nach VDI 2047 und 42. BImSchV

Erste Empfehlungen zur Gefährdungsbeurteilung hinsichtlich der Risiken durch Legionellen in VKA wurden bereits 2010 durch Exner und Pleischl [3-32] veröffentlicht. Die Gefährdungsbeurteilung nach VDI 2047 und 42. BImSchV § 3 Absatz 4 hat ihren Fokus im Bereich Immissionsschutz und Anlagensicherheit (s. a. Kapitel 4). Als Schutzziel umfasst das Immissionsschutzrecht die gesamte Bevölkerung. Zahlreiche der dabei zu berücksichtigen Risikofaktoren sind daher auch auf den Arbeitsschutz übertragbar, zumindest soweit es sich um den Expositionspfad Luft handelt. Für jeden Betreiber stellt sich die Frage nach der konkreten Umsetzung der Gefährdungsbeurteilung, wie sie sich als zentrale Forderung aus der 42. BImSchV und den technischen Regelwerken ableitet. Hier muss festgestellt werden, dass es bei dieser Art der Gefährdungsbeurteilung nicht mehr darum geht, zu klären, ob von den betroffenen Anlagen überhaupt eine Gefährdung durch Mikroorganismen ausgeht. Das gilt aufgrund der bisherigen Erkenntnisse als gesichert (s. a. Kapitel 3.2). Bei der Gefährdungsbeurteilung nach VDI 2047 und 42. BImSchV geht es um die hygienische Sicherheit der Anlage und den Risiken, die bei einer Anlage zur Vermehrung und Ausbreitung von Mikroorganismen (speziell Legionellen) führen können.

Ausgehend von dem aus der Biostoffverordnung und den Technischen Regeln für Biologische Arbeitsstoffe (TRBA) abgeleiteten Konzept für eine Gefährdungsbeurteilung wird nachfolgend eine beispielhafte Vorgehensweise beschrieben. Dieser Vorschlag stellt unsere Auslegung der

Regelwerke dar und muss gegebenenfalls für jeden Einzelfall angepasst werden. Ziel ist es, wie in der 42. BImSchV gefordert, im Rahmen einer Risikoanalyse mögliche Gefährdungen und deren potenzielles Schadensausmaß sowie der Eintrittswahrscheinlichkeiten zu ermitteln. Mit der Risikobewertung werden nachfolgend die möglichen Auswirkungen auf die hygienische Sicherheit bewertet, und abschließend entsprechende Maßnahmen festgelegt werden. Es muss hier betont werden, dass es sich um anlagenspezifische, bauliche, technische oder organisatorische Merkmale und Risikofaktoren handelt, die bei Abweichungen von den Anforderungen das Hygienerisiko erhöhen können. Dabei lässt sich kein fester Risikowert als Grenzwert angeben. Stattdessen muss für jeden einzelnen Risikofaktor eine individuelle Risikoanalyse und Bewertung erfolgen.

Basierend auf der Ereigniskette für das Auftreten eines Legionellenausbruchs, wie sie auch in der VDMA 24649 (Ausgabe 2005) beschrieben wurde, lassen sich die verschiedenen Schwerpunkte einer Gefährdungsbeurteilung für Verdunstungskühlanlagen und Kühltürme segmentieren.

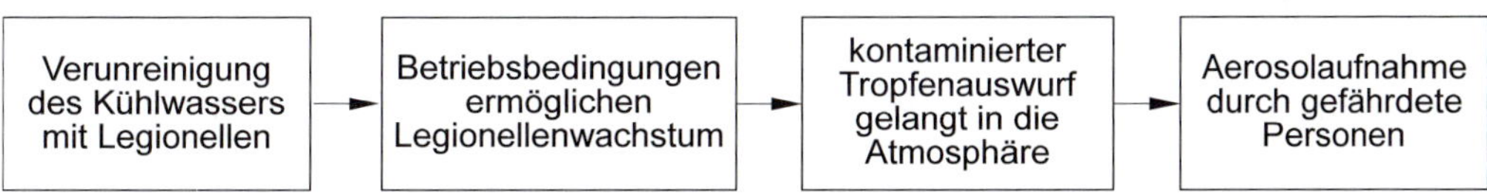

Bild 3.19: Ereigniskette für die Gefährdung durch Legionellen nach VDMA 24649 (2005)

Um die Gefährdung durch Legionellen zu minimieren und das Risiko eines Legionellenausbruchs zu reduzieren, muss diese Ereigniskette unterbrochen werden. Dazu bedarf es einer Analyse der vier „Ereignisse“ und der Risikofaktoren mit den jeweiligen Randbedingungen, die das Risiko minimieren.

Bei der Erstellung der Gefährdungsbeurteilung kann man sich methodisch an der Vorgehensweise aus der TRBA 400 orientieren. Das sollte sich in der Dokumentation der Gefährdungsbeurteilung auch wiederfinden, welche. in nachfolgender Weise aufgebaut sein könnte:

a) Auftragsinhalt und Aufgabenbeschreibung

b) Dokumentationsgrundlage

c) Beschreibung der Anlage, inkl. Wasseraufbereitung/-behandlung und der Betriebsweise

d) Beurteilung des Risikos aufgrund der Lage der Anlage

e) Darstellung der Risikofaktoren für den hygienischen Betrieb

f) Bewertung der Risikofaktoren und Ableitung von Maßnahmen

3.3.2.1 Risikoanalyse

Die für Verdunstungskühlanlagen und Kühltürme relevanten Risikofaktoren sind:

1. Anlagendokumentation
2. Rohwasserqualität
3. Zusatzwasserqualität
4. Nutzwasserqualität

5. Wasseraufbereitung
6. Wasserbehandlung
7. Stoffeintrag aus der Umgebung
8. Lage der Anlage
9. Konstruktion und Aufbau der Anlage
10. Verwendete Materialien für die Anlage
11. Betrieb (Regelung/Steuerung/Überwachung)
12. Instandhaltung
13. Organisation des Betriebs (Aufbau/Ablauf)

In einem ersten Schritt der Gefährdungsbeurteilung sollte die Anlagendokumentation betrachtet werden. Diese Informationen bilden gewissermaßen den „Soll-Zustand" der Gesamtanlage ab und sind quasi ein Maßstab für die Risikobewertung im Rahmen der Gefährdungsbeurteilung. Sofern beispielsweise keine Daten über die Prozesssteuerung vorliegen, kann gegebenenfalls nicht abgeschätzt werden, inwieweit es zur Nutzwasserstagnation im System kommt. Anhand diverser Informationen wird die Dokumentationssichtung schon zu einer ersten Grobeinschätzung über die Einordnung der oben aufgeführten Risikofaktoren für eine spezifische Anlage führen.

Unabdingbarer Teil der Gefährdungsbeurteilung ist die Begehung und Begutachtung des Gesamtsystems im Rahmen eines Vor-Ort-Termins. Dabei stellt die Gefährdungsbeurteilung keine typische Anlageninspektion dar, wie sie z. B. die 42. BImSchV gemäß § 14 für den ordnungsgemäßen Betrieb einfordert (s. a. Kapitel 4). In der Regel werden Messungen kein Gegenstand der Vor-Ort-Begutachtung sein. Es geht vielmehr darum, sich ein Bild davon zu verschaffen, wie sich die Situation auf die verschiedenen Risikofaktoren auswirkt. Wie detailliert der durch die Anlagen zu kühlende Prozess analysiert werden muss, hängt maßgeblich vom System ab. Sofern es sich z. B. um ein geschlossenes Kühlsystem handelt, das in der Verdunstungskühlanlage über einen Wärmetauscher rückgekühlt wird, reicht häufig die Betrachtung der Prozessregelung. Damit lässt sich in der Regel abschätzen, ob es in der Verdunstungskühlanlage zu längeren Stillstandzeiten kommt. Anders stellt sich das bei offenen Kühlsystemen dar, wo die Nutzwasserqualität durch Stagnation oder Stoffeintrag in der Prozesskühlung massiv beeinflusst werden kann. Bei Abweichungen der Anlage oder vom ordnungsgemäßen Betrieb muss die Eintrittswahrscheinlichkeit einer Vermehrung und Ausbreitung von Legionellen im System und auch dessen Ausmaß abgeschätzt werden.

Nach dem Abgleich der Anlagendokumentation mit der Vor-Ort-Situation im Rahmen der Risikoanalyse folgt im nächsten Schritt die Risikobewertung, in der alle Risikofaktoren, deren Bewertung und mögliche Kompensationsmaßnahmen einfließen müssen. Je nach Ergebnis der Risikobewertung sind gegebenenfalls über die bereits festgelegten grundsätzlichen Maßnahmen zu Gefährdungsminimierung spezifische Maßnahmen vorzuschlagen. Der Anlagenbetreiber muss aus der Gefährdungsbeurteilung ableiten, welche der Maßnahmen umzusetzen sind. Darüber hinaus bedarf es der Festlegung von Wirksamkeitskontrollen für die umgesetzten Maßnahmen durch den Betreiber. Zahlreiche mögliche Maßnahmen sind in den technischen Regelwerken beschrieben und hinsichtlich ihrer Bedeutung in Kapitel 5 ausgeführt.

Wie bei Gefährdungsbeurteilungen üblich gibt es auch für Verdunstungskühlanlagen und Kühltürme die Notwendigkeit, diese regelmäßig zu überprüfen – insbesondere, wenn Änderungen an der Beschaffenheit der Anlage oder der Betriebsweise vorgenommen wurden. Unabhängig davon fordert die VDI 2047 Blatt 2, dass die Gefährdungsbeurteilung mindestens alle zwei Jahre überprüft wird. Das entspricht z. B. auch den Forderungen der BioStoffV.

1. Anlagendokumentation

Entscheidend für eine Gefährdungsbeurteilung mit aussagefähiger Risikobewertung ist in einem ersten Schritt eine Bestandserfassung der Verdunstungskühlanlage oder des Kühlturms. Eine wichtige Voraussetzung dazu ist eine möglichst vollständige Anlagendokumentation. Diese sollte z. B. folgende Informationen beinhalten:

- Rohwasserbeschaffenheit
- Art der Rohwasseraufbereitung (Verfahren, einschließlich technischer Dokumentation)
- Zusatzwasserbeschaffenheit
- Nutzwasserbeschaffenheit
- Wasseraufbereitung/-behandlung (Verfahren, einschließlich technischer Dokumentation)
- Anlagenbeschreibung und Betriebsart des Gesamtsystems
- technische Daten
- Dokumentation der Anlagenkomponenten (Rückkühlwerke, Pumpen, Rohrleitungen, Armaturen etc.)
- Instandhaltungsplanung der Anlage
- Aufbau- und Ablauforganisation des Betriebs, mit Personalqualifikation, Verantwortlichkeiten etc.

Insbesondere ist die technische Dokumentation erforderlich, um z. B. die physikalisch-chemischen Anforderungen an das Nutzwasser zu ermitteln. Gerade bei Verdunstungskühlanlagen, die bereits einige Jahrzehnte alt sind, ist die beim Betreiber vorliegende technische Dokumentation häufig sehr lückenhaft. In diesem Fall kann oft der Hersteller der Anlagen, sofern noch am Markt aktiv, die technischen Daten für das Gerät liefern. Bezüglich der Anlagendaten für den Kühlkreislauf, wie Leitungsverläufe oder verbaute Materialien, wird es meistens notwendig sein, diese Informationen im Rahmen einer Bestandsaufnahme der Anlage zu erheben. Wie viel Aufwand dazu notwendig ist, hängt immer vom Einzelfall ab und lässt sich pauschal nicht festlegen.

Hinzu kommt, dass nur eine fortlaufende Aktualisierung der Dokumentation bzgl. der Instandhaltungstätigkeiten, Laboruntersuchungen, internen Betriebskontrollen, Umbauten, Änderungen der Betriebsweise, außerordentlichen Ereignissen usw. die notwendigen Informationen liefert, um das Risiko richtig einzuschätzen und gegebenenfalls geeignete Maßnahmen bei Überschreitung von Prüf- oder Maßnahmenwerten zu treffen.

Hierbei nimmt die Führung eines Betriebstagebuchs nach § 12 der 42. BImSchV eine zentrale Rolle ein. Die notwendigen Inhalte eines Betriebstagebuchs sind in der Anlage 4 der 42. BImSchV beschrieben (s. a. Kapitel 4).

2. Rohwasserqualität

Als Rohwasserquellen werden in der Regel Oberflächenwasser (Meer-, Fluss- oder Kanalwasser), Brunnenwasser oder Trinkwasser eingesetzt – teilweise auch eine Mischung aus verschiedenen Quellen. In Abhängigkeit von der VKA oder dem Kühlturm und dem zu kühlenden System muss das Rohwasser einer geeigneten Wasseraufbereitung und/oder -behandlung unterzogen werden. Dies ist erforderlich, um die notwendige Zusatz- bzw. Nutzwasserqualität zu erhalten. Es ist daher unumgänglich, dass die Rohwasserbeschaffenheit inkl. der möglichen Schwankungsbreite der relevanten Parameter dem Betreiber bekannt ist. Am Beispiel des Legionellenausbruchs in Warstein wird deutlich, welchen Einfluss eine bereits im Rohwasser auftretende Legionellenbelastung auf das Risikopotenzial einer Anlage aufweist (s. a. Kapitel 3.2.2).

3. Zusatzwasserqualität

Die Anforderungen an das Nutzwasser, die vorgegebene Eindickungszahl sowie die Zusatzwassermenge bestimmen die notwendige Zusatzwasserqualität. Bezogen auf einen werkstoffspezifischen Richtwert (c_{Richt}) für das Nutzwasser ergibt sich bei gegebener Eindickungszahl (EZ) der spezifische Wert für das Zusatzwasser (c_{Zusatz}) aus folgender Beziehung:

$$c_{\mathrm{Zusatz}} \leq \frac{c_{\mathrm{Richt}}}{EZ} \tag{3-1}$$

Dabei bestimmt der kleinste Wert für die Konzentration c_{Zusatz} unter Berücksichtigung der Nebenbedingungen (z. B. Mindesthärte) die Anforderung an die Rohwasseraufbereitung. Die Zusatzwassermenge ergibt sich aus:

- Verdunstungsrate $Q_{\mathrm{Verd.}}$
- Absalzverlust Q_{Absalz}
- Sprühverlust $Q_{\mathrm{Sprüh}}$

Die Verdunstungsrate kann je nach Betriebsbedingungen unterschiedlich sein. Die im mitteleuropäischen Klima maximal zu erwartende Zusatzwassermenge wird wie folgt berechnet:

$$Q_{\mathrm{Zusatz}} = Q_{\mathrm{Verd.}} + Q_{\mathrm{Absalz}} + Q_{\mathrm{Sprüh}} \tag{3-2}$$

Die Verdunstungsrate $Q_{\mathrm{Verd.}}$ wird aus der Kühlleistung $P_{\mathrm{Kühl}}$ (Wert in MW) anhand nachfolgender empirischer Zahlenwertgleichung abgeschätzt:

$$Q_{\mathrm{Verd.}} = \frac{0{,}4\ l/s}{MW} \cdot P_{\mathrm{Kühl}} \tag{3-3}$$

Für den Absalzverlust Q_{Absalz} gilt:

$$Q_{\mathrm{Absalz}} = \frac{Q_{\mathrm{Verd}}}{EZ - 1} \tag{3-4}$$

Der Sprühverlust $Q_{\mathrm{Sprüh}}$ kann in den meisten Fällen vernachlässigt werden.

Der Ersatz eines Teils des Nutzwassers durch Zusatzwasser (nach (3-2)) führt zur Aufrechterhaltung der notwendigen Nutzwasserqualität unter Berücksichtigung der Nutzwasserbehandlung. Eine nicht an den Gesamtprozess angepasste Zusatzwasserqualität und -menge hat somit einen entscheidenden Einfluss auf die Nutzwasserqualität mit den dort beschriebenen möglichen Folgen. Für den Gehalt an Legionellen hat die 42. BImSchV definierte Anforderungen an die Qualität des Zusatzwassers festgelegt (s. a. Kapitel 4).

4. Nutzwasserqualität

Für den hygienischen, aber auch wirtschaftlichen Anlagenbetrieb ist eine geeignete Nutzwasserqualität entscheidend. Dabei spielt sowohl die Einhaltung der mikrobiologischen sowie physikalisch-chemischen Parameter eine zentrale Rolle für das Gesamtsystem. Während die mikrobiologische Beschaffenheit (insbesondere eine Belastung mit Legionellen) ggf. eine direkte Gefährdung durch den möglichen Austrag belasteter Aerosole darstellt, sind die physikalisch-chemischen Parameter von besonderer Bedeutung für die Funktionssicherheit (z. B. Vermeidung von Korrosion und Ablagerungen). Die physikalisch-chemischen Anforderungen an die Nutzwasserqualität werden in erster Linie durch die verwendeten Materialien im System bestimmt. Korrosion und Ablagerungen im System können wiederum zu einem vermehrten mikrobiologischen Wachstum beitragen. Darüber hinaus haben physikalisch-chemische Parameter, wie z. B. der pH-Wert, auch einen entscheidenden Einfluss auf die Wirksamkeit eingesetzter Wasserbehandlungsmittel (z. B. Biozide). Die Nutzwasserqualität nimmt daher die zentrale Rolle für den hygienischen Betrieb und die Funktionssicherheit eines Systems ein. Die in der 42. BImSchV festgelegten Grenzen für den Gehalt an Legionellen im Nutzwasser spiegeln das wider (s. a. Kapitel 4). Für den ordnungsgemäßen Betrieb und die Hygienesicherheit der Anlage ist die Einhaltung der Grenzmengen mit maßgebend. Daher kommen diesen Untersuchungen und deren Ergebnisse eine zentrale Bedeutung bei der Gefährdungsbeurteilung zu.

5. Wasseraufbereitung

Um die geforderte Zusatzwasserqualität zu erreichen, ist in der Regel die Aufbereitung des Rohwassers erforderlich. Wie im Kapitel 5-3 beschrieben kommen hier als Verfahren z. B. Filtration, Enteisung und Entmanganung, Flockung, Enthärtung, Teilentsalzung, Entkarbonisierung, Vollentsalzung und Desinfektion zum Einsatz. Ein hygienisches Risiko ist in einem nicht bestimmungsgemäßen Einsatz von Enthärtungs- und Membrananlagen zu sehen. Erfolgt bei Betriebsunterbrechungen solcher Aufbereitungsanlagen keine den Herstellervorgaben entsprechende Regenerierung, Spülung bzw. Konservierung, so kann ein erhebliches Keimwachstum innerhalb der Aufbereitungsanlagen die Folge sein. Daraus resultierend kann das Zusatzwasser bei einem nicht bestimmungsgemäßen Einsatz der verwendeten Aufbereitungstechnik(en) bereits eine erhebliche mikrobielle Vorbelastung aufweisen.

6. Wasserbehandlung

Für die erforderliche Nutzwasserqualität ist gegebenenfalls auch eine Wasserbehandlung notwendig. Entsprechend den Anforderungen kommen unterschiedliche Verfahren, auch in Kombination, zum Einsatz (siehe Kapitel 5.3). Neben der Entfernung von Feststoffen über Filtration zur Konditionierung des Nutzwassers werden häufig auch Härtestabilisatoren, Korrosionsinhibitoren und Dispergiermittel angewendet. Diese können die Vermehrung von Mikroorganismen grundsätzlich fördern, was vor allem für biologisch verwertbare Substanzen, z. B. anorganische Phosphate, gilt. Zur Begrenzung mikrobiologischer Belastungen kommen sowohl physikalische Verfahren (UV-Bestrahlung) zum Tragen wie auch der Einsatz von Bioziden, bei dem sich die Zugabemenge nach dem Gesamtvolumen des Nutzwassers, der Zusatzwassermenge, der Zielkonzentration, der Verweilzeit und der Wasserbeschaffenheit richtet. Die Wirksamkeit eines Biozids gegen Legionellen muss durch eine Prüfung nach DIN EN 13623 nachgewiesen sein (siehe auch Kapitel 3.1 sowie 5.3). Die Wasserbehandlung kann also das mikrobielle Wachstum sowohl fördern als auch reduzieren und damit zur Risikominderung beitragen.

7. Stoffeintrag aus der Umgebung

Kühltürme und VKA wirken aufgrund ihres Funktionsprinzips wie Nassabscheider und waschen im Betrieb kontinuierlich Partikel und Stoffe aus der Luft. Je nach Standort und Jahreszeit können diese Einträge unterschiedlich ausgeprägt sein (s. a. Kapitel 5.3.3). Aufgrund von Art und Menge der Partikel und Stoffe kann dieser Eintrag einen massiven Einfluss auf die Vermehrung von Mikroorganismen ausüben. Bei der Risikoanalyse sind daher alle zu erwartenden Einträge von Partikeln, Stoffen oder auch Organismen in das Nutzwasser zu berücksichtigen und gegebenenfalls durch eine geeignete Luftaufbereitung zu minimieren.

8. Lage der Anlage

Kommt es zu einem Anstieg der Legionellengehalte im Nutzwasser, ist je nach Lage der Anlage bei einer Emission legionellenbelasteter Aerosole mit einer konkreten Gefährdung von Menschen (Mitarbeiter, Wartungspersonal und unbeteiligte Dritte) im Umfeld auszugehen. Windrichtung, typische Wetterlagen und andere klimatische sowie geografische Faktoren, z. B. Nähe zu vielen Menschen aus Risikogruppen, bestimmen das Risikopotenzial und erhöhen die Wahrscheinlichkeit eines Ausbruchs. Daher sind bei der Risikoanalyse diese Randbedingungen mit zu erfassen, zu bewerten und die Schutzmaßnahmen entsprechend auszulegen.

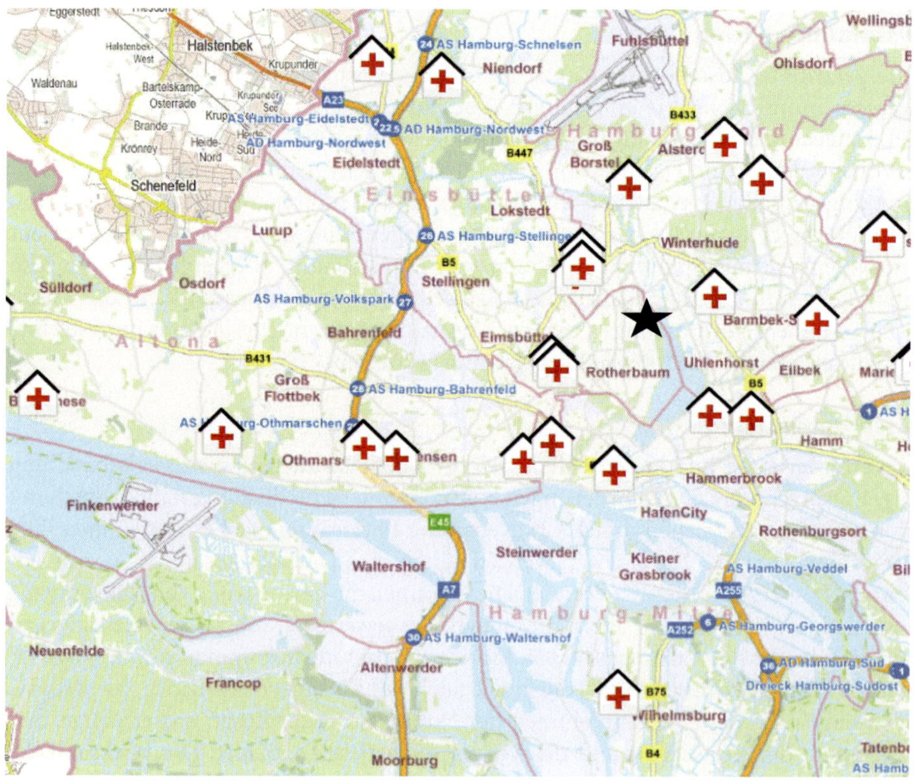

Bild 3.20: Lage von Krankenhäusern im Standortumfeld (Quelle: krankenhausportal-hamburg.de); Stern: fiktiver Anlagenstandort

Nachfolgendes Beispiel zeigt einen fiktiven Anlagenstandort und die dazugehörige Betrachtung der Randbedingungen im Rahmen der Risikoanalyse. Das Objekt liegt nordwestlich im Stadtgebiet einer Industrieansiedlung. Wohnsiedlungen liegen wenige hundert Meter nördlich, ca. 1000 m östlich, 2500 m südlich und 500 m westlich. Ferner finden sich im Umkreis von 5 km ca. zehn Krankenhäuser und Kliniken sowie Seniorenstätten. Im Fall einer Freisetzung von legionellenhaltigen Aerosolen ist daher das Gebiet gefährdet, in welchem sich die Legionellen über die Luft ausbreiten.

Eine Analyse der Hauptwindrichtung am Anlagenstandort zeigt Bild 3.20, die vorherrschende Windrichtung für den Standort ist in der Tabelle 3.10 und im Bild 3.21 dargestellt. Die Datenbasis umfasst den Zeitraum 11/2000 bis 06/2017.

Tabelle 3.10: Beispiel einer Datenbasis der Windrichtung und -verteilung für die Ermittlung der potenziellen Ausbreitung (Quelle: windfinder.com/windstatistics)

Windrichtung	Windverteilung Häufigkeit in %
N	1,5
NNO	2,5
NO	4,4
ONO	5,2
O	5,1
OSO	5,9
SO	5,7
SSO	6,2
S	3,6
SSW	6,4
SW	12,9
WSW	11,3
W	9,1
WNW	10,3
NW	6,5
NNW	3,3

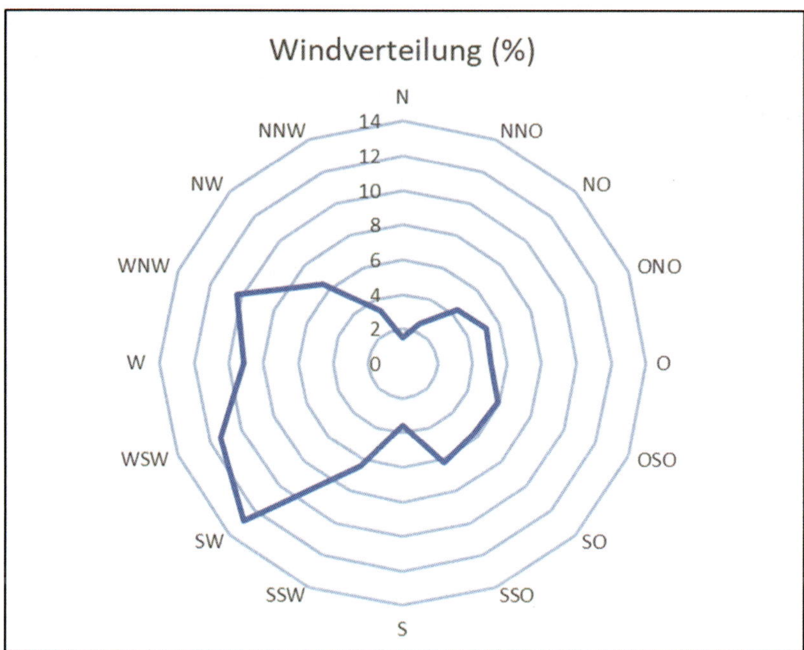

Bild 3.21: Windverteilung und potenzielle Ausbreitungsrichtung von Aerosolen auf Basis der in Tabelle 3.10 dargestellten Daten

9. Konstruktion und Aufbau der Anlage

Die Konstruktion der Verdunstungskühlanlage hat einen wesentlichen Einfluss auf den hygienesicheren Betrieb des gesamten Systems. In diesem Zusammenhang sind gerade die verwendeten Materialien (s. a. Pkt. 10) und die Zugänglichkeit zu den einzelnen Bauteilen für Inspektions-, Reinigungs- und Wartungstätigkeiten von Bedeutung. Insbesondere ist die Stagnation von Kühlwasser zu vermeiden, da sie häufig eine wesentliche Voraussetzung für mikrobielles Wachstum darstellt. So führt Stagnation häufig zu Kühlwassertemperaturen, die mikrobielles Wachstum fördern. Darüber hinaus unterbleibt bei Stagnation die Nachlieferung von Bioziden in diese Anlagenteile, womit nach Abbau der ursprünglich eingebrachten Biozide die Wachstumshemmung unterbleibt.

Außerdem muss es möglich sein, die VKA und Kühltürme einschließlich aller Komponenten möglichst vollständig zu entleeren. Mängel in der Konstruktion und ungeeignete Materialien können ansonsten zu einem vermehrten mikrobiellen Wachstum führen. Hinsichtlich des möglichen Austrags belasteter Aerosole sind effektive Tropfenabscheider oder gleichwertige Maßnahmen, welche über den gesamten Fortluftquerschnitt wirksam sein müssen, zwingend erforderlich. Diese und weitere in Kapitel 5.3 beschriebene Anlagenmerkmale sind in der Risikoanalyse hinsichtlich der Ausführung und möglicher Auswirkungen auf den hygienesicheren Betrieb zu betrachten.

10. Eingesetzte Materialien in der Anlage

Die Wahl der Materialien ist nicht nur bei der Betrachtung der Anlage selbst von Bedeutung. Die Qualität des Nutzwassers (Kühlwasser) (siehe Punkt 4 „Nutzwasserqualität“) und die entsprechend erforderliche Wasseraufbereitung und/oder -behandlung (siehe Punkt 5 „Wasseraufbereitung“/Punkt 6 „Wasserbehandlung“) sind maßgeblich von den verwendeten Materialien abhängig (s. a. Kapitel 5.3.2). Ohne Kenntnis, welche Materialien im gesamten System einschließlich Pumpen, Armaturen, Rohrleitungen etc. verbaut sind, kann keine abschließende Festlegung der notwendigen Nutzwasserqualität und der dazu erforderlichen Wasserbehandlung erfolgen. Als mögliche negative Auswirkung auf metallische Werkstoffe sind hier Korrosionsschäden zu sehen. Im System vorhandene ungeeignete Kunststoffe oder Naturstoffe (z. B. Holz) begünstigen u. U. mikrobielles Wachstum und fördern die Ausbildung von Biofilmen. Im Rahmen der Risikoanalyse ist daher zu beurteilen, ob die eingesetzten Materialien und die Kühlwasserqualitäten aufeinander abgestimmt sind. Sollte das nicht der Fall sein, gefährdet das nicht nur den hygienesicheren Betrieb, sondern auch die Anlagensicherheit sowie die wirtschaftliche Betriebsweise der Anlage.

11. Betrieb der Anlage (Regelung/Steuerung/Überwachung)

Die Regelung der Anlage ist ein zentraler Aspekt für den hygienesicheren Betrieb. Werden z. B. im Kühlkreislauf nicht alle Teilbereiche angesteuert, kann das Stagnation und eine damit verbundene Vermehrung von Mikroorganismen zur Folge haben. Als wesentliche risikotragende Faktoren sind zudem längere Stillstandphasen und verstärkter Tropfenauswurf zu sehen. Eine zur Leistungsanpassung durchgeführte Abschaltung einzelner Zellen kann durch eine dann ggf. nicht mehr gewährleistete Wasserbehandlung zu unkontrollierter mikrobieller Vermehrung führen. Ein verstärkter Tropfenauswurf kann dadurch entstehen, dass durch eine Erhöhung der Lüfterdrehzahl (zur Leistungssteigerung) die maximal zulässige Luftgeschwindigkeit an den Tropfenabscheidern überschritten wird. Auch eine Verringerung des Nutzwasservolumenstroms (zur Leistungsverringerung) unter das Minimum kann zu unerwünschtem Tropfenauswurf führen.

12. Instandhaltung

Der regelmäßigen technischen Instandhaltung und Hygienekontrolle kommt ein großer Stellenwert zu. Werden nicht alle Anlagenkomponenten in definierten zeitlichen Abständen entsprechend den notwendigen Instandhaltungsmaßnahmen überprüft, kann das direkte Auswirkungen auf den hygienischen Betrieb haben und eine Gefährdung bedeuten (z. B. Ausfall der Abschlämmung). Gleiches gilt, wenn die regelmäßig durchzuführenden mikrobiologischen Laboruntersuchungen und betriebsinterne Kontrollen und physikalisch-chemischen Untersuchungen nicht oder nicht fristgerecht durchgeführt werden. Eine etwaige Überschreitung von Soll- bzw. Prüf- und/oder Maßnahmenwerten wird dann nicht erkannt und Folgemaßnahmen werden nicht oder verspätet eingeleitet.

13. Qualifikation des Personals / Betriebsorganisation

Der Einsatz von qualifiziertem Personal stellt einen wesentlichen Beitrag für den hygienischen Betrieb und die Funktionssicherheit des Systems dar. Unkenntnis oder mangelndes Fachwissen kann z. B. dazu führen, dass Veränderungen von Betriebsparametern oder der Einsatz von anderen Wasserbehandlungsmitteln hinsichtlich der möglichen Auswirkungen auf das Gesamtsystem falsch eingeschätzt und daher vor Eingriffen in das System nicht entsprechend kritisch geprüft werden. Mängel in der Betriebsorganisation können beispielsweise dazu führen, dass durch unklare oder nicht geregelte Zuständigkeiten relevante betriebsinterne Kontrollen nicht durchgeführt und/oder nicht entsprechend dokumentiert werden. Ist nicht geklärt, wer bei Überschreitung von „Prüf- und / oder Maßnahmenwerten" zu informieren ist und wer die Einleitung entsprechender Folgemaßnahmen zu veranlassen hat, so kann dies zu erheblichen zeitlichen Verzögerungen bei der Einleitung von Gegenmaßnahmen führen.

3.3.2.2 Bewertung der Risikofaktoren und Ableitung von Maßnahme

Die beschriebenen Risikofaktoren müssen hinsichtlich des potenziellen Schadensausmaßes sowie der Eintrittswahrscheinlichkeiten in Bezug auf die Hygienesicherheit des zu beurteilenden System bewertet werden. Die Grundlage für die hier beispielhaft vorgenommene Bewertung bilden die Festlegungen der VDI 2047 Blatt 2 und die zugrunde liegende Dokumentation.

Die hier vorgestellte Bewertung läuft in zwei Schritten ab und kann natürlich auch durch andere Modelle der Risikobewertung vorgenommen werden. Zunächst erfolgt hier in Anlehnung an die Risikomatrix nach Nohl eine Betrachtung des jeweiligen „Risikofaktors" in Bezug auf das betrachtete System. Die Abschätzung der Eintrittswahrscheinlichkeit (z. B. für das Versagen einer Systemkomponente) im Verhältnis zum möglichen Schadensausmaß (Einfluss auf den hygienischen Betrieb mit seinen möglichen Auswirkungen) führt zu einer resultierenden Maßzahl, die das Risiko für den hygienischen Betrieb angibt. Als Hygienerisiko gilt hier, dass es zu einer Vermehrung und/oder Verbreitung (als Emission von Legionellenaerosolen) in bzw. aus einer VKA oder einem Kühlturm kommt.

Hygienerisiko / Eintritts-wahrscheinlichkeit	gering	mittelgroß	groß	sehr groß
sehr gering	1	2	3	4
gering	2	3	4	5
mittel	3	4	5	6
hoch	4	5	6	7

Maßzahl	Risiko	Beschreibung
1-2	gering	Risiko akzeptabel
3-4	signifikant	Reduzierung des Risikos notwendig
5-7	hoch	Risikoreduzierung dringend erforderlich

Bild 3.22: Risikomatrix (verändert nach Nohl)

Das jeweilige Hygienerisiko wird – resultierend aus der Maßzahl – den nachfolgend beschriebenen Kategorien I (geringes Risiko), II (signifikantes Risiko) und III (hohes Risiko) zugeordnet; damit einhergehend erfolgt die Priorisierung (Priorität 1 bis 3) der erforderlichen Maßnahmenumsetzung (analog DVGW W1001).

Kategorie I (resultierende Maßzahl 1 bis 2):

Eine Einstufung des Hygienerisikos in die Kategorie I erfolgt, wenn in der Regel kein direkter bzw. kein wesentlicher Einfluss auf den hygienischen Betrieb des Systems zu erwarten ist. Dies können z. B. die möglichen Auswirkungen einer nicht bekannten Rohwasserqualität auf die Qualität des Nutzwassers sein. Eine Einstufung in die Kategorie I ist hier jedoch nur möglich, wenn das Nutzwasser entsprechend häufig untersucht wird.

Mit Vorliegen der Gefährdungsbeurteilung wird empfohlen, einen Zeitplan zur Umsetzung der Maßnahmen zu erstellen. Der Beginn der Maßnahmen sollte innerhalb von sechs Monaten (Priorität 3) erfolgen und zum Ziel haben, dass eine zukünftige Erhöhung des Risikos vermieden wird.

Kategorie II (resultierende Maßzahl 3 bis 4):

Bei einer Einstufung des Hygienerisikos in die Kategorie II wird davon ausgegangen, dass mit einer signifikanten Beeinträchtigung des hygienischen Betriebs zu rechnen ist. Als Beispiel kann hier die für Inspektions- und Reinigungstätigkeiten eingeschränkte Zugänglichkeit zu den Tropfkörpern eines Rückkühlwerks und das damit einhergehende höhere Risiko für die Bildung von Ablagerungen und/oder Biofilmen und der daraus resultierenden Folgen für den hygienischen Betrieb genannt werden. Daher ist mit Vorliegen der Gefährdungsbeurteilung ein Zeitplan zur Umsetzung der Maßnahmen zu erstellen. Ein Beginn der Umsetzung der Maßnahmen muss innerhalb von drei Monaten (Priorität 2) erfolgen.

Kategorie III (resultierende Maßzahl 5 bis 7):

Die Zuordnung des Hygienerisikos in die Kategorie III erfolgt, wenn eine konkrete Beeinträchtigung des hygienischen Betriebs mit schwerwiegenden Folgen zu befürchten ist bzw. bereits vorliegt. Dies kann z. B. eine nicht angepasste Wasserbehandlung des Nutzwassers oder nicht vorhandene oder defekte Tropfenabscheider an den Rückkühlwerken sein. Mit der Umsetzung der Maßnahmen ist unmittelbar (Priorität I) nach dem Vorliegen der Gefährdungsbeurteilung zu beginnen. Aus der Bewertung der Ist-Situation werden dann notwendige Maßnahmen oder auch Empfehlungen mit einer entsprechenden Priorisierung abgeleitet. Das Beispiel einer fiktiven Anlage findet sich in Tabelle 3.11.

Tabelle 3.11: Beispielhafte Bewertung der Risikofaktoren und Ableitung von Maßnahmen für eine Verdunstungskühlanlage

Risikofaktoren	Bewertung der Ist-Situation	Relevanz	Notwendige Maßnahmen	Priorität
1. Anlagendokumentation	Die Anlagendokumentation entspricht nicht den Anforderungen der 42. BImSchV und der VDI 2047 Blatt 2. Sowohl der Umfang als auch die Aktualität weisen Mängel auf.	Kategorie II	Inhalt und Umfang der Dokumentation sind an die Erfordernisse anzupassen. Die Erfordernisse ergeben sich aus den in den Punkten 2 bis 13 dieser Tabelle festgestellten Defiziten. Die wesentlichen notwendigen Inhalte sind auch im Abschnitt „Anlagendokumentation" aufgeführt. Die Dokumentation muss regelmäßig fortgeschrieben werden und den aktuellen Status quo des Systems widerspiegeln.	Priorität 2
2. Rohwasserqualität	Bzgl. der Rohwasserqualität sowie einer erforderlichen Wasseraufbereitung für das Zusatzwasser liegen keine Daten vor. Die Sicherstellung der erforderlichen Zusatzwasserqualität ist daher ggf. nicht gegeben.	Kategorie I	Die relevanten Parameter der Rohwasserqualität sind zu ermitteln und zu dokumentieren. Anhand dieser Daten und der erforderlichen Zusatzwasserqualität ist über eine Wasseraufbereitung zu entscheiden.	Priorität 3
3. Zusatzwasserqualität	Es liegen keine festgelegten und dokumentierten Daten bzgl. der geforderten Zusatzwasserqualität vor. Die Einhaltung der geforderten Nutzwasserqualität ist daher ggf. nicht gegeben. **Hinweis:** In der technischen Dokumentation des Kühlturmherstellers sind Empfehlungen für die Qualität des Zusatzwassers enthalten.	Kategorie II	Die notwendige Zusatzwasserqualität ist anhand der vorgegebenen Eindickungszahl, der Zusatzwassermenge und der Anforderungen an das Nutzwasser festzulegen (s. a. Textabschnitt „Risikofaktoren Zusatzwasser und Nutzwasser"). Vorhandene Herstellervorgaben sind zu berücksichtigen.	Priorität 2
4. Nutzwasserqualität	Es liegen keine ausreichenden Daten bzgl. der geforderten Qualität des Nutzwassers vor. Dokumentiert sind lediglich die mikrobiologischen Anforderungen hinsichtlich der Legionellenkonzentration sowie der allgemeinen Koloniezahl. Aus den Herstellervorgaben für die Absorberkältemaschine ergibt sich die Empfehlung der Einhaltung der Vorgaben der VDI 3803. Hier ist auch der Hinweis zu finden, dass die Wasseraufbereitung und Behandlung so zu erfolgen hat, dass die Materialien nicht angegriffen werden.	Kategorie III	Die Anforderungen an die Qualität des Nutzwassers sind unter Berücksichtigung der Herstellervorgaben der im System verbauten Komponenten sowie der sonstigen im Nutzwasser führenden System verbauten Materialien zu definieren und entsprechende Sollwerte bzw. Bandbreiten festzulegen. Mikrobiologische Prüf- und Maßnahmenwerte sind in der 42. BImSchV und den Tabellen 3 bis 5 der VDI 2047 Blatt 2 festgelegt.	Priorität 1

Tabelle 3.11: Beispielhafte Bewertung der Risikofaktoren und Ableitung von Maßnahmen für eine Verdunstungskühlanlage (Forts.)

Risikofaktoren	Bewertung der Ist-Situation	Relevanz	Notwendige Maßnahmen	Priorität
4. Nutzwasserqualität	Aus der technischen Dokumentation des Kühlturmherstellers ergibt sich die zwingende Einhaltung der Vorgaben der VDI 3803. Die vorliegende Dokumentation zu den Kompressionskältemaschinen enthält keine Anforderungen an die Qualität des Nutzwassers. Ohne die genaue Kenntnis der Anforderungen an die Nutzwasserqualität ist die Einhaltung der selbigen ggf. nicht gegeben.	Kategorie II	Teilweise liegen keine herstellerspezifischen Vorgaben vor. Jedoch sind in den meisten Fällen Angaben zu den eingesetzten Materialien zu finden. Hinweise zu korrosionsrelevanten Parametern, aus denen dann entsprechende Sollwerte abgeleitet werden können, sind werkstoffspezifisch in den Normen DIN EN 12502-1 bis -5 zu finden. Aus den bisher vorliegenden Daten zu mikrobiologischen Untersuchungen des Nutzwassers lässt sich kein „Normalzustand" („Referenzwert") für die allgemeine Koloniezahl ableiten.	Priorität 2
5. Wasseraufbereitung	Als Rohwasser kommt Trinkwasser zum Einsatz, das nicht weiter aufbereitet wird.	Kategorie I	Ist keine Wasseraufbereitung erforderlich, so ist dies mit Hinweis auf die vorhandene Rohwasserqualität und die erforderliche Zusatzwasserqualität zu dokumentieren.	Priorität 3
6. Wasserbehandlung	Aus der vorliegenden Dokumentation und der Begehung vor Ort geht hervor, dass zur Behandlung des Nutzwassers eine Bioziddosieranlage installiert worden ist und dem Nutzwasser neben dem oxidativ wirkenden Biozid ein Korrosionsinhibitor zugesetzt wird. Eine detaillierte Beschreibung, aus denen Dosiermengen, Dosierzeiten, Zielkonzentration im Nutzwasser usw. hervorgehen, existiert nicht. Die Überwachung der Wasserbehandlung und der zielgerichtete Eingriff bei etwaig notwendigen Korrekturen sind so nicht möglich.	Kategorie III	Alle angewendeten Wasserbehandlungsmaßnahmen müssen entsprechend dokumentiert werden. Dies bezieht sich sowohl auf die angewendeten Verfahren selbst, einschließlich der eingesetzten Behandlungsmittel wie auch auf verfahrensspezifische Parameter wie Dosiermengen, Dosierzeiten, Zielkonzentrationen im Nutzwasser usw. Zu dieser Dokumentation gehört auch der Nachweis der Wirksamkeit des eingesetzten Biozids gegenüber Legionellen gemäß DIN EN 13623.	Priorität 1

Tabelle 3.11: Beispielhafte Bewertung der Risikofaktoren und Ableitung von Maßnahmen für eine Verdunstungskühlanlage (Forts.)

Risikofaktoren	Bewertung der Ist-Situation	Relevanz	Notwendige Maßnahmen	Priorität
7. Stoffeintrag aus der Umgebung	Aus der vorliegenden Dokumentation geht nicht hervor, ob der mögliche Stoffeintrag aus der Umgebung in das Nutzwasser bei z. B. der Dosierung des Biozids und/oder der gewählten Abschlämmung berücksichtigt worden ist.	Kategorie II	Die Quellen für relevante Stoffeinträge sind zu benennen. Da bei natürlichen Quellen (z. B. Pollenflug im Frühjahr und Frühsommer) keine Möglichkeit der Einflussnahme besteht, sind ggf. geeignete Maßnahmen zu ergreifen. Dies kann z. B. eine zeitweise Erhöhung der Abflut, ein kürzeres Reinigungsintervall für die Filter, Siebe im Nutzwassersystem und/oder eine Berücksichtigung der vermehrten „Zehrung" des oxidativ wirkenden Biozids durch eine entsprechend höhere Dosierung sein. In jedem Fall sind die ggf. zu ergreifenden Maßnahmen zu dokumentieren.	Priorität 2
8. Lage der Anlage	Siehe Beispielbeschreibung im Abschnitt 8 zur Risikoanalyse.			
9. Konstruktion der Anlage	Die 42. BImSchV wie auch die VDI 2047 Blatt 2 machen nur allgemeine Vorgaben hinsichtlich der Konstruktion von Verdunstungskühlanlagen. In der VDI 2047 Blatt 2 heißt es: „Verdunstungskühlanlagen müssen so konstruiert werden, dass selbst bei installiertem Füllkörper oder Wärmeüberträger alle erforderlichen Instandhaltungsmaßnahmen einschließlich Reinigung und Desinfektion durchführbar sind. Alle Komponenten müssen dafür zugänglich sein. […]" Für die hier betrachtete Verdunstungskühlanlage ist festzustellen, dass Lage, Anzahl und Größe der Revisionsöffnungen nicht optimal sind. Aufgrund der geringen Abmessungen der Verdunstungskühlanlage wird die Zugänglichkeit zu den Komponenten zwar als eingeschränkt aber dennoch als ausreichend beurteilt.	Kategorie II	Trotz der hier beschriebenen eingeschränkten Zugänglichkeit muss sichergestellt sein, dass die lt. Herstellervorgaben beschriebenen Maßnahmen (Wartungsplan) inhaltlich und in den geforderten Zeitintervallen durchgeführt werden. Für aufgrund der eingeschränkten Zugänglichkeit ggf. nicht oder nur in eingeschränktem Umfang durchführbare Maßnahmen ist festzulegen, welche Kompensationsmaßnahmen ggf. zu ergreifen sind. Hinweis: Da die Konstruktion erheblichen Einfluss auf Betrieb und Instandhaltung hat, sei an dieser Stelle auch auf Punkt 12 dieser Tabelle hingewiesen.	Priorität 2

Tabelle 3.11: Beispielhafte Bewertung der Risikofaktoren und Ableitung von Maßnahmen für eine Verdunstungskühlanlage (Forts.)

Risikofaktoren	Bewertung der Ist-Situation	Relevanz	Notwendige Maßnahmen	Priorität
10. Verwendete Materialien	Es liegen nicht für alle Komponenten des Nutzwasser führenden Systems Angaben zu den eingesetzten Materialien vor. Die daraus abzuleitenden Anforderungen an die Qualität des Nutzwassers sind somit nicht eindeutig beschrieben. Eine gezielte Behandlung des Nutzwassers ist daher nicht möglich (s. a. Abschnitt 4 „Nutzwasser").	**Kategorie III**	Soweit keine konkreten Angaben der Anlagenhersteller zur erforderlichen Nutzwasserqualität vorliegen, sind die verwendeten Materialien zunächst aufzulisten. Davon ausgehend sind dann die Anforderungen an die Qualität des Nutzwassers festzulegen (s. a. Abschnitt 4 in dieser Tabelle).	**Priorität 2**
11. Betrieb der Anlage	Die Prozesssteuerung bzw. die Betriebsweise der Rückkühlwerke ist in der vorliegenden Dokumentation nicht beschrieben. Eine ungeeignete Betriebsweise bei erforderlicher Leistungsanpassung kann zu längeren Stillständen einzelner Anlagenteile oder zu erhöhtem Tropfenauswurf führen. Somit kann es zu unkontrollierter Vermehrung von Mikroorganismen kommen. Erhöhter Tropfenauswurf bei gleichzeitig vorhandener Belastung des Nutzwassers mit Legionellen stellt eine konkrete Gefährdung dar.	**Kategorie III**	Die Prozesssteuerung bzw. die Betriebsweise der Rückkühlwerke ist im Hinblick auf die möglichen Risiken zu überprüfen und ggf. anzupassen. Dabei sind die im Folgenden aufgeführten Grundregeln sowie die Herstellervorgaben zu beachten. • Bei Leistungsanpassung durch Variation des Luftvolumenstroms ist darauf zu achten, dass die maximal zulässige Luftgeschwindigkeit an den Tropfenabscheidern nicht überschritten wird. • Die Variation des Nutzwasservolumenstroms kann bei Unterschreiten des minimalen Nutzwasservolumenstroms auch zu unerwünschtem Tropfenauswurf führen. • Beim Abschalten einzelner Zellen der Verdunstungskühlanlage ist sicherzustellen, dass sie weiterhin hinreichend durchströmt werden, um die ausreichende Wirkung der Wasserbehandlung (z. B. des Biozids) zu gewährleisten. Die Prozesssteuerung bzw. die Betriebsweise der Rückkühlwerke ist entsprechend festzulegen und zu dokumentieren.	**Priorität 1**

Tabelle 3.11: Beispielhafte Bewertung der Risikofaktoren und Ableitung von Maßnahmen für eine Verdunstungskühlanlage (Forts.)

Risikofaktoren	Bewertung der Ist-Situation	Relevanz	Notwendige Maßnahmen	Priorität
12. Instandhaltung	Aus den vorliegenden Unterlagen zur Instandhaltung geht hervor, dass an den im Nutzwasser führenden System installierten Anlagen und Komponenten regelmäßige Instandhaltungsmaßnahmen durchgeführt werden. Art, Umfang und Häufigkeit der Maßnahmen sind in Instandhaltungsanleitungen beschrieben. Die aufgeführten Maßnahmen sind jedoch teilweise nicht ausreichend bzw. nicht detailliert genug ausgeführt. In der Instandhaltungsanleitung ist z. B. die wichtige Überprüfung der Leitfähigkeitsmesszelle nicht explizit genannt. In der o. g. genannten Instandhaltungsanleitung werden neben den zu untersuchenden mikrobiologischen Parametern lediglich pH-Wert, Karbonathärte und Gesamthärte als zu untersuchende Parameter im Nutzwasser genannt. Diese allein sind in diesem Fall nicht ausreichend. Aus den Ergebnissen der durchgeführten Untersuchungen des Nutzwassers geht hervor, dass bei der Sollwertvorgabe für die Karbonathärte von einer Härtestabilisierung ausgegangen wird. Aus der vorliegenden Dokumentation geht jedoch nicht hervor, dass eine Härtestabilisierung erfolgt. Ein nicht klar definierter Umfang / Häufigkeit der notwendigen Instandhaltungstätigkeiten unter Berücksichtigung der Herstellervorgaben kann zu Ausfall von oder Fehlfunktionen an Anlagenteilen (z. B. der Abschlämmung oder Biziddosierung) mit u. U. gravierenden Auswirkungen auf den hygienischen Betrieb führen.	**Kategorie III**	Die vorliegende Dokumentation zu Instandhaltungstätigkeiten des Systems ist gemäß den nachfolgend beschriebenen Kriterien zu ergänzen bzw. zu aktualisieren. Für alle im Nutzwasser führenden System installierten Anlagen und Komponenten sowie alle Einrichtungen zur Wasserbehandlung und Wasseraufbereitung sind unter Berücksichtigung der Herstellervorgaben die bestehenden Instandhaltungspläne zu überprüfen und ggf. anzupassen. In diesen sind Art, Umfang und Häufigkeit der Maßnahmen zu beschreiben. Auch die von externen Dienstleistern durchzuführenden Maßnahmen sind entsprechend zu beschreiben. Die Tabelle 1 in der VDI 2047 Blatt 2 kann hier als ergänzende Grundlage genutzt werden. Die regelmäßig durchzuführenden Wasseruntersuchungen (Nutzwasser) sind hinsichtlich Probenahmeort, zu untersuchende Parameter und Häufigkeit klar zu definieren. Bei den mikrobiologischen Untersuchungen wird zwischen „regelmäßigen Laboruntersuchungen" und „betriebsinternen Überprüfungen" unterschieden. Die regelmäßigen Laboruntersuchungen sind nach den Kriterien der 42. BImSchV in folgenden zeitlichen Abständen durchzuführen. **Allg. Koloniezahl:** mindestens vierteljährlich **Legionellen:** mindestens vierteljährlich, **Pseudomonaden:** optional (mindestens vierteljährlich)	**Priorität 1**

Tabelle 3.11: Beispielhafte Bewertung der Risikofaktoren und Ableitung von Maßnahmen für eine Verdunstungskühlanlage (Forts.)

Risikofaktoren	Bewertung der Ist-Situation	Relevanz	Notwendige Maßnahmen	Priorität
12. Instandhaltung			Für die Entnahme der erforderlichen Nutzwasserproben sind die Probenahmestellen festzulegen. Sofern „betriebsinterne Überprüfungen" zur Bestimmung der allgemeinen Koloniezahl durchgeführt werden, hat dies vierzehntägig zu erfolgen. Hinsichtlich der physikalisch-chemischen Untersuchungsparameter ist die elektrische Leitfähigkeit kontinuierlich oder mindestens vierzehntägig zu bestimmen. Die Prozess- und anlagenspezifisch zu bestimmenden chemischen Parameter sind aufgrund der Anforderungen an die Qualität des Nutzwassers (s. a. Abschnitt 4. „Nutzwasserqualität") festzulegen und entsprechend zu untersuchen. Auch für diese Parameter wird zunächst ein vierzehntägiges Untersuchungsintervall empfohlen.	

Basierend auf einer solchen Risikobewertung lassen sich im Weiteren die festgestellten Schwachstellen durch den Anlagenbetreiber beseitigen. Gleichzeitig ist diese Vorgehensweise aber auch notwendig, um eine geeignete Instandhaltungsplanung für die Anlagen vorzunehmen. Ohne eine geeignete Gefährdungsbeurteilung stellt der Betrieb von solchen Anlagen einen hygienischen „Blindflug" dar, der vermieden muss (s. a. Kapitel 4.4).

4 Gesetzliche Anforderungen

Dieses Kapitel fasst die gesetzlichen Anforderungen für Verdunstungskühlanlagen und Kühltürme zusammen. Es beginnt mit der Klärung unterschiedlicher Rollen in den Verkehrskreisen, also denjenigen, die mit Planung, Herstellung, Errichtung, Instandhaltung, Betrieb und Überwachung der Anlagen zu tun haben. Diese jeweiligen Adressaten haben sich mit den ihnen obliegenden fachkundlichen Pflichten, bezogen auf die von ihnen zu erbringenden Leistungen, damit zu befassen, dass ihre Leistungen einerseits dem Anforderungsprofil des Stands der Technik entsprechen und andererseits im Miteinander mit den jeweiligen Leistungen der anderen Adressaten harmonieren und funktionieren. Das heißt, eine Planung oder eine Errichtung, die die späteren Bedarfe des bestimmungsgemäßen Betreibens nicht oder nur unzureichend erfüllt, ist mangelhaft. Die Rechtsprechung der Obergerichte kennt neben den Anforderungen, die bei der einzelnen Betrachtungseinheit zu erfüllen sind, auch den Gesamtanspruch des Funktionierens der Anlage in ihrer Gesamtheit.

Im Weiteren finden sich die grundlegenden Anforderungen des Arbeitsschutzrechts, die für den Betrieb von Verdunstungskühlanlagen und Kühltürmen von Bedeutung sind. Aufgrund des erheblichen Umfangs dieses Rechtsgebiets wird hier primär mit Verweisen und den grundlegenden Bezügen zum bestehenden Regelwerk gearbeitet.

Nach einer Kurzeinführung in das Immissionsschutzrecht, mit der Grundlage des Bundes-Immissionsschutzgesetzes (BImSchG), folgt als zentrales rechtliches Regelwerk für die hier behandelten Anlagen die Darstellung und Kommentierung der 42. Bundes-Immissionsschutzverordnung. Der in Grau hinterlegte Text entspricht dem im Bundesgesetzblatt veröffentlichten Text der Verordnung inkl. der Berichtigung vom 09. Februar 2018 bzw. der Begründung zu deren letztem Entwurf.

4.1 Zuordnung der Verantwortungsträger, der Verantwortungsbereiche und die Festlegung der damit verbundenen Pflichten

Betreiber

Die 42. BImSchV verpflichtet an vielen Stellen den *Betreiber*. „Der Gesetzgeber hat keine Definition des Begriffs Betreiber im BImSchG aufgenommen, obwohl der reine Wortlaut des Begriffs nicht selbsterklärend ist, es für die Anwendung zahlreicher immissionsschutzrechtlicher Vorschriften auf den Begriff des Betreibers ankommt und sich daher eine Definition z. B. in den Begriffsbestimmungen des § 3 BImSchG angeboten hätte." [4-1]. Eine fast schon als zynisch zu bezeichnende Definition aus den Verkehrskreisen lautet: „Betreiber einer Anlage ist derjenige, der von der Staatsanwaltschaft als Betreiber einer solchen bezeichnet oder angesehen wird." [4-2].

Diese vorstehende Begriffsbestimmung ist nicht befriedigend, zeigt aber zu Recht auf, dass regelmäßig dann erst eine abschließende innerbetriebliche Zuordnung des Betreibers erfolgt, wenn ein Schadenereignis eingetreten ist. Auf diesen Fall sollten Organisationen nicht warten, sondern bereits frühzeitig eine klare Verantwortungszuordnung vornehmen.

Inhaltsreicher und dadurch auch den Kern der juristischen Verantwortungszuordnung fassend ist die Umschreibung des Betreibers, die der VGH München ausgeurteilt hat [4-3]. Betreiber ist hiernach derjenige, der die Anlage im eigenen Namen, auf eigene Rechnung und in eigener Verantwortung führt. Ebenso kommt es auf die mögliche Einflussnahme hinsichtlich des Betriebs oder des Stillstands einer Anlage an. Zentrale Begriffe sind nach der richterlichen Würdigung der bestimmende Einfluss und das organisatorische Recht, maßgebliche Entscheidungen treffen zu dürfen.

Bezogen auf die Betreiberstellung in einem Konzern gilt, dass eine Zurechnung der Verantwortung auf der Basis der Inhaberstellung (regelmäßig der Eigentümer) und/oder der tatsächlichen Verfügungsgewalt über die Anlage erfolgt. Kriterien, die die maßgebliche Entscheidung der Betreiberzuordnung in einem konkreten Einzelfall bedingen, sind die tatsächliche Verfügungsmacht, die vermögensrechtliche Zuordnung, die Erfüllung der Aufgabe der Erhaltung der Anlage, die tatsächliche Nutzung derselben und das Nutznießen der wirtschaftlichen Vorteile aus dem Betrieb der Anlage im Rahmen einer Gesamtbetrachtung [4- 4].

Im Umweltrecht obliegt dem Betreiber die Pflicht zur Erfüllung der Schutzanforderungen nach dem Stand der Technik. In § 3 Absatz 6 des BImSchG wird hierzu ausgeführt:

> Stand der Technik im Sinne dieses Gesetzes ist der Entwicklungsstand fortschrittlicher Verfahren, Einrichtungen oder Betriebsweisen, der die praktische Eignung einer Maßnahme zur Begrenzung von Emissionen in Luft, Wasser und Boden, zur Gewährleistung der Anlagensicherheit, zur Gewährleistung einer umweltverträglichen Abfallentsorgung oder sonst zur Vermeidung oder Verminderung von Auswirkungen auf die Umwelt zur Erreichung eines allgemein hohen Schutzniveaus für die Umwelt insgesamt gesichert erscheinen lässt. Bei der Bestimmung des Standes der Technik sind insbesondere die in der Anlage aufgeführten Kriterien zu berücksichtigen.

Der Stand der Technik verkörpert also das aktuelle Wissen der Jetztzeit und verlangt den Verpflichteten das stete Bestreben ab, eigenes Wissen zu mehren und dieses Wissen im unmittelbaren Abgleich zum eigenen Handeln und den Vorgaben der neueren Erkenntnisstände zu bringen und umzusetzen.

Vereinfacht lässt sich der Betreiber als der Verantwortungsträger darstellen, der durch sein rechtliches Handelnmüssen oder sein tatsächliches Handelnkönnen auf der Basis der eigenen Verantwortlichkeit für den sicheren Betrieb aktiv werden muss. Dieses Muss gilt insbesondere dann, wenn Personen-, Umwelt- oder Sachschäden zu befürchten sind.

Die Frage, ob sich eine haftungsrechtliche Konstellation aus der Betreiberverantwortung auch dann ergeben kann, wenn ein „Leihgerät“ Verwendung findet, ist eindeutig zu bejahen. Der Nomenklatur halber hat zunächst der Hinweis zu erfolgen, dass eine Leihe rechtlich eine unentgeltliche Gebrauchsüberlassung darstellt und in der Realität wohl eher von einem Mietobjekt (z. B. Kühlturm) auszugehen ist, aber das ist eben nur eine Frage der juristischen Definition. Von entscheidender Bedeutung ist die bereits vom Verwaltungsgerichtshof Baden-Württemberg gefundene Definition, der zufolge der Betreiber ist, wer die tatsächliche oder rechtliche Möglichkeit hat die notwendigen Entscheidungen im Hinblick auf die Sicherheit der Anlage zu treffen (abgedruckt im Deutschen Verwaltungsblatt 1988, S. 542).

Diese Öffnung des Betreiberbegriffs bedeutet, dass der Betreiber als Rechtsfigur mit dem Eigentümer gleichzusetzen ist, aber stellenweise (insbesondere im Hinblick auf gesonderte vertragliche Regelungen) auch der Besitzer/Mieter einer Anlage in einer zentralen Betreiberverantwortung zu erkennen ist.

Eine besondere Konstellation ergibt sich regelmäßig bei z. B. großen Shopping-Centern. Dort gibt es mehrere Beteiligte im Zusammenhang mit den jeweiligen Betreiberpflichten. Konkret handelt es sich hierbei um den Eigentümer der Liegenschaft/der technischen Anlage als sachenrechtlicher Verantwortungsträger, einem Verwalter, dem entsprechend der Beauftragung besondere Erfüllungs- und Kontrollpflichten obliegen, einem Objektmanager für das operative Tagesgeschäft, einer Fachfirma für die Erfüllung spezieller Instandhaltungsaufgaben sowie einem Dienstleister für die Wasserbehandlung. Diese fünf Protagonisten müssen das wechselseitige Miteinander auf der Basis einer vertraglichen Vereinbarung, einhergehend mit einer punktgenauen Schnittstellenfestlegung, geregelt haben, da sich andernfalls die Gerichte Gedanken darüber machen werden, wer Zustands-, Handlungs- oder Veranlassungsstörer ist.

Einfacher als die Zuordnung der Verantwortung aus umweltrechtlicher Sicht ist die Zuweisung der verantwortlichen Aufgabenbereiche aus der Stellung als *Arbeitgeber*. Der § 2 des Arbeitsschutzgesetzes (ArbSchG) führt hierzu in Absatz 3 aus:

> Arbeitgeber im Sinne dieses Gesetzes sind natürliche und juristische Personen und rechtsfähige Personengesellschaften, die Personen nach Absatz 2 beschäftigen.

In § 2 Abs. 2 des ArbSchG werden neben anderen Personen auch die üblichen Arbeitnehmerinnen und Arbeitnehmer als Beschäftigte i. S. des ArbSchG benannt. Die sich aus dem Arbeitsschutz ergebenden Anforderungen werden eingehend in Kapitel 4.2 dargestellt.

Baubeteiligte

Eine auf mehrere Protagonisten ausgerichtete Betrachtungsweise zu den Verantwortungsträgern und den jeweiligen Verantwortungsbereichen ergibt sich mit Blick auf die am Bau Beteiligten. Gleichgültig ob Architekt, Planer, Bauleiter, Fachplaner, Werk- oder Subunternehmer – wer durch seine Tätigkeit einen Fehler bedingt hat, haftet dem Bauherrn. Dieses gilt ebenso, wenn der Fehler nur mitverursacht wurde oder aber eine geeignete Reaktion ausgeblieben ist, obschon der Fehler eines anderen hätte bemerkt und angezeigt werden müssen. In welcher Quotelung sich die jeweilige Verantwortungszuweisung als Teil der gesamtschuldnerischen Haftung darstellt, bleibt die konkrete Frage des Einzelfalls.

Für den *Planer* gilt, dass eine Ingenieurleistung regelmäßig dann mangelhaft ist, wenn sie funktionsuntauglich ist. Ebenso kann ein Mangel vorliegen, wenn die Planung zwar technisch funktionstauglich ist, aber die geschuldete Optimierung der Nutzbarkeit nicht erreicht wird [4-5]. Der Architektenvertrag bedingt ebenso wie die vertraglichen Regelungen zur Errichtung eines Werks den geschuldeten Werkerfolg.

Bei dem Werkerfolg handelt es sich um die Betrachtungsweise aus der Nachschau, also nach der Fertigstellung der zu erbringenden Leistung. Hervorzuheben ist hierbei die Wechselbezüglichkeit zwischen den einzelnen Leistungserbringern und dem Funktionieren des Ganzen. Jeder Beteiligte hat bezogen auf das Leistungsbild in der jeweiligen Leistungsphase (Grundlagenermittlung, Vorplanung, Entwurfsplanung, Genehmigungsplanung, Ausführungsplanung bis hin zur Bauüberwachung, Objektbetreuung und Dokumentation) die ihn jeweils treffenden Aufklärungs-, Beratungs- und Koordinierungspflichten so zu erfüllen, dass sich der Werkerfolg in seiner Gesamtheit einstellen kann (und auch muss).

Anforderungen ergeben sich aus dem Erfordernis einer sachgerechten und gebrauchstauglichen Planung, einer ordnungsgemäßen Vorbereitung und Mitwirkung der Auftragsvergabe nach der Vergabe- und Vertragsordnung für Bauleistungen ebenso wie aus der ausreichenden Durchführung von Überwachungspflichten inklusive der Rechnungsprüfung. Bei objektüberwachender Tätigkeit sind auch die Verkehrssicherungspflichten wahrzunehmen und einzuhalten. Diese Rechtspflichten bestehen auch nach der aktuellen Änderung des Bürgerlichen Gesetzbuchs (BGB) hinsichtlich der Einführung der bauvertraglichen §§ 650a bis 650v weiterhin fort.

Ein weiterer Pflichtenkreis ergibt sich aus der Stellung als *Instandhalter*. Das Verständnis des Begriffs der Instandhaltung leitet sich aus der DIN 31051:2012-09 ab. Die Instandhaltung umfasst die vier Grundmaßnahmen, bestehend aus der Wartung, der Inspektion, der Instandsetzung und der Verbesserung. Sie umschreibt die Kombination aller technischen und administrativen Maßnahmen sowie Maßnahmen des Managements während des Lebenszyklus einer Einheit, die dem Erhalt oder der Wiederherstellung ihres funktionsfähigen Zustands dient, sodass sie die geforderte Funktion erfüllen kann. Die Instandhaltung wird regelmäßig einer vertraglichen Abrede von einem Externen als erfolgsgeschuldete Werksleistung (§ 631 BGB) erbracht oder als betriebsinterne Aufgabenzuweisung auf einen geeigneten Leistungserbringer übertragen. Die Instandhaltung ist nur dann ordnungsgemäß leistbar, wenn die insoweit erforderliche Fachkunde gegeben ist. Zu § 2 (Begriffsbestimmungen) der 42. BImSchV wird insoweit zu Ziffer 19 ausgeführt, dass eine „hygienisch fachkundige Person" eine Person ist, die an einer Schulung entsprechend der Richtlinie VDI 2047 Blatt 2, Ausgabe Januar 2018, oder der Richtlinie VDI 6022 Blatt 4, Ausgabe August 2012, oder vergleichbarer Art und vergleichbarem Umfangs teilgenommen hat.

Die „hygienisch fachkundige Person" hat sich zunächst mit der Gefährdungsbeurteilung zu befassen, also sich im Rahmen einer Risikoanalyse und -bewertung unter Einbeziehung des Anlagenschemas, der technischen Daten, der eingesetzten Werkstoffe usw. ein Gesamtbild von den Handlungserfordernissen, z. B. in der Gestalt von Reinigungs- und Instandhaltungsintervallen, zu verschaffen und diesem im Rahmen seiner weiteren Handlungen Folge zu leisten oder dafür zu sorgen, dass diesem Folge geleistet wird. Ein Teilaspekt dieser Gefährdungsbeurteilung ist selbstverständlich auch das Herausfinden von Gefährdungslagen für diejenigen, die an der Anlage arbeiten bzw. im Zusammenhang mit den Arbeitsstoffen in entsprechendem Kontakt sind oder treten können. Ergebnisse der Gefährdungsbeurteilungen sind zu dokumentieren, damit einerseits den Anforderungen des Arbeitsschutzes Rechnung getragen wird und andererseits den Erfordernissen der Dokumentationspflichten im Betriebstagebuch entsprochen wird.

4.2 Arbeitsschutz beim Betrieb von Verdunstungskühlanlagen und Kühltürmen

Der gesetzliche Arbeitsschutz erhebt zunächst keine gesonderten Anforderungen, die speziell auf Verdunstungskühlanlagen oder Kühltürme ausgerichtet sind, sondern orientiert sich grundlegend und allgemeingültig an der verpflichtenden Vorgabe das Schutzziel des Erhalts der Sicherheit und der Gesundheit der Beschäftigten. „Der Arbeitgeber ist nach dem ArbSchG in Verbindung mit den zugehörigen Verordnungen verpflichtet, eine Gefährdungsbeurteilung durchzuführen. Er hat dabei die mit den Tätigkeiten verbundenen Gefährdungen arbeitsplatzbezogen festzustellen und die daraus abzuleitenden Maßnahmen zur Verhütung von arbeitsbedingten Gesundheitsgefahren zu ermitteln." VDI 3810 Baltt 1.1.

Konkret wird zu dem Aspekt der Gefährdungsbeurteilung in § 5 des ArbSchG festgelegt:

(1) Der Arbeitgeber hat durch eine Beurteilung der für die Beschäftigten mit ihrer Arbeit verbundenen Gefährdung zu ermitteln, welche Maßnahmen des Arbeitsschutzes erforderlich sind.

(2) Der Arbeitgeber hat die Beurteilung je nach Art der Tätigkeiten vorzunehmen. Bei gleichartigen Arbeitsbedingungen ist die Beurteilung eines Arbeitsplatzes oder einer Tätigkeit ausreichend.

(3) Eine Gefährdung kann sich insbesondere ergeben durch

1. die Gestaltung und die Einrichtung der Arbeitsstätte und des Arbeitsplatzes,
2. physikalische, chemische und biologische Einwirkungen,
3. die Gestaltung, die Auswahl und den Einsatz von Arbeitsmitteln, insbesondere von Arbeitsstoffen, Maschinen, Geräten und Anlagen sowie den Umgang damit,
4. die Gestaltung von Arbeits- und Fertigungsverfahren, Arbeitsabläufen und Arbeitszeit und deren Zusammenwirken,
5. unzureichende Qualifikation und Unterweisung der Beschäftigten,
6. psychische Belastungen bei der Arbeit.

Die Beurteilung der mit den Arbeitsbedingungen verbundenen Gefährdungen für die Gesundheit der Beschäftigten ist die Basis für die Erhebung der arbeitgeberseits abzuleitenden Maßnahmen zum Schutz der Beschäftigten. § 2 Abs. 1 des ArbSchG führt hierzu aus:

Maßnahmen des Arbeitsschutzes im Sinne dieses Gesetzes sind Maßnahmen zur Verhütung von Unfällen bei der Arbeit und arbeitsbedingten Gesundheitsgefahren einschließlich Maßnahmen der menschengerechten Gestaltung der Arbeit.

Zur Erfüllung dieser Anforderungen bedarf es einer innerbetrieblichen Organisation, die sich vorrangig an dem Erhalt der gesetzlich eingeforderten Schutzziele orientiert.

In § 3 des ArbSchG heißt es hierzu:

(1) Der Arbeitgeber ist verpflichtet, die erforderlichen Maßnahmen des Arbeitsschutzes unter Berücksichtigung der Umstände zu treffen, die Sicherheit und Gesundheit der Beschäftigten bei der Arbeit beeinflussen. Er hat die Maßnahmen auf ihre Wirksamkeit zu überprüfen und erforderlichenfalls sich ändernden Gegebenheiten anzupassen. Dabei hat er eine Verbesserung von Sicherheit und Gesundheitsschutz der Beschäftigten anzustreben.

(2) Zur Planung und Durchführung der Maßnahmen nach Absatz 1 hat der Arbeitgeber unter Berücksichtigung der Art der Tätigkeiten und der Zahl der Beschäftigten

1. für eine geeignete Organisation zu sorgen und die erforderlichen Mittel bereitzustellen sowie
2. Vorkehrungen zu treffen, dass die Maßnahmen erforderlichenfalls bei allen Tätigkeiten und eingebunden in die betrieblichen Führungsstrukturen beachtet werden und die Beschäftigten ihren Mitwirkungspflichten nachkommen können.

(3) Kosten für Maßnahmen nach diesem Gesetz darf der Arbeitgeber nicht den Beschäftigten auferlegen.

„Mit der Verpflichtung des Arbeitgebers, gemäß § 3 Abs. 1 S. 1 ArbSchG die erforderlichen Maßnahmen des Arbeitsschutzes i. S. von § 2 Abs. 1 unter Berücksichtigung der Umstände, welche die Sicherheit der Beschäftigten beeinflussen, zu treffen, wird in Form einer Generalklausel als eine umfassende und präventionsorientierte Handlungspflicht des Arbeitgebers festgelegt." [4-6].

Der Gedanke des Arbeitsschutzes hat regelmäßig bei Neuinstallationen einen neuralgischen Punkt, nämlich den Probebetrieb. Grundsätzlich bedeutet der Probebetrieb, dass vor dem Übergang der Anlage in den Verantwortungsbereich des Betreibers/Arbeitgebers der Hersteller/Lieferant die Endprüfungsphase der Anlage vorzunehmen hat, und zwar ungeachtet der Tatsache, dass dieses regelmäßig im Betriebsbereich des Betreibers erfolgt. Der Probebetrieb ist also Teil der hersteller-/errichterseits geschuldeten Inbetriebsetzung vor dem Verantwortungsübergang auf den späteren Betreiber. Der wird als späterer Verwender zunächst in die Anlage eingewiesen werden müssen, um dann im Weiteren – insbesondere auch unter Einbeziehung der Vorlage und Übergabe der erforderlichen Dokumentation – durch die Abnahme den Verantwortungsübergang auf sich abzuschließen. Besondere Gefährdungen während des Probebetriebs sind wegen der noch nicht abschließend gefestigten Rahmenbedingungen mit höheren Risiken belastet, weshalb es einer Festlegung des Ablaufs des Probebetriebs unter gesonderter Beurteilung der insoweit gegebenen Gefährdungen und Risiken bedarf. Ebenso sind Schutzmaßnahmen für den Probebetrieb festzulegen, diese auf deren Wirksamkeit zu überprüfen und schließlich auch die Beschäftigten gesondert für den Zeitraum des Probebetriebs zu unterweisen.

Der Präventionsgedanke, also der vorausschauende Schutz zugunsten der Sicherheit der Beschäftigten, existiert bereits seit dem Inkrafttreten des BGB. Dort wird zu § 618 gefordert, dass der Arbeitgeber seine Beschäftigten in dem Maße schützt, „als die Natur der Dienstleistung es ermöglicht". Gleichbedeutend mit dem Arbeitsschutzgesetz wird der Präventionsgedanke auch im sogenannten Autonomen Arbeitsschutzrecht vorangestellt. Hierbei handelt es sich um das Recht der Unfallkassen, das gemäß § 15 SGB VII in der Rechtsordnung fest verankert ist. Dieses Recht der Unfallkassen beschreibt die arbeitsschutzrechtliche Pflicht, auch die Anforderungen der Berufsgenossenschaften (Unfallversicherungsträger) als Rechtspflichten zu erkennen und zu erfüllen (Gemeinsame Deutsche Arbeitsschutzstrategie – GDA) und hat auf der Höhe des Schutzniveaus des Stands der Technik zu erfolgen.

Der Arbeitgeber muss gemäß § 3 Abs. 1 S. 3 ArbSchG eine Verbesserung des Arbeitsschutzes anstreben und dabei gemäß § 4 Abs. 3 ArbSchG den Stand der Technik, Arbeitsmedizin,

Hygiene sowie sonstige gesicherte arbeitswissenschaftliche Erkenntnisse berücksichtigen. Der dynamisch wirkende Charakter dieser Regelung wird durch den Erwägungsgrund Nr. 14 zur BG-Rahmenrichtlinie Arbeitsschutz untermauert, wonach der Arbeitgeber verpflichtet ist, sich unter Berücksichtigung der in seinem Unternehmen bestehenden Risiken über den neuesten Stand der Technik zu informieren [4-6].

Maßnahmen des Arbeitsschutzes im Sinne von § 2 Abs. 1 ArbSchG dürfen sich entsprechend der umfassenden Zielsetzung des ArbSchG zur Gewährleistung und Verbesserung von Sicherheit und Gesundheitsschutz der Beschäftigten bei der Arbeit nicht nur auf die Abwehr oder Begrenzung schon eingetretener Gefahren beschränken. Eine wirksame Prävention im Sinne eines übergeordneten Grundsatzes muss früher ansetzen und daher Gefährdungen ermitteln und Risiken bewerten [4-6].

Somit ist arbeitgeberseits nur dann den arbeitsschutzrechtlichen Anforderungen entsprochen, wenn das erforderliche und ausreichende Maß an vorausschauender Sorgfalt so eingebracht wird, dass die Wahrscheinlichkeit eines Schadeneintritts weitestgehend minimiert ist. Die vorbeugenden Maßnahmen orientieren sich an dem Handeln eines besonnenen und vernünftig handelnden Arbeitgebers, der vorrangig um das Wohl der Beschäftigten besorgt ist.

Quasi selbstverständlich ist in diesem Zusammenhang auch im ArbSchG geregelt, dass eine Dokumentation vorzuhalten ist, die das Bemühen des Arbeitgebers um die Sicherheit der Beschäftigten belegt. § 6 Abs. 1 S. 1 des ArbSchG führt hierzu aus:

> Der Arbeitgeber muss über die je nach Art der Tätigkeiten und der Zahl der Beschäftigten erforderlichen Unterlagen verfügen, aus denen das Ergebnis der Gefährdungsbeurteilung, die von ihm festgelegten Maßnahmen des Arbeitsschutzes und das Ergebnis ihrer Überprüfung ersichtlich sind.

Diese Vorgabe dient der Evaluierung der mit den Arbeitsbedingungen verbundenen Gefahren. Als Beispiele für die vorzuhaltenden Dokumente kommen in Frage:

- Betriebsanweisungen,
- Sicherheitsanalysen,
- Verfahrensanweisungen,
- Arbeitsbereichsanalysen,
- Stellen- und Aufgabenbeschreibungen und
- Arbeitsfreigabescheine [4-7].

Ohne eine entsprechende Dokumentation ist arbeitgeberseits bereits Verwaltungsunrecht begangen worden, das im Rahmen des Ordnungswidrigkeitsrechts bußgeldbewährt ist. Kommt es zu einem Schaden, bei dem Leib oder Leben der Beschäftigten verletzt werden, ist die fehlende Dokumentation zur Arbeitssicherheit ein Beleg für ein verbotswidriges Unterlassen und damit ein Beleg für einen Straftatbestand.

Zusammenfassend ist festzustellen, dass die Gefährdungsbeurteilung zunächst aus der Identifikation gegebener Risiken im Zusammenhang mit der Arbeitsstätte, dem Arbeitsmittel, dem Arbeitsgegenstand, dem Arbeitsverfahren oder dem Arbeitsstoff besteht. Danach erfolgt eine

Bewertung des identifizierten Risikos (Was kann im schlimmsten Fall passieren? Wie wahrscheinlich ist ein Schadeneintritt?). Aus dieser Risikobewertung leitet der Arbeitgeber die Maßnahmen ab, die zielführend dem Schadeneintritt oder aber zumindest der Schadenauswirkung erfolgreich entgegenwirken. Schlussendlich wird fortlaufend überwacht, ob die abgeleiteten Schutzmaßnahmen weiterhin wirksam den Schutz der Beschäftigten gewährleisten. Diese Handlungspflichten resultieren aus der Fürsorgepflicht, die der Arbeitgeber vorsorglich zu erfüllen hat. Wird der Arbeitgeber diesem Anspruch nicht gerecht und unterlässt er das ihm abzuverlangende Maß an Sorgfalt, wird ihm dieses Unterlassen haftungsrechtlich angelastet. Eine spezielle Ausrichtung für die einzuhaltenden Arbeitsschutzvorgaben im Zusammenhang mit Verdunstungskühlanlagen und Kühltürmen findet sich in der VDI Richtlinie 2047 Blatt 2: „Beschäftigte können sowohl im Rahmen ihrer Tätigkeiten (z. B. Instandhaltungsarbeiten) als auch im Rahmen von Tätigkeiten, welche im Umfeld aerosolerzeugender wasserführender Anlagen stattfinden, direkt mit biologisch kontaminiertem Wasser und Bioaerosolen in Kontakt kommen. Beide Tätigkeitsformen unterliegen den Regelungen der BioStoffV."

In beiden Fällen bietet die TRBA 500 eine praktische Umsetzungshilfe. Sie zeigt auf, mit welchen Maßnahmen die Risiken adäquat minimiert werden können.

Die Technischen Regeln für biologische Arbeitsstoffe (TRBA) verkörpern den Stand der Technik, Arbeitsmedizin, Arbeitshygiene sowie sonstiger gesicherter wissenschaftlicher Erkenntnisse, sind also per se geeignet, das Schutzniveau darzulegen, das der Betreiber rechtlich zu erfüllen hat. Der Begriff der biologischen Arbeitsstoffe ist in der BioStoffV abschließend definiert und erfasst u. a. Bakterien. Als grundlegende Hygienemaßnahmen werden die baulichen, technischen, organisatorischen und/oder persönlichen Schutzmaßnahmen verstanden, die zur Verringerung der Belastung der Beschäftigten mit u. a. Bakterien beitragen. Hervorgehoben erwähnt werden hierbei Bioaerosole, die als luftgetragene Teilchen oder Tröpfchen biologischer Herkunft bezeichnet werden und die ihrerseits die Gesundheit des Menschen durch infektiöse, allergische oder toxische Wirkmechanismen beeinflussen können. Die TRBA beschreibt im Weiteren die möglichen Aufnahmepfade, benennt Beispiele für Tätigkeiten mit möglichen Expositionen und listet auch die insoweit einzuhaltenden Schutzmaßnahmen auf.

4.3 Das Immissionsschutzrecht

Schulze-Fielitz bringt es im Handbuch des Technikrechts auf den Punkt, wenn er dort ausführt: „Die herausragende Bedeutung technischer Regeln und Grenzwerte im Umweltrecht lässt sich durch die spezifischen Funktionen des Umweltrechts erklären." [4-8].

Zentrale Funktionen sind:

- die Schaffung von Schutzstandards zur Gefahrenabwehr,
- die Festlegung von Vorsorge- und Risikostandards und
- die Herausarbeitung von Verfahrensstandards.

Die dem Regelungsgegenstand der 42. BImSchV zugewiesenen Verdunstungskühlanlagen und Kühltürme sind als nicht genehmigungsbedürftige Anlagen gemäß § 22 Bundes-Immissionsschutzgesetz (BImSchG) zu erkennen.

§ 22 BImSchG Pflichten der Betreiber nicht genehmigungsbedürftiger Anlagen

(1) Nicht genehmigungsbedürftige Anlagen sind so zu errichten und zu betreiben, dass

1. schädliche Umwelteinwirkungen verhindert werden, die nach dem Stand der Technik vermeidbar sind,
2. nach dem Stand der Technik unvermeidbare schädliche Umwelteinwirkungen auf ein Mindestmaß beschränkt werden und
3. die beim Betrieb der Anlagen entstehenden Abfälle ordnungsgemäß entsorgt werden können.

Im Kommentar von Jarass zum BImSchG folgt daraus: „Die in § 22 Abs. 1 geregelten Grundpflichten für nicht genehmigungsbedürftige Anlagen betreffen in Satz 1 Nr. 1 und in Satz 1 Nr. 2 schädliche Umwelteinwirkungen, also schädliche Immissionen. Dabei geht es allein um die Gefahrenabwehr, nicht um die Vorsorge.“ [4-9].

Folgerichtig finden sich Regelungen zur Gefahrenabwehr im Verordnungstext der 42. BImSchV:

§ 9 Maßnahmen bei einer Überschreitung der Maßnahmenwerte

(2) Bestätigt die zusätzliche Laboruntersuchung nach Absatz 1 Nummer 3 eine Überschreitung der in Anlage 1 genannten Maßnahmenwerte, hat der Betreiber unverzüglich zusätzlich Gefahrenabwehrmaßnahmen, insbesondere zur Vermeidung der Freisetzung mikroorganismenhaltiger Aerosole, zu ergreifen.

Weitere Konkretisierungen zur Umsetzung entsprechender Gefahrenabwehrmaßnahmen finden sich nachstehend auch in der amtlichen Begründung der 42. BImSchV.

Zu § 3 Allgemeine Anforderungen

4. Durch die Vorgaben der Verordnung sollen Verdunstungskühlanlagen mit möglichst geringem hygienischem Risiko betrieben werden. Dazu ist es erforderlich, im Rahmen der Risikoanalyse mögliche Gefährdungen, u. a. im Hinblick auf die hygienische Sicherheit, die Prozesssicherheit und die Anlagensicherheit, zu identifizieren und das Risiko hinsichtlich Eintrittswahrscheinlichkeit und potentiellem Schadensausmaß abzuschätzen. Zentrales Element der Risikoanalyse ist die Identifizierung hygienisch kritischer Stellen und Betriebszustände. Hierzu bedarf es u. a. der Dokumentation der technischen Daten der Anlage, Vorgaben für den hygienisch einwandfreien Betrieb der Anlage bis hin zur Beschreibung von Standardreaktionen auf Abweichungen vom hygienisch unbedenklichen Betrieb. Die anlagenbezogene Gefährdungsbeurteilung ermöglicht das Ergreifen sachgerechter Maßnahmen für einen ordnungsgemäßen Betrieb, für technische Maßnahmen bei Überschreitung von Prüfwerten oder zusätzliche Gefahrenabwehrmaßnahmen bei Überschreitung von Maßnahmenwerten.

Zu § 9 Maßnahmen bei einer Überschreitung der Maßnahmenwerte

1. Eine Überschreitung der Maßnahmenwerte, die in Anlage 1 bestimmt sind, kann sowohl im Rahmen einer regelmäßigen Laboruntersuchung durch das akkreditierte Prüflaboratorium nach § 4 Absatz 3 oder § 7 Absatz 2 als auch im Rahmen einer Anlassuntersuchung infolge § 6 Absatz 1 oder § 8 Absatz 1 festgestellt werden. In jedem dieser Fälle ist eine erneute Untersuchung zu veranlassen. Bereits unabhängig vom Ergebnis der erneut zu veranlassenden Untersuchung ist unverzüglich eine Untersuchung zur Differenzierung der nachgewiesenen Legionellen nach bestimmten Legionellenarten zu veranlassen. Die Kenntnis der beteiligten Legionellenarten ist entscheidende Grundlage für zu ergreifende Gefahrenabwehrmaßnahmen, insbesondere mit Blick auf sensible Bereiche im Einwirkungsbereich der Anlage.

2. Bei Bestätigung der Überschreitung des Maßnahmenwertes hat der Betreiber zusätzliche Maßnahmen zur Gefahrenabwehr zu ergreifen. Sollte die Überschreitung des Maßnahmenwertes durch die erneut zu veranlassende Untersuchung nicht bestätigt werden, so greifen die Maßnahmen entsprechend der bestätigten Legionellenkonzentration (Prüfwert 1 / Prüfwert 2).

Zu § 10 Informationspflichten

Eine Überschreitung des Maßnahmenwertes führt unmittelbar, insbesondere unabhängig vom Ergebnis der zu veranlassenden zusätzlichen Untersuchung, zu einer Information der nach Landesrecht zuständigen Behörden. Neben den Immissionsschutzbehörden kommen insbesondere die Gesundheitsbehörden in Betracht, um eine unverzügliche Einleitung von Maßnahmen zur präventiven Gefahrenabwehr zu ermöglichen. Innerhalb von vier Wochen sind die zuständigen Behörden über die ergriffenen und ggf. noch zu ergreifenden Maßnahmen zu informieren, insbesondere als Prüfungsgrundlage für die Notwendigkeit fortbestehender oder weiterer Maßnahmen zur Gefahrenabwehr. Die hier geregelte Meldepflicht hat keinen Einfluss auf Informations- oder Meldepflichten nach anderen Vorschriften, insbesondere seuchenhygienischen Regelungen. Der Umfang der zu übermittelnden Informationen wird in Anlage 3 festgelegt.

Ein weiterer Aspekt der immissionsschutzrechtlichen Regelungen ist die Vorsorge. Die dem Vorsorgeprinzip allgemein innewohnende Risikovorsorge unterscheidet rechtlich zwischen Gefahr, Risiko und Restrisiko. Eine Gefahrenabwehr ist erforderlich, wenn die Gefahrenschwelle erreicht wird. Bei darunterbleibendem Risiko mit bestehendem Besorgnispotenzial ist die Vorsorge zu seiner Minimierung bis zur Akzeptanzschwelle des als Risiko-Rest den Staat zu keiner Maßnahme verpflichtenden Restrisikos. Gefahrenabwehr will durch Verhüten (Prävention) und Unterbinden (Repression) von Gefahren erhebliche Beeinträchtigungen der Umwelt oder ihrer Teile abwenden. Je gewichtiger die zu besorgende Umweltbeeinträchtigung ist, desto geringer sind die an die Eintrittswahrscheinlichkeit zu stellenden Anforderungen [4-10].

Dieses bedeutet, dass nach der „Je-desto-Formel" die staatliche Intervention nur dann rechtmäßig (verhältnismäßig im engeren Sinne) ist, wenn auf der einen Seite eine dramatische Entwicklung nahezu greifbar ist und deshalb auf der anderen Seite grundsätzlich grundrechtlich geschützte Güter, wie das Eigentumsrecht oder die Handlungsfreiheit, eingeschränkt werden dürfen. Der Bürger hat seine Grundrechte als Abwehrrechte gegen den Staat und wenn der Staat in diese Rechtssphäre des Bürgers eingreift (z. B. eine Stilllegungsverfügung ist eine massive Intervention gegen die Rechte der Berufsausübungsfreiheit), dann muss das Interesse des Allgemeinwohls deutlich überwiegen. Die zu besorgende Umweltbeeinträchtigung ist also die reale Angst vor z. B. der Austragung von Keimen in die Atemluft.

Die Regelungen zur Vorsorge finden sich demgemäß auch in der 42. BImSchV.

Als ultima ratio kann bei einer zu besorgenden Verletzung von höchstrangigen Rechtsgütern, wie dem Leben und der Gesundheit der Bevölkerung, seitens der Behörde auch eine Stilllegungsverfügung ergehen, und zwar in letzter Konsequenz ohne eine Rücksichtnahme auf mit der Stilllegung der Anlage sicher eintretende wirtschaftliche Folgen. Die Rechtsordnung ist darauf ausgelegt, dass der Staat – hier handelnd durch die Behörden – die körperliche Integrität der Menschen an oberster Stelle zu wahren hat. Im Rahmen einer Verhältnismäßigkeitsprüfung ist zu werten, ob eine Maßnahme geeignet, erforderlich und im engeren Sinne verhältnismäßig ist, was einen gewissen Schutz der Anlagenbetreiber bedeutet, doch gibt es Fälle, in denen nur mit der sofortigen Stilllegung einer Anlage der Erhalt der Gesundheit und die Wahrung der Sicherheit der Bevölkerung erreicht werden kann.

Rechtlich sind solche Abwägungen im Rahmen von einstweiligen Anordnungsverfahren, also in vorläufigen Eilverfahren durch Gerichte zu überprüfen. Hier kommt es dann auf den konkreten Einzelfall an, der die jeweilige Schadenserwartung des Betreibers in Relation zur Schädigungsprognose des fortgeführten Betriebs der Anlage setzt.

Ob in diesem konkreten Einzelfall durch eine sachverständige Gefährdungsbeurteilung erreicht werden kann, dass dann den wechselseitig gegebenen Interessenlagen dadurch ausreichend Rechnung getragen werden kann, dass ein Kühlturm/Hybridkühler ohne Wasserkreislauf weiter betrieben werden darf, ist keine Frage der juristischen Kompetenz, sondern Gegenstand der rechtlichen Erörterung im Zusammenhang mit dem insoweit maßgeblichen Sachverständigengutachten.

§ 16 Weitergehende Anforderungen

(2) Hat die zuständige Behörde bei einer Anlage im Einzelfall bereits Anforderungen zur Vorsorge gegen schädliche Umwelteinwirkungen durch Luftverunreinigungen gestellt, die über die Anforderungen dieser Verordnung hinausgehen, sind diese weiterhin maßgeblich.

Regelungen zur Vorsorge finden sich ebenso in den Vorbemerkungen zu der 42. BImSchV.

C. Alternativen

Bundeseinheitliche rechtliche Anforderungen für einen hygienisch einwandfreien Betrieb von Verdunstungskühlanlagen, Nassabscheidern und Kühltürmen gibt es bisher nicht. Aufgrund anderer Rechtsvorschriften können keine gleichwertigen Anforderungen zum Schutz und zur Vorsorge an den Betrieb von Anlagen gestellt werden.

Schließlich sind aus immissionsschutzrechtlicher Sicht noch die Verfahrensstandards zu benennen. Regelungen zu den Verfahrensstandards beziehen sich auf rechtspolitisch zu wertende Entscheidungen, die unter Berücksichtigung der „wissenschaftlich begründeten objektiven Wahrscheinlichkeit und subjektiven Schätzungen in Form von politischer Bewertungen pragmatisch[en]" [4-8] Vorgaben zu Verfahrensabläufen festlegen. „In der inneren Struktur von Abwägungsentscheidungen gelten aber auch Regeln über die Bestimmung von Kosten und Nutzen über die Folgen von Ungewissheiten, etwa bei Prognosen, sowie die Akzeptanzschwelle für Risiken." [4-8].

Die zentrale Frage der Ausrichtung und Erhebung von Verfahrensstandards ist: Wie viel Sicherheit ist als die ausreichende Sicherheit zu erkennen? Die Betrachtung und insbesondere Akzeptanz eines verbleibenden Restrisikos im Zusammenhang mit der Nutzung technischer Anlagen und Einrichtungen hat auf der Basis eines gesellschaftspolitischen Abwägungsprozesses zu erfolgen.

Auch zu dem Aspekt der immissionsschutzrechtlichen Trias finden sich in dem Verordnungstext entsprechende Regelungen, die sich aber vorrangig auf die Verfahren zur Probennahme und die Untersuchung zur Bestimmung von Legionellen beziehen, was an anderer Stelle in diesem Buch gesonderte Berücksichtigung findet. Das Dreigestirn der immissionsschutzrechtlichen Trias, bestehend aus dem Vorsorgeprinzip („Was ist zu tun?"), dem Verursacherprinzip („Wer trägt die Kosten?") und dem Kooperationsprinzip („Wie und durch wen ist zu handeln?") gehört zu den allgemein anerkannten Handlungsgrundsätzen der deutschen Umweltpolitik. Zu den immissionsschutzrechtlich ausgerichteten Standards findet sich eine sehr nachhaltige Ausführung in der Anlage zur Begründung des Entwurfs der 42. BImSchV.

Diese bezieht sich im Wesentlichen auf die nicht genehmigungsbedürftigen Anlagen. Für diese existieren zwei VDI-Richtlinien, die ausweislich der Begründung der 42. BImSchV den Stand der Technik darstellen. Die VDI-Richtlinie 3679 Blatt 1 enthält Richtlinien für die Bauarten, den Betrieb und die Instandhaltung von Nassabscheidern. Nassabscheider sind Anlagen, die zur Abgasreinigung eingesetzt werden, weil mit ihnen Verunreinigungen aus dem Abgas durch Einbringen einer Waschflüssigkeit gebunden und abgeschieden werden können. Zum anderen betrifft dies die VDI-Richtlinie 2047 mit den Blättern 2 und 3 für Bauarten, den Betrieb und die Instandhaltung von Verdunstungskühlanlagen und Kühltürmen. Diese Anlagen werden für den Abtransport von Wärme, bspw. aus technischen Prozessen, genutzt. Die von diesem Regelungsvorhaben betroffenen Verdunstungskühlanlagen werden auch von großen Hotels oder Bürogebäuden zur Kühlung der Gebäude und Räume verwendet. Die Inhalte dieser VDI-Richtlinien in Bezug auf Legionellen finden sich im Regelungsentwurf an verschiedenen Stellen wieder.

Zu einem geringeren Anteil betreffen die Vorgaben dieser Verordnung auch genehmigungsbedürftige Anlagen. Dabei entsprechen laut dem Verordnungsgeber die Vorgaben an einen hygienisch ordnungsgemäßen Betrieb bereits den Anforderungen, die den Anlagen im Rahmen des Genehmigungsverfahrens auferlegt werden. Betroffene genehmigungsbedürftige Anlagen sind bspw. auch die Kühltürme, die bei Großkraftwerken der Stromerzeugung zum Abtransport der Prozesswärme verwendet werden. Diese Kühltürme sind als Anlagenteil bzw. Nebeneinrichtung auch von der Genehmigungspflicht der Hauptanlage erfasst.

Hinsichtlich der Anforderungen an die Errichtung, die Beschaffenheit und den Betrieb nicht genehmigungsbedürftiger Anlagen sagt der § 23 Absatz 1 des BImSchG Folgendes:

Die Bundesregierung wird ermächtigt, nach Anhörung der beteiligten Kreise (§ 51) durch Rechtsverordnung mit Zustimmung des Bundesrates vorzuschreiben, dass die Errichtung, die Beschaffenheit und der Betrieb nicht genehmigungsbedürftiger Anlagen bestimmten Anforderungen zum Schutz der Allgemeinheit und der Nachbarschaft vor schädlichen Umwelteinwirkungen und, soweit diese Anlagen gewerblichen Zwecken dienen oder im Rahmen wirtschaftlicher Unternehmungen Verwendung finden und Betriebsbereiche oder Bestandteile von Betriebsbereichen sind, vor sonstigen Gefahren zur Verhütung schwerer Unfälle im Sinne des Artikels 3 Nummer 13 der Richtlinie 2012/18/EU und zur Begrenzung der Auswirkungen derartiger Unfälle für Mensch und Umwelt sowie zur Vorsorge gegen schädliche Umwelteinwirkungen genügen müssen, insbesondere dass

1. die Anlagen bestimmten technischen Anforderungen entsprechen müssen,
2. die von Anlagen ausgehenden Emissionen bestimmte Grenzwerte nicht überschreiten dürfen,
3. die Betreiber von Anlagen Messungen von Emissionen und Immissionen nach in der Rechtsverordnung näher zu bestimmenden Verfahren vorzunehmen haben oder von einer in der Rechtsverordnung zu bestimmenden Stelle vornehmen lassen müssen,
4. die Betreiber bestimmter Anlagen der zuständigen Behörde unverzüglich die Inbetriebnahme oder eine Änderung einer Anlage, die für die Erfüllung von in der Rechtsverordnung vorgeschriebenen Pflichten von Bedeutung sein kann, anzuzeigen haben,

4a. die Betreiber von Anlagen, die Betriebsbereiche oder Bestandteile von Betriebsbereichen sind, innerhalb einer angemessenen Frist vor Errichtung, vor Inbetriebnahme oder vor einer Änderung dieser Anlagen, die für die Erfüllung von in der Rechtsverordnung vorgeschriebenen Pflichten von Bedeutung sein kann, dies der zuständigen Behörde anzuzeigen haben und

5. bestimmte Anlagen nur betrieben werden dürfen, nachdem die Bescheinigung eines von der nach Landesrecht zuständigen Behörde bekannt gegebenen Sachverständigen vorgelegt worden ist, dass die Anlage den Anforderungen der Rechtsverordnung oder einer Bauartzulassung nach § 33 entspricht.

In der Rechtsverordnung nach Satz 1 können auch die Anforderungen bestimmt werden, denen Sachverständige hinsichtlich ihrer Fachkunde, Zuverlässigkeit und gerätetechnischen Ausstattung genügen müssen. Wegen der Anforderungen nach Satz 1 Nummer 1 bis 3 gilt § 7 Absatz 5 entsprechend.

Vor diesem Regelungsinhalt des § 23 BImSchG erklärt sich die Konzeption des § 1 der 42. BImSchV, die im folgenden Kapitel behandelt wird.

4.4 Die 42. Bundes-Immissionsschutzverordnung (BImSchV)

Mit der Veröffentlichung im Bundesgesetzblatt Jahrgang 2017 Teil I Nr. 47 vom 19.07.2017 bildet die 42. Bundes-Immissionsschutzverordnung das zentrale gesetzliche Regelwerk, welches die immissionsschutzrechtlichen Anforderungen für Verdunstungskühlanlagen, Kühltürme und Nassabscheider festlegt. Da das vorliegende Buch ausschließlich die beiden ersten Anlagen behandelt, finden alle die Nassabscheider betreffenden Aspekte der Verordnung im vorliegenden Buch keine Berücksichtigung.

In diesem Kapitel finden sich, neben Auszügen aus dem amtlichen Verordnungstext, inkl. der Berichtigung vom 09.02.2018, Auszüge aus dem Vorblatt und der Begründung zur Verordnung (durch die Bundesregierung auf Grundlage des § 23 des Bundes-Immissionsschutzgesetzes verordnet). Diese lag dem Bundesrat in der Drucksache 242/17 vom 23.03.2017 vor, wurde am 02.06.2017 mit Änderungen beschlossen, am 19.07.2017 veröffentlicht und ist am 19.08.2017 in Kraft getreten. Eine Ausnahme bildet der § 13, welcher zum 19.08.2018 in Kraft tritt.

Neben den oben genannten Originalauszügen enthält dieses Kapitel eine Interpretation der Verordnung, welche die Autoren dieses Buchs nach bestem Wissen und Gewissen vorgenommen haben – wohlwissend, dass zum Zeitpunkt der Buchveröffentlichung die Diskussion der Verordnung innerhalb der betroffenen Verkehrskreise und der Behörden zu verschiedenen Fragestellungen noch nicht abgeschlossen ist und teilweise kontrovers geführt wird.

Die Verordnung gliedert sich in nachfolgender Weise:

Abschnitt 1: Allgemeine Vorschriften

- § 1 Anwendungsbereich
- § 2 Begriffsbestimmungen

Abschnitt 2: Anforderungen an die Errichtung, die Beschaffenheit und den Betrieb

- § 3 Allgemeine Anforderungen

Abschnitt 3: Anforderungen an den Betrieb von Verdunstungskühlanlagen und Nassabscheidern

- § 4 Ermittlung des Referenzwertes, betriebsinterne Überprüfungen und Laboruntersuchungen in Verdunstungskühlanlagen und Nassabscheidern
- § 5 Maßnahmen bei einem Anstieg der Konzentration der allgemeinen Koloniezahl
- § 6 Maßnahmen bei einer Überschreitung der Prüfwerte in Verdunstungskühlanlagen und Nassabscheidern

Abschnitt 4: Anforderungen an den Betrieb von Kühltürmen

- § 7 Betriebsinterne Überprüfungen und Laboruntersuchungen in Kühltürmen
- § 8 Maßnahmen bei einer Überschreitung der Prüfwerte in Kühltürmen

Abschnitt 5: Anforderungen bei der Überschreitung der Maßnahmenwerte oder bei Störung des Betriebs

- § 9 Maßnahmen bei einer Überschreitung der Maßnahmenwerte
- § 10 Informationspflichten
- § 11 Störungen des Betriebs

Abschnitt 1: Allgemeine Vorschriften

§ 1 Anwendungsbereich

(1) Diese Verordnung gilt für die Errichtung, die Beschaffenheit und den Betrieb folgender Anlagen, in denen Wasser verrieselt oder versprüht wird oder anderweitig in Kontakt mit der Atmosphäre kommen kann:

1. Verdunstungskühlanlagen,
2. Kühltürme und
3. Nassabscheider.

Der Anwendungsbereich beschreibt die Anlagen und Betriebsweisen, die unter die 42. BImSchV fallen. Naturgemäß ist es für die beteiligten Verkehrskreise, speziell die Anlagenbetreiber, von besonderer Bedeutung, diesen Verordnungsteil daraufhin zu prüfen, ob der Geltungsbereich auf ihre Anlage zutrifft. Der Anwendungsbereich steht dabei in Verbindung mit dem § 15 Zulassung von Ausnahmen. Auslegungshilfen für den Anwendungsbereich bieten darüber hinaus die technischen Regelwerke VDI 2047 Blatt 2 und 3.

Wie bereits in Kapitel 2 erörtert, unterscheiden sich die Definitionen der Anlagentypen in der Literatur teilweise voneinander. Gemäß § 2 Nr. 5 dieser Verordnung ist ein „Kühlturm" definiert als

> eine Anlage, bei der durch Verdunstung von Wasser Wärme an die Umgebungsluft abgeführt wird, insbesondere bestehend aus einer Verrieselungs- oder Verregnungseinrichtung für Kühlwasser und einem Wärmeübertrager, in der die Luft im Wesentlichen durch den natürlichen Zug, der im Kaminbauwerk des Kühlturms erzeugt wird, durch den Kühlturm gefördert wird und einer Kühlleistung von mehr als 200 Megawatt je Luftaustritt einschließlich der Nassabscheider, deren gereinigte Rauchgase über den Kühlturm abgeleitet werden; der Einsatz drückend angeordneter Ventilatoren zur Unterstützung der Luftzufuhr ist unschädlich, soweit diese das Charakteristikum des Kühlturms nur unwesentlich beeinflussen.

In der Verordnungsbegründung wird dazu ausgeführt, dass der Begriff „Kühlturm" durch dessen „funktionale Beschreibung" definiert ist. Demnach sind Kühltürme im Anwendungsbereich der Verordnung dadurch gekennzeichnet, dass die Luft primär durch den natürlichen Auftrieb gefördert wird. Diese Eigenschaft der sogenannten Naturzugkühltürme basiert auf ihrer Bauwerksgeometrie. In der Verordnungsbegründung wird ferner festgestellt, dass diese Anlagen auch bei Einsatz drückend angeordneter Ventilatoren zur Unterstützung der Luftzufuhr in den Anwendungsbereich fallen. Voraussetzung ist, dass sie die typischen Merkmale der Naturzugsysteme „nur unwesentlich beeinflussen". Im weiteren Begründungstext erfolgt eine Konkretisierung durch Abgrenzung vom Begriff der „Verdunstungskühlanlage". Diese wird im § 2 Nr. 11 festgelegt als

> eine Anlage, bei der durch Verdunstung von Wasser Wärme an die Umgebungsluft abgeführt wird, insbesondere bestehend aus einer Verrieselungs- oder Verregnungseinrichtung für Kühlwasser und einem Wärmeübertrager, ausgenommen Kühltürme.

Auch hier erfolgt gemäß Verordnungsbegründung die Definition durch eine funktionale Beschreibung, die auch auf der Abgrenzung zu Kühltürmen basiert. In der Begründung wird darauf abgehoben, dass die Anforderungen an Kühltürme leistungsabhängig unterschieden werden und die Kenngröße der zu erbringenden Kühlturmleistung entspricht. Es lässt sich aus der Verordnungsbegründung (Allgemeiner Teil, Abschnitt V *Erfüllungsaufwand*, Abs. 4) ferner ableiten, dass Verdunstungskühlanlagen mit den in der VDI 2047 Blatt 2 (siehe Kapitel 5.2.1) und Kühltürme mit den in der VDI 2047 Blatt 3 (siehe Kapitel 5.2.3) genannten Anlagen gleichgesetzt werden. Diese Differenzierung beruht auf der Einschätzung, dass die beiden Anlagentypen sich trotz des grundsätzlich gleichen Kühlprinzips der Verdunstungskühlung bauartbedingt im Risikopotenzial einer Emission von Legionellen unterscheiden.

§ 1 bezieht sich auf die Errichtung, die Beschaffenheit und auf den Betrieb der in den Ziffern 1 bis 3 genannten Anlagen, weil in diesen Wasser verrieselt oder versprüht oder auf andere Weise mit der Atmosphäre in Kontakt kommen kann. Orientiert an diesem – für die Möglichkeit des Eintritts eines umweltschädigenden Ereignisses maßgeblichen Vorgangs – sind die im § 1 Abs. 2 aufgeführten Anlagen vom Anwendungsbereich der Verordnung ausgenommen.

(2) Diese Verordnung gilt nicht für

1. Verdunstungskühlanlagen, bei denen Kondenswasserbildung durch Taupunktunterschreitung möglich ist, insbesondere Anlagen mit Kaltwassersätzen,
2. Wärmeübertrager, in denen
   a) das die Prozesswärme aufnehmende Fluid ausschließlich in einem geschlossenen Kreislauf geführt wird und
   b) die Prozesswärme ausschließlich direkt über Luftwärmeübertragung an die zur Kühlung herangeführte Luft übertragen wird,
3. Befeuchtungseinrichtungen in Raumlufttechnischen Anlagen, die integrierter Bestandteil der luftführenden Bereiche dieser Anlagen sind und die bei Bedarf auch zur adiabaten Kühlung eingesetzt werden,
4. Anlagen, in denen das Nutzwasser und die Verrieselungsflächen eine dauerhaft konstante Temperatur von 60 Grad Celsius oder mehr haben,
5. Nassabscheider, in denen das Nutzwasser dauerhaft einen pH-Wert von 4 oder weniger oder einen pH-Wert von 10 oder mehr hat,
6. Nassabscheider, bei denen das Abgas nach Verlassen des Abscheiders für mindestens 10 Sekunden auf mindestens 72 Grad Celsius erhitzt wird, wodurch sichergestellt ist, dass trockenes Abgas abgeleitet wird,
7. Anlagen, in denen das Nutzwasser dauerhaft eine Salzkonzentration von mehr als 100 Gramm Halogenide je Liter hat,
8. Nassabscheider, die ausschließlich mit Frischwasser im Durchlaufbetrieb betrieben werden, und
9. Anlagen, die in einer Halle stehen und in diese emittieren.

Bei Betrachtung der von der Verordnung ausgenommenen Anlagen wird deutlich, dass dies primär mit der geringen Wahrscheinlichkeit der Vermehrung von Legionellen bzw. mit dem deutlich reduzierten Austragsrisiko in die Umgebung verbunden ist. Weder unter dem Einfluss hoher Temperaturen noch extremer pH-Werte oder hoher Salzkonzentrationen ist eine relevante Legionellenvermehrung zu erwarten. Vergleichbares gilt beim ausschließlichen Frischwassereinsatz im Durchlaufbetrieb. Hier ist wahrscheinlich der Einsatz von Trinkwasser aus einer Trinkwasser-Installation angesprochen, wie er bei Nassabscheidern erfahrungsgemäß häufig anzutreffen ist. Im Unterschied dazu fallen Verdunstungskühlanlagen mit dieser Betriebsweise und dem Einsatz von „Frischwasser" im Durchlaufbetrieb unter die Verordnung. Weshalb diesen Anlagen ein größeres Risikopotenzial zugesprochen wird, ist nicht direkt ersichtlich. Allerdings wird das „Frischwasser" im Durchlaufbetrieb bei diesen Verdunstungskühlsystemen am Wärmetauscher verrieselt, was zu einer Biofilmbildung führen kann. Über einen Tropfenabriss könnte es auch bei diesen Systemen zu einem Austrag von Mikroorganismen wie Legionellen kommen. Darüber hinaus haben diese Anlagen in der Regel eine vorgeschaltete Wasseraufbereitung, was das Risiko einer mikrobiellen Vermehrung nochmals erhöhen kann.

Im Fall der Nummern 4, 5, 6 und 7 wäre dagegen eher eine Reduktion des Legionellengehalts im Wasser anzunehmen. Im Zusammenhang mit der Betriebsweise dieser Fälle spricht die Verordnung von „dauerhaft", z. B. „dauerhaft konstante Temperatur von 60 Grad Celsius". Der Begriff „dauerhaft" ist in der Verordnung nicht näher definiert und lässt daher einen gewissen Interpretationsspielraum zu. So könnte der Begriff dahingehend auslegt werden, dass ein zeitweises Unterschreiten der Temperatur oder Salzkonzentration akzeptabel ist. Die Verwendung von Begriffen wie „immer" oder „ständig" hätte hier möglicherweise für mehr Klarheit gesorgt. Vor dem Hintergrund des Verordnungsziels sollte aber grundsätzlich davon ausgegangen werden, dass zeitweilige Abweichungen von der „dauerhaften" Betriebsweise nicht zu einem Vermehrungsrisiko von Legionellen führen dürfen. Das wird immer dann der Fall sein, wenn das Zeitfenster für einen relevanten Anstieg der Legionellenkonzentration nicht ausreicht (siehe auch Kapitel 3.1). Neben den hier angesprochenen „extremen" Betriebsweisen ist auch für den Fall der Kondenswasserbildung durch Taupunktunterschreitung das Risiko einer Legionellenvermehrung vernachlässigbar.

Anders ist dies bei den in Nr. 9 benannten Anlagen. Hier hat wahrscheinlich die fehlende immissionsschutzrechtliche Zuordnung der Anlagen dazu geführt, dass es zu einem Ausschluss aus dem Anwendungsbereich kommt. Es liegt in derartigen Fällen keine direkte Emission in die Außenluft, also der Umwelt, vor, sondern in ein Gebäude. Das Gefährdungspotenzial für in der Halle befindliche Personen dürfte aber zumindest beim Auftreten von Aerosolen mit Legionellen erheblich sein. Da es sich hier wahrscheinlich annähernd ausnahmslos um dauerhafte Arbeitsstätten handeln wird, kommt das Arbeitsschutzrecht mit seinen präventiven Anforderungen zum Tragen. Es ist also nicht so, dass für diese Anlagen keine sicherheitsrelevanten Anforderungen gelten. Auch für diese Anlagen gilt es, z. B. eine Gefährdungsbeurteilung durchzuführen und entsprechende Maßnahmen zur Gefahrenminimierung vorzunehmen.

Zu einer gewissen Unschärfe in der Zuordnung des Anwendungsbereichs kann die Formulierung (Nr. 3) beim Ausschluss von Befeuchtungsanlagen in Raumlufttechnischen (RLT-) Anlagen führen. Auch der Vergleich mit dem Anwendungsbereich der VDI 2047 Blatt 2 (siehe Kapitel 5) bringt keine abschließende Klarheit. Die Verordnung schließt diese Anlagen als integrierten Bestandteil des luftführenden Systems, auch bei Einsatz mit adiabater Kühlung, vom Anwendungsbereich aus. Im Blatt 2 der VDI 2047 sind diese Anlagen nicht im Anwendungsbereich, wenn sie „Bestandteile der luftführenden Bereiche einer RLT-Anlage innerhalb des Anwendungsbereichs der VDI 6022" sind. In der Anmerkung der VDI 2047 Blatt 2 zu diesen Anlagen wird auf Anlagen mit Luftbefeuchtungseinrichtungen auf der Außen-/Zuluftseite und auf indirekte Verdunstungskühlsysteme verwiesen. Letztere auch, wenn sie sich auf der Abluftseite der RLT-Anlage befinden. Diese Anlagen befinden sich aber gar nicht im Anwendungsbereich der VDI 6022 Blatt 1. Hier stellt sich im Rückschluss die Frage, ob Verdunstungskühlsysteme im Ab-/Fortluftstrom von RLT-Anlagen unter die Verordnung fallen oder eher nicht. Nach unserer Einschätzung besitzen diese Anlagen ein vergleichbares Risikopotenzial, wie sie die üblichen Verdunstungskühlanlagen oder Nassabscheider aufweisen, da sie Legionellen über die Fortluft in die Umwelt emittieren können. Hier liegen verschiedene Untersuchungsergebnisse über die mikrobiologische Belastung des Befeuchterwassers vor, die das zumindest wahrscheinlich erscheinen lassen.

Ein weiterer Anlagentyp, dessen Zuordnung zum Anwendungsbereich der 42. BImSchV kontrovers in den Verkehrskreisen diskutiert wird, sind sogenannte *adiabate Rückkühler mit vom Wär-*

meübertrager getrennter Verdunstungseinrichtung. In seinem Positionspapier zur 42. BImSchV sieht der VDMA diese Geräte nicht im Anwendungsbereich der Verordnung, weil

- im ersten Schritt die Lufttemperatur durch Verdunsten von Wasser adiabat gesenkt wird. Dabei verdunstet Wasser in die Luft solange die Konzentration von Wasserdampf in der Luft kleiner als die Konzentration an der Phasengrenze zwischen Luft und Wasser ist. Die hierfür erforderliche Energie wird der Luft entzogen. Die Temperatur der Luft sinkt. Es findet bei der Verdunstung als Stoffübertragung von der Wasseroberfläche an die Luft und Wärmeübertragung von der Luft an die Wasseroberfläche statt. Es wird damit durch Verdunsten von Wasser keine Wärme an die Umgebungsluft abgeführt. Der Wärmeinhalt (spezifische Enthalpie) des Luftstroms bleibt unverändert (adiabat).
- im zweiten und räumlich getrennten Schritt die Prozesswärme mittels eines Wärmeüberträgers ausschließlich direkt über Luftwärmeübertragung an die zur Kühlung herangeführte Luft übertragen wird. Die Anforderungen für eine Ausnahme nach § 1 Absatz (2) Satz 2 sind damit erfüllt.

Eine derartige Auslegung des Anwendungsbereichs der Verordnung wird erwartungsgemäß von den Herstellern vertreten, die diese Anlagen bauen. Inwieweit dieser Argumentation durch die Aufsichtsbehörden Rechnung getragen wird, bleibt abzuwarten. Wir betrachten die durch den VDMA vorgenommene Abgrenzung dieser Anlagentypen als nicht eindeutig genug, um diese Rechtsauffassung zu teilen. Nach unserer Auffassung fallen diese Anlagen in den Anwendungsbereich der 42. BImSchV und unterliegen dementsprechend den dort festgelegten Anforderungen. Es wäre für alle Verkehrskreise hilfreich, wenn sich der Verordnungsgeber hier entsprechend positionieren würde. Alternativ bleibt jedem Betreiber solcher Anlagentypen die Möglichkeit, gemäß § 15 der Verordnung eine Ausnahme zu erwirken. Dies bedarf einer entsprechend geeigneten Begründung. Spätestens dann wird sich zeigen, ob die Rechtsauslegung des VDMA auf sicheren Füßen steht.

Wie schon für die Anlagentypen diskutiert, die ausschließlich mit „Frischwasser“ im Durchlauf betrieben werden, dürfte auch bei diesen sogenannten „adiabaten“ Systemen das Risiko eines Legionellenaustrags deutlich reduziert sein. Grundsätzlich lässt sich aber auch bei dieser Prozessweise nicht ausschließen, dass es im verwendeten Kühlwasser des der Verdunstungskühlanlage vorgeschalteten Prozesses zu einer Vermehrung von Legionellen und der Ausbreitung über den Luftweg kommt. Das hängt einerseits vom verwendeten Kühlwasser als auch davon ab, ob dieses Wasser im Kreislauf gefahren wird. Um hier mehr Sicherheit zum Risikopotenzial der Anlagen zu erhalten, bedarf es ausreichender Erfahrungen und Messergebnisse im Betrieb der Anlagen.

§ 2 Begriffsbestimmung

Dieser Paragraph umfasst 19 Begriffe im Sinne der 42. BImSchV. Diese Definitionen werden in den Erläuterungen zu den einzelnen Paragraphen der Verordnung dort kommentiert, wo sie erstmalig im Verordnungstext Verwendung finden.

Im Sinne dieser Verordnung ist

1. „Änderung einer Anlage“:

   die Änderung der Lage, der Beschaffenheit oder des Betriebs einer Anlage, die sich auf die Vermehrung oder die Ausbreitung von Legionellen auswirken kann;

2. „Bestandsanlage“:

   eine Anlage, die vor dem 19. August 2017 errichtet und vor dem 19. Februar 2018 in Betrieb genommen worden ist;

3. „Inbetriebnahme“:

   die erstmalige Aufnahme des Betriebs einer neu errichteten Anlage;

4. „Koloniebildende Einheit“ (KBE):

   die Einheit, in der die Anzahl anzüchtbarer und auszählbarer Mikroorganismen ausgedrückt wird;

5. „Kühlturm“:

   eine Anlage, bei der durch Verdunstung von Wasser Wärme an die Umgebungsluft abgeführt wird, insbesondere bestehend aus einer Verrieselungs- oder Verregnungseinrichtung für Kühlwasser und einem Wärmeübertrager, in der die Luft im Wesentlichen durch den natürlichen Zug, der im Kaminbauwerk des Kühlturms erzeugt wird, durch den Kühlturm gefördert wird, und einer Kühlleistung von mehr als 200 Megawatt je Luftaustritt einschließlich der Nassabscheider, deren gereinigte Rauchgase über den Kühlturm abgeleitet werden; der Einsatz drückend angeordneter Ventilatoren zur Unterstützung der Luftzufuhr ist unschädlich, soweit diese das Charakteristikum des Kühlturms nur unwesentlich beeinflussen;

6. „Legionellen“:

   ein Parameter zur Beurteilung der hygienischen Qualität des Nutzwassers; er umfasst alle Legionellenarten (Legionella spp.), die nach genormten Verfahren auf einem definierten Nährmedium anzüchtbar sind und Kolonien bilden;

7. „Nassabscheider“:

   ein Abscheider, der dem Entfernen fester, flüssiger und gasförmiger Verunreinigungen aus einem Abgas mit Hilfe einer Waschflüssigkeit dient, wobei die Verunreinigungen an die in die Abgasströmung eingebrachte Waschflüssigkeit gebunden und mit dieser zusammen abgeschieden werden; nicht erfasst sind, insbesondere Abscheider, bei denen die Reinigungsleistung durch Mikroorganismen bewirkt wird, wie Biofilter oder Rieselbettfilter, unbeschadet einer gegebenenfalls vorhandenen Berieselung des Filters zur Lebenserhaltung der die Abscheideleistung erbringenden Mikroorganismen;

8. „Neuanlage“:

   eine Anlage, die keine Bestandsanlage ist;

9. „Nutzwasser“:

   a) das Wasser, das in einer Verdunstungskühlanlage oder einem Kühlturm zum Zweck der Wärmeabfuhr eingesetzt wird und dabei im Kontakt mit der Atmosphäre steht (Kühlwasser) und

b) das Wasser, das in einem Nassabscheider zum Zwecke der Reinigung eingesetzt wird und dabei im Kontakt mit der Atmosphäre steht (Waschflüssigkeit);

10. „Referenzwert“:

die sich bei ordnungsgemäßem Betrieb einstellende anlagentypische allgemeine Koloniezahl im Nutzwasser;

11. „Verdunstungskühlanlage“:

eine Anlage, bei der durch Verdunstung von Wasser Wärme an die Umgebungsluft abgeführt wird, insbesondere bestehend aus einer Verrieselungs- oder Verregnungseinrichtung für Kühlwasser und einem Wärmeübertrager, ausgenommen Kühltürme;

12. „Wiederinbetriebnahme“:

die erneute Aufnahme des Betriebs einer Anlage nach einer Änderung gemäß Nummer1;

13. „Zusatzwasser“:

das Wasser, das dem Nutzwasser zugesetzt wird, insbesondere zum Ausgleich von Verdunstungsverlusten oder zur Begrenzung der Eindickung;

14. „akkreditierte Inspektionsstelle Typ A“:

von einer nationalen Akkreditierungsstelle im Sinne der Verordnung (EG) Nr. 765/2008 des Europäischen Parlaments und des Rates vom 9. Juli 2008 über die Vorschriften für die Akkreditierung und Marktüberwachung im Zusammenhang mit der Vermarktung von Produkten und zur Aufhebung der Verordnung (EWG) Nr. 339/93 des Rates (ABl. L 218 vom 13.8.2008, S. 30) in der jeweils geltenden Fassung für die Durchführung der erforderlichen Inspektionen akkreditierte Inspektionsstelle die Inspektionen gemäß DIN EN ISO/IEC 17020, Ausgabe Juli 2012, Absatz 4.1.6 Buchstabe a in Verbindung mit Abschnitt A.1 des Anhangs A als unabhängige Dritte anbietet;

15. „akkreditiertes Prüflaboratorium“:

von einer nationalen Akkreditierungsstelle im Sinne der Verordnung (EG) Nr. 765/2008 des Europäischen Parlaments und des Rates vom 9. Juli 2008 über die Vorschriften für die Akkreditierung und Marktüberwachung im Zusammenhang mit der Vermarktung von Produkten und zur Aufhebung der Verordnung (EWG) Nr. 339/93 des Rates (ABl. L 218 vom 13.8.2008, S. 30) in der jeweils geltenden Fassung für die Durchführung der erforderlichen Prüfverfahren in der Matrix Kühl- und Waschwasser akkreditiertes Labor;

16. „allgemeine Koloniezahl“:

ein Parameter zur Beurteilung der hygienischen Qualität des Nutzwassers; er umfasst alle Mikroorganismen, die nach genormten Verfahren auf oder in einem definierten Nähragarmedium anzüchtbar sind und Kolonien bilden;

17. „mikrobiologische Untersuchung“:

a) die Untersuchung des Nutzwassers nach genormten Prüfverfahren durch ein dafür akkreditiertes Prüflaboratorium (Laboruntersuchung) und

b) die Untersuchung zur Differenzierung der Legionellen durch ein dafür akkreditiertes Prüflaboratorium;

18. „öffentlich bestellter und vereidigter Sachverständiger“:

    ein nach § 36, gegebenenfalls in Verbindung mit § 36a, der Gewerbeordnung vom 22.Februar 1999 (BGBl. I S. 202), die zuletzt durch Artikel 626 Absatz 3 der Verordnung vom 31. August 2015 (BGBl. I S. 1474) geändert worden ist, öffentlich bestellter und vereidigter Sachverständiger;

19. „hygienisch fachkundige Person“:

    Person, die an einer Schulung entsprechend der Richtlinie VDI 2047 Blatt 2, Ausgabe Januar 2015, oder der Richtlinie VDI 6022 Blatt 4, Ausgabe August 2012, oder vergleichbarer Art und vergleichbaren Umfangs teilgenommen hat.

Abschnitt 2: Anforderungen an die Errichtung, die Beschaffenheit und den Betrieb

Dieser Abschnitt der Verordnung umfasst die grundlegenden Anforderungen, sofern sie für die jeweiligen Anlagen zutreffen. Die Anforderungen dieses Abschnitts gelten insofern für alle Anlagen im Anwendungsbereich.

§ 3 Allgemeine Anforderungen

(1) Anlagen im Anwendungsbereich dieser Verordnung sind so auszulegen, zu errichten und zu betreiben, dass Verunreinigungen des Nutzwassers durch Mikroorganismen, insbesondere Legionellen, nach dem Stand der Technik vermieden werden.

(2) Der Betreiber hat dafür zu sorgen, dass Anlagen so ausgelegt und errichtet werden, dass insbesondere

1. die eingesetzten Werkstoffe für die Wasserqualität und die einzusetzenden Betriebsstoffe, einschließlich Desinfektions- und Reinigungsmittel, geeignet sind,
2. Tropfenauswurf durch geeignete Tropfenabscheider oder gleichwertige Maßnahmen effektiv minimiert wird,
3. Totzonen, in denen das Wasser während des bestimmungsgemäßen Betriebs stagniert, möglichst vermieden werden,
4. wasserführende Bauteile möglichst vollständig entleert werden können,
5. Biozide dem Nutzwasser dosiert zugesetzt werden können,
6. Vorkehrungen für die regelmäßige Überprüfung relevanter chemischer, physikalischer oder mikrobiologischer Parameter getroffen werden,
7. Vorkehrungen für die regelmäßige Probenahme für mikrobiologische Untersuchungen getroffen werden und
8. Vorkehrungen für die Durchführung regelmäßiger Instandhaltungen getroffen werden.

Im Absatz 1 wird der Begriff „Nutzwasser“ aufgegriffen, der nach § 2 Nr. 9, definiert ist als

a) das Wasser, das in einer Verdunstungskühlanlage oder einem Kühlturm zum Zweck der Wärmeabfuhr eingesetzt wird und dabei im Kontakt mit der Atmosphäre steht (Kühlwasser).

Er ist gemäß Begründung als Oberbegriff anzusehen, der sowohl das Kühlwasser in Verdunstungskühlanlagen als auch Kühltürmen (und auch das Waschwasser in Nassabscheidern) einschließt. Keine Anwendung findet der Begriff für Wasser in geschlossenen Systemen bzw. Wasser, dass bestimmungsgemäß nicht in Kontakt mit der Atmosphäre kommt. Er ist nicht identisch mit dem Begriff „Kreislaufwasser", der von einem „umlaufenden" Kühlwasser ausgeht. Beim „Nutzwasser" kann es sich auch um durchlaufendes Kühlwasser handeln.

Mit „Legionellen" wird hier ein weiterer Begriff eingeführt. Wie bereits in Kapitel 3.1 beschrieben, handelt es sich hier nicht um den *einen* Krankheitserreger, sondern um eine Gruppe von Bakterien, die nach heutigem Kenntnisstand ein unterschiedliches gesundheitliches Risikopotenzial aufweisen (siehe Kapitel 3.2). Wichtig im Sinne der Verordnung ist, dass dieser Parameter nach genormten Verfahren (ISO 11731 und DIN EN ISO 11731 Blatt 2 etc.) von einem akkreditierten Prüflaboratorium untersucht werden muss und für den Prüf- und Maßnahmenwerte festgelegt wurden.

In Absatz 1 wird das Ziel *Vermeiden der Verunreinigung des Nutzwassers* als Pflichtvorgabe bereits an die Planungsverantwortlichen („so auszulegen") und die Verantwortlichen für die bauliche Erstellung („Errichten") gerichtet. In Verbindung mit dem 1. Satz des Absatzes 2 wird dabei deutlich, dass der Planer und der Errichter vorrangig dem Betreiber gegenüber verantwortlich sind. Dieser hat durch eine geeignete Kontrolle und Aufsicht zu gewährleisten, dass die mit der Planung und der baulichen Erstellung befassten Verantwortungsträger ihre Pflichten in dem Maße erledigen, dass der spätere sichere Betrieb möglich ist („Der Betreiber hat dafür zu sorgen, dass Anlagen so ausgelegt und errichtet werden…"). Demzufolge hat der spätere Betreiber im eigenen Interesse die mit der Planung und Errichtung der Anlage beauftragten Unternehmen und/oder Personen so auszuwählen, so anzuweisen und so zu kontrollieren, dass er davon ausgehen darf, dass die ihm zum Betrieb übergebene Anlage verordnungskonform betrieben werden kann. Das bedeutet, dass der spätere Betreiber als Letztverantwortlicher sich in allen Leistungsphasen davon zu vergewissern hat, dass die zu planende und zu errichtende Anlage gemäß dem Schutzniveau und dem Wissensstand des „Stands der Technik" erfolgt. In der Verordnungsbegründung wird darauf abgehoben, dass die grundlegenden Voraussetzungen für einen ordnungsgemäßen Betrieb von Anlagen die baulich-konstruktive Ausführung darstellt.

Die Auflistung der besonders aufsichts- und kontrollpflichtigen Teile, Stoffe und Gegebenheiten (eingesetzte Werkstoffe, geeignete Tropfenabscheider, Vermeidung von Totzonen, Entleerbarkeit wasserführender Bauteile, dosierte Zusetzbarkeit von Bioziden, Überprüfbarkeit chemischer/physikalischer/mikrobiologischer Parameter, Probenahmemöglichkeit für mikrobiologische Untersuchungen, Durchführbarkeit regelmäßiger Instandhaltungen) ist nicht abschließend. Die Merkmale sind nach Verordnungsbegründung Mindestanforderungen und orientieren sich „an erprobten technischen Regelwerken, u. a. an der Richtlinienreihe VDI 2047 für Verdunstungskühlanlagen und Kühltürme". Es wird ferner darauf hingewiesen, dass diese Anforderungen „für Neuanlagen zwingend" sind. Dies ergibt sich daraus, dass sie aktuell bei der Auslegung und Errichtung bekannt sind und daher auch vollständig umgesetzt werden können. Ein Anpassungsbedarf für bestehende Anlagen ergibt sich aus der Verordnung nicht, was in der Begründung explizit festgestellt wird. Wie sich dies für Anlagen darstellt, bei denen Abweichungen von den baulich-konstruktiven Merkmalen die Ursachen für die Nichteinhaltung der Prüf- oder Maßnahmenwerte darstellen, bleibt abzuwarten. Vom Grundsatz her kann es mit unserem Gefahrenrecht hier keinen sogenannten Bestandsschutz geben, der den Weiterbetrieb solcher Anlagen zulässt. Hier sind zukünftig Aufsichtsbehörden und gegebenenfalls die Gerichte am Zug.

Der Betreiber hat in jedem Fall sein anlagenspezifisches und fachkundliches Wissen stets auf dem aktuellen Stand zu halten, damit er auch die Entwicklung heute noch nicht geregelter weiterer Anforderungen zum sicheren Betrieb der Anlage frühzeitig genug erkennt und berücksichtigt.

(3) Anlagen nach § 1 Absatz 1 dürfen nur mit Betriebsstoffen betrieben werden, die mit den in der Anlage vorhandenen Werkstoffen verträglich sind.

Diese Forderung in Absatz 3 ist, neben den baulich-konstruktiven Anlagenmerkmalen, von zentraler Bedeutung für einen ordnungsgemäßen Betrieb. Die Verordnungsbegründung nennt hier als ein Beispiel „die Auswahl der Einsatzstoffe mit Blick auf die Korrosionsbeständigkeit der Werkstoffe". Das kann zum Beispiel einen Einfluss auf die Auswahl der eingesetzten Desinfektionsmittel haben, die je nach Art und Einsatz eine deutlich korrosionsfördernde Wirkung aufweisen können.

(4) Der Betreiber hat sicherzustellen, dass vor der Inbetriebnahme oder der Wiederinbetriebnahme für die Anlage eine Gefährdungsbeurteilung unter Beteiligung einer hygienisch fachkundigen Person erstellt wird; diese umfasst die Schritte Risikoanalyse, die mögliche Gefährdungen identifiziert und das Risiko hinsichtlich des potenziellen Schadensausmaßes und der Eintrittswahrscheinlichkeiten für Gefährdungen betrachtet, und der Risikobewertung, die Risiken hinsichtlich ihrer potenziellen Auswirkungen auf die hygienische Sicherheit und die daraus abzuleitenden Maßnahmen priorisiert. Der Betreiber hat vor dem in Satz 1 bestimmten Zeitpunkt die Erstellung der Gefährdungsbeurteilung im Betriebstagebuch zu dokumentieren.

Absatz 4 ist von besonderer Bedeutung, da hierdurch der Betreiber einerseits zur lückenlosen und fachlich stimmigen Ist-Stand-Feststellung seiner Anlage verpflichtet wird („hat sicherzustellen") und er andererseits als Schlussfolgerung des festgestellten Kenntnisstandes prognostisch ein Maß an Sicherheit zu bestimmen und die hierzu geforderten und geeigneten Maßnahmen festzulegen hat („die daraus abzuleitenden Maßnahmen priorisiert").

In diesem Absatz werden gleich mehrere in § 2 definierte Begriffe eingeführt, die für die Auslegung der Verordnung teilweise von besonderer Tragweite sind. Das betrifft die Begriffe „Inbetriebnahme" (§ 2 Nr. 3), die „Wiederinbetriebnahme" (§ 2 Nr. 12) und in Verbindung mit der Wiederinbetriebnahme den Begriff der „Änderung" nach § 2 Nr. 1.

Die Auslegung des Begriffs der „Änderung" ist von zentraler Bedeutung, was im Weiteren an verschiedenen sich daraus ableitenden Anforderungen der Verordnung deutlich wird. Wie sich aus der Verordnungsbegründung ergibt, entspricht dieser Begriff dem Sinne nach § 23 Absatz 1 Nr. 4 BImSchG, nach dem „die Betreiber bestimmter Anlagen der zuständigen Behörde unverzüglich die Inbetriebnahme oder eine Änderung einer Anlage, die für die Erfüllung von in der Rechtsverordnung vorgeschriebenen Pflichten von Bedeutung sein kann, anzuzeigen haben". In der 42. BImSchV werden Änderungen an Anlagen auf derartige Änderungen eingeschränkt, die Auswirkungen auf die Vermehrung oder die Ausbreitung von Legionellen haben können. Das bezieht sich natürlich auf die Vermehrung in und den Austrag von Legionellen aus der jeweiligen Anlage. Da mit dem Eintreten einer Änderung automatisch der Prozess der Wiederinbetriebnahme startet, ist das Ergebnis der Begriffsauslegung gegebenenfalls mit einem erheblichen Aufwand verbunden.

Änderungen in Bezug auf Lage und Beschaffenheit ergeben sich für gewöhnlich erst bei größeren Umbau- oder Instandsetzungsmaßnahmen. Während bei Kühltürmen eine Lageänderung ausgeschlossen ist, kann dies bei kleineren Verdunstungskühlanlagen der Fall sein. Im Lebenszyklus einer Verdunstungskühlanlage sollte das aber eine sehr seltene Ausnahme sein. Änderungen der Beschaffenheit sind bei Revisionen bzw. auch bei unvorhergesehenen Instandsetzungsmaßnahmen weitaus häufiger zu erwarten. Eine Grenze, ab wann hier eine Beschaffenheitsänderung wirklich *wesentlich* für die Vermehrung oder Ausbreitung von Legionellen ist, definiert weder die Verordnung noch die VDI 2047. Es ist daher im Einzelfall zu überprüfen und auch festzulegen, wie groß jeweils der Einfluss einer Maßnahme auf Vermehrung und Austrag von Legionellen sein könnte und inwieweit dann wirklich von einer Änderung im Sinne der Verordnung auszugehen ist. Naturgemäß bleibt es hier bei einer Prognose im Sinne einer Abschätzung der Auswirkungen auf die Hygienesicherheit, die auf Erfahrungen basiert. Eine präzise Risikobetrachtung und Ableitung der konkreten, gar in Zahlen gefassten Auswirkungen lässt sich nicht vornehmen.

Deutlich von den beiden erstgenannten Kriterien zu unterscheiden ist die Häufigkeit von Betriebsänderungen. Angefangen bei Änderungen des Prozesses, der die Wärmeabfuhr über die Verdunstungskühlanlage oder den Kühlturm erfordert, über die Durchführung von Instandhaltungsmaßnahmen, den Wechsel von Betriebsstoffen bis hin zur Veränderung der Umgebungsbedingungen (Klima, jahreszeitlich bedingter Eintrag von organischen Belastungen etc.) gibt es eine Vielzahl von möglichen Änderungen, die Auswirkungen auf die Vermehrung von Legionellen haben können. Hier darf mit Spannung erwartet werden, wie der Begriff vor dem Hintergrund dieser Einflussfaktoren in der täglichen Praxis ausgelegt wird. Dies gilt insbesondere für die Aufsichtsbehörden und Sachverständigen sowie Inspektionsstellen (siehe § 14). Der VDMA hat in einem Positionspapier die Ansicht vertreten, dass eine „Änderung des Betriebs die Änderung des bestimmungsgemäßen Betriebs" meint. Nach VDMA-Positionspapier ist der bestimmungsgemäße Betrieb im Rahmen der Gefährdungsbeurteilung festzulegen und soll „alle im Jahresverlauf auftretenden Anlagen-Betriebszustände" umfassen. Bei dieser Auslegung des Änderungsbegriffs sollte allen Beteiligten klar sein, dass es gerade die betrieblichen Änderungen sind, die in der Praxis zu einer Vermehrung von Legionellen führen. Als Beispiel sei hier die Änderung des Produktionsprozesses genannt, bei dem an unterschiedlichen Komponenten eine Kühlung notwendig ist. Für den Fall, dass an einer Komponente aufgrund geringerer Einsatzzeiten der Nutzwasserdurchfluss für den Kühlprozess deutlich reduziert ist, kann es zu Stagnation kommen. Das wiederum begünstigt die Legionellenvermehrung in hohem Maße. Vonseiten des Betreibers muss daher gerade auf diese Aspekte ein besonderes Augenmerk gelegt werden. Um im Betrieb einer Anlage nicht stetig vor der Frage einer möglichen Änderung und dem damit verbundenen Aufwand der Wiederinbetriebnahme zu stehen, sollte der Betreiber die bestimmungsgemäße Betriebsweise im Betriebstagebuch angemessen beschreiben. Gleichzeitig sollte davon abgegrenzt werden, wann eine Änderung des Betriebs eine Änderung im Sinne von § 2 der Verordnung darstellt.

Absatz 4 richtet sich mit der zentralen Forderung nach einer Gefährdungsbeurteilung an den Betreiber. In der Verordnungsbegründung wird dazu ausgeführt, dass die Vorgaben zu einem Anlagenbetrieb „mit möglichst geringem hygienischen Risiko" führen sollen. Als Voraussetzung müssen die relevanten Gefährdungen im Prozess der Risikoanalyse, „u. a. im Hinblick auf die hygienische Sicherheit, die Prozesssicherheit und die Anlagensicherheit", ermittelt werden. Von zentraler Bedeutung im Prozessschritt der Risikoanalyse ist die Betrachtung der Anlagenbereiche, die einen besonderen Einfluss auf die hygienische Sicherheit haben. Das sind primär Aspekte, die sich auf die mikrobielle Vermehrung als auch den Keimaustrag auswirken. Dazu können z. B. die Wasseraufbereitung oder der Tropfenabscheider zählen. Gemäß Verordnungsbegründung ist auch die Betrachtung der Betriebszustände wesentlich für die Risikoanalyse, was u. a. eine Dokumentation der technischen Anlagendaten bedarf. Aus diesen Informationen sind sowohl die Eintrittswahrscheinlichkeit als auch das mögliche Schadensausmaß abzuschätzen. Im Weiteren finden sich in der Verordnungsbegründung auch Forderungen nach Vorgaben für den hygienisch einwandfreien Anlagenbetrieb bis hin zur Festlegung von „Standardreaktionen auf Abweichungen vom hygienisch unbedenklichen Betrieb". Entsprechend der Begründung erlaubt nur „die anlagenbezogene Gefährdungsbeurteilung […] das Ergreifen sachgerechter Maßnahmen für einen ordnungsgemäßen Betrieb, für technische Maßnahmen bei Überschreitung von Prüfwerten oder zusätzliche Gefahrenabwehrmaßnahmen bei Überschreitung von Maßnahmenwerten". Diese Ausführungen unterstreichen die Bedeutung, die der Gefährdungsbeurteilung beikommt. Detaillierte Informationen zu den verschiedenen Aspekten einer Gefährdungsbeurteilung finden sich in Kapitel 3 und 5.

Der Verordnungstext hat bzgl. dieses Themas in den Verkehrskreisen zu einer kontroversen Debatte um dessen Auslegung geführt. So wird in Teilen die Position vertreten, dass es sich hier um die Forderungen nach einer Gefährdungsbeurteilung im Sinne des Arbeitsschutzrechts handelt und die Risikoanalyse am Firmenzaun endet. Das erscheint vor dem Hintergrund, dass hier eine Immissionsschutzverordnung vorliegt, befremdlich. Natürlich hat der Anlagenbetreiber im Sinne dieser Verordnung, sofern er auch Arbeitgeber ist, eine Verpflichtung zur Durchführung einer Gefährdungsbeurteilung für seine Beschäftigten (siehe auch Kapitel 4.2). Die Schutzziele der 42. BImSchV sollten aber aufgrund des Immissionsschutzrechts auf die Umwelt und damit primär auf Dritte abzielen, womit der Firmenzaun nicht die Verantwortung des Anlagenbetreibers abgrenzt. In diesem Sinne kann man auch die Ausführungen zur Gefährdungsbeurteilung der für Verdunstungskühlanlagen und Kühltürme relevanten technischen Regelwerke VDI 2047 Blatt 2 und 3 interpretieren (siehe Kapitel 5). Im Grundsatz für den Schutz der Dritten spricht zunächst auch der § 823 Abs. 1 BGB.

§ 823 BGB (Schadenersatzpflicht)

(1) Wer vorsätzlich oder fahrlässig das Leben, den Körper, die Gesundheit, die Freiheit, das Eigentum oder ein sonstiges Recht eines anderen widerrechtlich verletzt, ist dem anderen zum Ersatz des daraus entstehenden Schadens verpflichtet.

Dieser sogenannte deliktsrechtliche Tatbestand befasst sich zentral mit den drei Elementen des Haftungsrechts. Zunächst liegt eine Rechtsgutverletzung vor (hier: eine körperliche Beeinträchtigung durch aus der Anlage austretende Legionellen, die eine gesundheitliche Schädigung in dem konkreten Fall bedingen), dann ist eine Pflichtverletzung zu erkennen (hier: die Anforderungen aus den konkreten bauseitigen und betrieblichen Vorgaben der 42. BImSchV fanden seitens des Betreibers keine Berücksichtigung) und schließlich ist ein Zusammenhang zwischen der Erkrankung des Geschädigten und den unterlassenen Handlungen des Betreibers im Rahmen einer haftungsrechtlichen Kausalitätsprüfung zu erkennen [4-11].

Eine weitere rechtliche Regelung, die dafürspricht, dass die Verantwortlichkeit des Betreibers weit über die Grundstücksgrenze hinausgeht, ergibt sich aus § 906 Abs. 1 BGB.

§ 906 BGB (Zuführung unwägbarer Stoffe)

(1) Der Eigentümer eines Grundstücks kann die Zuführung von Gasen, Dämpfen, Gerüchen, Rauch, Ruß, Wärme, Geräusch, Erschütterungen und ähnliche von einem anderen Grundstück ausgehende Einwirkungen insoweit nicht verbieten, als die Einwirkung die Benutzung seines Grundstücks nicht oder nur unwesentlich beeinträchtigt. Eine unwesentliche Beeinträchtigung liegt in der Regel vor, wenn die in Gesetzen oder Rechtsverordnungen festgelegten Grenz- oder Richtwerte von den nach diesen Vorschriften ermittelten und bewerteten Einwirkungen nicht überschritten werden. Gleiches gilt für Werte in allgemeinen Verwaltungsvorschriften, die nach § 48 des Bundes-Immissionsschutzgesetzes erlassen worden sind und den Stand der Technik wiedergeben.

Im Umkehrschluss steht somit fest, dass der Eigentümer dann eine Zuführung von Gasen, Dämpfen etc. als wesentliche Beeinträchtigung verbieten lassen darf, wenn der Verursacher der Beeinträchtigungen zur Vermeidung der belastenden Zuführungen weniger unternimmt als den Stand der Technik einzuhalten. Von zentraler Bedeutung ist bei den Einwirkungen i. S. von § 906 BGB das „grenzüberschreitende Moment" [4-12].

Eine weitere Argumentation gegen die ausschließlich auf den innerbetrieblichen Arbeitsschutz ausgerichtete Zielvorgabe der 42. BImSchV ergibt sich aus § 325 StGB.

§ 325 StGB (Luftverunreinigung)

(1) Wer beim Betrieb einer Anlage, insbesondere einer Betriebsstätte oder Maschine, unter Verletzung verwaltungsrechtlicher Pflichten Veränderungen der Luft verursacht, die geeignet sind, außerhalb des zur Anlage gehörenden Bereichs die Gesundheit eines anderen, Tiere, Pflanzen oder andere Sachen von bedeutendem Wert zu schädigen, wird mit Freiheitsstrafe bis zu fünf Jahren oder mit Geldstrafe bestraft. Der Versuch ist strafbar.

Schutzzweck der Norm ist die Verletzung der Gesundheit von Menschen zu verhindern. Der Betrieb einer Anlage i. S. des § 325 StGB bezieht sich nicht nur auf den genehmigungsbedürftigen Betrieb, sondern auch auf das Betreiben von nicht genehmigungspflichtigen Anlagen [4-13]. Die beim Betrieb einer Anlage verursachte Luftveränderung erfasst schon die Erprobung der Anlage. Beendet ist der Betrieb unter Umständen erst nach völliger Beseitigung der schädigungsgeeigneten Stoffe [4-13].

Diese vorangestellten Ausführungen zu den unterschiedlichen Blickwinkeln unserer insgesamt geltenden Rechtsordnung als Einheit lassen keinen Zweifel daran aufkommen, dass durch die Regelungen in der 42. BImSchV zentral dem Zweck des § 1 Abs. 1 des BImSchG Rechnung getragen werden soll, nämlich u. a. Menschen vor schädlichen Umwelteinwirkungen zu schützen. Wer aus dem begrifflichen Verständnis des Wortes *Mensch* die Teilmenge *Arbeitnehmer* als allein maßgeblich ableiten möchte, unterliegt hier bewusst oder unbewusst einer Fehlinterpretation der Rechtsordnung.

Auch wenn die notwendige Klarheit in der 42. BImSchV sowie der Begründung dazu fehlt, so erscheint eine Verordnungsauslegung irritierend, die eine Forderung nach einer Gefährdungsbeurteilung ausschließlich auf Neuanlagen oder nach Wiederinbetriebnahme bezogen sieht. Bei dieser Art der Rechtsauslegung könnte man auch auf die Idee kommen, dass z. B. für alle Aufzüge, die vor Inkrafttreten der Betriebssicherheitsverordnung in Betrieb gingen, keine Gefährdungsbeurteilung notwendig wäre, was mitnichten so ist. Aber auch wenn der Verordnungsgeber diese Auffassung trägt, führt die Forderung einer Gefährdungsbeurteilung nach Wiederinbetriebnahme zu einer Verpflichtung bei den meisten Anlagen. Das leitet sich aus dem bereits oben erörterten Begriff der „Änderung" ab. Bei allen Anlagen, für welche es seit dem Inkrafttreten der Verordnung weder eine Inbetriebnahme noch eine Wiederinbetriebnahme gab, mag die Verordnung im Wortlaut kein Dokument einer Gefährdungsbeurteilung vorsehen. Mindestens aber in der Instandhaltungsplanung müssen sich auch Maßnahmen zur Minimierung hygienischer Risiken wiederfinden. Wie sollen diese Maßnahmen aber abgeleitet sein, wenn vorher keine Risikoanalyse und -bewertung durchgeführt wurde?

Die Gefährdungsbeurteilung ist als Forderung klar an den Betreiber adressiert. Dieser soll dazu eine „hygienisch fachkundige Person" beteiligen. Diese ist nach § 2 Nr. 19 definiert als

> Person, die an einer Schulung entsprechend der Richtlinie VDI 2047 Blatt 2, Ausgabe Januar 2015, oder der Richtlinie VDI 6022 Blatt 4, Ausgabe August 2012, oder vergleichbarer Art und vergleichbaren Umfangs teilgenommen hat.

In den beiden erstgenannten Fällen handelt es sich um sogenannte Hygieneschulungen, die sich bei der VDI 2047 Blatt 2 auf Verdunstungskühlanlagen und bei der VDI 6022 Blatt 4 auf Raumlufttechnische Anlagen und Geräte beziehen. Vom Umfang sind es Schulungen von ein oder zwei Tagen, wobei die Schulungen zur VDI 6022 Verdunstungskühlanlagen seit Veröffentlichung der VDI 2047 Blatt 2 (01/2015) nicht mehr behandeln. Aufgrund der komplexen und anspruchsvollen Aufgabe einer Gefährdungsbeurteilung für die Anlagen im Anwendungsbereich der 42. BImSchV erscheinen die genannten Schulungen als alleinige Qualifikation den Autoren als nicht ausreichend. Hier bedarf es einer ausgewiesenen Expertise, um die verschiedenen Aspekte der Gefährdungsbeurteilung ausreichend fachkundig bearbeiten zu können (siehe auch Kapitel 3 und 5).

Im Weiteren macht der § 3 im Absatz 5 Festlegungen für hygienische Anforderungen an das Zusatzwasser.

(5) Der Betreiber hat sicherzustellen, dass dem Nutzwasser zugesetztes Zusatzwasser die in Anlage 1 genannten Prüfwerte 2 nicht überschreitet. Satz 1 gilt nicht für Anlagen, in denen die Verweilzeit des Kühlwassers nicht mehr als eine Stunde beträgt.

Beim Zusatzwasser handelt es sich nach § 2 Nr. 13 um

das Wasser, das dem Nutzwasser zugesetzt wird, insbesondere zum Ausgleich von Verdunstungsverlusten oder zur Begrenzung der Eindickung.

Mit Bezug auf die Anlage 1 der Verordnung (Tabelle 4.1) werden hier die sogenannten „Prüfwerte" eingeführt. Diese beziehen sich auf die Legionellenkonzentrationen im Kühlwasser und finden sowohl für das Nutzwasser als auch das Zusatzwasser Anwendung.

Tabelle 4.1: Anlage 1 (zu den §§ 3, 4, 6, 8 bis 10, zu Anlage 3 und Anlage 4) – Prüfwerte und Maßnahmenwerte für die Konzentration von Legionellen im Nutzwasser

Art der Anlage	Prüfwert 1	Prüfwert 2	Maßnahmenwert
	Legionellenkonzentration in KBE Legionella spp. je 100 ml		
Verdunstungskühlanlagen	100	1.000	10.000
Nassabscheider	100	1.000	10.000
Kühltürme	500	5.000	50.000

Es ist leicht nachvollziehbar, dass abhängig von der Legionellenkonzentration des Zusatzwassers das Betriebsrisiko, die Gefahrenwerte im Nutzwasser zu überschreiten, deutlich erhöht (siehe auch Kapitel 3.2). Es muss daher das Ziel jedes Anlagenbetriebs sein, mit geringen Legionellenkonzentrationen in die Anlage zu gehen. Sofern dazu eine Wasseraufbereitung oder -behandlung notwendig ist, erfordern diese Maßnahmen natürlich auch eine wirtschaftliche Abwägung.

Eine Ausnahme bilden hier Anlagen mit geringer Verweilzeit des Wassers, welche die Verordnung auf unter einer Stunde festlegt. Es ist anzunehmen, dass hier von einem steigenden Risiko der Legionellenvermehrung mit zunehmender Verweilzeit in der Anlage ausgegangen wurde. Grundsätzlich führt, wie bereits in Kapitel 3.1 beschrieben, eine derart kurze Verweilzeit zu keiner relevanten Vermehrung von Legionellen im Wasser. Allerdings sprechen die bisherigen Erkenntnisse über die Vermehrung von Legionellen (siehe Kapitel 3.1) dafür, dass diese sich primär in den Biofilmen der Anlagen vermehren. Auch bei einer Verweilzeit des Kühlwassers von < 1 Stunde kann der hohe Eintrag von Legionellen über das Zusatzwasser zu einer Kontamination in der Anlage führen, da eine Besiedlung der Biofilme angenommen werden muss. Damit wäre eine schnellere Überschreitung des Maßnahmenwerts durchaus im Bereich des Möglichen.

(6) Der Betreiber hat sicherzustellen, dass vor der Inbetriebnahme oder der Wiederinbetriebnahme einer Anlage die Prüfschritte gemäß Anlage 2 unter Beteiligung einer hygienisch fachkundigen Person durchgeführt wurden. Der Betreiber hat vor dem in Satz 1 bestimmten Zeitpunkt die Durchführung der Prüfschritte im Betriebstagebuch zu dokumentieren. Die Sätze 1 und 2 gelten auch für Anlagen oder Anlagenteile, die nach Trockenlegung oder nach Unterbrechung des Nutzwasserkreislaufs für mehr als eine Woche wieder angefahren werden.

In der Verordnungsbegründung zum § 3 Abs. 6 wird ausgeführt, dass auch „organisatorische Festlegungen (Betriebsabläufe und Zuständigkeiten) Voraussetzungen für einen hygienisch unbedenklichen Betrieb" darstellen. Damit wird die Bedeutung der bereits in den vorausgehenden Absätzen gesetzten baulichen Forderungen nicht herabgesetzt, aber die Wichtigkeit der organisatorischen Aspekte unterstrichen. Aus den bisherigen Erfahrungen bei der Überprüfung und Gefährdungsbeurteilung dieser Anlagen kann dies nur bestätigt werden. Organisatorische Mängel führen danach in relevanter Größenordnung zu Problemen beim Betrieb, die auf die hygienische Sicherheit der Anlage Auswirkungen haben. Das betrifft fehlende Zuständigkeiten und Fachkenntnisse, keine ausreichende Kontrolle des Systems und unzureichende Instandhaltungsplanungen. Insgesamt sind das also alles Punkte, die der Organisationsverantwortung des Betreibers obliegen. Diesem muss daher das hiermit verbundene rechtliche Risiko bewusst sein.

Die Verordnung fordert daher, dass der Betreiber vor Inbetriebnahme oder auch Wiederinbetriebnahme die in Anlage 2 aufgeführten Prüfschritte durchführt. Anzumerken ist hier, dass Satz 3 auch auf Anlagen oder Anlagenteile abhebt, bei denen der Kreislauf des Nutzwassers unterbrochen oder wo dieser trockengelegt wird. In beiden Fällen wird hier von einem Zeitraum von sieben Tagen ausgegangen. Diese Forderung ist ein wenig irritierend, da sich die Anlage 2 im Titel auf die Inbetriebnahme bzw. Wiederinbetriebnahme bezieht. Warum auch nach einer Unterbrechung des Nutzwasserkreislaufs oder der Trockenlegung alle Schritte abgearbeitet werden sollen, erschließt sich nicht wirklich. Abgesehen von der Überprüfung der Zusatzwasserqualität und der Wiederinbetriebnahme der Wasserbehandlung und -aufbereitung erscheinen die Maßnahmen überflüssig.

Mit der „hygienisch fachkundigen Person" ist auch hier eine Mindestanforderung an das für diese Tätigkeiten einzusetzende Personal festgelegt. Gemäß der Checkliste der Anlage 2 sind, neben der Angabe von Anlagen- und Betreiberdaten, umfängliche Merkmale zu überprüfen. Als Voraussetzung für die Inbetriebnahme oder Wiederinbetriebnahme der Anlage müssen „alle Punkte der Checkliste abgearbeitet" sein. Inwieweit die Punkte „nur" abgearbeitet oder auch erfüllt sein müssen, geht aus der Verordnung nicht hervor. Die Entscheidung obliegt damit dem jeweiligen Betreiber oder dessen Beauftragten. Mit der Dokumentationspflicht der Prüfschritte im Betriebstagebuch lassen sich die Abweichungen von den Anforderungen der Checkliste auch im Nachgang feststellen.

Anlage 2 (zu § 3 Absatz 6) Maßnahmen vor Inbetriebnahme/Wiederinbetriebnahme

Checkliste

Maßnahmen vor Inbetriebnahme/Wiederinbetriebnahme einer Anlage gemäß § 3 Absatz 6 der Verordnung über Verdunstungskühlanlagen, Kühltürme und Nassabscheider (42. BImSchV)

Anlagendaten: Anlagen-ID
Standort der Anlage
Straße, Hausnummer
PLZ, Ort
Betreiber der Anlage

Name Straße,		
Hausnummer PLZ, Ort		
Ansprechpartner (Name)		

Die Anlage darf erst in Betrieb genommen werden, wenn alle Punkte der Checkliste abgearbeitet sind.

1. Verunreinigungen, Ablagerungen in der Anlage sowie ggf. Rückstände von Zusatzstoffen wurden entfernt.	☐
2. a) Die chemische und mikrobiologische Beschaffenheit des Zusatzwassers wurde bestimmt. b) Die Anforderungen gemäß § 3 Abs. 5 der 42. BImSchV werden eingehalten.	☐ ☐
3. Zwischen dem Vorliegen der Ergebnisse der Zusatzwasseranalyse nach Punkt 2 und dem Beginn des Befüllens der Anlagen liegen nicht mehr als 7 Tage.	☐
Die Punkte 2 und 3 entfallen, wenn das Zusatzwasser aus einer überwachungspflichtigen Trinkwasserversorgungsanlage stammt und eine aktuelle Netzanalyse vorliegt.	
4. Eine Wasserbehandlung oder Wasseraufbereitung wurde, soweit installiert, entsprechend den Anforderungen an die Wasserqualität bei der Befüllung der Anlage in Betrieb genommen.	☐
5. Die hygienerelevante Ausführung der Anlage wurde auf Übereinstimmung mit der Anlagenplanung überprüft, Abweichungen wurden korrigiert; die Anforderungen gemäß § 3 Abs. 2 bis 4 der 42. BImSchV werden eingehalten.	☐
6. Die Anlagendokumentation – einschließlich der Dokumentation von Änderungen – sind im Betriebstagebuch nachgewiesen.	☐
7. Das Bedienpersonal wurde in den Betrieb der – geänderten – Anlage eingewiesen.	☐
8. Die vom Hersteller der Anlage genannten Anforderungen an die Wasserqualität werden erfüllt.	☐
9. Vorgenannte Einzelschritte wurden vor Wieder-/Inbetriebnahme durchgeführt.	☐

Die vorstehenden Maßnahmen wurden durchgeführt am vom Betreiber

von einem Beauftragten

Name Straße,		
Hausnummer PLZ, Ort		
Ansprechpartner (Name)		
Die Anlage wurde in Betrieb genommen/wieder in Betrieb genommen am		

Die vollständig ausgefüllte Checkliste ist vom Betreiber – und soweit zutreffend vom Beauftragten – zu unterschreiben.

Ort, Datum, Unterschrift Beauftragter	Ort, Datum, Unterschrift Betreiber

Die unterschriebene Checkliste ist in das Betriebstagebuch einzustellen.

(7) Der Betreiber hat innerhalb von vier Wochen nach der Inbetriebnahme oder der Wiederinbetriebnahme einer Anlage die erste regelmäßige Laboruntersuchung des Nutzwassers gemäß § 4 Absatz 2 und 3 oder § 7 Absatz 2 durchführen zu lassen (Erstuntersuchung). Der Betreiber einer bestehenden Anlage, für die bei Inkrafttreten dieser Verordnung noch keine Laboruntersuchung entsprechend Satz 1 durchgeführt wurde, hat die erste regelmäßige Laboruntersuchung des Nutzwassers bis zum 16. September 2017 durchführen zu lassen. Bei Anlagen, die bestimmungsgemäß an nicht mehr als 90 aufeinanderfolgenden Tagen im Jahr in Betrieb sind, hat der Betreiber innerhalb von zwei Wochen nach der jährlichen Wiederaufnahme des Betriebs die erste regelmäßige Laboruntersuchung des Nutzwassers durchführen zu lassen. Der Betreiber hat die Erstuntersuchung nach deren Veranlassung und die Ergebnisse der Erstuntersuchung nach deren Vorliegen unverzüglich im Betriebstagebuch zu dokumentieren.

Hier wird der Betreiber mit dem Ziel der Sicherstellung eines hygienisch unbedenklichen Betriebs dazu aufgefordert, regelmäßige mikrobiologische Laboruntersuchungen nach § 4 Abs. 2 und 3 oder § 7 Abs. 2 durchführen zu lassen. Sofern dies für bestehende Anlagen bei Inkrafttreten der 42. BImSchV noch nicht vorgenommen wurde, war dies mit Frist zum 16.09.2017 nachzuholen. Die Untersuchungsergebnisse sind im Betriebstagebuch zu dokumentieren. Die Anforderungen an das Betriebstagebuch finden sich im § 12 Betriebstagebuch sowie in der Anlage 4 Teil 1 der Verordnung und werden im Zusammenhang mit diesen Paragraphen erörtert.

(8) Der Betreiber hat die Laboruntersuchungen nach dieser Verordnung und die dafür erforderlichen Probenahmen jeweils von einem akkreditierten Prüflaboratorium durchführen zu lassen; die Probenahme und die Untersuchung zur Bestimmung der Legionellen sind nach genormten Verfahren, unter Berücksichtigung gegebenenfalls vorliegender Empfehlungen des Umweltbundesamtes, durchzuführen. Der Betreiber hat dem Labor und dem Probenehmer den Zeitpunkt einer erfolgten Biozidzugabe sowie die Menge und die Art des Biozids mitzuteilen.

Im Absatz 8 wird die im vorhergehenden Absatz aufgestellte Forderung nach Laboruntersuchungen weitergehend konkretisiert. So heißt es dazu in der Verordnungsbegründung: „Die Untersuchung von Kühl- und Waschwasserproben bedarf spezieller Kenntnisse und Voraussetzungen hinsichtlich der Probenahme und der labortechnischen Ausstattung. Zugelassene Stellen für mikrobiologische Untersuchungen von Trinkwasser verfügen in der Regel nicht über die notwendigen Kenntnisse und Voraussetzungen zur Untersuchung von Kühl- oder Waschwässern; eine Akkreditierung für die Zwecke dieser Verordnung erfordert den Nachweis spezieller Kenntnisse und Voraussetzungen für mikrobiologische Untersuchungen von Kühl- und Waschwasser. Bereits die Probenahme bestimmt maßgeblich die Qualität der Untersuchungsergebnisse; sie hat daher im Verantwortungsbereich des akkreditierten Prüflaboratoriums zu erfolgen. Die Probenahme hat nach anerkannten technischen Regelwerken, u. a. DIN EN ISO 19458, zu erfolgen und erfordert eine zusätzliche qualifizierende Schulung im Hinblick auf Verdunstungskühlanlagen, Kühltürme und Nassabscheider, beispielsweise in Anlehnung an die VDI 2047. Zur Sicherstellung der Vergleichbarkeit der zu ermittelnden Legionellen hat die Ermittlung nach bestimmten Standards, u. a. ISO 11731 sowie DIN EN ISO 11731, Teil 2, zu erfolgen, deren Anwendung besondere Kenntnisse und labortechnische Voraussetzungen erfordert; die Untersuchungen sind deshalb von akkreditierten Prüflaboratorien durchzuführen. Diese berücksichtigen neben den genormten Verfahren gegebenenfalls vorliegende Empfehlungen des Umweltbundesamtes dazu. Die Verpflichtung zur Beauftragung eines akkreditierten Prüflaboratoriums zur Untersuchung von Wässern mit hoher Begleitflora gilt für alle nach dieser Verordnung zu veranlassenden Laboruntersuchungen." Als Ergänzung sei hier hinzugefügt, dass es sich bei diesen Untersuchungen nicht um die mikrobiologischen Untersuchungen handelt, die der Betreiber als betriebsinterne Kontrollen selber durchführen darf. Diese werden an anderer Stelle angesprochen. Ein akkreditiertes Prüflaboratorium ist nach § 2 Nr. 15

> ein von einer nationalen Akkreditierungsstelle im Sinne der Verordnung (EG) Nr. 765/2008 des Europäischen Parlaments und des Rates vom 9. Juli 2008 über die Vorschriften für die Akkreditierung und Marktüberwachung im Zusammenhang mit der Vermarktung von Produkten und zur Aufhebung der Verordnung (EWG) Nr. 339/93 des Rates (ABl. L 218 vom 13.8.2008, S. 30) in der jeweils geltenden Fassung für die Durchführung der erforderlichen Prüfverfahren in der Matrix Kühl- und Waschwasser akkreditiertes Labor.

Damit sind die durch die Deutsche Akkreditierungsstelle (DAkkS) nach DIN EN ISO/IEC 17025 akkreditierten Prüflabore angesprochen. Inwieweit ein Prüflabor für die Untersuchung dieser speziellen Wässer akkreditiert ist, kann seiner Akkreditierungsurkunde entnommen werden. Alternativ kann dies auch auf der Internetseite der DAkkS geprüft werden. Die ausführliche Auslassung der Verordnung zu den mikrobiologischen Untersuchungen des Nutz- und Zusatzwassers zeigt deren Bedeutung und auch die Schwierigkeiten, über diesen Weg sichere Beurteilungsgrundlagen zu erzielen. Die gemachten Festlegungen dienen in weiten Teilen der Qualitätssicherung der mikrobiologischen Laboruntersuchungen und damit auch der Vergleichbarkeit von Ergebnissen. Seine Begründung findet dies auch in dem Umstand, dass die mikrobiologischen Ergebnisse für die rechtliche Einordnung eines möglichen Schadensfalls, z. B. durch einen Legionellenausbruch, von entscheidender Tragweite sind. Dies macht es dem Leser ohne tiefere mikrobiologische Kenntnisse vielleicht verständlich, warum der Verordnungssetzer sich hier in dieser Tiefe ausgelassen hat.

> (9) Der Betreiber hat sicherzustellen, dass während des Betriebs ohne oder mit verminderter Last die Vermehrung von Mikroorganismen und bei Wiederaufnahme des Betriebs unter Last sowie bei Reinigungs- und Desinfektionsmaßnahmen eine Freisetzung mikroorganismenhaltiger Aerosole in die Umgebungsluft weitgehend vermieden wird.

Im Absatz 9 wird deutlich darauf abgehoben, dass der Anlagenbetrieb im Sinne des Immissionsschutzrechts auch Betriebszustände einschließt, in denen „die Anlage ohne Erfüllung ihrer Zweckbestimmung", wie es in der Verordnungsbegründung heißt, betrieben wird. Das gilt zum Beispiel, wenn die Kühlleistung nicht mehr erbracht wird, die Anlage aber weiterhin in einem Betriebszustand gefahren wird, in dem laut Verordnungsbegründung „jederzeit eine Wiederaufnahme der Zweckbestimmung (Kühlfunktion) ermöglicht (Standby Betrieb)". Diese Betriebszustände bergen grundsätzlich das Risiko einer Mikroorganismenvermehrung. Das gilt zum Beispiel für den Fall einer längeren Stagnation des Nutzwassers oder einer nicht ausreichenden Verteilung von Biozid im Kühlsystem. Wo in solchen Betriebsphasen die Grenze zu einer „Änderung […] des Betriebs einer Anlage, die sich auf die Vermehrung […] von Legionellen auswirken kann" im Sinne des § 2 Nr. 1 vorliegt, wird in der Zukunft voraussichtlich noch zu klären sein. Dem muss vorgebeugt werden, um mit der Wiederaufnahme des Normalbetriebs eine erhöhte mikrobielle Belastung durch abgegebene Aerosole zu verhindern. Dieses Risiko ist auch bei Reinigungsmaßnahmen relevant, wo es z. B. durch den Einsatz von Hochdruckreinigern zu einer Abreinigung von biologischen Belägen kommt. Hier sind in besonderer Weise auch die Beschäftigten des Betreibers oder das Personal des von ihm eingesetzten Instandhaltungsdienstleisters einem Gesundheitsrisiko ausgesetzt. In der Summe dienen die hier formulierten Anforderungen daher sowohl der Risikominimierung hinsichtlich der Vermehrung als auch der Emission von Legionellen in speziellen Betriebszuständen.

Abschnitt 3: Anforderungen an den Betrieb von Verdunstungskühlanlagen und Nassabscheidern

Nach den allgemeinen Anforderungen, die für alle Anlagen im Anwendungsbereich der 42. BImSchV gelten, werden hier spezifische Forderungen für Verdunstungskühlanlagen und Nassabscheider definiert. Die Abgrenzung zu Kühltürmen beruht nicht nur auf technischen Unterscheidungsmerkmalen, sondern auch auf der Betriebsweise und den damit verbundenen Risiken der Vermehrung und Ausbreitung von Legionellen. In der Folge werden ausschließlich die Aspekte erörtert, welche sich auf Verdunstungskühlanlagen beziehen.

§ 4 Ermittlung des Referenzwertes, betriebsinterne Überprüfungen und Laboruntersuchungen in Verdunstungskühlanlagen und Nassabscheidern

(1) Nach der Inbetriebnahme oder der Wiederinbetriebnahme einer Verdunstungskühlanlage oder eines Nassabscheiders ist der Referenzwert des Nutzwassers aus mindestens sechs aufeinanderfolgenden Laboruntersuchungen auf den Parameter *allgemeine Koloniezahl* zu bestimmen. Bei bestehenden Anlagen, für die bei Inkrafttreten dieser Verordnung noch kein Referenzwert entsprechend Satz 1 bestimmt wurde, ist der Referenzwert aus den ersten sechs Laboruntersuchungen nach dem 19. August 2017 zu bestimmen. Die Sätze 1 und 2 finden keine Anwendung bei Anlagen, die bestimmungsgemäß an nicht mehr als 90 aufeinanderfolgenden Tagen im Jahr in Betrieb sind. Als Referenzwert heranzuziehen ist die bei der Erstuntersuchung nach § 3 Absatz 7 ermittelte Konzentration der allgemeinen Koloniezahl, jedoch nicht mehr als 10 000 KBE/ml,

1. bis zur Bestimmung des Referenzwertes nach Satz 1 oder 2,
2. bei Anlagen, die bestimmungsgemäß an nicht mehr als 90 aufeinanderfolgenden Tagen im Jahr in Betrieb sind, oder
3. bei Anlagen, für die der Betreiber erklärt, auf die Bestimmung des Referenzwertes nach Satz 1 oder 2 zu verzichten.

Der Betreiber hat unverzüglich nach der Inbetriebnahme oder der Wiederinbetriebnahme die Art der Bestimmung des Referenzwertes nach den Sätzen 1 bis 3 festzulegen und im Betriebstagebuch zu dokumentieren. In den Fällen der Sätze 1 und 2 hat der Betreiber nach Vorliegen des Ergebnisses der sechsten Laboruntersuchung unverzüglich die Höhe des Referenzwertes im Betriebstagebuch zu dokumentieren.

In § 4 Abs. 1 werden mehrere Begriffe aus der Mikrobiologie eingeführt, die in § 2 der Verordnung definiert sind. Ein zentraler Begriff ist der des „Referenzwertes", welcher nach § 2 Nr. 10 „die sich bei ordnungsgemäßem Betrieb einstellende anlagentypische allgemeine Koloniezahl im Nutzwasser" darstellt und gemäß Verordnungsbegründung den mikrobiologischen Normalzustand kennzeichnet, der sich im regelmäßigen Betrieb für die sogenannte „allgemeine Koloniezahl" einstellt. Die „allgemeine Koloniezahl" ist nach § 2 Nr 16 „ein Parameter zur Beurteilung der hygienischen Qualität des Nutzwassers; er umfasst alle Mikroorganismen, die nach genormten Verfahren auf oder in einem definierten Nähragarmedium anzüchtbar sind und Kolonien bilden".

Mit der allgemeinen Koloniezahl liegt hier ein Untersuchungsparameter als Bezugsgröße (Konzentration an Mikroorganismen bezogen auf einen Milliliter als Wasserprobenvolumen) vor. Dessen Messung erfolgt nach der Methode der DIN EN ISO 6222 (siehe auch Kapitel 3.1). Die Angabe der allgemeinen Koloniezahl erfolgt in der *Koloniebildenden Einheit* (KBE). Dies ist gemäß § 2 Nr. 4 „die Einheit, in der die Anzahl anzüchtbarer und auszählbarer Mikroorganismen ausgedrückt wird".

Weitere Erläuterungen zu den Begriffen sowie den mikrobiologischen Grundlagen finden sich in Kapitel 3.1.

Wenn der Referenzwert für den Parameter allgemeine Koloniezahl im Nutzwasser dabei den Anlagenzustand abbildet, der den ordnungsgemäßen Betrieb darstellt, kann durch deren regelmäßige Messung der mikrobiologische „Normalzustand" überwacht werden. Abweichungen vom Referenzwert würden daher hygienische Veränderungen der Anlage anzeigen. Das wiederum muss den Betreiber veranlassen, die Anlage und ihren Betrieb zu überprüfen. Dabei muss an dieser Stelle nochmals darauf verwiesen werden, dass der Parameter *allgemeine Koloniezahl* kein direkter Indikator für eine Gefahrenlage ist. Er zeigt lediglich, dass sich für die mit der jeweiligen Methode erfassten Mikroorganismen die Wachstumsbedingungen verbessern oder verschlechtern (siehe auch Kapitel 3.2).

Beim Betrieb jeder Anlage wird sich ein anlagenspezifischer, mikrobiologischer Normalzustand einstellen. Dieser ist durch sechs aufeinanderfolgende Laboruntersuchungen der allgemeinen Koloniezahl als Referenzwert zu bestimmen. Wie im Abs. 1 ausgeführt, gibt es Sonderregeln für Anlagen, bei denen die Ermittlung eines Referenzwerts nicht möglich oder nicht aussagekräftig ist. Wenn aus den angeführten Gründen auf die Ermittlung des anlagenindividuellen Referenzwertes aus den ersten sechs Untersuchungen verzichtet wird, ist das Ergebnis der Erstuntersuchung als Referenzwert heranzuziehen. Dieser darf 10.000 KBE/ml nicht überschreiten. Der gleiche Wert wurde bereits in der VDI 6022 Blatt 1 sowie der VDI 2047 Blatt 2 (Fassung 01/2015) als Maßstab für eine noch zu akzeptierende allgemeine Koloniezahl eingeführt. Allerdings gilt für den Fall einer Erstuntersuchung mit einem Ergebnis von z. B. 1.000 KBE/ml, dass dann dieser Wert als Referenzwert heranzuziehen ist. Wichtig ist ferner, dass der Betreiber die Art der Ermittlung des Referenzwerts im Betriebstagebuch dokumentiert.

Sofern der Betreiber einer VKA eine Ausnahme nach § 15 Abs. 2 bei der zuständigen Behörde beantragt, kann gänzlich auf die Bestimmung der allgemeinen Koloniezahl verzichtet werden. Das hat allerdings die Konsequenz, dass die Untersuchung auf Legionellen monatlich statt vierteljährlich erfolgen muss.

(2) Der Betreiber hat

1. zur Sicherstellung der hygienischen Beschaffenheit des Nutzwassers regelmäßig mindestens zweiwöchentliche betriebsinterne Überprüfungen chemischer, physikalischer oder mikrobiologischer Kenngrößen des Nutzwassers durchzuführen,
2. zur Überprüfung der Einhaltung des Referenzwertes regelmäßig mindestens alle drei Monate Laboruntersuchungen des Nutzwassers auf den Parameter *allgemeine Koloniezahl* durchführen zu lassen.

In Absatz 2 werden zwei Forderungen aufgestellt, die im ersten Fall bei den betriebsinternen Überprüfungen von Betreiber selbst wahrgenommen werden können. Bei den Laboruntersuchungen sind diese von einem akkreditierten Labor durchzuführen sind. Zu den betriebsinternen chemischen, physikalischen oder mikrobiologischen Überprüfungen werden keine konkreten Forderungen erhoben, außer dass sie mindestens zweiwöchentlich erfolgen müssen. Die jeweiligen Untersuchungsparameter und Methoden stehen dem Betreiber frei und müssen im Einzelfall festgelegt werden. Da in der Verordnung eine Oder-Verknüpfung formuliert wird, ist davon auszugehen, dass bestimmte Überprüfungen auch vollständig entfallen können. Hinsichtlich der betriebsinternen mikrobiologischen Untersuchungen werden häufig DipSlides-Verfahren eingesetzt. Für diese ist nach dem bisherigen Kenntnisstand keine Korrelation zu den in Abs. 2 Nr. 2 zwingend geforderten mikrobiologischen Laboruntersuchungen gegeben (siehe Kapitel 3.1). Es ist daher fraglich, ob bei fehlender Korrelation eine weitere Bestimmung eines Referenzwerts für die DipSlides-Methode zur Einordnung der betriebsinternen Untersuchungen sinnvoll erscheint.

Grundsätzlich sollten die Festlegungen für den Umfang der betriebsinternen Kontrollen im Rahmen der Betriebs- und Instandhaltungsplanung festgelegt werden. Anhand der Gefährdungsbeurteilung kann überprüft werden, welche Vorgehensweise angemessen und sicher ist. Geeignete Parameter für die vom Betreiber durchzuführenden Untersuchungen finden sich zum Beispiel in der VDI 2047.

Ein anderes Bild ergibt sich für die externen mikrobiologischen Untersuchungen der allgemeinen Koloniezahl. Sie sind Voraussetzung für die Bestätigung des ordnungsgemäßen Betriebs der Anlagen. Dieser ist gemäß Verordnungsbegründung insbesondere dann „gegeben, wenn sich die hygienische Beschaffenheit des Nutzwassers als stabil erweist und keine Überschreitung eines der Prüfwerte zu erwarten ist".

(3) Der Betreiber hat regelmäßig mindestens alle drei Monate Laboruntersuchungen des Nutzwassers auf den Parameter *Legionellen* durchführen zu lassen.

Da nach dem aktuellen Kenntnisstand die Vermehrung und der Austrag von Legionellen das größte gesundheitliche Risikopotenzial im Zusammenhang mit den hier behandelten Anlagen bergen, sind die regelmäßig durchzuführenden Laboruntersuchungen zur Ermittlung der Legionellenkonzentration ein naheliegender Überwachungsansatz. Die Verordnung hat sich hier an die bereits seit Januar 2015 bestehende Forderung aus dem technischen Regelwerk VDI 2047 Blatt 2 gerichtet. Die Untersuchung ist durch ein für diesen Parameter akkreditiertes Prüflaboratorium durchzuführen. Ergänzend sei hier angemerkt, dass die Akkreditierung auch für die hier vorliegenden Wässer gelten muss. Eine Akkreditierung für Trinkwasser ist demnach nicht ausreichend. Das Untersuchungsergebnis wird als Vergleichsgröße für die in der Verordnung festgelegten Prüf- und Maßnahmenwerte (siehe Anlage 1) herangezogen.

(4) Werden die in Anlage 1 genannten Prüfwerte 1 in zwei aufeinanderfolgenden Jahren bei keiner Laboruntersuchung nach Absatz 3 überschritten, können die regelmäßigen Laboruntersuchungen nach Absatz 3 alle sechs Monate durchgeführt werden. Dabei muss immer eine Laboruntersuchung zwischen dem 1. Juni und dem 31. August durchgeführt werden.

Hier wird dem Betreiber freigestellt, im Falle eines langfristig sicheren Betriebs das Untersuchungsintervall für die Untersuchungen zur Ermittlung der Legionellen zu verlängern. Ob ein halbjährlicher Untersuchungszyklus, auch bei Berücksichtigung jahreszeitlich bedingter Einflüsse auf eine Legionellenvermehrung, angemessen ist, bleibt abzuwarten.

(5) Der Betreiber hat sicherzustellen, dass er über das Ergebnis der Laboruntersuchungen nach Absatz 2 Nummer 2 und Absatz 3 unverzüglich unterrichtet wird. Der Betreiber hat die betriebsinternen Überprüfungen, die Laboruntersuchungen nach Absatz 2 Nummer 2 und Absatz 3 nach deren Veranlassung und die Ergebnisse der betriebsinternen Überprüfungen und der Laboruntersuchungen jeweils nach deren Vorliegen unverzüglich im Betriebstagebuch zu dokumentieren. Zusätzlich ist der mikrobiologische Untersuchungsbefund als Anlage zum Betriebstagebuch zu nehmen.

Im Absatz 5 wird einerseits darauf abgehoben, dass die vertraglichen Regelungen und die organisatorische Praxis zu einer umgehenden Mitteilung der Laborergebnisse an den Betreiber führen müssen. Das ergibt sich schon alleine aus der Pflicht, dass eventuelle Maßnahmen, die aufgrund der Untersuchungsergebnisse erforderlich werden, zeitnah umzusetzen sind. Auch sind die sich aus § 10 (s. u.) ergebenden Informationspflichten unmittelbar zu erfüllen. Hier muss sich der Betreiber im Klaren sein, dass es in seinem Verantwortungsbereich liegt, dies sicherzustellen. Zum zweiten wird hier nochmals darauf verwiesen, dass es eine Nachweispflicht für alle Fälle gibt, in denen Laboruntersuchungen angeordnet werden. Darüber hinaus sind auch die betriebsinternen Überprüfungen zu dokumentieren – nicht vordringlich aus Nachweisgründen, sondern um die Wasserqualitäten und die sich daraus abzuleitenden Wasserbehandlungen möglichst effizient und wirtschaftlich umzusetzen.

§ 5 Maßnahmen bei einem Anstieg der Konzentration der allgemeinen Koloniezahl

(1) Ist aufgrund einer Laboruntersuchung nach § 4 Absatz 2 Nummer 2 ein Anstieg der Konzentration der allgemeinen Koloniezahl um den Faktor 100 oder mehr gegenüber dem Referenzwert festzustellen, hat der Betreiber unverzüglich

1. Untersuchungen zur Aufklärung der Ursachen durchzuführen und
2. die erforderlichen Maßnahmen für einen ordnungsgemäßen Betrieb, insbesondere Sofortmaßnahmen zur Verminderung der mikrobiellen Belastung, zu ergreifen.

Da der Referenzwert für die allgemeine Koloniezahl im Nutzwasser den Maßstab für den ordnungsgemäßen Betrieb abbildet, ist ein Anstieg um mehr als das 100-Fache als signifikanter Indikator für Veränderungen des hygienischen Zustands der Anlage zu betrachten. Diese sollen durch die regelmäßigen externen Laboruntersuchungen überwacht werden. Derartige Abweichungen vom Referenzwert können verschiedene Ursachen ausweisen. Das kann zum Beispiel eine Belastung des Zusatzwassers sein oder auch Änderungen in der Betriebsweise. Ein derartig gravierender Anstieg der allgemeinen Koloniezahl ist Anlass, die möglichen Ursachen zu klären und entsprechend geeignete Maßnahmen zur Wiederherstellung des mikrobiologischen Normalzustands herbeizuführen. Es ist dabei Aufgabe des Betreibers, dies ohne Einbeziehung der Behörden umzusetzen. Er ist also frei bei der Auswahl der erforderlichen Maßnahmen, die sich sinnvollerweise an einer vorab festgelegten Vorgehensweise orientieren sollte. Bereits bei der Erstellung der Gefährdungsbeurteilung (siehe § 3) sollten entsprechende Maßnahmenpläne festgelegt und im Betriebstagebuch oder als dessen Anlage dokumentiert werden. Über die Art der Maßnahmen lässt sich die Verordnung aus guten Gründen nicht aus. Das können sowohl technische als auch organisatorische Maßnahmen sein. Hier muss nochmals betont werden, dass die Überschreitung der allgemeinen Koloniezahl keine direkte Gefahrenlage anzeigt und die mit der Wiederherstellung Normalzustands verbunden Maßnahmen zunächst einen präventiven Charakter haben.

(2) Der Betreiber hat die ermittelten Ursachen und die gegebenenfalls ergriffenen Maßnahmen jeweils nach deren Durchführung unverzüglich im Betriebstagebuch zu dokumentieren.

Absatz 2 bestimmt die Nachweispflichten und fordert den Betreiber eindeutig zu einer Dokumentation der Ergebnisse der Ursachensuche auf. Um dieser Forderung gerecht zu werden, sollte der Betreiber auch hier im Vorfeld bereits entsprechende Vorbereitungen wie Dokumentenvorlagen vorbereitet haben. Auch der in diesem Zusammenhang ablaufende Arbeitsprozess inkl. der Verantwortlichkeiten sollte sich im Betriebshandbuch wiederfinden.

§ 6 Maßnahmen bei einer Überschreitung der Prüfwerte in Verdunstungskühlanlagen und Nassabscheidern

(1) Wird bei einer Laboruntersuchung nach § 4 Absatz 3 eine Überschreitung der in Anlage 1 genannten Prüfwerte 1 oder 2 festgestellt, hat der Betreiber unverzüglich eine zusätzliche Laboruntersuchung auf den Parameter *Legionellen* durchführen zu lassen.

§ 6 hebt auf die Prüfwerte 1 und 2 ab, die sich auf *Legionella spp.* beziehen und für die beiden Anlagenarten mit 100 bzw. 1.000 KBE *Legionella spp.* je 100 ml festgelegt sind. Wie in Kapitel 3.2 dargestellt, lässt sich für Legionellen kein Schwellenwert festlegen, unterhalb dessen keine Infektionsgefahr mehr vorliegt. Die in Anlage 1 vom Verordnungsgeber festgelegten Prüfwerte sind daher im Rahmen der Risikobetrachtung für diese Anlagen als eine Form von „Eingreifwerten" zu betrachten. Sie zeigen an, dass die Bedingungen in der Anlage offensichtlich eine Vermehrung von Legionellen zulassen oder diese bereits mit dem Zusatzwasser Eingang in die Anlage finden. Diese Ergebnisse geben Anlass dazu, die Bedingungen des Anlagenbetriebs direkt zu überprüfen, da bei einer weiteren Vermehrung von Legionellen diese auch in einem erhöhten Maße mit den emittierten Aerosolen in die Umwelt gelangen können. Das wiederum führt zu einem gesteigerten Infektionsrisiko in der Umgebung der Anlage.

Absatz 1 fordert den Betreiber bei Überschreitung der Prüfwerte, die im Rahmen der festgelegten regelmäßigen Laboruntersuchungen festgestellt wurden, auf, diese durch eine zweite Untersuchung zu verifizieren. Erst das Ergebnis der Zusatzuntersuchung löst für den Betreiber weitere Maßnahmen aus, die sich als Rechtsfolgen ergeben. Diese sind abhängig davon, ob es sich um Prüfwert 1 oder 2 handelt. Wie in der Verordnungsbegründung beschrieben, wird mit der Bezugnahme auf Laboruntersuchungen nach § 4 Abs. 3 sichergestellt, dass Zusatzuntersuchungen zur Verifizierung der Legionellenkonzentration nur für Ergebnisse aus den regelmäßigen Laboruntersuchungen erforderlich sind. Sofern bei diesen Zusatzuntersuchungen oder auch bei Untersuchungsbefunden aufgrund verkürzter Intervalle nach § 6 Abs. 2 Nr. 4 Überschreitungen der Prüfwerte festgestellt werden, sind nicht direkte weitere Zusatzuntersuchungen erforderlich.

(2) Bestätigt die zusätzliche Laboruntersuchung nach Absatz 1 eine Überschreitung des in Anlage 1 genannten Prüfwertes 1, hat der Betreiber unverzüglich

1. Untersuchungen zur Aufklärung der Ursachen durchzuführen,
2. die erforderlichen Maßnahmen für einen ordnungsgemäßen Betrieb zu ergreifen,
3. betriebsinterne Überprüfungen wöchentlich durchzuführen und
4. Laboruntersuchungen auf die Parameter *allgemeine Koloniezahl* und Legionellen monatlich durchführen zu lassen.

Absatz 2 beschreibt die Rechtsfolgen für den Betreiber, die sich aus einer bestätigten Überschreitung des Prüfwerts 1 ableiten. Gemäß Nr. 1 wird er zur unverzüglichen Ursachenermittlung aufgefordert, die Voraussetzung für die unter Nr. 2 erforderlichen Maßnahmen sein muss. Letztere hängen naturgemäß mit den Problemursachen und den jeweils im System vorliegenden Randbedingungen zusammen. Nur darauf abgestimmte Maßnahmen werden zu einem nachhaltigen Erfolg bei der Legionellenreduktion führen und die dauerhafte Rückkehr eines ordnungsgemäßen Betriebs ermöglichen. Darüber hinaus werden die Überwachungsintervalle sowohl für die betriebsinternen Überprüfungen als auch für die Laboruntersuchungen verkürzt.

(3) Bestätigt die zusätzliche Laboruntersuchung nach Absatz 1 eine Überschreitung des in Anlage 1 genannten Prüfwertes 2, hat der Betreiber unverzüglich

1. die Pflichten nach Absatz 2 zu erfüllen und
2. technische Maßnahmen nach dem Stand der Technik, insbesondere Sofortmaßnahmen zur Verminderung der mikrobiellen Belastung, zu ergreifen, um die Legionellenkonzentration im Nutzwasser unter den in Anlage 1 genannten Prüfwert 2 zu reduzieren.

Sofern die Zusatzuntersuchung auf Legionellen die Überschreitung des Prüfwertes 2 bestätigt, sind über die bereits aus Absatz 2 hervorgehenden Rechtspflichten weitere technische Maßnahmen zu ergreifen. Ziel dieser Sofortmaßnahmen, die dem Stand der Technik entsprechen müssen, können Desinfektionsmaßnahmen durch die Stoßdosierung von Bioziden sein. Die

Verordnungsbegründung nennt auch noch Maßnahmen zur Anpassung der Wasseraufbereitung oder -behandlung. Als primäres Ziel ist dort die Unterschreitung des Prüfwerts 2 im Nutzwasser benannt.

(4) Der Betreiber hat die zusätzliche Laboruntersuchung nach Absatz 1 nach deren Veranlassung sowie die Ergebnisse der Laboruntersuchung und die Ergebnisse der Untersuchungen jeweils nach deren Vorliegen sowie die gegebenenfalls ergriffenen Maßnahmen nach den Absätzen 2 oder 3 jeweils nach deren Durchführung unverzüglich im Betriebstagebuch zu dokumentieren.

Die Ergebnisse und abgeleiteten Maßnahmen, wie sie sich aus den in den Absätzen 1 bis 3 eingeforderten Rechtspflichten ergeben, sind sämtlich im Betriebstagebuch zu dokumentieren. Hier findet sich eine eindeutig formulierte Nachweispflicht bezüglich des Anlagenzustands, der Ursachen für die Legionellenbelastung und der umgesetzten Maßnahmen. Neben dem Nachweis sind diese Aufzeichnungen im Anlagenbetrieb hilfreich, um bei zukünftigen Legionellenüberschreitungen auf die Erfahrungen der Vergangenheit zurückzugreifen.

(5) Wird bei drei aufeinanderfolgenden Untersuchungen nach Absatz 2 Nummer 4 festgestellt, dass die in Anlage 1 genannten Prüfwerte 1 eingehalten werden, gelten ab dem Zeitpunkt der letzten Probenahme wieder die Prüfintervalle nach § 4 Absatz 2 und 3.

Absatz 5 beschreibt die Voraussetzungen, unter der der Betreiber zum regulären Überwachungsintervall zurückkehren kann. Das gilt sowohl für die betriebsinternen Untersuchungen als auch die Laboruntersuchungen für die allgemeine Koloniezahl und die Legionellen.

Abschnitt 4: Anforderungen an den Betrieb von Kühltürmen

Aufgrund der konstruktiven Merkmale von Kühltürmen und deren Betriebsweise (siehe Kapitel 2), die sich deutlich von den Verdunstungskühlanlagen im Sinne der Verordnung unterscheiden, werden erstere in diesem Verordnungsabschnitt gesondert behandelt. Das führt zu unterschiedlichen Betriebsanforderungen.

§ 7 Betriebsinterne Überprüfungen und Laboruntersuchungen in Kühltürmen

(1) Der Betreiber hat durch regelmäßige mindestens zweiwöchentliche betriebsinterne Überprüfungen chemischer, physikalischer oder mikrobiologischer Kenngrößen die hygienische Beschaffenheit des Nutzwassers sicherzustellen.

Keinen Unterschied zu den Verdunstungskühlanlagen macht es beim Betrieb von Kühltürmen hinsichtlich der Notwendigkeit von regelmäßigen betriebsinternen Überprüfungen. Vergleichbar den Anforderungen an Verdunstungskühltürme, steht dem Betreiber frei, welche Untersuchungen er durchführt. Wie im Speziellen betriebsinterne mikrobiologische Überprüfungen, die in der Regel auf die allgemeine Koloniezahl abheben, ohne einen geeigneten Referenzwert als Bewertungsmaßstab herangezogen werden sollen, erschließt sich auch hier nicht wirklich (siehe § 4 sowie Kapitel 3.1). Sofern der Betreiber betriebsinterne mikrobiologische Überprüfungen vornimmt, sollte er auch hier versuchen, den mikrobiologischen Normalzustand in Form eines „Referenzwertes" zu ermitteln. Alles andere macht die Ermittlung mikrobiologischer Kenngrößen für den Anlagenzustand sinnlos und damit überflüssig.

Die Verordnungsbegründung verweist bei der Auswahl der betriebsinternen Überprüfung auf die einschlägigen technischen Regelwerke und hebt dabei zum wiederholten Male die VDI 2047 hervor, die diese Anlagen im Blatt 3 im Anwendungsbereich hat. Aus diesen lassen sich sowohl geeignete Methoden als auch zielführende Parameter für die betriebsinternen Untersuchungen entnehmen.

(2) Der Betreiber hat regelmäßig mindestens monatlich Laboruntersuchungen des Nutzwassers auf den Parameter Legionellen durchführen zu lassen.

Neben den in Absatz 1 geforderten internen Kontrollen ist für den ordnungsgemäßen Betrieb auch die Kenntnis des mikrobiologischen Zustands durch regelmäßige externe Überprüfungen der Keimkonzentration notwendige Voraussetzung. Verzichtet wird im Fall von Kühltürmen auf die Untersuchungspflicht zur Bestimmung der allgemeinen Koloniezahl sowie die damit verbundene Bestimmung eines Referenzwerts. Stattdessen wird hier der Untersuchungszyklus auf Legionellen auf monatlich reduziert. Dies entspricht den Anforderungen, wie sie auch im Blatt 3 der VDI 2047 festgelegt sind. Begründet wird dies in der VDI 2047 mit einer fehlenden Korrelation zwischen dem Vorhandensein von Legionellen im Nutzwasser und dem Parameter allgemeine Koloniezahl oder anderen Indikatorbakterien. Es wird hier also darauf verzichtet einen mikrobiologischen Parameter für den allgemeinen hygienischen Zustand der Anlage heranzuziehen. Mit dem gleichen Argument hätte man auch bei den Verdunstungskühlanlagen auf den Parameter *allgemeine Koloniezahl* verzichten können. Die Verordnungsbegründung führt dazu aus, dass die erheblichen Wärmemengen, welche abzuführen sind, zu einem hohen Kühlwasserbedarf führen. Im Weiteren werden diese Anlagen gemäß Verordnungsbegründung häufig mit Ablaufkühlung betrieben, was sehr kurze Kühlwasserverweilzeiten bedingt. Damit einher geht die Schwierigkeit, dass sich kein mikrobiologischer Normalzustand wie im Kreislaufbetrieb einstellt. Entsprechend erübrigt sich die Bestimmung eines Referenzwerts und es fehlt ein geeigneter Wert für die Beurteilung von Ergebnissen aus der allgemeinen Koloniezahl. Gleichzeitig ist eine Wasserbehandlung mit Bioziden bei diesen Anlagen schwierig und kommt häufig nicht in Betracht. „Zur Kontrolle des hygienischen Zustandes dieser Anlagen wird daher ausschließlich auf die Legionellenkonzentration abgestellt, allerdings in kürzeren zeitlichen Abständen", wie aus der Begründung hervorgeht.

(3) Werden die in Anlage 1 genannten Prüfwerte 1 in zwei aufeinanderfolgenden Jahren bei keiner Laboruntersuchung nach Absatz 2 überschritten, können die regelmäßigen Untersuchungen nach Absatz 2 alle zwei Monate durchgeführt werden.

Auch hier wird dem Betreiber ermöglicht, den Untersuchungszyklus zu verlängern, sofern die Prüfwerte 1, hier 500 KBE Legionellen pro 100 ml, in zwei Jahren nicht überschritten werden. Also ein langfristig stabiler hygienischer Betrieb nachgewiesen wurde.

(4) Der Betreiber hat sicherzustellen, dass er über das Ergebnis der Laboruntersuchungen nach Absatz 2 unverzüglich unterrichtet wird. Der Betreiber hat die betriebsinternen Überprüfungen nach Absatz 1 und die Laboruntersuchungen nach Absatz 2 nach deren Veranlassung sowie deren jeweilige Ergebnisse nach Vorliegen unverzüglich im Betriebstagebuch zu dokumentieren. Zusätzlich ist der mikrobiologische Untersuchungsbefund als Anlage zum Betriebstagebuch zu nehmen.

In Absatz 4 wird zum wiederholten Male in dieser Verordnung auf die Notwendigkeit einer unverzüglichen Unterrichtung des Betreibers durch das Labor sowie die Dokumentationspflichten verwiesen. Auch wird mit den sich daraus ergebenden Informationspflichten nach § 10 argumentiert.

§ 8 Maßnahmen bei einer Überschreitung der Prüfwerte in Kühltürmen

(1) Wird bei einer Laboruntersuchung nach § 7 Absatz 2 eine Überschreitung des in Anlage 1 genannten Prüfwertes 2 festgestellt, hat der Betreiber unverzüglich eine zusätzliche Laboruntersuchung auf den Parameter Legionellen durchführen zu lassen.

Wie im Fall von Verdunstungskühlanlagen in § 6 geregelt, so gilt auch für Kühltürme, dass bei Überschreitungen der Prüfwerte (gemäß Anlage 1 der Verordnung) im Rahmen der regelmäßigen Untersuchungen nach § 7 Abs. 2 durch ein akkreditiertes Prüflaboratorium die Pflicht der Ergebnisverifizierung durch eine zweite Untersuchung besteht. Im Unterschied zu Verdunstungskühlanlagen, wo dies bereits bei Überschreitung von Prüfwert 1 gilt, ergibt sich diese Anforderung und daraus folgende Rechtspflichten erst bei Überschreitung des Prüfwerts 2 mit einer Legionellenkonzentration ab 5.000 KBE Legionellen pro 100 ml. Begründet wird diese Ungleichbehandlung mit den begrenzten Einwirkungsmöglichkeiten durch den Betreiber im Fall einer erhöhten Legionellenkonzentration, was insbesondere für eine mögliche Biozidbehandlung gilt. Das betrifft einerseits die Schwierigkeit bis Unmöglichkeit der kurzfristigen Biozidbehandlung der Gesamtanlage, aber auch die Umweltauswirkungen einer hohen Biozidkonzentration in der Abflut. Das verkürzte Untersuchungsintervall nach § 7 soll stattdessen zur frühzeitigen Erfassung des Risikos und anschließender Risikominimierung eines Legionellenaustrags beim Betrieb dieser Anlagen beitragen.

Auch für die hier festgelegten zusätzlichen Laboruntersuchungen gilt, dass diese nur zur Verifizierung der Legionellenkonzentration aus den Befunden einer regelmäßigen Laboruntersuchung erforderlich sind. Bestätigende Befunde dieser zusätzlichen Laboruntersuchungen erfordern demnach keine direkt nachfolgenden Zusatzuntersuchungen.

(2) Bestätigt die zusätzliche Laboruntersuchung nach Absatz 1 eine Überschreitung des in Anlage 1 genannten Prüfwertes 2, hat der Betreiber unverzüglich

1. Untersuchungen zur Aufklärung der Ursachen durchzuführen,
2. die erforderlichen Maßnahmen für einen ordnungsgemäßen Betrieb, insbesondere Sofortmaßnahmen zur Verminderung der mikrobiellen Belastung, zu ergreifen,
3. technische Maßnahmen nach dem Stand der Technik zu ergreifen, um die Legionellenkonzentration im Nutzwasser unter den in Anlage 1 genannten Prüfwert 2 zu reduzieren.

Sofern die nach Absatz 1 geforderte Zusatzuntersuchung auf Legionellen die Überschreitung des Prüfwerts 2 bestätigt, sind die Ursachen der Erhöhung der mikrobiellen Belastung zu ermitteln. Um dem gerecht zu werden, bedarf es einer systematischen Inspektion der Gesamtanlage, die auch die Betriebsweise einschließt. Anders als für die Verdunstungskühlanlagen hält man sich in der Verordnungsbegründung mit Beispielen für mögliche Maßnahmen zur Wiederherstellung eines hygienisch ausreichenden Zustands zurück. Neben Sofortmaßnahmen zur Verminderung der Legionellenbelastung wird auf technische Maßnahmen nach dem Stand der Technik abgehoben. Konkretisierungen erfolgen hier nicht. Man überlässt es hier dem Betreiber, geeignete Maßnahmen auf Basis der ermittelten Belastungsursachen festzulegen. Diese müssen dem Ziel, die Überschreitung des Prüfwerts 2 zu beenden, gerecht werden. Wie auch im Fall der Verdunstungskühlanlagen werden hier an keiner Stelle Vorgaben zu Fristen bei der Wiederherstellung des ordnungsgemäßen Betriebs gemacht. Der Betreiber ist lediglich zum unverzüglichen Beginn aufgefordert. Da hier auch noch keine Informationspflicht an die Aufsichtsbehörden besteht, wird die zukünftige Praxis bei der Überprüfung nach § 14 zeigen, wie mit Anlagen umgegangen wird, die beständig immer wieder Prüfwertüberschreitungen aufweisen.

(3) Der Betreiber hat die zusätzliche Laboruntersuchung nach Absatz 1 nach deren Veranlassung sowie die Ergebnisse der Laboruntersuchung und die Ergebnisse der Untersuchungen jeweils nach deren Vorliegen sowie die gegebenenfalls ergriffenen Maßnahmen nach Absatz 2 jeweils nach deren Durchführung unverzüglich im Betriebstagebuch zu dokumentieren.

Absatz 3 regelt die Nachweispflichten zum Anlagenzustand, den Ursachen der erhöhten Legionellenbelastung sowie der ergriffenen Maßnahmen zur Erreichung des ordnungsgemäßen Betriebs. Diese sind im Betriebstagebuch zu dokumentieren. Eine Konkretisierung hinsichtlich des Dokumentationsumfangs findet sich nicht.

Abschnitt 5: Anforderungen bei Überschreitung der Maßnahmenwerte oder bei Störung des Betriebs

Die im Abschnitt 5 mit den in den §§ 9 bis 11 festgelegten Anforderungen hinsichtlich der Überschreitung des Maßnahmenwerts, der Informationspflichten und der Störungen des Betriebs gelten für alle Anlagentypen. Es erfolgt hier keine weitere anlagenspezifische Differenzierung hinsichtlich der Pflichten für den Betreiber. Die unterschiedliche Risikobewertung hat bereits durch Festlegung der differenzierten Maßnahmenwerte stattgefunden. Diese sind für Verdunstungskühlanlagen mit 10.000 KBE Legionellen pro 100 ml und für Kühltürme mit 50.000 KBE Legionellen pro 100 ml um den Faktor 5 höher festgelegt. Zum Vergleich sei hier erwähnt, dass der technische Maßnahmenwert für Legionellen in Trinkwasser-Installationen bei 100 KBE Legionellen pro 100 ml liegt.

§ 9 Maßnahmen bei einer Überschreitung der Maßnahmenwerte

(1) Wird bei einer Laboruntersuchung nach § 4 Absatz 3 oder § 7 Absatz 2 eine Überschreitung der in Anlage 1 genannten Maßnahmenwerte festgestellt, hat der Betreiber unverzüglich

1. eine Untersuchung zur Differenzierung der nachgewiesenen Legionellen nach
   a) Legionella pneumophila – Serogruppe 1,
   b) Legionella pneumophila – andere Serogruppen und
   c) andere Legionellenarten (Legionella non-pneumophila)

   durch ein akkreditiertes Prüflaboratorium durchführen zu lassen,
2. bei Verdunstungskühlanlagen und Nassabscheidern die Pflichten nach § 6 Absatz 2 Nummer 1 bis 4 und § 6 Absatz 3 Nummer 2 zu erfüllen oder bei Kühltürmen die Pflichten aus § 8 Absatz 2 zu erfüllen

sowie

3. eine zusätzliche Laboruntersuchung auf den Parameter *Legionellen* durchführen zu lassen.

Sofern es in Verdunstungskühlanlagen oder Kühltürmen im Rahmen der nach den §§ 4 oder 7 vorgeschriebenen regelmäßigen Laboruntersuchungen zu einer Überschreitung der Maßnahmenwerte kommt, ergeben sich für den Betreiber verschiedene Rechtsfolgen. Gleiches gilt für die Überschreitung der Maßnahmenwerte bei Anlass bezogenen Untersuchungen nach § 6 Abs. 1 bzw. § 8 Abs. 1. Damit sind die zusätzlichen Legionellenuntersuchung bei Überschreitung von Prüfwerten angesprochen. Nach Abs. 1 Nr. 1 ist durch ein akkreditiertes Prüflaboratorium bereits unabhängig vom Ergebnis der erneut zu veranlassenden Legionellenuntersuchung nach Nr. 3 unverzüglich eine Untersuchung zur Differenzierung der nachgewiesenen Legionellen nach bestimmten Legionellen zu veranlassen. Auch diese Differenzierung als Serotypisierung muss als akkreditiertes Verfahren durchgeführt werden. Wie in Kapitel 3.2 beschrieben, ist das Infektionsrisiko bei einem Legionellenausbruch abhängig von der Art der vorliegenden Legionellen. Die Differenzierung der nachgewiesenen Legionellenarten erlaubt auch einen ersten Abgleich zu möglichen Krankheitsfällen, dem dann mit weiteren Untersuchungen nachgegangen werden kann. Inwieweit die Ergebnisse der Legionellendifferenzierung – trotz unterschiedlichen Infektionsrisikos – Einfluss auf die zu ergreifenden Gefahrenabwehrmaßnahmen durch die Behörden haben, bleibt abzuwarten. Da bisher von keiner Legionellenart ausgeschlossen werden kann, dass sie zu Infektionen führen, ist eine unterschiedliche Bewertung durch die Behörden schwierig.

Nach Nr. 2 hat der Betreiber darüber hinaus die Ursachen der Legionellenerhöhung zu untersuchen. Im Fall von Verdunstungskühlanlagen sind außerdem die Fristen für interne Überprüfungen sowie die Laboruntersuchungen zu verkürzen und technische Maßnahmen für die Wiederherstellung des ordnungsgemäßen Betriebs zu ergreifen. Letzteres gilt auch für Kühltürme. Für beide Anlagentypen ist gemäß Nr. 3 auch eine weitere Legionellenuntersuchung zu veranlassen.

(2) Bestätigt die zusätzliche Laboruntersuchung nach Absatz 1 Nummer 3 eine Überschreitung der in Anlage 1 genannten Maßnahmenwerte, hat der Betreiber unverzüglich zusätzlich Gefahrenabwehrmaßnahmen, insbesondere zur Vermeidung der Freisetzung mikroorganismenhaltiger Aerosole, zu ergreifen.

Sofern sich die Überschreitung des Maßnahmenwerts bei der zusätzlichen Legionellenuntersuchung bestätigt, hat der Betreiber weitere Maßnahmen zur Gefahrenabwehr zu ergreifen. Konkretisierungen finden sich weder im Verordnungstext noch in der Begründung. Allerdings wird hier auf die Freisetzung von Aerosolen abgehoben, was den Betreiber veranlassen muss, hier gezielt nach möglichen Maßnahmen zu suchen. Für den Fall, dass sich die Überschreitung des Maßnahmenwerts durch die zusätzliche Laboruntersuchung nicht bestätigt, sind die Maßnahmen entsprechend der bestätigten Legionellenkonzentration (Prüfwert 1 / Prüfwert 2) zu ergreifen (siehe auch §§ 6 und 8).

(3) Der Betreiber hat die Untersuchung zur Differenzierung der Legionellen nach Absatz 1 Nummer 1 und die zusätzliche Laboruntersuchung nach Absatz 1 Nummer 3 jeweils nach deren Veranlassung, die jeweiligen Ergebnisse nach deren Vorliegen sowie die gegebenenfalls ergriffenen Gefahrenabwehrmaßnahmen nach Absatz 2 jeweils nach deren Durchführung unverzüglich im Betriebstagebuch zu dokumentieren.

Absatz 3 konkretisiert die Nachweispflichten hinsichtlich des Anlagenzustands, der Ursachen für die erhöhte Legionellenbelastung sowie der dagegen ergriffenen Maßnahmen.

§ 10 Informationspflichten

Wird bei einer Laboruntersuchung eine Überschreitung der in Anlage 1 genannten Maßnahmenwerte festgestellt, hat der Betreiber die zuständigen Behörden

1. unverzüglich gemäß Anlage 3 Teil 1 zu informieren und
2. innerhalb einer Frist von vier Wochen gemäß Anlage 3 Teil 2 zu informieren.

Informations- oder Meldepflichten nach anderen Vorschriften bleiben unberührt.

Eine zentrale Stellgröße zur Vermeidung von Schadensfällen größeren Ausmaßes ist die rechtzeitige Intervention, also das Reagieren auf einen entsprechenden Bedarf (Notfallmanagement). Eine Handlungsmöglichkeit zu ergreifen, setzt aber in einem eingetretenen Schadenfall voraus, dass der Anlass und der Umfang des Handlungsbedarfs erkannt werden. Deshalb wird dem

Betreiber eine sofortige Mitteilung gegenüber der zuständigen Behörde für den Fall abverlangt, dass bei einer Laboruntersuchung eine Überschreitung der in Anlage 1 genannten Maßnahmenwerte festgestellt wurde. Sofort – also unverzüglich – bedeutet, dass es kein schuldhaftes Zögern des Betreibers geben darf, er also nicht mutwillig den Meldevorgang hinauszögert. Die Feststellung der Überschreitung des Maßnahmenwerts und die Meldung an die Behörde erfolgen quasi „in einem Atemzug". Oder, wie es in der Verordnungsbegründung formuliert ist, sie müssen „unmittelbar" zur Information der jeweils zuständigen Aufsichtsbehörden führen. Das gilt auch, wenn die nach § 9 Abs.1 Nr. 3 zu veranlassende zusätzliche Laboruntersuchung auf Legionellen den Befund nicht bestätigt. Die im Falle der Maßnahmenwertüberschreitung zu übermittelnden Informationen finden sich in Anlage 3 Teil 1 und beschränken sich auf die für die Behörde im ersten Schritt wichtigsten Daten. Damit soll den Immissionsschutzbehörden oder auch den Gesundheitsbehörden eine unmittelbare Möglichkeit zur präventiven Gefahrenabwehr gegeben werden. Bis spätestens vier Wochen nach diesen ersten Informationen sind weitere Daten gemäß Anlage 3 Teil 2 an die Behörde weiterzuleiten. Neben den wichtigen Zusatzuntersuchungen und Differenzierungen der Legionellen sind das die ergriffenen Maßnahmen, festgestellte Ursachen für die Legionellenerhöhung und die Betriebszustände, in denen der Maßnahmenwert überschritten wurde. Warum die Art der Anlage, der Betriebszustand sowie die geplanten Maßnahmen nicht bereits in der ersten Meldung der Behörde zugestellt werden sollen, erschließt sich nicht. Da sich aus dem Ergebnis jeder Gefährdungsbeurteilung ein solcher Maßnahmenplan ableitet und beim Betreiber vorliegen sollte, müsste es problemlos möglich sein. Diese zusätzlichen Informationen können der Behörde gegebenenfalls eine bessere Einschätzung des Sachverhalts erlauben. Es macht dem Betreiber zudem keinen relevanten zusätzlichen Aufwand.

Um der Meldepflicht nachzukommen, wurde das Internet-Portal https://kavka.bund.de zur Information der Behörden eingerichtet. Das Internet-Portal dient primär dem Aufbau eines Anlagenkatasters, in dem Betreiber den Anforderungen an die Anzeigepflichten nach § 13 nachkommen können (siehe auch § 13). Während es Betreibern in allen Bundesländern erlaubt ist, ihre Anlagendaten nach § 13 42. BImSchV einzupflegen, lässt sich die Meldepflicht nach § 10 zum jetzigen Zeitpunkt nur für einen Teil der Bundesländer nutzen. Es ist anzunehmen, dass sich das in der Zukunft ändert.

Anlage 3 Teil 1: Inhalt der Meldung nach § 10 Satz 1 Nummer 1

1. Anlagen-ID
2. Angaben zum Standort der Anlage (Geokoordinaten und Adresse des Anlagenstandorts)
3. Angaben zum Betreiber der Anlage

   (Name, Adresse, Telefonnummer, E-Mail-Adresse, Ansprechpartner)
4. Datum der Probenahme für die Laboruntersuchung bei der die Überschreitung des Maßnahmenwertes nach Anlage 1 festgestellt wurde
5. Ergebnis der Laboruntersuchung, bei der die Überschreitung des Maßnahmenwertes nach Anlage 1 festgestellt wurde
6. Angabe des mit der Untersuchung beauftragten akkreditierten Prüflabors (Name, Adresse, Ansprechpartner)

Anlage 3 Teil 2: Inhalt der Meldung nach § 10 Satz 1 Nummer 2

1. Anlagen-ID
2. Angaben zum Standort der Anlage (Geokoordinaten und Adresse des Anlagenstandorts)
3. Angaben zum Betreiber der Anlage (Name, Adresse, Ansprechpartner)
4. Angaben zur Art der Anlage
   a) Verdunstungskühlanlage
   b) Nassabscheider
   c) Kühlturm
5. Angaben zum Betriebszustand der Anlage, bei dem die Überschreitung des Maßnahmenwertes nach Anlage 1 festgestellt wurde
6. Ergebnis der Untersuchung zur Differenzierung der Legionellen nach § 9 Absatz 1 Nr. 1
7. Ergebnis der zusätzlichen Laboruntersuchung nach § 9 Absatz 1 Nr. 3
8. Auflistung der Ursachen für die Überschreitung des Maßnahmenwertes
9. Auflistung der Maßnahmen, die nach § 9 Absatz 1 Nr. 2 ergriffen wurden oder ergriffen werden
10. Angabe des/der mit der Untersuchung beauftragten akkreditierten Prüflabors/Prüflabore (Name, Adresse, Ansprechpartner)

§ 11 Störungen des Betriebs

Können Anforderungen an den Betrieb einer Anlage im Anwendungsbereich dieser Verordnung aufgrund oder infolge eines technischen Defekts innerhalb oder außerhalb der Anlage, der zur Vermehrung oder Ausbreitung von Legionellen führen kann, nicht eingehalten werden, hat der Betreiber unverzüglich

1. die Ursachen der Störung zu ermitteln und
2. die erforderlichen Maßnahmen für einen ordnungsgemäßen Betrieb zu ergreifen.

Der Betreiber hat die Ursachen jeweils nach deren Ermittlung und die ergriffenen Maßnahmen jeweils nach deren Durchführung unverzüglich im Betriebstagebuch zu dokumentieren.

Für den Begriff der Störung liegt im § 2 keine Definition vor. Aus der Verordnungsbegründung kann abgeleitet werden, dass es sich bei den Ursachen für Überschreitungen der Maßnahmenwerte nach § 9 um Betriebsstörungen handelt. Gemäß Verordnungsbegründung beziehen sich die Anforderungen aus den §§ 4 bis 8 „auf Veränderungen des hygienischen Zustands der Anlage durch anlageninterne Einflüsse auf das Kühlwasser". Im Unterschied dazu geht es hier um „Abweichungen im Betrieb der Anlage […], die als innere oder äußere Ursachen mittelbar Auswirkungen auf den hygienischen Zustand der Anlage oder den Austrag legionellenhaltiger

Aerosole haben können". Die Verordnung wählt hier den Begriff des „technischen Defekts", der – im üblichen Sprachgebrauch genutzt – nur eine mögliche Ursache für Auswirkungen auf den hygienischen Zustand sein kann.

Es versteht sich hierbei von selbst, dass der Betreiber dort, wo Störungen in seinem Macht- oder Herrschaftsbereich zu verantworten/gelegen sind, dieser zu (sofortigem) Handeln verpflichtet ist. Er hat die Ursachen der Störungen zu ermitteln und sodann die Maßnahmen zu ergreifen, die zur Rückkehr zum ordnungsgemäßen Betrieb der Anlage erforderlich sind. Über diese Handlungen hat er insgesamt eine Dokumentation zu erstellen und diese in das Betriebstagebuch einzubringen.

Abschnitt 6: Anforderungen an die Überwachung

§ 12 Betriebstagebuch

(1) Der Betreiber einer Anlage hat zur Überprüfung des ordnungsgemäßen Anlagenbetriebs ein Betriebstagebuch zu führen, in das unverzüglich mindestens die Informationen gemäß Anlage 4 Teil 1 einzustellen sind.

(2) Das Betriebstagebuch kann durch Speicherung der Angaben gemäß Absatz 1 mittels elektronischer Datenverarbeitung geführt werden. Das Betriebstagebuch muss jederzeit einsehbar sein und in Klarschrift vorgelegt werden können.

(3) Der Betreiber hat die in das Betriebstagebuch eingestellten Angaben der zuständigen Behörde sowie im Rahmen der Überprüfung den gemäß § 14 Beauftragten jederzeit in Klarschrift auf Verlangen vorzulegen. Der Betreiber hat das Betriebstagebuch samt Anlagen jeweils beginnend mit dem Datum der Einstellung des letzten Eintrags fünf Jahre aufzubewahren.

Die Anforderungen an die Darlegungs- und Beweislast bringen es mit sich, dass der Betreiber den Nachweis zu führen hat, dass er die Anlage in einem ordnungsgemäßen Zustand und unter Einhaltung der damit verbundenen Vorgaben und Pflichten betreibt. Hierzu muss er ein Betriebstagebuch so führen, das die gemäß Anlage 4 Teil 1 einzubringenden Informationen unverzüglich (ohne schuldhaftes Zögern) in dieses eingebracht werden. Dem Betreiber ist es hierbei erlaubt, die Möglichkeit der elektronischen Datenverarbeitung zu nutzen. Er muss aber im Rahmen der Verwendung elektronischer Datenträger stets in der Lage sein, dass das Betriebstagebuch in Papierform und gemäß den rechtlichen Anforderungen ausgedruckt, vorgelegt und übergeben werden kann.

Anlage 4 Teil 1, Inhalt des Betriebstagebuchs nach § 12

1. Anlage-ID
2. Angaben zum Standort der Anlage (Geokoordinaten und Adresse des Anlagenstandorts)
3. Angaben zum Betreiber der Anlage (Name, Adresse, Ansprechpartner)

4. Art der Anlage
   a) Verdunstungskühlanlage
   b) Nassabscheider
   c) Kühlturm
5. Datum der erstmaligen Inbetriebnahme
6. Änderungen an der Anlage mit Angaben zur Art der Änderung, Zeitpunkt des Änderungsbeginns und der Wiederinbetriebnahme
7. Datum der Stilllegung
8. Angaben zum Betriebszustand der Anlage mit Datum der Zustandsänderungen, insbesondere Betrieb unter Last, Betrieb ohne Last mit aktiviertem Nutzwasserkreislauf, Betriebsunterbrechung mit gefülltem Nutzwasserkreislauf, Entleerung und Wiederbefüllung des Nutzwasserkreislaufs
9. Überschreitungen der in Anlage 1 genannten Prüfwerte
   a) wurden Überschreitungen im Berichtszeitraum festgestellt? „Ja/Nein"
   b) welcher Prüfwert (PW) wurde überschritten? „PW1/PW2"
   c) wurden Maßnahmen ergriffen? „Ja/Nein"
   falls ja, Angaben zu den ergriffenen Maßnahmen
   d) welche Legionellenkonzentration wurde nach Abschluss der Maßnahmen nach § 6 Absatz 3 Nummer 2
   oder § 8 Absatz 2 Nummer 3 erreicht? „<PW1/< PW2"
10. Überschreitungen der in Anlage 1 genannten Maßnahmenwerte
    a) wurden Überschreitungen im Berichtszeitraum festgestellt? „Ja/Nein"
    b) Angaben zu den ergriffenen Maßnahmen
    c) welche Legionellenkonzentration wurde nach Abschluss
    der Maßnahmen nach § 9 Absatz 1 und 2 erreicht? „< PW1/< PW2"
11. Angaben zur Biozidzugabe (Zeitpunkt, Menge und Art des Biozids)
12. sonstige Nachweise gemäß dieser Verordnung
13. Überprüfung nach § 14
    a) Datum der letzten Überprüfung nach Absatz 1
    b) überprüfende Stelle (Name, Adresse, Ansprechpartner) nach Absatz 2

Die Dokumentationsvorgabe zu dem Betriebstagebuch umfasst die Anforderung „die in das Betriebstagebuch eingestellten Angaben der zuständigen Behörde im Rahmen der Übertragung den gemäß § 14 Beauftragen jederzeit in Klarschrift auf Verlangen vorlegen" zu können. Abgesehen von der grundsätzlichen Verpflichtung, die Angaben gemäß Anlage 4 zu dokumentieren, bleibt dem Betreiber die Entscheidung hinsichtlich Art und Umfang des Betriebstagebuchs freigestellt. Es ist naheliegend, alle relevanten Anlageninformationen in oder „rund um" das Betriebstagebuch zusammenzufassen. Auf diese Weise ist ein schneller Datenzugriff für alle Beteiligten gewährleistet, was die Ursachensuche bei der Überschreitung von Prüf- und

Maßnahmenwerten oder Störungen erleichtert. Die Pflege des Betriebstagebuchs muss genauso wie die gesamte Betriebsorganisation der Anlagen klar geregelt sein. Sofern ein Umweltschutz-Managementsystem vorliegt, sollte es in die Regelungen eingebunden sein. Wichtig ist vor allem, die Aufbauorganisation des Betriebs mit allen Verantwortlichkeiten inkl. Vertretungsregeln und Entscheidungskompetenzen festzulegen und auch zu dokumentieren. Im Weiteren sollte die Gefährdungsbeurteilung Teil des Betriebstagebuchs sein, da hier zentrale Aspekte des Risikomanagements einer Anlage abgebildet sind. Die Erfahrung zeigt, dass großer Wert auf geeignete anweisende Dokumente gelegt werden sollte. Diese beschreiben, was, wann und durch wen zu tun ist, und sollten einem Dokumentenmanagement unterworfen sein, damit einheitliche Revisionsstände vorliegen. Auf diese Weise lassen sich die nachweisenden Dokumente, wie Wartungs- und Kontrollnachweise, vom Umfang her deutlich reduzieren und eine einheitliche Vorgehensweise gewährleisten. Das ist insbesondere dann von Vorteil, wenn es eine Gefahrensituation gibt, die sich z. B. aus einer Störung ableitet. Klare Regelungen führen hier zu abgestimmter Vorgehensweise aller Beteiligten, was die Erfolgsaussichten naturgemäß deutlich erhöht. Das Betriebstagebuch unterliegt samt seinen Anlagen einer fünfjährigen Aufbewahrungsfrist. Diese Frist beginnt mit dem Datum der Einstellung des letzten Eintrags.

§ 13 Anzeigepflichten

(1) Der Betreiber einer Neuanlage hat diese spätestens einen Monat nach der Erstbefüllung mit Nutzwasser der zuständigen Behörde gemäß Anlage 4 Teil 2 anzuzeigen.

(2) Der Betreiber einer Bestandsanlage hat diese spätestens einen Monat nach dem 19. Juli 2018 der zuständigen Behörde gemäß Anlage 4 Teil 2 anzuzeigen.

(3) Der Betreiber hat unverzüglich, aber spätestens innerhalb eines Monats, Folgendes der zuständigen Behörde gemäß Anlage 4 Teil 2 anzuzeigen:

1. Änderungen der Anlage und
2. die Anlagenstilllegung.

(4) Bei einem Betreiberwechsel hat der neue Betreiber diesen Wechsel unverzüglich, aber spätestens innerhalb eines Monats der zuständigen Behörde anzuzeigen.

Dieser Paragraph trat, abweichend von den weiteren Anforderungen dieser Verordnung, erst am 19.08.2018 in Kraft (siehe § 20). Damit wurde Aufsichtsbehörden und Betreibern eine Übergangsfrist eingeräumt, die für eine praktische Umsetzung dieser Anforderungen notwendige Voraussetzung ist.

Die Festlegung der Anzeigepflichten der Betreiber zur Information der zuständigen Behörden ist anlassbezogen. Dies sind nach Abs. 1 neu hinzugekommene Anlagen (Neubau) sowie nach Abs. 2 vorhandene Anlagen im Geltungsbereich der Verordnung (Bestand).

In beiden Fällen sind nach Anlage 4 Teil 2 Angaben zum Standort der Anlage (Geokoordinaten und Adresse des Anlagenstandorts), zum Betreiber der Anlage (Name, Adresse, Ansprechpartner), zur Art der Anlage (Verdunstungskühlanlage, Nassabscheider oder Kühlturm) und zum Datum der erstmaligen Inbetriebnahme zu übermitteln.

Vermissen lässt die Verordnung hier eine konkrete Ausführung des Begriffs der anzuzeigenden Anlage. So finden sich in der Praxis zahlreiche Kühlsysteme, bei denen der Begriff „Anlage“

von den Betreibern oder auch Errichtern am gemeinsamen Kühlkreislauf festgemacht wird. An diesen können mehrere VKA angeschlossen sein. Technisch können sie dabei unterschiedlich aufgebaut und an das Kühlsystem angeschlossen sein (siehe auch Kapitel 2). In ihrer Gesamtheit liefern sie dann die notwendige Kühlleistung für den Prozess, in dem die Wärmeabfuhr erforderlich ist. Dabei können alle VKA gleichzeitig in Betrieb sein oder je nach Kühlbedarf sukzessive nacheinander betrieben werden. Für die Beteiligten stellt sich hier die Frage, inwieweit jede einzelne VKA hier als Anlage angezeigt werden muss. Wenn man die Begriffe „Verdunstungskühlanlage“ bzw. „Kühlturm“ aus dem § 2 betrachtet, so bezieht sich hier der Anlagenbegriff nur auf diese Komponenten des Gesamtkühlsystems. Daraus ließe sich die Notwendigkeit ableiten, z. B. jede VKA einzeln anzuzeigen. Sofern allerdings jede VKA nur als Komponente einer Gesamt-VKA am gleichen Kühlkreislauf betrachtet wird, wäre nur diese anzeigepflichtig. Letztgenannte Auslegung der Verordnung macht zumindest aus praktischen Gründen den meisten Sinn, da zahlreiche Aspekte bei Betrachtung der einzelnen VKA ansonsten redundant wären. Weiterhin ist der Nutzwasserkreislauf in der Regel der Gleiche. Das gilt natürlich auch für den Betriebszweck. Hier erscheint wünschenswert, wenn sich diese Auslegung zukünftig durchsetzen würde.

Anlage 4 zu § 13: Teil 2

1. Anzeigen nach § 13 Absatz 1 umfassen die Angaben nach Teil 1 Nummer 2 bis 5
2. Anzeigen nach § 13 Absatz 2 umfassen die Angaben nach Teil 1 Nummer 2 bis 5
3. Anzeigen nach § 13 Absatz 3 Nummer 1 umfassen die Angaben nach Teil 1 Nummer 1 bis 6
4. Anzeigen nach § 13 Absatz 3 Nummer 2 umfassen die Angaben nach Teil 1 Nummer 1 bis 5 und 7

Im Fall eines Neubaus ist gemäß Verordnungsbegründung der die Anzeigepflicht auslösende Anlass die Erstbefüllung mit Nutzwasser. Sofern jedoch die Erstbefüllung in der Errichtungsphase durch den Anlagenbauer erfolgt, „so ist dieser als Betreiber in diesem Zeitpunkt zur Anzeige verpflichtet“. An diesem spezifischen Hinweis in der Begründung wird sehr deutlich, dass der Verordnungsgeber offensichtlich gezielt mögliche „Verantwortungslücken“ schließen wollte. Es zeigt sich auch, dass der hier verwendete „Betreiberbegriff“ sich eng an die Rechtsprechung anlehnt (siehe auch Kapitel 4.1). Sowohl dem Anlagenbauer als auch dessen Auftraggeber – und wahrscheinlichem weiteren Betreiber – obliegt hier, sich bereits im Vorfeld vertraglich zu dieser Aufgabe zu verständigen. Im Fall der Bestandsanlagen stellte sich der die Anzeigepflicht auslösende Anlass bei Inkrafttreten der Verordnung, also für diesen Paragraphen zum 19. August 2018, dar.

Auch die in Absatz 3 festgelegten Anzeigepflichten beziehen sich vom Informationsumfang auf die Anlage 4 Teil 2. Zusätzlich zu den Informationen zur Anzeige der Neu- bzw. Bestandsanlagen sind im Fall der Änderung und der Stilllegung jeweils auch die Anlage-ID zu übermitteln. Für den Fall von Änderungen an der Anlage sind auch Angaben zur Art der Änderung, dem Zeitpunkt des Änderungsbeginns und der Wiederinbetriebnahme erforderlich. Bei der Anlagenstilllegung ist es zusätzlich das Datum.

Im Fall der nach Absatz 3 Nr. 1 vorgenommenen Änderung wird die Anzeigepflicht mit Abschluss der Änderung ausgelöst. Sofern im Zuge der Anlagenänderung das Nutzwasser entnommen wurde, ist der Zeitpunkt der Wiederbefüllung für die Anzeigepflicht maßgeblich. Sofern dies nicht der Fall war, ist der Zeitpunkt maßgeblich, „ab dem die Anlage wieder zur Erfüllung des Betriebszwecks zur Verfügung steht". Wie bereits an verschiedenen Stellen erörtert, ist der Begriff der „Änderung" über die zu kurz greifende Definition in § 2 Nr. 1 noch auslegungsbedürftig. Eng ausgelegt würde sich aus der hier vorliegenden Anzeigepflicht ein erheblicher Aufwand für Betreiber und Behörde ableiten. Aktuell liegt hier aber ein Vakuum vor, das seitens der Behörden zeitnah durch eine entsprechende Auslegung geschlossen werden sollte.

Anders sieht die Situation im Fall der Anlagenstilllegung aus, gleichwohl es hierzu keine Begriffsdefinition im § 2 gibt. Hier wird die Verordnungsbegründung deutlich, indem sie als Stilllegung den „Zeitpunkt der endgültigen Aufgabe des Betriebszwecks, u. a. durch Schaffung eines irreversiblen Zustands, der eine Wiederaufnahme des Betriebs zum bisherigen Zweck unmöglich macht", umschreibt; alternativ „bei Betrieb der Anlage als Anlagenteil oder Nebeneinrichtung einer genehmigungsbedürftigen Anlage das Datum der Erklärung des Betreibers auf Genehmigungsverzicht für die genehmigungsbedürftige Anlage". Hieraus lassen sich in beiden Fällen die die Anzeigepflicht auslösenden Situationen klar feststellen.

Für die Anzeigepflicht nach Absatz 4 im Falle des Betreiberwechsels „ist der Zeitpunkt, zu dem der bisherige Betreiber vollständig aus seinen immissionsschutzrechtlichen Pflichten entlassen ist und diese (vollständig) auf den neuen Betreiber übergegangen sind", maßgeblich für die Frist.

Um der Anzeigepflicht nachzukommen, wurde das bereits im Kontext der Meldepflichten nach § 10 angeführte Internet-Portal https://kavka.bund.de auch für den Aufbau eines Katasters zur Information der Behörden nach § 13 sowie § 14 eingerichtet. Im Unterschied zu den Meldepflichten ermöglicht das Internet-Portal den Betreibern, aus allen Bundesländern hier ihre Anlagen nach 42. BImSchV anzuzeigen und auch Aktualisierungen (z. B. hinsichtlich des Ansprechpartners) vorzunehmen. Dazu müssen sich Betreiber auf dem Internet-Portal registrieren und werden in der Folge durch den „Anzeigeprozess" geleitet. Auf dem Internet-Portal werden dazu ausführliche Informationen als Benutzerdokumentation KaVKA-42 BV zur Verfügung gestellt.

KaVKA-42BV Registrieung/Anmeldung

KAVKA-42BV

Kataster der Verdunstungskühlanlagen gemäß 42. BlmSchV

Registrierung / Anmeldung

Internetadresse: https://kavka.bund.de

Bund-/ Länder Kooperation VKoopUIS BUBE

(Stand 15.07.2018)

Bild 4.1: Auszug aus der Informationsschrift zum Registrierungs- und Anmeldeprozess des Internet-Portals www.kavka.bund.de

Bei dem Portal www.kavka.bund.de handelt es sich um ein Kooperationsportal unter dem organisatorischen, betriebstechnischen und technologischen Dach der Bund/Länder-Kooperation VKoopUIS (Verwaltungsvereinbarung der Kooperation bei Konzeptionen und Entwicklungen von Software für Umweltinformationssysteme) Projekt24. Projektträger ist das Umweltbundesamt.

§ 14 Überprüfung der Anlagen

(1) Der Betreiber hat nach der Inbetriebnahme regelmäßig alle fünf Jahre von

1. einem öffentlich bestellten und vereidigten Sachverständigen oder
2. einer akkreditierten Inspektionsstelle Typ A

eine Überprüfung des ordnungsgemäßen Anlagenbetriebs durchführen zu lassen. Für bestehende Anlagen ist die erste Überprüfung gemäß Satz 1 nach Inkrafttreten dieser Verordnung bis zu den nachstehenden Daten fällig:

Für Anlagen, die in Betrieb gegangen sind vor dem	Erste Überprüfung bis zum
19. August 2011	19. August 2019
19. August 2013	19. August 2020
19. August 2015	19. August 2021
19. August 2017	19. August 2022

Der § 14 regelt die Überprüfung des ordnungsgemäßen Anlagenbetriebs durch öffentlich bestellte und vereidigte Sachverständige oder akkreditierte Inspektionsstellen. Gemäß § 2 Nr. 18, dieser Verordnung ist ein „öffentlich bestellter und vereidigter Sachverständiger"

ein nach § 36, gegebenenfalls in Verbindung mit § 36a, der Gewerbeordnung vom 22. Februar 1999 (BGBl. I S. 202), die zuletzt durch Artikel 626 Absatz 3 der Verordnung vom 31. August 2015 (BGBl. I S. 1474) geändert worden ist, öffentlich bestellter und vereidigter Sachverständiger.

Konkretisierungen zu den Anforderungen an die öffentlich bestellten und vereidigten (ö. b. u. v.) Sachverständigen finden sich in der Verordnungsbegründung. Demnach sollten sich die Fach- und Sachkundeanforderungen grundsätzlich nach denen für die Bereiche Lüftungs- oder Kältetechnik richten. Im Weiteren heißt es dort, „bedarf es insbesondere der Kenntnis zum Stand der Technik hinsichtlich der betroffenen Anlagen sowie hygienisch mikrobiologischer Kenntnisse zur Beurteilung der Geeignetheit ergriffener Maßnahmen bei Überschreitungen des Referenzwertes beziehungsweise eines Prüf- oder Maßnahmenwertes".

Mit Inkrafttreten der 42. BImSchV gab es weder ein entsprechendes Fachgebiet noch einen ö. b. u .v. Sachverständigen für dieses konkrete Bestellungsgebiet. Von der Übertragung der Prüfungen nach § 14 auf die ö. b. u. v. Sachverständigen der Bereiche Lüftungs- und Kältetechnik hat man abgesehen. Stattdessen wurde von der Deutschen Industrie- und Handelskammer (DIHK) sowie dem Institut für Sachverständigenwesen (IfS) ein entsprechendes Bestellungsgebiet festgelegt. Die fachlichen Bestellungsvoraussetzungen betreffen die Vorbildung des ö. b. u. v. Sachverständigen hinsichtlich seiner Ausbildung sowie beruflicher Anforderungen und besonderer Fachkenntnisse.

Die ö. b. u. v. Sachverständigen dieser Fachbereiche werden durch die Industrie- und Handelskammern (IHK) auf Basis von fachlichen und persönlichen Bestellungsvoraussetzungen bestellt. Dem voraus geht ein förmliches Verwaltungsverfahren als entsprechend geregelter Bestellungsprozess. Die zuständige IHK prüft auf Antrag, ob der Antragssteller die notwendigen Bestellungsvoraussetzungen mitbringt. Sofern dies der Fall ist, wird der Antragsteller zur Prüfung durch die Fachkommission des IfS zugelassen. Diese prüft schriftlich und mündlich die besondere Sachkunde des Antragstellers. Ein erfolgreiches Prüfungsergebnis ist eine Voraussetzung für die Bestellung durch die zuständige IHK.

Der Umstand, dass die 42. BImSchV den ö. b. u. v. Sachverständigen für diese Art der Prüfung im Rahmen der technischen Überwachung festlegt, überrascht, da derartige Aufgaben in der Regel amtlich anerkannten Sachverständigen, wie im Bereich des Sonderbaurechts oder des Wasserrechts, übertragen wurden. In der Muster-Sachverständigenordnung § 2 der DIHK heißt es: „Die öffentliche Bestellung hat den Zweck, Gerichten, Behörden und der Öffentlichkeit besonders sachkundige und persönlich geeignete Sachverständige zur Verfügung zu stellen, deren Aussagen besonders glaubhaft sind." Hinsichtlich der Aufgaben wird an gleicher Stelle ausgeführt: „Die öffentliche Bestellung umfasst die Erstattung von Gutachten und andere Sachverständigenleistungen, wie Beratungen, Überwachungen, Prüfungen, Erteilung von Bescheinigungen, sowie schiedsgutachterliche und schiedsrichterliche Tätigkeiten." Die 42. BImSchV sieht im § 14 dagegen ausschließlich die Überprüfung der Anlagen im Anwendungsbereich der Verordnung vor. Daher lautet das Fachgebiet auch „Sachverständiger für die Überprüfung von Verdunstungskühlanlagen, Nassabscheidern und Kühltürmen".

Neben der „besonderen Sachkunde" des ö. b. u. v. Sachverständigen ist dessen persönliche Eignung und insbesondere seine Unabhängigkeit und Unparteilichkeit von besonderer Bedeutung. Im Bayerlein-Praxishandbuch für Sachverständigenrecht [4-14] werden dem auch Begriffe wie Neutralität sowie Unbefangenheit zugeordnet und unter dem Oberbegriff der Objektivität zusammengefasst. Als zentrales Element der persönlichen Eignung des Sachverständigen ist diese eine wesentliche Voraussetzung für die herausgehobene Stellung, die ein ö. b. u. v. Sachverständiger unter den verschiedenen Sachverständigen besitzt. Um sich nicht der Besorgnis der Befangenheit und der Parteilichkeit auszusetzen, darf der ö. b. u. v. Sachverständige seine Unabhängigkeit nicht gefährden. Dazu gehört, dass er keine Anlagen überprüfen darf, an deren Herstellung, Planung, Errichtung, Instandhaltung oder Betrieb er im Vorfeld mitgewirkt hat. Dazu gehört natürlich auch eine durch ihn erstellte Gefährdungsbeurteilung nach § 3 Abs. 4 der 42. BImSchV, die ein zentrales Element für die Hygienesicherheit der Anlage ist. Für ö. b. u. v. Sachverständige im Angestelltenverhältnis gilt das naturgemäß in besonderem Maße. Schön formuliert findet sich im Bayerlein-Praxishandbuch für Sachverständigenrecht [4-14]: „Es versteht sich von selbst, dass Sachverständige in einem Angestelltenverhältnis nicht Waren oder Leistungen oder Preise ihres Arbeitgebers begutachten dürfen." Damit sind z. B. für Mitarbeiter von Wasseraufbereitern, die als ö. b. u. v. Sachverständige arbeiten, naturgemäß alle Anlagen passé, für welche ihr Unternehmen tätig ist oder war.

Zur Unabhängigkeit und der damit einhergehenden Unparteilichkeit gehört für den Sachverständigen, sich selbst dahingehend zu überprüfen, ob es im Rahmen der Beauftragung eine persönliche oder wirtschaftliche Bindung geben könnte, die bereits in sich den Anschein der

Befangenheit trägt. Der Bundesgerichtshof hat in seiner Entscheidung vom 10. Januar 2017, AZ VI ZB 31/16 (dort zu den Randnummern 8 und 9), hierzu ausgeführt: „Ein Sachverständiger kann gemäß § 406 Abs. 1 Satz 1 ZPO in Verbindung mit § 42 Abs. 2 ZPO wegen Besorgnis der Befangenheit abgelehnt werden, wenn ein Grund vorliegt, der geeignet ist, Misstrauen gegen seine Unparteilichkeit zu rechtfertigen. Es muss sich dabei um Tatsachen oder Umstände handeln, die vom Standpunkt des Ablehnenden aus bei vernünftiger Betrachtung die Befürchtung wecken können, der Sachverständige stehe der Sache nicht unvoreingenommen und damit nicht unparteiisch gegenüber. Ein Ablehnungsgrund liegt in der Regel vor, wenn der Sachverständige in derselben Sache für eine Prozesspartei oder deren Versicherer bereits ein Privatgutachten erstattet hat. Hat der Sachverständige für einen nicht unmittelbar oder mittelbar am Rechtsstreit beteiligten Dritten ein entgeltliches Privatgutachten zu einem gleichartigen Sachverhalt erstattet, so wird die Frage einer daraus herleitbaren Besorgnis der Befangenheit unterschiedlich beurteilt. Die wohl überwiegende Meinung bejaht in diesen Fällen – teilweise unter der Voraussetzung, dass die Interessen des Dritten denen der ablehnenden Partei in gleicher Weise wie die der anderen Partei entgegengesetzt sind – einen Ablehnungsgrund. Das OLG Celle hat in seinem Beschluss vom 10.2.2016, AZ 1 W 2/16, ausgeführt: „Gem. § 406 ZPO kann ein Sachverständiger aus denselben Gründen, die zur Ablehnung eines Richters berechtigen, abgelehnt werden. Ein Richter unterliegt gem. § 42 ZPO wegen Besorgnis der Befangenheit der Ablehnung, wenn ein Grund vorliegt, der geeignet ist, Misstrauen gegen die Unparteilichkeit des Richters zu rechtfertigen. Geeignet, Misstrauen gegen eine unparteiliche Amtsausübung eines Richters oder Sachverständigen zu begründen, sind danach nur objektive Gründe, die vom Standpunkt der Ablehnenden aus bei vernünftiger Betrachtung die Befürchtung wecken könne, der Richter oder Sachverständige stehe der Sache nicht unvoreingenommen und damit unparteiisch gegenüber. Rein subjektive, unvernünftige Vorstellungen des Ablehnenden kommen dafür nicht in Betracht. Nicht erforderlich ist, dass der Richter oder Sachverständige tatsächlich befangen ist; unerheblich ist auch, ob er sich für befangen hält. Entscheidend ist allein, ob aus der Sicht des Ablehnenden genügend objektive Gründe vorliegen, die nach Meinung einer ruhig und vernünftig denkenden Partei Anlass geben, an der Voreingenommenheit des Richters oder Sachverständigen zu zweifeln. Zu den objektiven Gründen, die die Besorgnis der Befangenheit rechtfertigen könne, gehört z. B. auch ein Kollegialitätsverhältnis zwischen dem Richter/Sachverständigen und einer Prozesspartei, sofern darüber hinausgehende nähere berufliche oder private Beziehungen des Richters zu seinem Kollegen hinzutreten."

Der öffentlich bestellte und vereidigte Sachverständige unterliegt der steten Verpflichtung, dass sein Gutachten absolut unabhängig von den Interessen des Auftraggebers zu erstellen ist. In der Rechtsordnung genießt der Sachverständige ob seiner öffentlichen Bestellung und Vereidigung höchstes Ansehen und gilt als Garant im Zusammenhang mit der Wahrheitsfindung. Ihm obliegt die Pflicht zur Objektivität und zur Einbringung eines herausragenden Wissenstands.

Alternativ zur Überprüfung nach § 14 durch ö. b. u. v. Sachverständige kann dies durch eine „akkreditierte Inspektionsstelle Typ A" erfolgen, welche in § 2 Nr. 14 definiert ist als von einer nationalen Akkreditierungsstelle im Sinne der Verordnung (EG) Nr. 765/2008 des Europäischen Parlaments und des Rates vom 9. Juli 2008 über die Vorschriften für die Akkreditierung und Marktüberwachung im Zusammenhang mit der Vermarktung von Produkten und zur Aufhebung der Verordnung (EWG) Nr. 339/93 des Rates (ABl. L 218 vom 13.8.2008, S. 30) in der jeweils geltenden Fassung für die Durchführung der erforderlichen Inspektionen akkreditierte Inspektionsstelle die Inspektionen gemäß DIN EN ISO/IEC 17020, Ausgabe Juli 2012, Absatz 4.1.6 Buchstabe a in Verbindung mit Abschnitt A.1 des Anhangs A als unabhängige Dritte anbietet.

In diesem Fall ist nicht die einzelne Person die oder der Sachverständige, sondern die Inspektionsstelle ist die „Sachverständige". Die Akkreditierung nach DIN EN ISO/IEC 17020 erfolgt national durch die Deutsche Akkreditierungsstelle GmbH (DAkkS). Die DIN EN ISO/IEC 17020 sieht verschiedene Typen von Inspektionsstellen vor, wobei die Einschränkung der Verordnung auf die Stelle Typ A die maximale Unabhängigkeit der Stelle sichert. Grundlage der Akkreditierung oder Kompetenzbestätigung als „sachverständige" Inspektionsstelle ist die DIN EN ISO/IEC 17020 sowie ergänzende nationale Regelungen durch die DAkkS. Zusammen bilden diese die Grundsätze und Anforderungen, um sicherzustellen, dass die Inspektionsstelle die geforderten Merkmale, z. B. hinsichtlich Unabhängigkeit und Qualität, einhält. Inspektionsstellen nach DIN EN ISO/IEC 17020 gibt es sowohl im gesetzlich geregelten Bereich als auch in gesetzlich nicht geregelten Bereichen.

Die fachlich inhaltlichen Anforderungen für die Kompetenz von Inspektionsstellen hängen naturgemäß vom Fachgebiet ab, auf dem die Tätigkeiten erbracht werden sollen. Dementsprechend wird bei der Akkreditierung zwischen den formalen (Sicherstellung der Unabhängigkeit, Dokumentation, Qualität etc.) und den fachlichen Anforderungen unterschieden. Die DIN EN ISO/IEC 17020 als Grundlage für die Inspektionsstellen „wurde mit dem Ziel erarbeitet, Vertrauen in Stellen, die Inspektionen durchführen, zu fördern". Die Kategorisierung der Inspektionsstelle nach Typ A, B oder C ist im Wesentlichen ein Maß für ihre Unabhängigkeit. Die nachweisbare Unabhängigkeit einer Inspektionsstelle kann das Vertrauen der Auftraggeber der Inspektionsstelle in die Eignung derselben, Inspektionen unparteilich auszuführen, stärken. An die in der 42. BImSchV geforderte Inspektionsstelle nach Typ A werden gemäß der Festlegung der DIN EN ISO/IEC 17020 die höchsten Anforderungen an die Unabhängigkeit gestellt. In der Konsequenz bedeutet das für die Inspektionsstelle und ihre Mitarbeiter ein Ausschluss von anderen Tätigkeiten im Bereich von Verdunstungskühlanlagen oder Kühltürmen. Dazu heißt es in der DIN EN ISO/IEC 17020: „Die Inspektionsstelle und ihre Beschäftigten dürfen sich nicht mit Tätigkeiten befassen, die die Unabhängigkeit ihres Urteils und ihre Integrität bei den Inspektionen verletzen können. Insbesondere dürfen sie sich nicht unmittelbar mit der Entwicklung, der Herstellung, dem Vertrieb, der Errichtung, der Beschaffung, dem Besitz, der Benutzung oder der Instandhaltung von Gegenständen befassen, die von ihnen inspiziert werden." Natürlich fällt darunter auch die Lieferung von Betriebsstoffen, wie z. B. Bioziden. So dürfen die Inspektionsstellen auch keine Gefährdungsbeurteilungen nach § 3 Abs. 4 für den Betreiber durchführen. Der Ausschluss anderer Tätigkeiten gilt grundsätzlich und geht daher über die oben genannten Anforderungen an die Unabhängigkeit von ö. b. u. v. Sachverständigen hinaus. Auf diese Weise versucht die DAkkS, jedweden Interessenkonflikt zwischen der Inspektionsstelle und deren Mitarbeitern sowie deren Inspektionstätigkeit auszuschließen.

Genau wie im Bereich der ö. b. u. v. Sachverständigen lagen mit Inkrafttreten der 42. BImSchV auch für diese Inspektionsstellen keine fachlichen Konkretisierungen vor. Somit gab es auch keine Inspektionsstelle, die eine Anerkennung für Verdunstungskühlanlagen oder Kühltürme besaß. Dies hat sich in der Zwischenzeit geändert. Gegenüber dem einzelnen ö. b. u. v. Sachverständigen können Inspektionsstellen ein breiteres Kompetenzspektrum mitbringen. Dies erklärt sich aus dem Umstand, dass der fachliche Fokus eines ö. b. u. v. Sachverständigen regelmäßig auf einem speziellen Gebiet liegt. Gerade bei den klassisch interdisziplinären Fragestellungen, wie sie im Fall hygienisch-technischer Anlagenprobleme auftreten, kann eine Inspektionsstelle mit Mitarbeitern aus verschiedenen Fachgebieten (Anlagentechnik, Mikrobiologie, Wasserchemie) auf ein größeres Kompetenzprofil verweisen.

Im Zuge der Deregulierung und Liberalisierung des Sicherheitsrechts wurden bereits zahlreiche vergleichbare Ansätze zur Entlastung der Vollzugsbehörden bei der Prüfung sicherheitsrelevanter Anlagen und Einrichtungen gesetzlich umgesetzt. Beispiele sind die Betriebssicherheitsverordnung oder das Sonderbaurecht der Länder. In ersterem Fall ist die sogenannte Zugelassene Überwachungsstelle (ZÜS) als Sachverständige für die Prüfung überwachungsbedürftiger Anlagen, wie Aufzüge oder Druckbehälter, festgesetzt. Für die Prüfung sicherheitsrelevanter Anlagen, wie Brandmeldeanlagen in Sonderbauten (Hochhäuser, Versammlungsstätten etc.), sind es stattdessen persönlich anerkannte, baurechtliche Prüfsachverständige.

Aufgrund der erwarteten Zahl von 30.000 bis 50.000 betroffenen Anlagen ist der Zeitpunkt der ersten Überprüfung in Abhängigkeit vom Alter der Anlagen festgelegt. Das sollte zukünftig zu einer zeitlichen Verteilung der Prüfungen führen und die Inanspruchnahme der zugelassenen Stellen, von denen es zum Zeitpunkt des Inkrafttretens noch keine einzige gab, entzerren.

Die Verordnung sieht keine Erst-Prüfung der Anlagen vor der Inbetriebnahme vor. Damit unterscheidet sich die Vorgehensweise grundsätzlich von anderen Rechtsgebieten, wie z. B. der Betriebssicherheitsverordnung oder dem Sonderbaurecht. Eine Überprüfung ist erst nach der Inbetriebnahme regelmäßig alle fünf Jahre vom Betreiber durchführen zu lassen. Damit haben wir es hier mit wiederkehrenden Überprüfungen zu tun, deren ersten fünf Jahre nach der Inbetriebnahme stattfinden.

Hier stellt sich die naheliegende Frage, warum der Verordnungssetzer von einer Erst-Prüfung vor Inbetriebnahme auch bei Anlagen absieht, die nach Inkrafttreten der Verordnung in Betrieb gehen. Die grundlegenden Anforderungen an eine solche Erst-Überprüfung finden sich z. B. in der VDI 2047 (siehe Kapitel 5). Darüber hinaus sind das Ziel und damit auch der Umfang der „Überprüfung auf den ordnungsgemäßen Anlagenbetrieb“ auslegungsbedürftig. Beginnend mit nachfolgenden Abschnitt wird versucht, dies auf Basis des Verordnungszwecks sowie des Begriffs „ordnungsgemäßer Betrieb“ abzuleiten. Im Weiteren stellt sich die Frage nach möglichen Konsequenzen, die sich für den Betreiber ergeben, sofern das Ergebnis der Überprüfung nicht mit dem Ziel korrespondiert. Wie sehen die Befugnisse und auch die Pflichten der überprüfenden Stelle aus? Muss diese die Beseitigung eventueller Mängel einfordern und gegebenenfalls überprüfen? Oder ist das die Aufgabe der zuständigen Behörden? Offenkundig gibt es hier noch zahlreiche Fragen, für die eine eindeutige Klärung aussteht. In der Folge werden verschiedene Aspekte dazu erörtert.

Dem Verordnungstext ist ausschließlich zu entnehmen, dass der Betreiber den „ordnungsgemäßen Anlagenbetrieb“ überprüfen lassen muss. In der Verordnungsbegründung wird dazu erläuternd ausgeführt: „Alle fünf Jahre sind eine Überprüfung hinsichtlich des Fortbestehens der baulichen Voraussetzungen sowie eine Überprüfung der Einhaltung der Anforderungen an den Betrieb vorzunehmen. Der Prüfumfang ergibt sich aus den Anforderungen der §§ 3 bis 13." Daraus leitet sich der Bedarf ab, speziell die Formulierung „Überprüfung des ordnungsgemäßen Anlagenbetriebs" auszulegen und zu konkretisieren. In der Verordnung selbst ist dieser Begriff nicht definiert. Er lässt sich lediglich aus den Anforderungen an den Betrieb der Anlagen in den verschiedenen Abschnitten und Paragrafen ableiten. Der Begriff Anlagenbetrieb bzw. Betrieb findet sich 22-mal in der Verordnung.

Ein möglicher Ansatz zur Klärung kann über Auslegung und Konkretisierung des Zwecks der Verordnung erfolgen. Nachfolgender Auszug der Begründung der Verordnung beschreibt diesen.

Zweck des Verordnungsentwurfs

> Verdunstungskühlanlagen, Kühltürme und Nassabscheider können unter bestimmten Bedingungen legionellenhaltige Wassertröpfchen (Aerosole) emittieren, die beim Einatmen bei Menschen zu schweren Lungenentzündungen sogar mit Todesfolge führen können.
>
> Ziel ist es deshalb, durch eine Verordnung bundeseinheitlich die Anwendung des Standes der Technik sowie unmittelbar anwendbare technische und organisatorische Pflichten bei der Errichtung und dem Betrieb von Verdunstungskühlanlagen, Kühltürmen und Nassabscheidern umzusetzen, um Gefahren zu verhindern sowie die Auswirkungen dennoch eintretender nicht ordnungsgemäßer Betriebszustände zu mindern.

Die Begründung des Verordnungszwecks hebt darauf ab, die Anwendung des Stands der Technik bei Errichtung und Betrieb der Anlagen umzusetzen. Ziele sind primär die Gefahrenverhinderung bzw. die Reduktion von Auswirkungen nicht ordnungsgemäßer Betriebszustände. Daraus lässt sich ableiten, dass der ordnungsgemäße Anlagenbetrieb die Voraussetzung für die Erreichung der Verordnungsziele darstellt.

In der Begründung zum allgemeinen Teil (A) der Verordnung findet sich außerdem unter „Erfüllungsaufwand für Betreiber" zum § 14 die „Pflicht zur Überprüfung durch einen Sachverständigen (bauliche und betriebliche Anforderungen) einschließlich (Pkt. 25) Pflicht zur Mitteilung des Ergebnisses an die Behörde".

Hier wird deutlich, dass die Überprüfung „bauliche und betriebliche Anforderungen" umfasst. Das leitet sich auch aus dem Abschnitt 2 *Anforderungen an die Errichtung, Beschaffenheit und den Betrieb*, § 3 *Allgemeine Anforderungen* Absatz 1 ab: „Anlagen im Anwendungsbereich dieser Verordnung sind so auszulegen, zu errichten und zu betreiben, dass Verunreinigungen des Nutzwassers durch Mikroorganismen, insbesondere Legionellen, nach dem Stand der Technik vermieden werden." Dieser Paragraph beschreibt die zentralen Anforderungen der Verordnung. So wird in der Begründung ausgeführt: „Die baulich-konstruktive Ausführung von Anlagen ist eine der grundlegenden Voraussetzungen für einen ordnungsgemäßen Betrieb." Absatz 3 hebt auf die Verträglichkeit der eingesetzten Betriebsstoffe mit den in der Anlage vorhandenen Werkstoffen ab. In der Verordnungsbegründung heißt es dazu: „Neben den baulichen Voraussetzungen ist die Wahl der eingesetzten Betriebsstoffe für einen ordnungsgemäßen Betrieb ausschlaggebend; hierzu gehört insbesondere die Auswahl der Einsatzstoffe mit Blick auf die Korrosionsbeständigkeit der Werkstoffe."

Weitere Ausführungen zum ordnungsgemäßen Betrieb finden sich in der Verordnungsbegründung zu § 7 „Betriebsinterne Prüfungen und Laboruntersuchungen in Kühltürmen" mit dem Wortlaut: „Voraussetzung für einen ordnungsgemäßen Betrieb ist die Kenntnis des mikrobiologischen Zustands der Anlagen durch regelmäßige interne und externe Überprüfungen. Es werden die zur Gewährleistung eines ordnungsgemäßen Betriebs einzuhaltenden Untersuchungsintervalle festgelegt. Der ordnungsgemäße Betrieb ist insbesondere gegeben, wenn sich die hygienische Beschaffenheit des Nutzwassers als stabil erweist und keine Überschreitung eines der Prüfwerte zu erwarten ist."

Zusammenfassend lässt sich aus dem Verordnungstext und der Begründung ableiten, dass gemäß § 14 einerseits die betrieblichen Anforderungen überprüft werden müssen, wie

- die Verwendung geeigneter Betriebsstoffe,
- die Durchführung interner und externer Untersuchungen,
- kritische Betriebszustände,
- die Durchführung geeigneter Maßnahmen bei Überschreitung von Prüf- oder Maßnahmenwerten oder
- die Wahrnehmung der organisatorischen Pflichten und der Dokumentation.

Weiterhin gehört zur Überprüfung aber auch das Vorliegen der baulichen Voraussetzungen für den ordnungsgemäßen Betrieb, wie

- die Eignung der Werkstoffe,
- die Eignung der Tropfenabscheider,
- mögliche Totzonen im System oder
- Vorkehrungen für regelmäßige Überprüfungen.

Um vergleichbare Ergebnisse der Überprüfungen durch die ö. b. u. v. Sachverständigen und die Inspektionsstellen zu erhalten, wäre eine klare Vorgabe vonseiten des Verordnungsgebers wünschenswert. Zumindest im Fall der Inspektionsstellen sollte davon ausgegangen werden, dass die Deutsche Akkreditierungsstelle (DAkkS) im Rahmen von deren Überprüfung vergleichbare Maßstäbe angelegt hat. Insoweit sollten die Inspektionsstellen eine analoge Vorgehensweise bei der Inspektion an den Tag legen. Für die ö. b. u. v. Sachverständigen wurde inzwischen eine Prüfliste für die Überprüfung der Anlagen durch das Institut für Sachverständigenwesen (www.ifsforum.de) veröffentlicht. Auch für den Umgang mit Abweichungen vom Stand der Technik oder den konkreten Anforderungen der Verordnung fehlen Vorgaben in der Verordnung. Wie ist z. B. damit umzugehen, wenn bauliche Anforderungen wesentliche Abweichungen vom Stand der Technik zeigen, die durch organisatorische Maßnahmen nicht kompensiert werden können? Sind diese Abweichungen dann als Mängel zu betrachten, die vom Betreiber abzustellen sind? Oder ist das erst dann der Fall, wenn die Mängel offensichtlich mit häufigen hygienischen Problemen verbunden sind? Ohne konkrete Vorgaben werden solche, sicherlich regelmäßig auftretende Situationen Quelle stetiger Diskussionen in den Verkehrskreisen. Die Aufsichtsbehörden dürfen nach unserer Einschätzung hier zu Recht die Erwartung haben, dass die ö. b. u. v. Sachverständigen und die Inspektionsstellen im Fall von Abweichungen vom ordnungsgemäßen Betrieb nicht nur diese als Feststellung im Prüfbericht dokumentieren, sondern zudem bewerten. Dazu gehören dann auch Festlegungen zur Mängelbeseitigung. Auf der Grundlage solcher Entscheidungshilfen lassen sich dann sicherlich auch durch die Aufsichtsbehörden angemessene und fundierte Entscheidungen treffen. Für einen

Anlagenbetreiber ist es allein aus haftungsrechtlicher Sicht mehr als sinnvoll, dann auch ohne Einschreiten der Aufsichtsbehörde eine Mängelbeseitigung vorzunehmen. Alternativ erlauben bautechnisch-konstruktive Abweichungen vom Stand der Technik in vielen Fällen auch organisatorische Kompensationsmaßnahmen.

Der im Folgenden zitierte Absatz 2 macht nochmals deutlich, dass der Betreiber die Überprüfung nach § 14 zu beauftragen hat. Gleichzeitig muss er mit der Beauftragung das Ergebnis der Überprüfungen innerhalb von vier Wochen der zuständigen Behörde übermitteln lassen. Im Vergleich zu vielen anderen sicherheitsrelevanten Prüfungen, wie wir sie z. B. aus der Betriebssicherheitsverordnung oder dem Baurecht kennen, ist die Mitteilungspflicht eine weitergehende Forderung. Die Motivation des Verordnungssetzers könnte hier in dem Versuch begründet sein, die zuständigen Behörden an den Erfahrungen zum Zustand der Anlagen partizipieren zu lassen. Gerade diesbezüglich liegt aktuell noch ein erhebliches Wissensdefizit vor, da die Anlagen in der Vergangenheit nicht im Fokus standen und das Datenmaterial entsprechend dünn ist.

(2) Der Betreiber hat den Sachverständigen und die Inspektionsstelle zu beauftragen, die Ergebnisse der Überprüfungen zeitgleich dem Betreiber und der zuständigen Behörde jeweils innerhalb von vier Wochen nach Abschluss der Überprüfung mitzuteilen.

(3) Für Anlagen, die als Anlagenteile oder Nebeneinrichtungen von immissionsschutzrechtlich genehmigungsbedürftigen Anlagen betrieben werden, kann die zuständige Behörde von den Absätzen 1 und 2 abweichende Anforderungen zur Überprüfung dieser Anlagen in der Genehmigung festlegen.

Im Absatz 3 wird den Behörden hinsichtlich der Anlagen, die als Anlagenteile oder Nebeneinrichtungen zu genehmigungsbedürftigen Anlagen nach BImSchG gehören, ein Spielraum für abweichende Anforderungen bei der Überwachung eingeräumt. Dies kann die Behörde auch ohne Antrag des jeweiligen Betreibers im Zuge der Genehmigung festsetzen. Derartige Anlagen finden sich z. B. in Kohlekraftwerken mit ihren Naturzugkühltürmen und einer integrierten Rauchgasreinigung.

Abschnitt 7: Gemeinsame Vorschriften

§ 15 Zulassung von Ausnahmen

(1) Die zuständige Behörde kann auf Antrag des Betreibers Ausnahmen von den Anforderungen dieser Verordnung, ausgenommen die in Anlage 1 genannten Prüf- und Maßnahmenwerte, zulassen, soweit unter Berücksichtigung der besonderen Umstände des Einzelfalls

1. einzelne Anforderungen der Verordnung nicht oder nur mit unverhältnismäßigem Aufwand erfüllbar sind,
2. im Übrigen die dem Stand der Technik entsprechenden Maßnahmen zur Begrenzung der Vermehrung und Ausbreitung von Legionellen angewandt werden.

Hier wird geregelt, dass die Behörden im Einzelfall Ausnahmen von den Anforderungen der Verordnung zulassen können. Ausgenommen sind Änderungen in der Höhe der Prüf- oder Maßnahmenwerte, welche immer als Grundlage für die in der Verordnung festgelegten Maßnahmen zur Gefahrenabwehr gelten.

Der Zulassung von Ausnahmen muss immer ein begründeter Antrag des Betreibers vorausgehen. Als maßgebliche Gründe sind die Nichterfüllbarkeit oder ein unverhältnismäßiger Aufwand bei der Umsetzung der Anforderungen benannt. Beispiele werden weder im Verordnungstext noch in der Begründung geliefert. Dementsprechend muss die Praxis zeigen, welche Ausnahmeregelungen seitens der Behörden wirklich akzeptiert werden. Vorstellbar sind Ausnahmeregelungen z. B. bei Anlagen, die zwar unter die Verordnung fallen, aber aufgrund der Betriebsweise nachweislich ein sehr geringes Legionellenrisiko aufweisen. Dazu könnten die sogenannten adiabatischen Verdunstungskühlanlagen mit Durchlaufbetrieb zählen (siehe auch § 1). Im Grundsatz muss diese Ausnahme in jedem Einzelfall genehmigt werden. Unabhängig von den anzuwendenden Ausnahmen muss der Stand der Technik eingehalten werden. Die Verordnungsbegründung verweist in diesem Zusammenhang auf die einschlägigen Regelwerke, wie die Richtlinienreihe VDI 2047.

(2) Die zuständige Behörde soll auf Antrag des Betreibers zulassen, dass abweichend von den Anforderungen nach Abschnitt 3 *Verdunstungskühlanlagen und Nassabscheider* die Anforderungen nach Abschnitt 4 einzuhalten haben, mit der Maßgabe, dass die in Anlage 1 genannten Prüfwerte für Verdunstungskühlanlagen und Nassabscheider anzuwenden sind. Absatz 1 bleibt unberührt.

Absatz 2 beschreibt die Möglichkeit – auch hier wieder nur auf Antrag des Betreibers – Verdunstungskühlanlagen gemäß den Anforderungen aus Abschnitt 4 der Verordnung analog den Kühltürmen zu behandeln. Lediglich die Prüfwerte bleiben davon unberührt. In der Verordnungsbegründung wird dargestellt, dass dies in Abhängigkeit „von individuellen technischen, organisatorischen oder betrieblichen Gegebenheiten" geschieht". Im Wesentlichen bezieht sich dies auf die Organisation der betriebsinternen Überprüfungen und Laboruntersuchungen. Die Begründung verweist darauf, dass Verdunstungskühlanlagen üblicherweise Einrichtungen zur Biozidbehandlung des Nutzwassers aufweisen und daher ergänzend zu den Legionellenbestimmungen „die Ermittlung des mikrobiologischen Normalzustandes und dessen Kontrolle über die allgemeine Koloniekonzentration gefordert" wird. Nach Abschnitt 4 sind für Kühltürme Laboruntersuchungen der allgemeinen Koloniezahl nicht erforderlich. Auf diese kann auch im Fall von Verdunstungskühlanlagen sowie auf die damit verbundene Bestimmung des Referenzwerts verzichtet werden. Im Unterschied zu den dreimonatlichen Legionellenuntersuchungen für Verdunstungskühlanlagen müssen diese dann monatlich erfolgen. Weiterhin bestehen bleibt die Forderung nach betriebsinternen Überprüfungen chemischer, physikalischer oder mikrobiologischer Parameter, die mindestens zweiwöchentlich für das Nutzwasser zu erfolgen haben.

Die Möglichkeit der Behörde, Ausnahmen wegen Unverhältnismäßigkeit nach Absatz 1 zuzulassen, bleibt bestehen.

(3) Die zuständige Behörde kann auf Antrag des Betreibers weitere Ausnahmen von den Anforderungen dieser Verordnung zulassen, wenn dies nicht den Grundsätzen der Vorsorge und Gefahrenabwehr entgegensteht. Dies gilt insbesondere für Anlagen, durch deren Betriebsführung nachweislich ein signifikantes Legionellenwachstum über die Zeit ausgeschlossen werden kann.

Mit Absatz 3 ermöglicht es der Verordnungsgeber den Behörden, zukünftige Erkenntnisse zur Hygienesicherheit spezieller Anlagen für weitere Ausnahmeregelungen zu nutzen. Damit lassen sich vermutlich auch Ausnahmen für Anlagentypen und/oder Betriebsweisen festlegen, für die langfristig belegt kein Legionellenrisiko festgestellt wurde. Ob das so weit gehen wird, dass die hier angesprochenen Einzelfallregelungen zukünftig in einzelnen Bundesländern für alle Anlagen eines Typs gelten, wird sich noch zeigen müssen. Es ist zu hoffen, dass positive Erfahrungen mit bestimmten Anlagen und Betriebsweisen zu entsprechenden Erleichterungen führen. Das sollte der technischen Entwicklung der Anlagen einen Schub geben, der sich dann auch wirtschaftlich beim Betrieb auszahlt.

§ 16 Weitergehende Anforderungen

(1) Die Befugnis der zuständigen Behörde, andere oder weitergehende Anforderungen insbesondere zur Vermeidung schädlicher Umwelteinwirkungen nach § 22 Absatz 1 Satz 1 Nummer 1 des Bundes-Immissionsschutzgesetzes zu stellen, bleibt unberührt.

(2) Hat die zuständige Behörde bei einer Anlage im Einzelfall bereits Anforderungen zur Vorsorge gegen schädliche Umwelteinwirkungen durch Luftverunreinigungen gestellt, die über die Anforderungen dieser Verordnung hinausgehen, sind diese weiterhin maßgeblich.

Neben den Regelungen in der 42. BImSchV ergeben sich auch aus dem BImSchG Rechtsgrundlagen, die als Ermächtigungsgrundlage des behördlichen Handelns herangezogen werden können. So werden Pflichten für den Betreiber nicht genehmigungsbedürftiger Anlagen (dazu gehört auch der weitaus überwiegende Teil der Anlagen im Anwendungsbereich der 42. BImSchV) im § 22 des BImSchG geregelt, der dazu ausführt:

(1) Nicht genehmigungsbedürftige Anlagen sind so zu errichten und zu betreiben, dass

1. schädliche Umwelteinwirkungen verhindert werden, die nach dem Stand der Technik vermeidbar sind,
2. nach dem Stand der Technik unvermeidbare schädliche Umwelteinwirkungen auf ein Mindestmaß beschränkt werden und
3. die beim Betrieb der Anlagen entstehenden Abfälle ordnungsgemäß beseitigt werden können.

Die Bundesregierung wird ermächtigt, nach Anhörung der beteiligten Kreise (§ 51) durch Rechtsverordnung mit Zustimmung des Bundesrates der Art oder Menge aller oder einzelner anfallender Abfälle die Anlagen zu bestimmen, für die die Anforderungen des § 5

Absatz 1 Nummer 3 entsprechend gelten. Für Anlagen, die nicht gewerblichen Zwecken dienen und nicht im Rahmen wirtschaftlicher Unternehmungen Verwendung finden, gilt die Verpflichtung des Satzes 1 nur, soweit sie auf die Verhinderung oder Beschränkung von schädlichen Umwelteinwirkungen durch Luftverunreinigungen, Geräusche oder von Funkanlagen ausgehende nichtionisierende Strahlen gerichtet ist.

Die Vorschriften des § 22 BImSchG enthalten die Grundpflichten für die Errichtung und den Betrieb. Diese Pflichten gelten unmittelbar und nicht nur im Zeitpunkt der Errichtung und des Betriebsbeginns, sondern so lange, wie die Anlage betrieben wird. Das bedeutet insbesondere, dass eine Verschärfung der Anforderungen wegen einer Änderung der Sach- oder Rechtslage auch die bestehenden Anlagen trifft. Somit haben diese Grundpflichten beim Betrieb nicht genehmigungsbedürftiger Anlagen einen dynamischen Charakter, der zentral schutzzielorientiert ist [4-9].

Schutzziel des Bundesimmissionsschutzgesetzes ist gemäß dessen Titel der „Schutz vor schädlichen Umwelteinwirkungen durch Luftverunreinigungen, Geräusche, Erschütterungen und ähnliche Vorgänge“. Schutzzielorientiert bedeutet in diesem Zusammenhang, dass gemeinhin ein Bestandsschutz auf der Basis einer ehedem erteilten Genehmigung oder einer Zubilligung einer nicht genehmigungsbedürftigen Anlage nur so lange rechtsrelevant ist, wie nicht weitere Erkenntnisquellen dazu führen, dass der gegebene Ist-Stand doch schädlicher ist, als bis dato angenommen. Der Staat hat als oberste Maxime den Schutz seiner Bürger und der Menschen, die hier leben, und erkennt daher nicht an, dass wirtschaftliche Vorteile für einzelne, basierend auf deren Eigentum oder beruflicher Betätigung, höherwertig als der Erhalt des Lebens und der Gesundheit sind.

In der Verordnungsbegründung wird explizit darauf hingewiesen, dass die zuständige Behörde – unabhängig von den in der Verordnung benannten Maßnahmen – weitergehende Anforderungen festlegen kann. Dazu gehört auch die ganz oder teilweise Untersagung des Betriebs, aber auch die grundsätzlich gegebene Möglichkeit des weiteren Betriebs selbst unter Überschreitung des Maßnahmenwerts. Welche Maßnahmen der Gefahrenabwehr für diesen Fall vom Betreiber einzuleiten sind, sollte der Entscheidung der Behörde obliegen. Wie die praktische Umsetzung vonseiten der Behörden sich hier zukünftig darstellen wird, bleibt abzuwarten.

Im Weiteren leitet sich aus § 16 Absatz 2 ab, dass alle in der Vergangenheit bereits erteilten Auflagen, die über die Vorgaben dieser Verordnung hinausgehen, Geltung behalten. Das trifft primär für den Betrieb verschiedener genehmigungsbedürftiger Anlagen nach BImSchG zu.

§ 17 Informationsformate und Übermittlungswege

Die zuständige oberste Landesbehörde oder die nach Landesrecht bestimmte Behörde kann vorschreiben, dass der Betreiber für Informationen nach § 10 oder Anzeigen nach § 13, die nach dieser Verordnung der Behörde zu übermitteln sind, das von ihr festgelegte Format und den elektronischen Weg zu nutzen hat.

Die Regelungen zur Umsetzung der Informationsflüsse zwischen dem Betreiber und der Behörde sehen auch die elektronische Kommunikationsmöglichkeit vor. Dem ist man mit dem bereits unter den §§ 10 und 13 beschriebenen Internet-Portal KaVKA nachgekommen. Das auf diesem Wege standardisierte Anzeigeverfahren hat sich für den Anlagenbetreiber als praxistauglich erwiesen. Inwieweit sich dies auch für die Meldeverfahren darstellt, bleibt nach dem aktuellen Stand abzuwarten. Positiv hervorzuheben ist, dass dies noch vor in Kraft treten der Anzeigepflicht zur Verfügung stand. Damit blieb den betroffenen Betreibern und Aufsichtsbehörden der Papieraufwand erspart. Gleichzeitig ist es für die Behörden ein mögliches Kontrollinstrument und erlaubt eine zügige Recherche bei dem Verdacht eines Legionellenausbruchs.

Abschnitt 8: Schlussvorschriften

§ 18 Zugänglichkeit und Gleichwertigkeit von Normen

Die in § 2 genannten ISO-, DIN-Normen und VDI-Richtlinien sind in der Deutschen Nationalbibliothek archivmäßig gesichert niedergelegt und bei der Beuth Verlag GmbH, Berlin, zu beziehen.

Die Regelung in diesem Paragraphen sichert zum einen die bibliographische Verankerung der in diesen Verordnungstext eingeführten technischen Normen und Richtlinien, zum anderen erfolgt hierdurch der Verweis auf die Möglichkeit des Betreibers zur entsprechenden Einsichtnahme in die technischen Regelwerke.

§ 19 Ordnungswidrigkeiten

Ordnungswidrig im Sinne des § 62 Absatz 1 Nummer 7 des Bundes-Immissionsschutzgesetzes handelt, wer vorsätzlich oder fahrlässig

1. entgegen § 3 Absatz 1 eine dort genannte Anlage nicht richtig errichtet oder nicht richtig betreibt,
2. entgegen § 3 Absatz 3 eine Anlage mit Betriebsstoffen betreibt, die mit den in der Anlage vorhandenen Werkstoffen nicht verträglich sind,
3. entgegen § 3 Absatz 4 Satz 1 erster Halbsatz nicht sicherstellt, dass eine Gefährdungsbeurteilung erstellt wird,
4. entgegen § 3 Absatz 4 Satz 2, Absatz 6 Satz 2 oder Absatz 7 Satz 4, § 4 Absatz 1 Satz 6 oder Absatz 5 Satz 2, § 5 Absatz 2, § 6 Absatz 4, § 7 Absatz 4 Satz 2, § 8 Absatz 3, § 9 Absatz 3 oder § 11 Satz 2 eine Dokumentation nicht, nicht richtig, nicht vollständig oder nicht rechtzeitig erstellt,
5. entgegen § 3 Absatz 5 Satz 1 nicht sicherstellt, dass ein Prüfwert nicht überschritten wird,
6. entgegen § 3 Absatz 6 Satz 1 nicht sicherstellt, dass dort genannte Prüfschritte durchgeführt werden,

7. entgegen § 3 Absatz 7 Satz 1, 2 oder 3, § 4 Absatz 2 Nummer 1 oder 2 oder Absatz 3, § 6 Absatz 1 oder 2 Nummer 4, § 7 Absatz 1 oder 2, § 8 Absatz 1 oder § 9 Absatz 1 Nummer 1 oder 3 eine dort genannte Untersuchung oder Überprüfung nicht, nicht richtig oder nicht rechtzeitig durchführt oder durchführen lässt,
8. entgegen § 4 Absatz 1 Satz 5 die Art der Bestimmung des Referenzwertes nicht, nicht richtig oder nicht rechtzeitig festlegt,
9. entgegen § 5 Absatz 1 Nummer 2, § 6 Absatz 2 Nummer 2 oder Absatz 3 Nummer 2, § 8 Absatz 2 Nummer 2 oder 3, § 9 Absatz 2 oder § 11 Satz 1 Nummer 2 eine dort genannte Maßnahme nicht, nicht richtig, nicht vollständig oder nicht rechtzeitig ergreift,
10. entgegen § 10 Satz 1 eine dort genannte Behörde nicht, nicht richtig, nicht vollständig oder nicht rechtzeitig informiert,
11. entgegen § 12 Absatz 1 ein Betriebstagebuch nicht, nicht richtig oder nicht vollständig führt,
12. entgegen § 12 Absatz 3 Satz 2 ein Betriebstagebuch nicht oder nicht mindestens fünf Jahre aufbewahrt,
13. entgegen § 13 Absatz 1 bis 3 oder 4 eine Anzeige nicht, nicht richtig, nicht vollständig oder nicht rechtzeitig erstattet,
14. entgegen § 14 Absatz 1 Satz 1 eine Überprüfung nicht, nicht richtig, nicht vollständig oder nicht rechtzeitig durchführen lässt oder
15. entgegen § 14 Absatz 2 eine Mitteilung nicht, nicht richtig, nicht vollständig oder nicht rechtzeitig macht.

§ 19 bestimmt die als Ordnungswidrigkeiten zu ahndenden Tatbestände. Die Regelungen zu den Ordnungswidrigkeiten orientieren sich an § 62 des BImSchG. „Das BImSchG sowie die darauf gestützten Rechtsverordnungen statuieren eine Vielzahl von Pflichten. Zusätzlich enthalten diese Rechtsvorschriften verschiedentlich die Ermächtigung, durch Erlass von Verwaltungsakten Pflichten festzulegen. Um die Einhaltung der Pflichten sicherzustellen, sind Sanktionen für Verstöße notwendig." [4-9]. Wir finden hier also – vergleichbar mit anderen Schutzgesetzen – eine gängige Vorgehensweise unserer Rechtsordnung.

Die Ordnungswidrigkeiten auslösenden Tatbestände umfassen Verstöße gegen eine Vielzahl der Pflichten, die sich aus den Anforderungen der 42. BImSchV ableiten. Als Adressat taucht hier auch der Errichter auf, der die Anlage entsprechend der Anforderungen der Verordnung richtig zu errichten hat. Nach § 3 Absatz 1 hat die Errichtung nach dem Stand der Technik zu erfolgen. Dieser orientiert sich zweifellos maßgeblich an den relevanten technischen Regelwerken. Diese lassen naturgemäß Spielräume bei der Ausführung von Anlagen offen. Da es keine Genehmigungspflicht durch eine Aufsichtsbehörde gibt, erfolgt die Abnahme allein durch den Auftraggeber der Anlage. Dieser wird in vielen Fällen der spätere Betreiber sein. Es darf mit Spannung erwartet werden, wie die Praxis zukünftig mit all den Fällen umgeht, in denen es Unstimmigkeiten zur Ausführung gibt. Ein weiterer Adressat könnte im Rahmen der Delegation durch den Betreiber der Wasseraufbereiter werden. Die Pflicht, die Anlage mit Betriebsstoffen zu betreiben, die mit den eingesetzten Werkstoffen verträglich sind, obliegt regelmäßig der Entscheidung eines Unternehmens, das mit der Wasseraufbereitung beauftragt ist. Dies wird in den seltensten Fällen durch den Betreiber selbst erfolgen. Gerade für ältere Anlagen liegen aber häufig keine Daten des damaligen Errichters mehr vor, in denen dieser die Anforderungen an die Wasserqualität und damit auch an Betriebsstoffe festgelegt hat. Es wird vermutlich eine besondere Herausforderung dieser Anforderung, der Rolle des Dienstleisters sowie des Wasseraufbereiters gerecht zu werden. Leider ist zu erwarten, dass in der zukünftigen Praxis die Verantwortung in einem Pingpong-Spiel zwischen Betreiber und Dienstleister hin und her geschoben wird.

Naturgemäß trifft den Betreiber der Großteil der im § 19 aufgeführten Ordnungswidrigkeiten im Zusammenhang mit Verstößen gegen seine Pflichten. Beginnend mit den Pflichten zur ordnungsgemäßen Betriebsweise ist es vor allem die Nicht-Durchführung von notwendigen Maßnahmen (z. B. bei Überschreitung von Prüf- sowie Maßnahmenwert und bei Betriebsstörungen), die hier geahndet werden kann. Darüber hinaus sind es die Informations-, Anzeige- und Dokumentationspflichten, welche Ordnungswidrigkeiten darstellen. Noch liegen hier keinerlei Erfahrungswerte mit den Aufsichtsbehörden vor, sodass auch keine Prognose für die zukünftige Praxis möglich ist.

§ 20 Inkrafttreten

> Diese Verordnung tritt einen Monat nach der Verkündung in Kraft. Abweichend von Satz 1 tritt § 13 zwölf Monate nach Verkündung der Verordnung in Kraft.

Der § 20 regelt das Inkrafttreten. Die Angemessenheit der kurzen Frist zwischen Verkündung der Verordnung und dem Zeitpunkt des Inkrafttretens wird damit begründet, dass hier überwiegend bereits bestehende Anforderungen aus technischen Regelwerken, wie der VDI 2047, aufgegriffen werden. Es wird also davon ausgegangen, dass die beteiligten Verkehrskreise und im Besonderen die Betreiber ihr Handeln bereits in der Vergangenheit auf die Einhaltung dieser Anforderungen ausgerichtet haben. Die Verpflichtung dazu kann man aus der Forderung des BImSchG nach Umsetzung des Stands der Technik ableiten. Dementsprechend hätten die betreffenden Anlagen bereits in der Vergangenheit entsprechend der hier angesprochenen technischen Regelwerke geplant, errichtet, instandgehalten und betrieben werden müssen. Die Realität sieht leider anders aus.

Die Abweichung von der Frist mit Bezug auf die Anzeigepflichten in § 13, die erst zum 19. August 2018 in Kraft traten, ist vor dem Hintergrund der notwendigen Vorarbeiten notwendig. Das betrifft sowohl die Betreiber als auch die Behörden.

5 Anforderungen aus dem technischen Regelwerk

Dieses Kapitel beschreibt hygienerelevante Anforderungen für Verdunstungskühlanlagen und Kühltürme aus verschiedenen technischen Regelwerken, die in Deutschland Anwendung finden. In weiten Teilen entsprechen sie dem Stand der Technik. Mit Ausnahme des Referenzdokuments über die Besten Verfügbaren Techniken bei industriellen Kühlsystemen (BVT) handelt es sich bei der Richtlinienreihe VDI 2047, der VGB-R 455 und dem VDMA-Einheitsblatt 24649 um rein nationale technische Regelwerke.

Im Umgang mit technischen Regelwerken, vor allem sofern sie von privaten Normungsorganisationen oder Verbänden stammen, stellt sich die Frage nach der rechtlichen Einordnung und deren Verbindlichkeit. Einleitend widmet sich das Kapitel daher dieser Frage. Es folgt ein zusammenfassender Überblick zu den Inhalten der einzelnen technischen Regelwerke. Anschließend werden die zentralen hygienerelevanten Anforderungen zu den Themen Planung, Errichtung und Inbetriebnahme, Gefährdungsbeurteilung und Prüfung sowie Betrieb und Instandhaltung detaillierter beschrieben. An dieser Stelle muss darauf hingewiesen werden, dass die nachfolgenden Zusammenfassungen die intensive Lektüre der hier behandelten technischen Regelwerke nicht ersetzen kann. Es geht hier primär darum, dem Leser einen Leitfaden durch die einzelnen Themen und einen Überblick an die Hand zu geben. Ferner muss angemerkt werden, dass hier ausschließlich die hygienisch relevanten Aspekte behandelt werden. Natürlich lassen sich diese an vielen Stellen nicht von Anforderungen trennen, die für den wirtschaftlichen oder technisch sicheren Betrieb von Bedeutung sind.

5.1 Die Bedeutung des technischen Regelwerks im Recht

Was sind technische Regeln?

Ungeachtet ihrer enormen Bedeutung für die Praxis sind technische Regelwerke zunächst einmal Handlungs- oder Handhabungsanleitungen, die von nichtstaatlichen Organisationen verfasst werden. Diese sprechen fachliche Empfehlungen zur Erreichung eines möglichen Sicherheits- oder Funktionsniveaus aus. Hierbei berufen sich die Regelwerksetzer darauf, dass sie einerseits die erforderliche Expertise besitzen, um fachkundiges Handeln und dessen zielorientierte Umsetzung beurteilen zu können. Andererseits gehen sie davon aus, dass sie aus dem Verbund der von ihnen vertretenen Fachleute diese Vorgaben als allgemeingültiges Fachwissen zum Maßstab des sorgfältigen Handelns erheben dürfen. Juristisch ist das aber nur eine Selbsteinschätzung der Regelwerksetzer. Dazu haben sich Regelwerksetzer, wie der Verein Deutscher Ingenieure e. V. (VDI), das Deutsche Institut für Normung e. V. (DIN) oder der Deutsche Verein des Gas- und Wasserfaches e. V. (DVGW), ein transparentes und an den Vorgaben der Rechtsprechung des Bundesverfassungsgerichts orientiertes, eigenes Regelwerk zur Erarbeitung der technischen Normen gegeben. Damit kommen Teile der Regelwerksetzer den Anforderungen unserer demokratischen Rechtsordnung nach. Diese erfordert auch bei der Festlegung technischer Regeln eine demokratische Legitimation. Verallgemeinernd kann gesagt werden, dass ein technisches Regelwerk nicht allein aufgrund seiner Existenz eine rechtliche

Bedeutung hat. Wenn das so wäre, könnte prinzipiell ein Jeder eine technische Norm erstellen und von allen anderen erwarten, dass sie sich auch an diese halten. Das ist natürlich nicht so. So müssen die Regelwerksetzer, um eine technische Norm mit diesem Anspruch zu erstellen, z. B. alle an einem Thema beteiligten Verkehrskreise in die Erarbeitung einbinden. Ferner muss es möglich sein, dass jeder gegen die technische Norm einsprechen kann und dieser Einspruch auch behandelt wird. Als Zusammenfassung des Fachwissens der Verkehrskreise lassen die auf diesem Wege erarbeiteten technischen Normen die Vermutung des rechtmäßigen Handelns aufkommen. Da der Gesetzgeber im Rahmen seiner Tätigkeit nicht jeden Einzelfall regeln kann, bietet unsere Rechtsordnung diesen Spielraum für technische Normen. Der Gesetzgeber bedient sich deshalb regelmäßig der technischen Regelwerksetzer, damit diese die von ihm in den gesetzlichen Bestimmungen verwendeten „unbestimmten Rechtsbegriffe", wie zum Beispiel den Begriff „Stand der Technik", konkretisieren.

So ist es sowohl unmöglich als auch nicht gewünscht, z. B. die Konstruktion und den Betrieb einer Verdunstungskühlanlage oder eines Kühlturms im Detail im Gesetz zu regeln. Das würde bedeuten, dass für Hersteller und Betreiber jeder Spielraum fehlen würde. In der Konsequenz führt das allerdings dazu, dass bei einem Streit, ob eine Anlage dem Stand der Technik des Gesetzes entspricht, jeder Fall als Einzelfall rechtlich beurteilt werden muss. Was dann in einem Einzelfall im rechtlichen Sinne „angemessen", „ausreichend", „regelmäßig", „dauerhaft" oder „geeignet" ist, um z. B. die Hygienesicherheit einer Verdunstungskühlanlage zu gewährleisten, vermag der Gesetzgeber nicht festzulegen. Hier erfolgt die Konkretisierung anhand der technischen Regelwerke, die sich in ihren fachlichen Ausführungen mit dem speziellen Bedarf der konkreten Themenbereiche, wie z. B. Verdunstungskühlanlagen, detailliert befassen.

Grundsätzlich verkörpern die technischen Regelwerke also das Wissen der Fachkreise und gelten als Konsens der mit den jeweiligen Fachthemen befassten Verkehrskreise.

Was bedeutet:

- allgemein anerkannte Regeln der Technik?
- Stand der Technik?
- BVT (Beste Verfügbare Techniken)?
- Stand von Wissenschaft und Technik?

„Insgesamt lassen sich die allgemein *anerkannten Regeln der Technik* wie folgt definieren:

Eine technische Regel ist dann allgemein anerkannt, wenn sie

a) der Richtigkeitsüberzeugung der vorherrschenden Ansicht der technischen Fachleute entspricht (1. Element: allgemeine wissenschaftliche Anerkennung) und darüber hinaus

b) in der Praxis erprobt und bewährt ist (2. Element: praktische Bewährung).

Auf beiden Stufen a) und b) muss die jeweilige technische Regel der überwiegenden Ansicht (Mehrheit) der technischen Fachleute entsprechen." [5-1]

„Ausgehend von dieser Definition setzen allgemein anerkannte Regeln der Technik damit zunächst voraus, dass sie sich in der Wissenschaft als theoretisch richtig durchgesetzt haben und somit eine allgemeine wissenschaftliche Anerkennung genießen. Es ist nicht ausreichend, wenn eine Regel in einigen Fachzeitschriften vertreten oder an Universitäten gelehrt wird. Sie muss vielmehr zudem Eingang in die Baupraxis gefunden haben und sich dort überwiegend bewährt haben. Sowohl auf der wissenschaftlichen Ebene als auch auf der Praxisseite muss danach nach überwiegender Meinung der jeweiligen Fachleute die technische Regel als richtig verstanden werden.“ [5-2]

Technische Regeln, die als anerkannte Regeln der Technik gelten, müssen also das Fachwissen der Verkehrskreise, das in diesen als grundlegend und einleuchtend erkannt wird, verkörpern. Es muss wissenschaftlich begründet, praktisch bewährt und ausreichend erprobt sein.

Der *Stand der Technik* geht über die anerkannten Regeln der Technik hinaus und verkörpert das neuzeitliche Wissen. Wesentliches Element zur Bestimmung des Stands der Technik ist die dynamische Betrachtung des aktuellen technischen Entwicklungsstands. „Der Stand der Technik wird vielfach in umwelt- und technikrechtlichen Gesetzen verwendet. Im Jahr 2001 hat der Gesetzgeber die Legaldefinition des Stands der Technik unter anderem in § 3 Abs. 6 BImSchG überarbeitet und den Begriff europäischen Vorgaben angeglichen.“ [5-1] Der Wortlaut des Gesetzes ist in Kapitel 4.1 abgedruckt.

„Um den Stand der Technik zu ermitteln, ist zunächst der Entwicklungsstand fortschrittlicher Verfahren, Einrichtungen sowie Betriebsweisen festzustellen. Weiter müssen die Verfahren, Einrichtungen und Betriebsweisen fortschrittlich sein, womit die Anforderungen an die Front der technischen Entwicklung gelegt werden.“ [5-3]

Die Definitionen in Absatz 6a bis 6e des BImSchG betreffen Elemente zur Konkretisierung des Standards der *Besten Verfügbaren Techniken,* die in der Industrieemissionsrichtlinie und generell im EU-Recht das Gegenstück zum deutschen Stand der Technik bilden. Trotz der Ähnlichkeiten der beiden Figuren und ihrer weitgehenden Übereinstimmung im Ergebnis zeigen sich auch gewisse Unterschiede. Der Begriff der Besten Verfügbaren Techniken ist ausweislich der Legaldefinition in Art. 3 Nr. 10 RL 2010/75 weit gespannt: auf der einen Seite geht es um den effizientesten und fortschrittlichsten Entwicklungsstand der Tätigkeiten und entsprechenden Betriebsmethoden, um Emissionen in und Auswirkungen auf die gesamte Umwelt zu vermeiden; auf der anderen Seite geht es um Techniken, die in einem Maßstab entwickelt sind, der unter Berücksichtigung des Kosten-/Nutzen-Verhältnisses die Anwendung in dem betreffenden industriellen Sektor unter wirtschaftlich und technisch vertretbaren Verhältnissen ermöglicht. [5-3]

Der *Stand von Wissenschaft und Technik* „umfasst die neuesten technischen und wissenschaftlichen Erkenntnisse und übt einen starken Zwang hin zur Beachtung der wissenschaftlichen Forschung aus. Der Stand von Wissenschaft und Technik ist dynamischer als der Stand der Technik, weil er nicht durch das gegenwärtig Realisierte und Machbare begrenzt wird“. [5-1]

5.2 Überblick zum technischen Regelwerk

5.2.1 VDI 2047 Blatt 2 (01/2019) Rückkühlwerke: Sicherstellung des hygienegerechten Betriebs von Verdunstungskühlanlagen (VDI-Kühlturmregeln)

Dieses technische Regelwerk des Vereins Deutscher Ingenieure (VDI) hat seinen Ursprung in verschiedenen Legionellenausbrüchen, die mit Verdunstungskühlanlagen in Verbindung gebracht wurden. So hat der Schadensfall in Ulm (2010) maßgeblich dazu beigetragen, dass sich der VDI-Ausschuss zur Erarbeitung dieses Regelwerks im Juni 2010 konstituiert hat. Im

Januar 2014 erschien der Entwurf des Regelwerks, der in den Verkehrskreisen intensiv und kontrovers diskutiert und im Januar 2015 als Weißdruck der Richtlinie veröffentlicht wurde. Die Richtlinie wurde anschließend im Zuge der Diskussionen zur 42. BImSchV nochmals überarbeitet und zum November 2017 wieder als Entwurf herausgegeben. Der aktuelle Weißdruck wurde zum 01/2019 veröffentlicht und liegt der nachfolgenden Zusammenfassung zugrunde. Die 42. BImSchV nimmt, ohne die VDI 2047 explizit zu erwähnen, an verschiedenen Stellen Bezug auf deren Anforderungen. Gleiches gilt für die Begründung zur Verordnung, in der die VDI 2047 dann an verschiedenen Stellen auch konkret benannt wird. Es kann daher mit gutem Grund davon ausgegangen werden, dass diese Richtlinie in weiten Teilen dem Stand der Technik entspricht und daher als Beurteilungsmaßstab für den Soll-Zustand der betreffenden Anlagen herangezogen werden muss.

Ziel der Richtlinie ist es, einen Beitrag zur Betriebssicherheit von Verdunstungskühlanlagen zu leisten. Das betrifft die Erfüllung der Schutzziele – sowohl des Arbeits- als auch des Immissionsschutzrechts.

Um diesem Ziel gerecht zu werden, beschreibt die Richtlinie bauliche, technische und organisatorische Anforderungen. Dabei handelt es sich um einen ganzheitlichen Ansatz, der sowohl Planung und Errichtung als auch den Betrieb inklusive Instandhaltung von Verdunstungskühlanlagen umfasst. Nur ein solcher stellt sicher, dass ein hygienisch einwandfreier Betrieb nachhaltig gewährleistet werden kann.

Die Adressaten der Richtlinie sind daher auch alle betroffenen Verkehrskreise, wie z. B. Betreiber, Bauherren, Planer, Anlagen- und Gerätehersteller, Instandhalter, Behörden oder Sachverständige.

Neben dem üblichen inhaltlichen Aufbau einer VDI-Richtlinie mit Einleitung, Beschreibung des Anwendungsbereichs oder Definition von Begriffen werden folgende Themen behandelt:

- rechtliche Rahmenbedingungen,
- mögliche Gesundheitsrisiken,
- Anforderungen an die Konstruktion von Verdunstungskühlanlagen,
- Anforderungen an Planung, Errichtung und Inbetriebnahme,
- Anforderungen an Betrieb und Instandhaltung,
- Anforderungen an die Qualifikation und Schulung des Personals.

Im Anhang finden sich Bauartbeschreibungen von Verdunstungskühlanlagen sowie eine Tabelle mit den Eigenschaften von gebräuchlichen Bioziden. Ferner findet sich dort auch eine Beschreibung der Probenahme für die betriebsinternen mikrobiologischen Kontrollen des Wassers in Form von mikrobiologischen Dip-Slides-Untersuchungen (siehe Kapitel 3). Der Vorschlag für eine Checkliste „Risikoanalyse“ ist eher beispielhaft und daher nur als Hilfestellung für diese zentrale Aufgabe im Rahmen der Gefährdungsbeurteilung geeignet.

VDI 2047 Blatt 2 gilt für „Verdunstungskühlanlagen und -apparate, bei denen Wasser verrieselt oder versprüht wird oder es anderweitig zu Aerosolbildung kommen kann“. Nach der Überarbeitung weicht die Formulierung in der VDI 2047 Blatt 2 der aktuellen Fassung von der 42. BImSchV („Diese Verordnung gilt für die Errichtung, die Beschaffenheit und den Betrieb folgender Anlagen, in denen Wasser verrieselt oder versprüht wird oder anderweitig in Kontakt mit der Atmosphäre kommen kann.“) ab. Beim Anwender wird diese Abweichung vermutlich nicht für mehr Klarheit sorgen. Sinngemäß gehen beide Formulierungen aber grundsätzlich in die gleiche Richtung, wobei die VDI 2047 nochmals explizit die Bedeutung der Aerosolbildung hervorhebt. Der Anwendungsbereich wird weiter konkretisiert, indem auch „Trockenanlagen mit zeitweisem Nassbetrieb" oder solche, die eine adiabate Vorkühlung aufweisen, eingeschlossen sind. Insbesondere in Bezug auf Letztere ist es strittig, inwieweit diese auch unter die 42. BImSchV fallen (siehe auch Kapitel 4.4 zum VDMA Positionspapier). Im Sinne der Richtlinie ist es für den Geltungsbereich unerheblich, ob es sich um offene oder geschlossene Kreislaufkühlsysteme bzw. um reine Ablaufsysteme handelt (siehe auch Kapitel 2).

Unscharf formuliert bleibt auch nach Überarbeitung der Richtlinie die Beschreibung des Geltungsbereichs für Befeuchtungseinrichtungen von RLT-Anlagen. Diese fallen nicht unter die Richtlinie, wenn sie „Bestandteile von luftführenden Bereiche einer RLT-Anlage innerhalb des Anwendungsbereichs von VDI 6022 sind". Als Beispiele werden solche Anlagen genannt, die als „Luftbefeuchtungssysteme auf der Außen- oder Zuluftseite sowie indirekte Verdunstungskühlsysteme, die auf der Abluftseite des RLT-Geräts zur Kühlung der Luft eingesetzt werden". Während für Erstere eine klare Zuordnung zur VDI 6022 und damit auch zum Arbeitsschutzrecht erkennbar ist, sind gerade Geräte auf der Abluftseite, sofern sie keinen Einfluss auf die Zuluft haben, von der VDI 6022 ausgenommen. Diese adiabaten Verdunstungskühlsysteme wirken im Abluftstrom wie Nassabscheider und waschen auf diesem Wege Partikel aller Art aus dem Luftstrom. Die Konsequenz ist, dass diese Anlagenkomponenten häufig ein ausgeprägtes Wachstum von Mikroorganismen im Wasser aufweisen. Diese können natürlich über den Fortluftstrom mit Aerosolen in die Umwelt gelangen. Die Gegenüberstellung dieses Geltungsbereichs mit der Formulierung im § 1 der 42. BImSchV erscheint insgesamt unglücklich.

Ausgenommen aus dem Geltungsbereich der VDI 2047 Blatt 3 sind Anlagen mit offenen Kühlwasserkreisläufen, die je Luftaustritt eine Kühlleistung von > 200 MW aufweisen. Die 200-MW-Grenze gilt nicht für Hybridkühltürme, sofern das Emissionsverhalten nicht den Kühltürmen aus der VDI 2047 Blatt 3 entspricht bzw. es sich um „saugende Ventilatorkühlsysteme" handelt. Anlass für diese Differenzierung ist der Umstand, dass das Emissionsverhalten von Aerosolen einen deutlichen Einfluss auf die Immissionssituation – und damit das Risiko von Legionellen in der Umgebungsluft – mit sich bringt, siehe auch Kapitel 3.2.

Im Abschnitt zu den rechtlichen Rahmenbedingungen gibt die Richtlinie einen Überblick zu den grundlegenden Rechtsanforderungen, wie zum Beispiel das Immissionsschutzrecht. Ferner beschreibt sie die Anforderungen, die sich aus dem Arbeitsschutzrecht für die Beschäftigten ableiten, welche im Zusammenhang mit diesen Anlagen gefährdet sind. Das schließt auch die Beschreibung der rechtlichen Anforderungen ein, die bei der Verwendung von Bioziden gelten.

Auch die möglichen Gesundheitsrisiken durch Krankheitserreger, als die eigentlichen Auslöser für diese Richtlinie, werden thematisiert. Neben den möglichen Ursachen für die Vermehrung und Verbreitung dieser Mikroorganismen werden ihre Auswirkungen benannt (siehe auch Kapitel 3.2).

Im Anhang beschreibt die Richtlinie mögliche Bauarten von Kühltürmen. An deren Konstruktion und die der jeweiligen Bauteile werden allgemeine bis spezielle Anforderungen definiert, die Einfluss auf den hygienischen Betrieb der Anlagen haben. Dieses schließt Anforderungen an die verwendeten Werkstoffe ein. Breiten Raum nehmen in der Richtlinie die Anforderungen an Planung, Errichtung und Inbetriebnahme ein, da hier die Ursachen für zahlreiche spätere Probleme mit diesen Anlagen liegen. Der Anhang umfasst auch die Forderung nach einer Risikoanalyse als Element der Gefährdungsbeurteilung, welche im Abschnitt zu Betrieb und Instandhaltung beschrieben ist. Die Gefährdungsbeurteilung wird im § 3 Absatz 4 der 42. BImSchV aufgegriffen, ohne dass konkret auf einen immissionsschutz- bzw. arbeitsschutzrechtlichen Bezug eingegangen wird. In der VDI 2047 Blatt 2 hebt diese sowohl auf die immissionsschutz- als auch die arbeitsschutzrechtliche Gefährdung ab. Im Zusammenhang mit der Planung und Errichtung finden sich Anforderungen bezüglich der Standortwahl, der Aspekte des Stoffeintrags in die Anlagen, der Prozesssteuerung als häufig unterschätzter Ursache für Hygieneprobleme, der Wasserbeschaffenheit inkl. der Wasserbehandlung bis hin zu planerischen Vorkehrungen für Betriebsunterbrechungen und Stillständen. Ferner wird die Inbetriebnahme behandelt.

Die Richtlinie enthält einen umfangreichen Abschnitt zum Thema „Betrieb und Instandhaltung". Neben allgemeinen Hinweisen finden sich Erläuterungen zu Ziel und Vorgehensweise einer „Hygiene-Gefährdungsbeurteilung". Ausführliche Anforderungen sind den Hygienekontrollen zugeordnet. Das Regelwerk unterscheidet hier zwischen Inspektionen, mikrobiologischen Untersuchungen und chemisch bzw. chemisch-physikalischen Untersuchungen. Als mikrobiologische Untersuchungen werden in der VDI 2047 Blatt 2 mit der allgemeinen Koloniezahl sowie *Pseudomonas aeruginosa* zwei Überwachungsparameter vorgeschlagen, die bei Überschreitung der Zielwerte keine direkte Gesundheitsgefährdung auslösen. Abweichend von der 42. BImSchV (14-tägig) schlägt die VDI 2047 Blatt 2 Kontrollfristen von „z. B. monatlich" vor. Die mindestens vierteljährliche Kontrolle auf Legionella spp. stimmt mit den Fristanforderungen der 42. BImSchV überein. An die Verordnung angepasst wurden bei der Überarbeitung auch die Bewertungsmaßstäbe für die allgemeine Koloniezahl und Legionella spp. Für den Fall, dass die Zielwerte überschritten werden, fordert die Richtlinie die Umsetzung von Maßnahmen durch den Betreiber. Diese weichen in Teilen von den Vorgaben der 42. BImSchV ab und gehen über diese hinaus oder bleiben auch dahinter zurück (Differenzierung der Ergebnisse zu Legionella spp.).

Das Thema „Qualifikation und Schulung von Personal" findet sich nur in einem kurzen eigenen Abschnitt. Dort finden sich grundsätzliche Anforderungen an das Personal für Betrieb und Instandhaltung. Hinsichtlich aller weiteren Anforderungen an die Schulung für den Erwerb der hygienischen Fachkunde im Zusammenhang mit diesen Anlagen verweist die VDI 2047 Blatt 2 auf die VDI-MT 2047 Blatt 4 (siehe auch Kapitel 5.2.3).

5.2.2 VDI 2047 Blatt 3 (04/2018) Rückkühlwerke: Sicherstellung des hygienegerechten Betriebs von Verdunstungskühlanlagen – Kühltürme über 200 MW Kühlleistung (VDI-Kühlturmregeln)

Die VDI 2047 Blatt 3 ist aus der Einschätzung des VDI-Richtlinienausschusses zur VDI 2047 Blatt 2 hervorgegangen, dass sich die Anlagen im Anwendungsbereich dieser Richtlinie hinsichtlich ihres hygienischen Risikopotenzials deutlich von denen aus der VDI 2047 Blatt 2 unterscheiden. Bei der ersten Erarbeitung von Blatt 2 wurden daher Kühltürme > 200 MW Kühlleistung (Ausnahme s. Blatt 2) aus dem Anwendungsbereich genommen und als eigene Richtlinie mit dem Blatt 3 veröffentlicht.

Vergleichbar dem Blatt 2 ist das Ziel der Richtlinie, einen Beitrag zur Betriebssicherheit von Verdunstungskühlanlagen zu leisten. Auch bei diesen Anlagen ist die Betriebssicherheit im Sinne der Erfüllung der Schutzziele des Arbeitsschutz- sowie des Immissionsschutzrechts zu sehen.

Unter Berücksichtigung der VDI 2047 Blatt 2 beschreibt diese Richtlinie bauliche, technische und organisatorische Anforderungen. In vergleichbarer Weise wurde für diese Anlagen ein ganzheitlicher Anforderungskatalog gewählt, der die Planung, die Errichtung, den Betrieb und die Instandhaltung von Kühltürmen umfasst. Begründet durch die Unterschiede in Konstruktion und Betrieb, die nach aktueller Kenntnislage zu einem anderen Emissions- und Ausbreitungsverhalten führen als bei kleinen Verdunstungskühlanlagen, wurde das Risiko möglicher Gesundheitsgefährdungen als geringer eingestuft. Das hat dazu geführt, dass in der Richtlinie um den Faktor fünf höhere Prüf- und Maßnahmenwerte für Legionellen im Vergleich zu den Verdunstungskühlanlagen nach Blatt 2 festgesetzt wurden. Diese entsprechen den Anforderungen der 42. BImSchV. Unabhängig vom Aufstellungsort der Anlage wird bei Einhaltung der Hygieneanforderungen dieser Richtlinie das Risiko minimiert, aber nicht vollständig ausgeschlossen.

Auch die VDI 2047 Blatt 3 richtet sich an sämtliche betroffenen Verkehrskreise, wie z.B. Bauherren, Planer, Anlagenhersteller, Instandhaltungsunternehmen, Behörden, Sachverständige und Betreiber. Letztere sind im Unterschied zu dem sehr weiten Kreis an Betreibern bei den Verdunstungskühlanlagen aus Blatt 2 hier primär die Unternehmen der Energiewirtschaft.

Neben der Einleitung, der Beschreibung des Anwendungsbereichs und der Begriffsdefinitionen finden sich in der Richtlinie VDI 2047 Blatt 3 nachfolgende Themenschwerpunkte:

- technische Eigenschaften,
- Anforderungen an Planung, Errichtung und Inbetriebnahme,
- Anforderungen an Betrieb und Instandhaltung,
- Anforderungen an die Qualifikation und Schulung des Personals.

In Anhängen werden Bauarten von Kühltürmen beschrieben und eine Checkliste für eine Risikoanalyse aufgezeigt.

Im Anwendungsbereich der Richtlinie finden sich „Verdunstungskühlanlagen mit offenen Kühlwasserkreisläufen und einer Kühlleistung > 200 MW je Luftaustritt". Das sind jene Anlagen, die sich in der 42. BImSchV unter dem Begriff „Kühltürme" wiederfinden. Auch hier gilt, dass „Hybridkühltürme und Kühltürme bei zusätzlich drückenden Ventilatoren > 200 MW je Luftaustritt" nur dann unter diese Richtlinie fallen, wenn das Emissionsverhalten den oben genannten Anlagen entspricht (siehe Kapitel 5.2.1).

Im Abschnitt *Technische Eigenschaften* finden sich, neben der Beschreibung der Funktionsweise, Hygieneanforderungen an die Konstruktion sowie an Werkstoffe. Der Abschnitt *Planung, Errichtung, Inbetriebnahme* ist ähnlich strukturiert wie in Blatt 2 und beginnt mit der Forderung nach einer Gefährdungsbeurteilung, die bereits im Rahmen der Planung erstellt werden soll. Auch die Themen Stoffeintrag, planerische Vorkehrungen für den Betrieb, Empfehlungen zur MSR-Technik und Anforderungen an die Wasserbeschaffenheit und -aufbereitung sowie Inbetriebnahme werden behandelt. Vergleichbares gilt für den Abschnitt *Betrieb und Instandhaltung*, der neben allgemeinen Hinweisen das Thema Gefährdungsbeurteilung in sehr ähnlicher Weise behandelt wie Blatt 2. Ein Schwerpunkt bildet in diesem Abschnitt das Thema „Maßnahmen zur Verbesserung des hygienegerechten Betriebs", das Hinweise und Anforderungen zur Reinigung der Anlagen gibt. Im Weiteren werden verschiedene Aspekte des Betriebs, wie Stillstände, Betriebsunterbrechungen oder Wiederinbetriebnahme, aufgegriffen. Im Kapitel *Hygienekontrollen* werden regelmäßige Inspektionen, mikrobiologische Untersuchungen sowie chemische und chemisch-physikalische Untersuchungen beschrieben und Anforderungen festgeschrieben. Im Abschnitt *Qualifikation und Schulung des Personals* wird in weiten Teilen auf die VDI 2047 Blatt 2 verwiesen. Wie bereits in Kapitel 5.2.1 ausgeführt, finden sich die diese Anforderungen inzwischen in der VDI-MT 2047 Blatt 4 (siehe auch Kapitel 5.2.3).

5.2.3 VDI-MT 2047 Blatt 4 (01/2019) Rückkühlwerke: Sicherstellung des hygienegerechten Betriebs von Verdunstungskühlanlagen (VDI-Kühlturmregeln) – Qualifikation von Personal zum Betreiben von Verdunstungskühlanlagen

Im Rahmen der Überarbeitung der ersten Fassung der VDI 2047 Blatt 2 von 01/2015 wurden die Anforderungen an das Personal für den Betrieb von Verdunstungskühlanlagen in die neue VDI-MT 2047 Blatt 4 eingebracht. Mit dem Richtlinienformat VDI-MT liegt ein neuer Typ von Regelwerk des VDI vor. Das MT in der Bezeichnung steht dabei für „Mensch und Technik". Auf diese Weise sollen Richtlinien des VDI gekennzeichnet werden, „die sich nicht ausschließlich mit Technik im Sinne einer Regel der Technik" befassen. Sie gehen dahingehend über die „üblichen" Regeln der Technik hinaus, da sie auch andere Themen mit gesellschaftlicher Relevanz behandeln. Dazu gehören unter anderem die hier behandelten Anforderungen an die Personalqualifikation.

Im Anwendungsbereich befasst sich die die VDI-MT 2047 Blatt 4 mit einer Schulungsmaßnahme zur Qualifizierung von Personen, die an Verdunstungskühlanlagen tätig sind. Grundlage dieser Schulung ist die entsprechende Befähigung der Personen für die jeweiligen Aufgaben, welche der Anlagenbetreiber sicherzustellen hat. Die Schulung selbst soll den Teilnehmern lediglich das notwendige Zusatzwissen zur Kühlturmhygiene vermitteln.

Es handelt sich dabei um eine Tagesschulung, die acht Stunden umfasst und eine Abschlussprüfung einschließt. Als Inhalte der Schulung sind in diesem Zeitrahmen die besonderen Hygieneanforderungen an Verdunstungskühlanlagen und Kühltürme festgelegt. Diese beziehen sich auf die Aspekte Planung, Errichtung, Betrieb und Instandhaltung. Auf diese Weise soll den Teilnehmern die hygienische Fachkunde zu diesen Teilaspekten vermittelt werden. Das Verständnis dieser Zusammenhänge ist notwendige Voraussetzung, um die entsprechenden Maßnahmen für die Hygienesicherheit der Anlagen auch umzusetzen.

Teilthemen der Schulung sind z. B.:

- die Inhalte der VDI 2047 Blatt 2 im Überblick
- Grundlagen zu Verdunstungskühlanlagen
- mikrobiologische und gesundheitliche Grundlagen zu Legionellen
- Wasserchemie und Korrosion
- Anlagenüberwachung (chemisch-physikalisch, mikrobiologisch)
- Instandhaltung
- maßgebende Gesetze und technische Regeln

In der Richtlinie werden außerdem die Anforderungen an die Schulungsreferenten, die Teilnehmer sowie verschiedene Randbedingungen festgelegt. Die Schulung ist eine der Voraussetzungen, um dem Anspruch an die „hygienisch fachkundige Person" nach § 2 Nr. 19 der 42. BImSchV gerecht zu werden.

5.2.4 VDMA 24649 (01/2018) Betriebsempfehlungen für Verdunstungskühlanlagen

Das VDMA-Einheitsblatt 24649 wurde im Zuge der Veröffentlichung der 42. BImSchV überarbeitet und ersetzt die Fassung vom Mai 2005, welche noch den Titel „Hinweise und Empfehlungen zum wirksamen und sicheren Betrieb von Verdunstungskühlanlagen" trägt. Dieses VDMA-Einheitsblatt wurde von der Fachabteilung Rückkühltechnik des VDMA-Fachverbandes *Verfahrenstechnische Maschinen und Apparate* erarbeitet. Es handelt sich damit um ein Regelwerk, das primär von den Verkehrskreisen aus dem Bereich der Herstellung dieser Anlagen erstellt wurde.

Mit diesem Regelwerk sollen einheitliche Standards für die Wartung und Inspektion von Verdunstungskühlanlagen gesetzt und Empfehlungen zum Betrieb gegeben werden. Dabei geht es einerseits um die Begrenzung von mikrobiologischem Wachstum und andererseits die Erhaltung der Kühleffektivität von Verdunstungskühlanlagen. Es wird im Einheitsblatt ausdrücklich auch auf die Vorteile dieser Kälteanlagen hinsichtlich der Wirtschaftlichkeit und Umweltbelastung verwiesen. Damit wird aus nachvollziehbaren Gründen versucht, der aktuellen Tendenz entgegenzuwirken, diese Anlagen nur unter dem Aspekt des Legionellenrisikos zu betrachten. Stattdessen soll aus der Vielfalt der Rückkühlsysteme die beste Lösung für den jeweiligen Anwendungsfall ausgewählt werden. In diesem Zusammenhang wird auch auf das VDMA-Einheitsblatt 24659 „Wirtschaftlichkeit und partieller CO_2-Fußabdruck von Verdunstungskühlern – Leitfaden zur Berechnung" hingewiesen.

Adressaten des Regelwerks sind Planer, Hersteller, Betreiber und Instandhaltungsunternehmen von Verdunstungskühlanlagen, aber auch von technischen Anlagen, in denen diese Verwendung finden. Damit gelten auch diejenigen als Zielgruppe, die Verdunstungskühlanlagen als reine Systemkomponente betrachten.

Der Anwendungsbereich des VDMA-Einheitsblatts beschränkt sich auf Empfehlungen für den Betrieb von Verdunstungskühlanlagen. Ausdrücklich ausgenommen ist die Betrachtung des gesamten Kühlsystems. Wie bereits an anderer Stelle erörtert, fällt es aufgrund der Zusammenhänge und des wechselseitigen Einflusses auf die Legionellenvermehrung schwer, hier aus hygienischer Sicht eine Grenze zu ziehen. Gemäß VDMA 24649, Abschnitt 4 gilt:

> Verdunstungskühlanlagen sind all diejenigen, in denen mit Hilfe der Verdunstung von Wasser Wärme an die Umgebungsluft abgeführt wird. Verdunstungskühlanlagen gibt es in vielen Bauformen, Größenordnungen, mit und ohne Ventilatoren. Typische Verdunstungskühlanlagen sind Nasskühltürme mit offenem Kreislauf, Nasskühltürme mit geschlossenem Kreislauf und Verdunstungsverflüssiger. Verdunstungskühlanlagen im Sinne dieses Einheitsblattes sind aber auch Nass-/Trocken-Kühler, Hybridkühltürme mit offenem oder geschlossenem Kreislauf oder luftgekühlte Wärmetauscher mit vorgeschalteter adiabatischer Luftbefeuchtung.

Die Definition von Verdunstungskühlanlagen ist hier weniger konkret gefasst, als das in der 42. BImSchV und der Richtlinie VDI 2047 der Fall ist. So hat der VDMA in einer Stellungnahme zur 42. BImSchV die Position vertreten, dass luftgekühlte Wärmetauscher mit vorgeschalteter adiabatischer Luftbefeuchtung nicht unter die 42. BImSchV fallen. Hinsichtlich des

Risikopotenzials wirft das bei verschiedenen Betriebsweisen Fragen auf, da es auch hier zu einen Legionelleneintrag und deren Austrag kommen kann. Gleichwohl dürfte das Risiko vermutlich theoretisch geringer sein, wozu aber den Autoren keine veröffentlichten Daten vorliegen.

Inhaltlich finden sich in der VDMA 24649 folgende Themenschwerpunkte:

- Erhaltung der Kühleffektivität,
- Beschreibung der Verdunstungskühlanlagen mit der Definition unterschiedlicher Funktionsmodi,
- Systemsicherheit.

Im Anhang findet sich eine Empfehlung für ein Betriebstagebuch, das im Regelwerk einen breiten Raum einnimmt.

Im Abschnitt über die Erhaltung der Kühleffektivität wird die Wichtigkeit für die Wärmeübertragung und die Umweltbelastung hervorgehoben. Das wird mit allgemeinen Informationen über Grundlagen zur Verdunstung und Abflutung, den Einfluss der Wasserqualität, der Instandhaltung und der Sauberkeit unterstrichen.

Anstatt die Vielzahl möglicher und am Markt verbreiteter unterschiedlicher Konstruktionen aufzugreifen, reduziert die VDMA 24649 diese auf vier sogenannte „Funktionsmodi". Diese hängen von der verwendeten Technik und Betriebsweise ab:

A) Als Funktionsmodus A wird festgelegt, sofern „das zur Wärmeübertragung verwendete Wasser in einer Wanne aufgefangen und der Wasserverteilung wieder zugeführt (Kreislaufführung)" wird. Die Anlage befindet sich im Nassbetrieb.

B) Funktionsmodus B zeichnet sich dadurch aus, dass die Rückkühleinheit keine Wanne mit stehendem Wasser besitzt und das nicht verdunstete Wasser nicht im Kreislauf geführt wird. Die Anlage befindet sich im Nassbetrieb.

C) Im Funktionsmodus C befindet sich noch Wasser in der Wanne, wird aber nicht zur Rückkühlung eingesetzt. Die Anlage befindet sich im Trockenbetrieb.

D) Im Funktionsmodus D erfolgt die Rückkühlung ohne Verdunstung von Wasser und die ggf. vorhandene Wanne ist entleert. Die Anlage befindet sich im Trockenbetrieb.

Aus diesen vier Funktionsmodi wird die Notwendigkeit unterschiedlicher technischer und planerischer Hygieneanforderungen abgeleitet. Diese orientieren sich am prognostizierten Risiko der Legionellenvermehrung und des möglichen Austrags.

Der Abschnitt *Systemsicherheit* beschreibt wesentliche Maßnahmen zur Minimierung des Hygienerisikos von Verdunstungskühlanlagen. Dazu gehören:

- die Auswahl, Konzeptionierung und Aufstellung der Rückkühleinheit,
- die Durchführung einer Gefährdungsbeurteilung und daraus abzuleitende Maßnahmen,
- eine auf das System angepasste Wasseraufbereitung und -behandlung,
- ein Betriebstagebuch,
- Inspektionen, die im zugehörigen Anhang in der Norm konkretisiert werden,
- Wartungen, für die es im Anhang eine Dokumentationsvorlage, aber keine Spezifizierung gibt. Hier verweist das Regelwerk auf die Wartungserfordernisse gemäß den Herstellerangaben, was aufgrund der Unterschiede in der Anlagentechnik auch sinnvoll erscheint.

- Empfehlungen für die Kontrolle der Wasserqualität und -aufbereitung. Diese beziehen sich auf die systemabhängige Probenahme, Funktionskontrollen von Komponenten sowie chemisch-physikalische und mikrobiologische Parameter.

Im Anhang findet sich eine sehr ausführliche Empfehlung für ein Betriebstagebuch. Das betrifft einerseits die Struktur sowie teilweise auch dessen inhaltliche Ausgestaltung. Grundsätzlich handelt es sich dabei um eine sehr sinnvolle Handlungshilfe, die aber da zu kurz greift, wo sie notwendige Dokumentationsforderungen aus der 42. BImSchV nicht aufnimmt. Hinzu kommen abweichende Forderungen zur 42. BImSchV im Fall der mikrobiologischen Wasseruntersuchungen. So weicht die Empfehlung zur Bestimmung des Referenzwerts für die allgemeine Koloniezahl von der 42. BImSchV ab. Gleichzeitig wird das Untersuchungsintervall für diesen Parameter auf vierzehntägig statt alle drei Monate festgelegt. Entweder wird hier im VDMA-Einheitsblatt nicht präzise genug zwischen den Laboruntersuchungen und den betriebsinternen mikrobiologischen Kontrolluntersuchungen differenziert oder es wird hier ein deutlich engerer Untersuchungszyklus für notwendig gehalten. Letzteres wäre aus Sicht der Anlagenhersteller wiederum überraschend. Im Unterschied zur 42. BImSchV stellt bereits die zehnfache Überschreitung des Referenzwerts der allgemeinen Koloniezahl anstatt der Anstieg um den Faktor 100 und größer eine Abweichung dar. Auch bei den daraus resultierenden Maßnahmen gibt es Unterschiede zur Verordnung. Abweichungen liegen in der VDMA 24649 gleichfalls bei der Festlegung vor, ab wann und welche Maßnahmen bei Überschreitung bestimmter Legionellenkonzentrationen umzusetzen sind. So sind im VDMA-Einheitsblatt erst ab 1000 KBE Legionellen/100 ml Maßnahmen zu ergreifen, was in der 42. BImSchV dem Prüfwert 2 entspricht. Vor dem Hintergrund, dass die 42. BImSchV bereits einige Monate vor der VDMA 24649 veröffentlicht wurde, sind diese Abweichungen nicht nachvollziehbar. Das kann, trotz guter Ansätze für einen Betriebsstandard für Verdunstungskühlanlagen, die Bedeutung dieses Regelwerks herabsetzen.

5.2.5 VGB-R 455 (01/2000) Kühlwasser-Richtlinie – Wasserbehandlung und Werkstoffeinsatz in Kühlsystemen

Die VBG-Richtlinie wurde vom VGB-Arbeitskreis „Chemie der Wasserbehandlung“ erarbeitet und vom VGB Power Tech e.V. im Januar 2000 veröffentlicht. Der VGB Power Tech e.V. ist nach eigener Darstellung als internationaler Fachverband für die Erzeugung und Speicherung von Strom und Wärme eine Non-Profit-Organisation und ein freiwilliger Zusammenschluss von Unternehmen der Kraftwerksbetreiber und -hersteller. Der VGB hat für verschiedene Themengebiete Standards – auch in Form von Richtlinien – erarbeitet. Im Unterschied zu den Regeln, die z. B. vom VDI oder DIN veröffentlicht werden, handelt es sich hier um Regelwerke mit eingeschränkter Beteiligung der betroffenen Verkehrskreise. In erster Linie werden die Adressaten des Regelwerks sich primär unter den Mitgliedern des VGB befinden.

Der Anwendungsbereich der Richtlinie VGB-R 455 bezieht sich auf die Verfahrenstechniken zur Kühlung, die in Energieerzeugungsanlagen zur Anwendung kommen. Einen Schwerpunkt legt das Regelwerk auf die Wechselwirkung zwischen den Komponenten der Kühlsysteme und dem Kühlwasser. Die hygienische Sicherheit der Anlagen nimmt im Regelwerk nur wenig Raum ein. Der Fokus liegt stattdessen auf der Betriebssicherheit im wirtschaftlichen Sinne. Gleichwohl sind zahlreiche dieser im Regelwerk formulierten Empfehlungen von erheblicher

Bedeutung für die Hygiene der Anlagen. Eine klare Trennung und Einschränkung des Anwendungsbereichs auf bestimmte Anlagentypen oder -größen, wie z. B. in der VDI 2047 zu finden, wird in der Richtlinie nicht vorgenommen. Die Richtlinie greift primär die Kühlsysteme auf, die im Kraftwerk zur Kühlung des Turbinenkondensators zum Einsatz kommen. Dabei wird zwischen drei grundsätzlichen Verfahrenstechniken unterschieden:

- Durchlaufkühlung ohne und mit Ablaufkühlung
- Umlaufkühlung mit offenem Kreislauf
- Umlaufkühlung mit geschlossenem Kreislauf

Die Richtlinie beschreibt einleitend diese Kühlverfahren mit ihren jeweiligen Randbedingungen, exemplarischen Einsatzbereichen sowie Vor- und Nachteilen. In weiteren Abschnitten fasst die Richtlinie die für die jeweiligen Kühlsysteme in Betracht kommenden Wasserarten und deren typische Beschaffenheit zusammen. Daraus abgeleitet werden die jeweils Anwendung findenden Verfahren der Wasseraufbereitung und -behandlung aufgegriffen. Das betrifft sowohl das Rohwasser, wie Flusswasser, Seewasser oder Meerwasser, als auch das Kreislaufwasser und das Zusatzwasser. Grundsätzlich sind die meisten Beschreibungen allgemein gehalten und gehen weder verfahrenstechnisch noch anlagentechnisch ins Detail. Stattdessen verlegt sich die Richtlinie darauf, grundsätzliche Verfahren oder Behandlungen, wie die mechanische Reinigung oder Behandlung mit Bioziden, aufzugreifen. Dabei werden die jeweiligen Ziele der Verfahren und die Vor- und Nachteile behandelt. Teilweise liefert das Regelwerk zu konkreten Fragestellungen Entscheidungshilfen anhand von Erfahrungswerten, wie für den Einsatz möglicher Maßnahmen der Wasseraufbereitung und -behandlung in Abhängigkeit vom Feststoffgehalt. Hinsichtlich von Detailinformationen verweist die Richtlinie auf eine umfangreiche Literaturliste im Anhang.

Ein weiterer inhaltlicher Schwerpunkt der VGB-R 455 bezieht sich auf das Thema Werkstoffe. Nach einer allgemeinen Einführung geht das Regelwerk auf die Wechselwirkung zwischen Werkstoffen und der Wasserbeschaffenheit ein. Es werden Empfehlungen für die Werkstoffauswahl in Abhängigkeit von der Herkunft und Beschaffenheit des Wassers ausgesprochen. Auch werden Hinweise und Empfehlungen für die Auswahl von Werkstoffen in Abhängigkeit von der Nutzung ausgesprochen. Die Themen Werkstoffe und Konstruktion bzw. Werkstoffe und Betrieb runden das Kapitel ab.

Empfehlungen zur analytischen Überwachung von Kühlsystemen mit den Schwerpunkten chemisch-analytische und mikrobiologische Überwachung sowie Korrosionsüberwachung schließen die Richtlinie ab. In erster Linie besteht das Ziel der chemisch-analytischen Überwachung in der Erfassung kurz- und langfristiger Veränderungen des Kühlwassers. Ersteres erfolgt vor dem Hintergrund möglicher Betriebsstörungen, während langfristig Korrosionsschäden verhindert werden sollen. Es wird die Bedeutung der Analysenparameter zusammenfassend erläutert sowie ein Mindestumfang an Basisparametern und Untersuchungsfristen empfohlen. Als Ziele der mikrobiologischen Überwachung werden die Vermeidung betrieblicher Störungen sowie die Beurteilung des gesundheitlichen Gefährdungspotenzials angegeben.

5.2.6 Integrierte Vermeidung und Verminderung der Umweltverschmutzung (IVU) – Referenzdokument über die Besten Verfügbaren Techniken bei industriellen Kühlsystemen, Umweltbundesamt, Dezember 2001

Im Kapitel 5.1 wurde bereits auf die Bedeutung und Herkunft des BVT-Merkblatts „Reference Document on the application of Best Available Techniques to Industrial Cooling Systems (BREF)“ verwiesen. Das Dokument ist auf der Homepage des Umweltbundesamts (UBA) als nationale Koordinierungsstelle für die BVT-Arbeiten abrufbar (www.bvt.umweltbundesamt.de). Die für die Genehmigungsbehörden wesentlichen Kapitel 3 und 4 wurden ins Deutsche übersetzt. Alle anderen Kapitel liegen ausschließlich in der englischen Fassung vor.

Das Referenzdokument über die Anwendung der Besten Verfügbaren Techniken bei industriellen Kühlsystemen beruht auf einem Informationsaustausch nach Artikel 16 Absatz 2 der Richtlinie 96/61/EG des Rats über die integrierte Vermeidung und Verminderung der Umweltverschmutzung. Zweck und Hintergrund des BVT führen die Zusammenfassung und das Vorwort der Veröffentlichung des UBA aus.

Auszug aus der Zusammenfassung:

Im Rahmen der integrierten Vermeidung und Verminderung der Umweltverschmutzung ist die industrielle Kühlung als horizontale Thematik eingestuft worden. Das heißt, dass im vorliegenden Dokument die „Besten Verfügbaren Techniken“ (BVT) ohne eingehende Beurteilung des zu kühlenden industriellen Prozesses eingeschätzt werden. Allerdings werden die BVT für ein Kühlsystem im Rahmen der Kühlanforderungen des industriellen Prozesses betrachtet. Es wird anerkannt, dass BVT für die Kühlung eines Prozesses eine komplexe Angelegenheit darstellen, bei der die Kühlanforderungen des Prozesses, die standortspezifischen Faktoren und die Umweltanforderungen so abzuwägen sind, dass ein Einsatz unter wirtschaftlich und technisch vertretbaren Verhältnissen ermöglicht wird.

Der Ausdruck „industrielle Kühlsysteme“ bezieht sich auf Systeme zur Abfuhr überschüssiger Wärme aus jeglichem Medium durch Wärmeaustausch mit Wasser und/oder Luft, um die Temperatur des betreffenden Mediums in Richtung auf das Umgebungsniveau abzusenken.

Im vorliegenden Dokument werden BVT für Kühlsysteme beschrieben, die in ihrer Funktion als Hilfssysteme für den Normalbetrieb eines industriellen Prozesses betrachtet werden. Dabei wird anerkannt, dass sich der zuverlässige Betrieb eines Kühlsystems positiv auf die Zuverlässigkeit des industriellen Prozesses auswirkt. Der Einsatz eines Kühlsystems unter dem Gesichtspunkt der Prozesssicherheit gehört jedoch nicht zum Umfang dieses BREF.

Das vorliegende Dokument stellt ein integriertes Konzept zur Bestimmung der BVT für industrielle Kühlsysteme vor, wobei anerkannt wird, dass die endgültige BVT-Lösung hauptsächlich standortspezifisch ist. Im Hinblick auf die Auswahl eines Kühlsystems soll im Rahmen dieses Konzepts lediglich untersucht werden, bei welchen Aspekten ein Zusammenhang mit der Umweltleistung des Kühlsystems besteht, es soll jedoch kein angewandtes Kühlsystem ausgewählt und (dis-)qualifiziert werden. Wo Emissionsminderungsmaßnahmen zur Anwendung kommen, zielt das BVT-Konzept auf eine Herausstellung der damit verbundenen medienübergreifenden Wirkungen ab und betont auf diese Weise, dass es bei der Senkung der verschiedenen Emissionen von Kühlsystemen auf Ausgewogenheit ankommt.

Die fünf Kapitel des Hauptdokuments beinhalten das BVT-Konzept, die Kernfragen und Prinzipien, die Kühlsysteme und ihre Umweltaspekte, die wichtigsten BVT-Ergebnisse und die Schlussfolgerungen und Empfehlungen für die weitere Arbeit. Die elf Anhänge enthalten Hintergrundinformationen zu spezifischen Aspekten der Auslegung und des Betriebs von Kühlsystemen und Beispiele zur Veranschaulichung des BVT-Konzepts.

Vorwort der deutschen Fassung des BVT:

Status des Dokuments

Sofern nicht anders angegeben, beziehen sich alle Hinweise auf „die Richtlinie“ im vorliegenden Dokument auf die Richtlinie 96/61/EG des Rates über die integrierte Vermeidung und Verminderung der Umweltverschmutzung. Dieses Dokument ist Teil einer Reihe, in der die Ergebnisse eines Informationsaustauschs zwischen den EU-Mitgliedstaaten und der betroffenen Industrie über beste verfügbare Techniken (BVT), die damit verbundenen Überwachungsmaßnahmen und die Entwicklungen auf diesem Gebiet vorgestellt werden. Es wird von der Europäischen Kommission gemäß Artikel 16 Absatz 2 der Richtlinie veröffentlicht und muss daher gemäß Anhang IV der Richtlinie bei der Festlegung der „besten verfügbaren Techniken“ berücksichtigt werden.

In der Richtlinie über die integrierte Vermeidung und Verminderung der Umweltverschmutzung verankerte rechtliche Pflichten und Definitionen der BVT

Um dem Leser das Verständnis des Rechtsrahmens für die Erarbeitung des vorliegenden Dokuments zu erleichtern, werden im Vorwort die wichtigsten Bestimmungen der Richtlinie über die integrierte Vermeidung und Verminderung der Umweltverschmutzung beschrieben und eine Definition des Begriffs „beste verfügbare Techniken“ gegeben. Diese Beschreibung muss zwangsläufig unvollständig sein und dient ausschließlich Informationszwecken. Sie hat keine rechtlichen Konsequenzen und ändert oder präjudiziert in keiner Weise die Bestimmungen der Richtlinie.

Die Richtlinie dient der integrierten Vermeidung und Verminderung der Umweltverschmutzung, die durch die im Anhang I aufgeführten Tätigkeiten verursacht wird, damit insgesamt ein hohes Umweltschutzniveau erreicht wird. Die Rechtsgrundlage der Richtlinie bezieht sich auf den Umweltschutz. Bei ihrer Umsetzung sollten auch die anderen Ziele der Gemeinschaft, wie die Wettbewerbsfähigkeit der europäischen Industrie, berücksichtigt werden, damit sie zu einer nachhaltigen Entwicklung beiträgt.

Im Einzelnen sieht sie ein Genehmigungsverfahren für bestimmte Kategorien industrieller Anlagen vor und verlangt sowohl von den Betreibern als auch den regelnden Behörden und sonstigen Einrichtungen ein integriertes, ganzheitliches Betrachten des Umweltverschmutzungs- und Verbrauchspotentials der Anlage.

Das Gesamtziel dieses integrierten Konzepts muss darin bestehen, das Management und die Kontrolle der industriellen Prozesse so zu verbessern, dass ein hohes Schutzniveau für die Umwelt insgesamt sichergestellt wird. Von zentraler Bedeutung für dieses Konzept ist das in Artikel 3 definierte allgemeine Prinzip, das die Betreiber auffordert, alle geeigneten Vorsorgemaßnahmen gegen Umweltverschmutzungen zu treffen, insbesondere durch den Einsatz der besten verfügbaren Techniken, mit deren Hilfe sie ihre Leistungen im Hinblick auf den Umweltschutz verbessern können.

Der Begriff „beste verfügbare Techniken" wird in Artikel 2 Absatz 11 der Richtlinie definiert als „der effizienteste und fortschrittlichste Entwicklungsstand der Tätigkeiten und entsprechenden Betriebsmethoden, der spezielle Techniken als praktisch erscheinen lässt, grundsätzlich als Grundlage für die Emissionsgrenzwerte zu dienen, um Emissionen in und Auswirkungen auf die gesamte Umwelt allgemein zu vermeiden oder, wenn dies nicht möglich ist, zu vermindern". Weiter heißt es in der Begriffsbestimmung in Artikel 2 Absatz 11: „Techniken" beinhalten sowohl die angewandte Technologie als auch die Art und Weise, wie die Anlage geplant, gebaut, gewartet, betrieben und stillgelegt wird; als „verfügbar" werden jene Techniken bezeichnet, die in einem Maßstab entwickelt sind, der unter Berücksichtigung des Kosten/Nutzen-Verhältnisses die Anwendung unter in dem betreffenden industriellen Sektor wirtschaftlich und technisch vertretbaren Verhältnissen ermöglicht, gleich ob diese Techniken innerhalb des betreffenden Mitgliedstaats verwendet oder hergestellt werden, sofern sie zu vertretbaren Bedingungen für den Betreiber zugänglich sind; als „beste" gelten jene Techniken, die am wirksamsten zur Erreichung eines allgemein hohen Schutzniveaus für die Umwelt insgesamt sind.

Anhang IV der Richtlinie enthält eine Liste von „Punkten, die bei Festlegung der besten verfügbaren Techniken im Allgemeinen wie auch im Einzelfall zu berücksichtigen sind [...] unter Berücksichtigung der sich aus einer Maßnahme ergebenden Kosten und ihres Nutzens sowie des Grundsatzes der Vorsorge und Vermeidung". Diese Punkte schließen jene Informationen ein, die von der Kommission gemäß Artikel 16 Absatz 2 veröffentlicht werden. Die für die Erteilung von Genehmigungen zuständigen Behörden haben bei der Festlegung der Genehmigungsauflagen die in Artikel 3 definierten allgemeinen Prinzipien zu berücksichtigen. Diese Genehmigungsauflagen müssen Emissionsgrenzwerte enthalten, die gegebenenfalls durch äquivalente Parameter oder technische Maßnahmen ergänzt bzw. ersetzt werden. Entsprechend Artikel 9 Absatz 4 der Richtlinie sind diese Emissionsgrenzwerte, äquivalenten Parameter und technischen Maßnahmen unbeschadet der Einhaltung der Umweltqualitätsnormen auf die besten verfügbaren Techniken zu stützen, ohne dass die Anwendung einer bestimmten Technik oder Technologie vorgeschrieben wird; hierbei sind die technische Beschaffenheit der betreffenden Anlage, ihr geografischer Standort und die jeweiligen örtlichen Umweltbedingungen zu berücksichtigen. In jedem Fall haben die Genehmigungsauflagen Vorkehrungen zur weitestgehenden Verminderung weiträumiger oder grenzüberschreitender Umweltverschmutzungen vorzusehen und ein hohes Schutzniveau für die Umwelt insgesamt zu sichern. Gemäß Artikel 11 der Richtlinie haben die Mitgliedstaaten dafür zu sorgen, dass die zuständigen Behörden die Entwicklungen bei den besten verfügbaren Techniken verfolgen oder darüber informiert sind.

Zielsetzungen des Dokuments

Entsprechend Artikel 16 Absatz 2 der Richtlinie hat die Kommission „einen Informationsaustausch zwischen den Mitgliedstaaten und der betroffenen Industrie über die besten verfügbaren Techniken, die damit verbundenen Überwachungsmaßnahmen und die Entwicklungen auf diesem Gebiet" durchzuführen und die Ergebnisse des Informationsaustauschs zu veröffentlichen. Der Zweck des Informationsaustauschs ist unter Erwägung 25 der Richtlinie erläutert, in der es heißt: „Die Entwicklung und der Austausch von Informationen auf Gemeinschaftsebene über die besten verfügbaren Techniken werden dazu beitragen, das Ungleichgewicht auf technologischer Ebene in der Gemeinschaft auszugleichen, die weltweite Verbreitung der in der Gemeinschaft festgesetzten Grenzwerte und der angewandten Techniken zu fördern und die Mitgliedstaaten bei der wirksamen Durchführung dieser Richtlinien zu unterstützen."

Wie aus den Ausführungen des UBA hervorgeht, bietet das BREF einen Handlungsrahmen bei Planung, Errichtung, Instandhaltung und Betrieb von industriellen Kühlsystemen. Es stellt keine verpflichtende Norm dar, die umzusetzen ist. Die Inhalte der fünf Kapitel umfassen:

- allgemeines BVT-Konzept für industrielle Kühlsysteme
- Technologische Gesichtspunkte der verwendeten Kühlsysteme
- Umweltaspekte bei industriellen Kühlsystemen und verwendete Verfahren zur Vermeidung und Verminderung
- beste verfügbare Techniken bei industriellen Kühlsystemen
- Schlussfolgerungen und Empfehlungen

Die für das vorliegende Buch interessanten Aspekte der Hygienesicherheit durchziehen das gesamte BVT-Konzept. Sie sind aber nur an wenigen Stellen explizit als solche benannt und ausführlicher dargestellt. Überwiegend hebt das Konzept auf die technische Optimierung und dem damit verbundenen effizienten und wirtschaftlichen Betrieb ab, wobei das Thema der Emissionsminderung durchgängig aufgenommen wird. Konkret angesprochen wird das mikrobiologisch-hygienische Risiko in den Kapiteln 3.7.1 sowie 4.10, in denen es um die Verminderung des biologischen Risikos geht.

5.3 Hygieneanforderungen an Planung und Errichtung

Die 42. BImSchV erhebt im Abschnitt 2 zu der Überschrift „Anforderungen an die Errichtung, die Beschaffenheit und den Betrieb" in § 3 *Allgemeine Anforderungen* verschiedene Forderungen, die sich auf Planung, Errichtung, Inbetriebnahme und Betrieb beziehen. Diese sind teilweise grundsätzlicher Natur und bedürfen damit einer Auslegung durch die Verkehrskreise, wie dies z. B. mit den eingangs aufgeführten technischen Regelwerke erfolgt ist. Teilweise sind aber bereits in der Verordnung sehr konkrete Anforderungen formuliert. Sofern es in den technischen Regeln zu widersprüchlichen Forderungen kommt, wird im Text darauf hingewiesen und erläutert.

Im Grundsatz fordert die 42. BImSchV, alle Anlagen im Anwendungsbereich dieser Verordnung so auszulegen und zu errichten, „dass Verunreinigungen des Nutzwassers durch Mikroorganismen, insbesondere Legionellen, nach dem Stand der Technik vermieden werden“. Wie im Kapitel 5.1 ausgeführt, sind wir damit bei den hier behandelten technischen Regeln. Die 42. BImSchV wird im § 3 konkreter und erhebt z. B. Forderungen hinsichtlich:

- der eingesetzten Werkstoffe und Betriebsstoffe,
- der Tropfenabscheider,
- möglicher Totzonen mit stagnierendem Kühlwasser,
- der Möglichkeiten der Entleerung des Kühlsystems,
- der Möglichkeiten, dem Kühlsystem Biozide zuzugeben,
- der Vorkehrungen für regelmäßige Kühlwasserüberprüfungen,
- der Vorkehrungen für mikrobiologische Probenahmen,
- der Vorkehrungen für regelmäßige Instandhaltungen.

Im Folgenden finden sich die hygienischen Anforderungen aus den technischen Regelwerken, die diese und weitere Aspekte aus der 42. BImSchV aufgreifen und konkretisieren. Überall dort, wo es Widersprüche zwischen den Anforderungen aus den Regelwerken gibt, wird auf diese hingewiesen. Die Vielzahl von möglichen Anlagentypen im Anwendungsbereich der Verordnung (siehe auch Kapitel 2) bringt häufig spezielle Anforderungen mit sich, auf die hier nicht jeweils individuell eingegangen werden kann. An den Stellen, an denen sich die Anforderungen des technischen Regelwerks ausschließlich auf spezielle Anlagentypen beziehen, wird das angemerkt. Im Weiteren wird in diesem Kapitel auf Hygieneanforderungen an die Konstruktion, die Werkstoffe, die Standortwahl, die Stoffeinträge, die Prozesssteuerung und -überwachung sowie die Wasserbeschaffenheit und sich daraus ableitende Maßnahmen eingegangen. Das Kapitel schließt mit Anforderungen an die Inbetriebnahme.

5.3.1 Hygieneanforderungen an die Konstruktion

Wie bereits im Kapitel 2 beschrieben, gibt es unterschiedliche Typen von Verdunstungskühlanlagen und Kühltürmen. Konstruktiv müssen diese Anlagen alle die notwendigen Voraussetzungen erfüllen, um im jeweiligen Anwendungsfall (Kraftwerk, Kälteanlage, Rechenzentrum etc.) die Prozesswärme an die Umgebungsluft zu übertragen. Das bedingt bestimmte grundsätzliche Merkmale dieser Systeme, die aber deutlich variieren und einen erheblichen Einfluss – im positiven wie negativem Sinne – auf den Eintrag, die Vermehrung und den Austrag von Mikroorganismen haben können. Je nach Wasserbeschaffenheit und Betriebsweise müssen daher bestimmte konstruktive Merkmale mehr oder weniger ausgeprägt vorliegen.

Alle im Kapitel 5.2 vorgestellten technischen Regelwerke stellen Anforderungen an konstruktive Merkmale, die für die Hygienesicherheit von Bedeutung sind. Teilweise empfehlen sie auch bestimmte Ausführungsarten. Grundsätzlich halten sie sich aber hinsichtlich der Konkretisierung der konstruktiven Merkmale deutlich zurück, da technische Regelwerke die Freiräume für möglichst viele Lösungsansätze nicht einschränken sollten. Gleichzeitig soll vermieden werden, dass bestehende Lösungsansätze und damit Anlagentypen bestimmter Hersteller bevorzugt hervorgehoben werden. Naturgemäß liegen aktuell unterschiedlich gut geeignete konstruktive Ansätze von Herstellern vor, die dem Ziel der Hygienesicherheit dienen.

Am umfangreichsten führt die VDI 2047 mit den Blättern 2 und 3 die hygienisch-konstruktiven Anforderungen aus. Diese entsprechen im Wesentlichen auch den Forderungen der 42. BImSchV, werden aber im Detail an vielen Stellen deutlich konkreter. So findet sich in der VDI 2047 z. B. die Anforderung an die Konstruktion, dass alle Anlagenkomponenten auch im Rahmen des bestimmungsgemäßen Betriebs zugänglich sein müssen – auch bei eingebautem Füllkörper oder Wärmeüberträger. Diese Forderung zielt darauf ab, dass regelmäßige Instandhaltungsmaßnahmen, welche die Reinigung und Desinfektion einschließen, ohne großen Aufwand möglich sind. Je weniger zugänglich die Anlage mit ihren Komponenten ist, desto kostenintensiver sind diese Maßnahmen. Das wiederum führt dazu, dass diese Maßnahmen häufig im Betrieb reduziert oder auch ganz unterlassen werden. Außerdem ermöglicht die gute Zugänglichkeit auch ein schnelles Eingreifen, was speziell im Fall der Überschreitung der Prüf- oder Maßnahmenwerte für Legionellen erforderlich ist. Das betrifft sowohl die Inspektion zur Ursachenklärung als auch die Umsetzung der Maßnahmen, wie gezielte Reinigung oder Desinfektion. In vielen Fällen hat man es hier mit einer Gradwanderung zwischen dem Ziel der optimalen Zugänglichkeit und den technisch-funktionalen sowie den wirtschaftlichen Anforderungen zu tun. So lässt sich der Lamellenabstand am Tropfenabscheider nur bedingt erweitern, ohne seine Funktion einzuschränken. Ähnliches gilt für Einbauten wie Rieselkörper. Bei solchen Komponenten ist es daher notwendig, die Konstruktion so zu wählen, dass gegebenenfalls ein einfacherer Ausbau möglich ist. In der aktuellen Praxis lässt sich das bei vielen Anlagen leider nicht gewährleisten, was dann eine komplette Revision der Anlage erfordern kann. Während die Zugänglichkeit von Verdunstungskühlanlagen kleinerer Bauart bei bestehenden Anlagen häufig am mangelnden Platz scheitert, liegt das Problem bei Kühltürmen aufgrund der Größe und Anordnung der Komponenten primär in der Erreichbarkeit ohne zusätzliche Hilfsmittel.

Bild 5.1: Die eingeschränkte Zugänglichkeit von VKA erhöht das Hygienerisiko (Bild: DMT).

Bild 5.2: Optimierte Zugänglichkeit reduziert die Wartungszeiten und erlaubt aussagefähige Inspektionsergebnisse (Bild: Gohl)

Eine weitere zentrale Anforderung, die sich sowohl in der 42. BImSchV als auch allen hier behandelten technischen Regelwerken findet, ist die Vermeidung der Stagnation von Kühlwasser. Das gilt nur für das Wasser, das sich als Nutzwasser nicht in geschlossenen Kreisläufen befindet. Die Forderung betrifft sowohl das Wasser in der Wanne von Verdunstungskühlanlagen als auch in den Kühlturmtassen und darüber hinaus auch die Komponenten im wasserführenden System, wie Rohrleitungen, Verteiltröge oder Pumpen. Gemäß VDI 2047 Blatt 3 müssen solche Komponenten selbstentleerend sein. In der VDI 2047 Blatt 2 und der VDMA 24649 wird davon gesprochen, dass diese z. B. bei Bedarf möglichst vollständig entleert werden. Damit wird eine weniger anspruchsvolle Forderung erhoben, da eine vollständige Entleerung des kompletten Systems den Errichter in der Regel vor besondere Herausforderungen stellt, weil auch alle Rohrleitungen und Pumpen vollständig entleert werden müssten. Der Grund, weshalb solche Totzonen zu vermeiden sind, liegt in dem vermehrten mikrobiologischen Wachstum in diesen Bereichen. Die Ursachen sind einerseits in den oft guten Wachstumsbedingungen (Temperatur, Nährstoffe etc.), der Nicht-Durchströmung mit Biozid und andererseits in der ausreichenden Zeit für die Vermehrung von Mikroorganismen zu sehen. Derartige Bereiche sind nicht selten die Quelle für die weitere mikrobielle Kontamination des gesamten Systems.

Bild 5.3: In der Wasseraufbreitung kommt es bei Überdimensionierung oder eingebauten Bypässen schnell zur Stagnation des Kühlwassers (Bild: DMT)

Mit der Reduktion des Tropfenauswurfs aus Verdunstungskühlanlagen und Kühltürmen liegt eine Forderung vor, die sowohl in der 42. BImSchV als auch den technischen Regelwerken Eingang gefunden hat. Ziel ist es, den Austrag von Mikroorganismen, speziell Legionellen, auf diesem Weg möglichst weitgehend zu reduzieren. Auf diese Weise ließe sich selbst bei hoch belastetem Nutzwasser das Risiko eines Legionellenausbruchs minimieren. Sowohl die 42. BImSchV als auch die VDI 2047 fordern dazu den Einsatz geeigneter Tropfenabscheider oder gleichwertiger Maßnahmen. Konkreter werden die Anforderungen dort nicht. Es gibt leider auch keine Verweise auf andere Regelwerke. Im BVT-Papier für industrielle Kühlsysteme werden die Anforderungen konkretisiert und eine Begrenzung des Tropfenaustrags auf weniger als 0,01 % des Umlaufstroms festgelegt. Mit der VDI 3679 Blatt 3 „Nassabscheider, Tropfenabscheider" liegt ein Regelwerk vor, welches Anforderungen und Beurteilungskriterien für Tropfenabscheider beschreibt. Es macht daher für den Auftraggeber einer Anlage Sinn, sich vom jeweiligen Anlagenhersteller oder -errichter die Eignung des Tropfenabscheiders bestätigen zu lassen und gegebenenfalls auch Prüfnachweise einzufordern.

Inwieweit die Reduktion des Tropfenaustrags gelingt, hängt aber nicht nur von konstruktiven Merkmalen, sondern auch von der Betriebsweise ab. Nicht zuletzt ist auch der Instandhaltungszustand maßgeblich verantwortlich dafür, ob z. B. die Wirkung des Tropfenabscheiders gegeben ist. Wichtig ist daneben die maximale Luftgeschwindigkeit. Diese muss niedriger sein als die Durchrissgeschwindigkeit der Tropfenabscheider, ab der die Kühlwasseraerosole nicht mehr abgeschieden werden und in die Umgebung emittieren würden, wobei das erhöhte Risiko besteht, auch Legionellen auszutragen. Ferner ist zu beachten, dass der Tropfenabscheider über die gesamte Fortluftfläche wirksam ist. Wie bei anderen Abscheidern auch ist daher auf eine entsprechende Passung des Tropfenabscheiders im Gehäuse der VKA oder dem Kühlturm zu achten. Da eine Verschmutzung und die damit verbundenen Oberflächenbeläge auf dem Tropfenabscheider dessen Abscheidewirkung reduzieren, soll dieser zu Reinigungstätigkeiten möglichst einfach demontierbar sein. Um diese Instandhaltungsaufwände zu minimieren, ist auch hier die Wasserqualität entsprechend einzustellen. Tropfenabscheider müssen außerdem mechanisch und thermisch belastbar sein, ohne direkt ihre Wirkung einzubüßen.

Bild 5.4: Die Wirkung von Tropfenabscheidern hängt maßgeblich auch vom Wartungszustand ab (Bild: DMT)

In Abhängigkeit von Bauart und Standort der Verdunstungskühlanlage oder des Kühlturms kommen konstruktiven Vorkehrungen gegen einen Stoffeintrag und das Eindringen von Licht einer erheblichen Bedeutung zu. Zu starker Lichteinfall fördert das Wachstum von Mikroorganismen, vornehmlich Algen, was in der Folge zu einem relevanten Biomasseanstieg im Kühlsystem führen kann. Damit verbundene weitere biologische Prozesse können anschließend ein massives Auftreten von hygienisch relevanten Mikroorganismen mit sich bringen. Bei einer starken Zunahme von Biofilmbelägen unter solchen Bedingungen nimmt gleichzeitig auch die Wirtschaftlichkeit aufgrund schlechterer Wärmeübergänge ab. Hinzu kommt das Risiko von verstärkter mikrobiell induzierter Korrosion. Ähnliches gilt für einen übermäßigen Eintrag von organischem Material. Die VDI 2047 und die VDMA 24649 fordern daher bei Bedarf den Einbau von Schutzgittern, Luftfiltern, Blenden oder Jalousien. Wann dieser „Bedarf" vorliegt, z. B. ab welcher Lichtstärke in den Anlagen dies notwendig ist, wird nicht beschrieben. Im Fall von Stoffeinträgen wie Laub oder organischem Staub sollte möglichst die Quelle selbst beseitigt werden. Der Einbau von Filtern ist nicht nur mit einem erhöhten Instandhaltungsaufwand verbunden, sondern führt bei VKA auch zu einem höheren Energieverbrauch.

Bild 5.5: Schutzgitter und Filter reduzieren den Stoffeintrag in den Nutzwasserkreislauf und somit das Hygienerisiko (Bild: DMT)

5.3.2 Hygieneanforderungen an Werkstoffe

Verschiedene Aspekte haben Einfluss auf die Auswahl der jeweiligen Werkstoffe für die unterschiedlichen Anlagentypen. Neben statischen Anforderungen sind wirtschaftliche Erwägungen (z. B. die Materialkosten) und die geplante Nutzungsdauer von Bedeutung. In besonderem Maße ist aber auch hier die Wasserbeschaffenheit entscheidend für die Auswahl der Werkstoffe. Je nach Wasserbeschaffenheit ist die Werkstoffauswahl eingegrenzt. Die VDI 2047 fordert, wie auch die 42. BImSchV, die Beständigkeit der Werkstoffe gegenüber Korrosion sowie den eingesetzten Reinigungs- und Desinfektionsmittel. Grundsätzlich muss dies bei der Auswahl der eingesetzten Werkstoffe und den jeweiligen Betriebsbedingungen berücksichtigt werden.

Im Fall von Kunststoffen, Anstrichen und Beschichtungen, deren Oberflächen mit dem Kühlwasser in Kontakt kommen, ist es von Bedeutung, inwieweit Bestandteile dieser Materialien durch Mikroorganismen verstoffwechselbar sind (siehe auch Kapitel 3.1.8). Blatt 3 der VDI 2047 fordert für Kühlturme: „Werkstoffe, die die Vermehrung von Mikroorganismen begünstigen, sollen vermieden werden.“ Als Beispiele werden „wasserberührte Kunststoffe, Beschichtungen und Anstriche“ benannt. Diese sollen „weitestgehend nicht verstoffwechselbar sein“. Als geeignete Prüfung für diesen Nachweis wird auf die DIN EN ISO 846 verwiesen (siehe auch Kapitel 3.1.8). Im Blatt 2 für Verdunstungskühlanlagen geht die VDI 2047 darüber hinaus. Dort lautet die Forderung: „Werkstoffe, die die Vermehrung von Mikroorganismen begünstigen, dürfen nicht zum Einsatz kommen.“ Werkstoffe „dürfen nicht verstoffwechselbar sein“. Neben dem Hinweis auf die DIN EN ISO 846 kann bei Einsatz von Kühlwasser mit geringem Nährstoffgehalt auch die Werkstoffprüfung nach DVGW W 270 durchgeführt werden. Die Schwierigkeiten der Werkstoffbewertung auf Basis der beiden Normen wurden bereits im Kapitel 3.1.8 erörtert. Insbesondere bei Betrachtung des Nährstoffeintrags durch abgeschiedene organische Materialien aus dem Luftstrom erscheint der Einfluss verstoffwechselbarer Bestandteile aus den Werkstoffen auf die dauerhafte Biofilmbildung eher gering. Der Werkstoff Holz wird dann als unkritisch zugelassen, wenn er druckimprägniert ist.

Bei der Werkstoffauswahl ist außerdem sicherzustellen, dass es unter den geplanten Betriebsbedingungen weder zu übermäßigen Ablagerungen noch zu Abrasion kommt. Die technischen Regelwerke stellen überwiegend keine konkreten Forderungen hinsichtlich geeigneter Materialien, sondern weisen an verschiedenen Stellen auf mögliche Probleme zwischen dem Werkstoff und der Wasserbeschaffenheit hin. Konkrete Hinweise finden sich dazu in der VGB-R 455. Allerdings sind diese Hinweise vor allem auf die Themen Korrosion, Nutzungsdauer sowie Wirtschaftlichkeit und weniger auf die Mikrobiologie ausgerichtet. Eine konkrete Forderung an die Anlagenhersteller findet sich in der VDI 2047 Blatt 2 hinsichtlich der Angaben, die diese an die Anforderungen zur Wasserbeschaffenheit für den Betrieb definieren müssen. Mit diesen Angaben sollte jeder Auftraggeber und Betreiber dazu in der Lage sein, eine geeignete Wasseraufbereitung und -behandlung einzurichten. Ist dies unwirtschaftlich, so kann er bei der Erstbeschaffung einer Anlage alternativ auf das System eines anderen Herstellers oder eine andere Technik zurückgreifen.

Bild 5.6: Korrosion von Werkstoffen ist in der Regel ein Zeichen ungeeigneter Wasserqualität (Bild: DMT)

5.3.3 Standortauswahl und Aufstellort unter hygienischen Aspekten

Abgesehen von der VDI 2047 Blatt 3 lassen sich alle hier behandelten technischen Regelwerke mehr oder minder umfangreich zur Standortauswahl aus. Dabei heben das BVT-Referenzdokument für industrielle Kühlsysteme als auch die Richtlinie VGD-R 455 primär auf solche Aspekte der Standortwahl ab, welche für die Versorgung mit ausreichend geeignetem Kühlwasser als auch dessen spätere Wiedereinleitung bedeutend sind. Der Fokus liegt also in erster Linie auf technischen, wirtschaftlichen und abwasserrechtlichen Belangen. In der VDI 2047 Blatt 3 mit ihrem Anwendungsbereich für Verdunstungskühlanlagen mit mehr als 200 MW Kühlleistung wird lediglich bei den Anforderungen zur Gefährdungsbeurteilung auf die Notwendigkeit einer „Bewertung des Aufstellorts hinsichtlich einer möglichen Exposition“ hingewiesen. Über konkrete Festlegungen zur Standortauswahl und möglichen damit verbundenen hygienischen Risiken lässt sich die Richtlinie nicht aus. Im Rahmen der umweltrechtlichen Regelungen zur Standortauswahl solcher Anlagen findet der Aspekt eines möglichen Risikos durch Krankheitserreger wie Legionellen in der Regel nur am Rande eine Beachtung. Stattdessen wird primär auf andere Schadstoffemissionen bzw. Umwelteinflüsse dieser Anlagen abgehoben.

Hinsichtlich des hygienischen Risikos sollte grundsätzlich jeder Standort als Aufstellort für eine Verdunstungskühlanlage oder einen Kühlturm geeignet sein. Unabhängig von der Anlage und deren Betriebsweise finden sich aber Standorte, die im Falle eines Legionellenaustrags in der Folge mit höherer Wahrscheinlichkeit zu Infektionsfällen führen können. Das hängt von verschiedenen Faktoren wie den metrologischen Bedingungen (z. B. vorherrschende Windrichtung), der geographischen Lage (z. B. Tallage), der Besiedlungsdichte oder der Nähe zu besonders gefährdeten Risikogruppen (z. B. Patienten in Krankenhäusern) ab. Die VDI 2047 Blatt 2 als auch die VDMA 24649 weisen darüber hinaus auch explizit darauf hin, den Aufstellort von Verdunstungskühlanlagen im Hinblick auf die Lage von raumlufttechnischen Anlagen zu beachten. In der VDMA 24649 gibt es weiterhin den Hinweis, Einträge über geöffnete Fenster oder in Bereiche mit Publikumsverkehr zu vermeiden. Ein weiterer Aspekt betrifft die Forderung nach einem sicheren und gleichzeitig beschränkten Zugang zum Aufstellort. Diese Anforderung bezieht sich vornehmlich auf die Sicherstellung einer uneingeschränkten Durchführung von Instandhaltungsarbeiten.

Bild 5.7: Beispiel für einen weitgehend durch Stoffeinträge unbeeinflussten Aufstellort (Bild: Gohl)

5.3.4 Stoffeintrag in Kühlsysteme

Neben dem Eintrag von Stoffen über das Roh- und Zusatzwasser in das Kühlsystem spielt deren Abscheidung aus der Luft eine wichtige Rolle für die Qualität des Nutzwassers und die hygienische Situation. Verdunstungskühlanlagen und Kühltürme wirken prozessbedingt vergleichbar einem Nassabscheider und „filtern" unterschiedliche Gase, organische und anorganische Partikel sowie Mikroorganismen und Pflanzenbestandteile aus der zum Kühlprozess verwendeten Luft. Ein solcher Stoffeintrag kann einerseits die technische Prozesssicherheit über die Verschlechterung der Wasserbeschaffenheit und andererseits das mikrobielle Wachstum massiv fördern. Dabei sind die eingetragenen Stoffe sowohl eine potenzielle Nahrungsquelle als auch dazu geeignet, die Wirkung der eingesetzten Biozide zu beeinträchtigen. Alle technischen Regelwerke fordern daher mögliche Stoffeinträge, z. B. durch Industrieanlagen, natürliche Quellen oder die Nähe zu landwirtschaftlichen Flächen bereits im Rahmen der Planung zu berücksichtigen. Einem möglichen Eintrag ist durch einen geeigneten Aufstellort und/oder entsprechende konstruktive Einrichtungen, Gitter oder gegebenenfalls auch Filter vorzubeugen. Konkretisierungen, z. B. in Form notwendiger Luftfilterklassen, finden sich in den Regelwerken nicht. Hier ist im Einzelfall der mögliche Stoffeintrag sowohl hinsichtlich Art als auch Menge zu betrachten. Bei der Auslegung der Anlage sind diese Aspekte frühzeitig zu berücksichtigen.

5.3.5 Prozesssteuerung und Überwachung

Die Betriebsweise von Verdunstungskühlanlagen und Kühltürmen hat einen entscheidenden Einfluss auf Wirtschaftlichkeit und Hygienesicherheit. In Abhängigkeit von Anlagentyp und Anlagengröße sowie der geforderten Kühlleistung, der Wasserbeschaffenheit, aber auch von den möglichen Risiken eines Legionellenausbruchs sind bei Planung und Errichtung hinsichtlich der Prozesssteuerung und Überwachung unterschiedliche Anforderungen in den technischen Regelwerken zu finden. Grundsätzlich macht eine weitgehende Automatisierung Sinn, sofern hier nicht wirtschaftliche Aspekte entgegenstehen. Automatisierung reduziert die Fehlerquelle Mensch und in der Regel zusätzlich den Kontrollaufwand im Betrieb. Gleichwohl ist auch hier eine regelmäßige Kontrolle der Technik unabdingbar, um z. B. die Funktionsfähigkeit von Messeinrichtungen sicherzustellen. Allein der Umstand, dass ein Messergebnis vorliegt, bedeutet naturgemäß nicht automatisch seine Richtigkeit.

Wichtig ist, dass sowohl in der Planung als auch bei Änderungen im späteren Betrieb der jeweilige Kühlprozess und die Erfordernisse an diesen aus z. B. dem Produktionsprozess oder dem Energieerzeugungsprozess möglichst gut erfasst und abgebildet werden. Das ermöglicht die Festlegung einer adäquaten Prozesssteuerung und Überwachung. Dazu bedarf es einer engen Abstimmung zwischen den für die VKA und Kühltürme verantwortlichen Personen und denen für die vorgelagerten Prozesse.

Im Fall der Kühltürme mit hohen Kühlleistungen, wie in Kraftwerken oder industriellen Kühlsystemen, findet diesbezüglich eine enge betriebliche Abstimmung statt. Der große Einfluss des Kühlsystems auf die Wirtschaftlichkeit und die Sicherheit dieser Wertschöpfungsprozesse führt dazu, dass diese Themen bei den Anlagenbetreibern im Fokus stehen. Hier zeigen sich regelmäßig, wie in den technischen Regelwerken empfohlen, eine Online-Erfassung der notwendigen Regelparameter und eine zentrale Auswertung über die Leittechnik. In der VDI 2047 Blatt 3 werden dazu in Abhängigkeit vom Anlagentyp z.B. folgende Steuerungs- und Regelungssysteme empfohlen:

- Drehzahlregelungen für Ventilatoren,
- automatische Systeme für das Zu- und Abschalten von Kühlturmflächen,
- automatische Systeme für die Regelung der Kühlturmabflut.

Weitere Empfehlungen finden sich zu diesem Thema im BVT-Referenzdokument. Die Systemüberwachung wird in den Regelwerken VGB-R 455 und VDI 2047 Blatt 3 sowie dem BVT-Referenzdokument ausführlich behandelt. Bezüglich der hier ausgesprochenen Empfehlungen gibt es einen fließenden Übergang zwischen den Betriebsparametern mit hygienischer und denen mit technisch-wirtschaftlicher Bedeutung. So empfiehlt die VGB-R 455 als Mindestumfang der Überwachung für das Nutzwasser bei Umlaufkühlung mit offenem Kreislauf die kontinuierliche Messung der Temperatur (vor und hinter Kühlstellen), der Leitfähigkeit sowie des pH-Werts. Als diskontinuierliche Basisparameter wird die Messung von Säurekapazitäten (K_S-Werten) sowie Ca und Mg empfohlen.

In der VDI 2047 Blatt 3 wird empfohlen, z.B. folgende Betriebsparameter als Online-Kontrolle vorzusehen:

- Biozidkonzentration
- Volumenströme von Kühlturmabflut und Zusatzwasser
- Kühlwassertemperaturen
- Leitfähigkeit des Kühlwassers
- Trübung des Zusatzwassers

Welche Art der Prozesssteuerung sowie Überwachung notwendig und sinnvoll ist, muss für jeden Kühlturm im Einzelfall festgelegt werden. Dabei sind, neben den technisch-wirtschaftlichen Betriebsparametern, diejenigen auszuwählen, die für den hygienisch sicheren Betrieb notwendig sind.

Bei Verdunstungskühlanlagen, speziell denen mit geringerer Leistung, sind Prozesssteuerung und Überwachung häufig weniger im Fokus des Betreibers. Der praktizierte Umfang der Überwachung liegt oft unterhalb des für einen hygienesicheren Betrieb erforderlichen. Die VDI 2047 Blatt 2 hat diese Anlagen im Anwendungsbereich, definiert verschiedene Anforderungen und gibt teilweise Empfehlungen ab. Grundsätzlich sollen demnach Regelung und Prozesssteuerung während des Betriebs oder auch bei Stillstandzuständen ein erhöhtes Risiko vermeiden. Dieses leitet sich aus einer erhöhten Mikroorganismenvermehrung im Kühlsystem und erhöhtem Tropfenauswurf ab. Ursächlich kann beides auch auf eine falsche Regelung und Prozesssteuerung zurückgeführt werden. Bei der Regelung der Kühlleistung von Verdunstungskühlanlagen findet man drei Strategien oder Kombinationen daraus, für welche die VDI 2047 Blatt 2 Anforderungen beschreibt. Das sind:

- Anpassung des jeweiligen Luftvolumenstroms für den Kühlprozess
- Anpassung des jeweiligen Kreislaufwasservolumenstroms für den Kühlprozess
- Zu- und Abschaltung einzelner Anlagenzellen des Kühlsystems

Über die Änderung der Ventilatordrehzahl lässt sich der Luftvolumenstrom regeln. Dabei muss während des Betriebs der Durchriss von Tropfen reduziert werden. Dazu fordert die VDI 2047 Blatt 2, über die Steuerung kritische Luftgeschwindigkeiten zu vermeiden. Das gilt sowohl für die maximal zulässige Luftgeschwindigkeit, die den Tropfenauswurf erhöht, als auch die Vermeidung zu niedriger Luftgeschwindigkeiten, z. B. beim Abschalten des Ventilators. Auch das kann die Tropfenabscheidung reduzieren. Ähnliches gilt für den unkoordinierten Betrieb mehrerer Ventilatoren in einer Anlage. In allen Fällen ist selbstverständlich zu berücksichtigen, dass verschmutzte oder defekte Tropfenabscheider bereits unterhalb der maximalen Luftgeschwindigkeit zu einem erhöhten Tropfenauswurf führen können. Vor dem Hintergrund dieser Einflüsse auf den Tropfenauswurf fordert die VDI 2047 Blatt 2 vom Hersteller der Verdunstungskühlanlagen die Benennung der maximalen Ventilatordrehzahl sowie auch die Angabe der Randbedingungen für die Einhaltung der maximalen Luftgeschwindigkeit.

Bild 5.8: Einfach zugänglicher Ventilator einer Verdunstungskühlanlage (Bild: BAC)

Auch die Regelung des Kühlprozesses über die Variation des Kreislaufwasservolumens hat einen Einfluss auf den Tropfenauswurf. Die Richtlinie verpflichtet daher den Hersteller, die notwendigen Angaben mit der oberen und unteren Grenze des Volumenstroms festzulegen. So neigen mit Radialventilatoren ausgestattete druckbelüftete Anlagen im unteren Volumenstrombereich zu unerwünschtem Tropfenaustrag. Für den hygienesicheren Betrieb der Verdunstungskühlanlagen sollten daher die Grenzbereiche mit dem erhöhten Austragsrisiko vermieden werden.

Verdunstungskühlanlagen, die zur Variation der Kühlleistung mit mehreren Zellen ausgestattet sind, weisen hinsichtlich einer erhöhten mikrobiellen Vermehrung ein ausgeprägtes Risikopotenzial auf. Dies ist auf das jeweils bedarfsorientierte Zu- und Abschalten der Zellen zurückzuführen. Sobald einzelne Zellen länger abgeschaltet sind und keine Durchströmung mehr stattfindet, werden die mikrobiellen Wachstumsbedingungen in der Regel deutlich besser. Das kann zu verstärktem Biofilmbelag auf den wasserbenetzen Oberflächen und/oder zu einem Anstieg der Koloniezahl im Kühlwasser führen. Mit erneutem Zuschalten dieser Zelle besteht dann die Gefahr der Kontamination des gesamten Kühlsystems. Gemäß der VDI 2047 Blatt 2 sollen daher bei Abschaltung von Teilen des Kühlwasserkreislaufs für mehr als sieben Tage geeignete Maßnahmen gegen das Keimwachstum ergriffen werden. Da die meisten Kühlsysteme eine zeitnahe Zuschaltung der Zellen erfordern, ist die Entleerung dieser Zellen in der Regel keine geeignete Maßnahme. In diesem Fall wird daher die kontinuierliche Durchströmung der Zellen mit biozidhaltigem Nutzwasser gefordert. Auf diese Weise wird der Betrieb simuliert und die mikrobiellen Wachstumsbedingungen eingeschränkt. Auch bei dieser Betriebssimulation müssen ausreichende Strömungsgeschwindigkeiten und Biozidkonzentrationen in der Zelle gewährleistet werden.

Bild 5.9: Verdunstungskühlanlage mit mehreren untereinander verbundenen Zellen (Bild: BAC)

Die Erfordernisse für die Lieferung der Kälteleistung durch Verdunstungskühlanlagen und Kühltürme hängen jeweils vom versorgten Prozess ab. Häufig lassen sich Kältebedarfe und Betriebszeiträume im Vorfeld abschätzen. In den technischen Regelwerken wird daher grundsätzlich gefordert, dass bereits bei der Anlagenplanung geeignete Maßnahmen und auch Einrichtungen für Betriebsunterbrechungen und Anlagenstillstände vorbereitet werden. Entsprechende Maßnahmenpläne für Revisionen oder ähnliches sollten daher mit der Anlageninbetriebnahme als Teil des Betriebstagebuchs vorliegen.

Anforderungen an die Überwachung von Betriebsparametern in Verdunstungskühlanlagen finden sich in der VDI 2047 Blatt 2 sowie der VDMA 24649. Letztere beschränkt sich auf Empfehlungen zur Kontrolle der Wasserqualität und -aufbereitung mit der Angabe von Mindestparametern, die nicht kontinuierlich bestimmt werden müssen (siehe Kapitel 5.5). Deutlich weiter geht hier die VDI 2047 Blatt 2, welche eine automatisierte Erfassung und zentrale Auswertung der Messgrößen empfiehlt. Außerdem gibt es die Empfehlung, auch wichtige Betriebsparameter zu überwachen, wie:

- Temperatursteuerung
- Kaskadenbetrieb
- Lastwechsel
- Füllstände

Hinsichtlich der Überwachung der Wasserqualität werden, neben der Bestimmung der Leitfähigkeit des Nutzwassers, auch die Kontrolle der Betriebsparameter zur Desinfektion sowie der Wasserbehandlung empfohlen (siehe Kapitel 5.5).

5.3.6 Wasserbeschaffenheit: Hygieneanforderungen an Wasseraufbereitung und -behandlung

Je nach den Erfordernissen des zu kühlenden Systems, der Verdunstungskühlanlage oder des Kühlturms, der Beschaffenheit des zur Verfügung stehenden Rohwassers (Trinkwasser, Flusswasser, Seewasser etc.) und der Betriebsweise der Anlage bedarf es bei der Planung bereits frühzeitig der Berücksichtigung der Fragestellungen zur Wasseraufbereitung und Wasserbehandlung. Die Notwendigkeit ergibt sich sowohl aus technisch-wirtschaftlichen als auch aus hygienischen Gründen. Dabei spielen die Aspekte Korrosion, Verschmutzung, Abrasion, Ablagerungen und biologisches Wachstum eine Rolle. Je nach Rohwasserqualität, Anlagenart und Betriebsweise ist für die Wasseraufbereitung und -behandlung ein mehr oder minder hoher technischer Aufwand erforderlich.

Die hier behandelten technischen Regeln für *Kühltürme*, die VGB-R 455, das Referenzdokument BREF sowie die VDI 2047 Blatt 3 behandeln das Thema Wasseraufbereitung und -behandlung in umfänglicher Weise. Insbesondere die beiden erstgenannten Regelwerke geben zahlreiche Hinweise und Empfehlungen, welche Möglichkeiten der Kühlwasseraufbereitung und -behandlung für Kühltürme infrage kommen. Dabei spielen primär technisch-wirtschaftliche Gründe, aber auch Aspekte des Umweltschutzes eine zentrale Rolle. Hygieneanforderungen an die Wasseraufbereitung und -behandlung sind in diesen Regelwerken eher von untergeordneter Bedeutung.

Die VGB-Richtlinie 455 orientiert sich bei den Hinweisen und Empfehlungen an den drei Verfahrensvarianten: Durchlaufkühlsysteme, offene Umlaufkühlsysteme sowie geschlossene Umlaufkühlsysteme. Neben der Wasserbeschaffenheit und den spezifischen Anforderungen beschreibt die Richtlinie die Hintergründe für verschiedene Verfahren der Zusatzwasseraufbereitung und -behandlung. Angesprochen werden mechanische Reinigungsverfahren, die Grobschmutz, suspendierte Feststoffe und gegebenenfalls auch Makroorganismen aus dem Rohwasser entfernen. Zu den genannten Verfahren gehören Rechen, Sedimentation, Siebbandanlagen oder auch Filter. Neben den mechanischen Verfahren werden chemische Wasseraufbereitungsverfahren, wie die Entkarbonisierung, mit Säure oder Kalk behandelt. Hinsichtlich der Wasserbehandlung werden verschiedene Aspekte des Einsatzes von Mitteln zur Kühlwasserkonditionierung, wie Härtestabilisatoren, Dispergiermittel, Korrosionsinhibitoren und Biozide, erörtert. Die Ausführungen zur Wasseraufbereitung und -behandlung sind in weiten Teilen eher allgemeiner Art und bedürfen jeweils einer anlagenspezifischen Betrachtung. Konkrete Vorgaben finden sich weder in der VGB-R 455 noch dem Referenzdokument BVT.

Im Unterschied zu den beiden vorgenannten Regelwerken hat die VDI 2047 Blatt 3 die Wasseraufbereitung und Wasserbehandlung primär vor dem Hintergrund der Hygieneanforderungen im Fokus. Das Regelwerk hebt darauf ab, dass die Wasseraufbereitung primär Oberflächenablagerungen wasserberührter Komponenten vermeiden muss. Diese fördern Biofilme, welche die Wärmeübertragung verschlechtern und zu Korrosion führen. Insbesondere die hygienische Relevanz vor dem Hintergrund der Vermehrung von Krankheitserregern wie Legionellen steht hier im Mittelpunkt. Um dieses Risiko zu minimieren, muss die Wasseraufbereitung und -behandlung entsprechend ausgelegt und betrieben werden. Die VDI 2047 fordert in diesem Zusammenhang von den Anlagenherstellern, dass diese ihre Anlagenteile gemäß den Anforderungen, die sich durch die Beschaffenheit des Kühlwassers (Maximal- und Minimalkonzentrationen) unter Berücksichtigung der geplanten höchsten Eindickung ergeben, entsprechend auslegen und errichten. Bezüglich der Auslegung von Zusatzwasseraufbereitungsanlagen verweist die VDI 2047 auf die VGB-R 455 und benennt beispielhaft verschiedene Rohwasseraufbereitungsverfahren, wie z. B. Filtration, Flockung in Kombination mit Abscheidung und Teilentsalzung. Ähnliches findet sich in dem Regelwerk hinsichtlich der Behandlung des Nutzwassers. Auch die VDI 2047 Blatt 3 beschränkt sich auf grundsätzliche Anforderungen und verweist auf die Notwendigkeit, die Wasseraufbereitung und -behandlung anlagenspezifisch zu betrachten.

Die Anforderungen aus der technischen Regel VDI 2047 Blatt 2 für *Verdunstungskühlanlagen* heben hinsichtlich der Verfahren zur Wasseraufbereitung und -behandlung auf die jeweiligen anlagenspezifischen Randbedingungen ab. Darüber hinaus finden sich in der VDI 2047 Blatt 2 zahlreiche grundlegende Hinweise, Empfehlungen und auch spezifische verbindliche Anforderungen. Letztere beziehen sich primär auf die Überwachung der relevanten Parameter für die Wasserqualität (siehe Kapitel 5.4.4). Vergleichbares gilt für die VDMA 24649, die zu den Verfahren der Wasseraufbereitung und -behandlung keine Anforderungen festlegt. Es findet sich diesbezüglich lediglich die Forderung:

> „Mit dem Rückkühlwerk ist, soweit erforderlich, eine angemessene Wasseraufbereitung und Wasserbehandlung zu installieren, die spätestens mit der Befüllung der Anlage in Betrieb genommen wird."

Im Unterschied zur VDMA 24649 benennt die VDI 2047 Blatt 2 verschiedene mechanische und chemisch-physikalische Verfahren und ihre Randbedingungen, die geeignet sind, das Roh- bzw. das Nutzwasser aufzubereiten. Bei der Rohwasseraufbreitung wird zwischen der Entfernung fester Stoffe (z. B. durch Filtration oder Flockung), gelöster Stoffe (z. B. Enthärtung oder Entsalzung) und der Desinfektion unterschieden. Bei der Behandlung von Nutzwasser wird ergänzend noch die Dosierung von Konditionierungsmitteln, wie Härtestabilisatoren, Korrosionsinhibitoren und Dispergiermittel, angeführt. Dazu werden verschiedene Stoffklassen (z. B. anorganische Phosphate und Säuren) beispielhaft benannt. Konkrete Empfehlungen oder gar Vorgaben bleiben hier aus guten Gründen aus, da diese von der Anlagenart, den Werkstoffen, der Wasserqualität sowie der Betriebsweise abhängen. Ausführlich widmet sich die VDI 2047 Blatt 2 dem Thema der Desinfektionsmittel (siehe auch Kapitel 3.1). In der Richtlinie wird gefordert: „Die erforderliche Wirkstoffkonzentration muss an allen Stellen des Wasserkreislaufs erreicht werden. Dies gilt einschließlich aller Abnehmer bis zum Eintritt in den Kühlturm." Da Biozide in Bereichen mit Stagnation oder geringer Durchströmung gegebenenfalls nicht oder nur in nicht ausreichender Konzentration vorliegen, müssen entweder bautechnische oder betriebstechnische Maßnahmen umgesetzt werden. Das Regelwerk sieht ferner eine Verriegelung der Absalzung für die Dauer der Bioziddosierung vor.

Eine weitere Forderung der Richtlinie findet sich in der Wirksamkeitsprüfung nach DIN EN 13623 für die verwendeten Biozidprodukte gegen Legionellen. Im Anhang der Richtlinie findet sich ein Überblick zu verschiedenen Bioziden und deren Eigenschaften. Für den erstmaligen Einsatz von Bioziden und beim Wechsel des Biozids ist eine mikrobiologische Überwachung erforderlich.

Neben dem Einsatz von Bioziden lässt die Richtlinie auch die UV-Desinfektion zu, sofern deren UV-Absorption dies zulässt. Als Beispiele für geeignete Rohwasser werden Trinkwasser und Permeat nach Umkehrosmose benannt. Als Voraussetzung gilt, dass der spektrale Schwächungskoeffizient (SSK) bei der Wellenlänge 254 nm (SSK 254) im Normalbetrieb nicht mehr als 20 m^{-1} beträgt. Ferner muss eine geeignete Einrichtung nach DVGW W 294-3 für die Messung der UV-Bestrahlung Teil der Anlage sein und die Bestrahlung mindestens 400 J/m^2 betragen (siehe Kapitel 3.1.7). In der Richtlinie wird darauf hingewiesen, dass die UV-Desinfektion nur im Bestrahlungsbereich wirksam ist. Demnach muss gegebenenfalls eine Desinfektion der Oberflächen der Verdunstungskühlanlagen regelmäßig durch geeignete Biozide erfolgen.

5.4 Hygieneanforderungen an Betrieb und Instandhaltung

Die hier zugrunde liegenden technischen Regelwerke setzen in unterschiedlichem Umfang und Tiefe hygienische Anforderungen an Betrieb und Instandhaltung. Es muss allerdings angemerkt werden, dass die Begriffe Betrieb und Instandhaltung, vergleichbar der 42. BImSchV, auch in den hier behandelten technischen Regelwerken nicht klar definiert werden. Die fehlenden Begriffsbestimmungen erschweren dementsprechend die Zuordnung der einzelnen Anforderungen zu den speziellen Themen des Betreibens und Instandhaltens in den hier vorliegenden Regelwerken.

Eine häufig verwendete Definition dieser Begriffe findet sich dagegen in der VDI 3810 Blatt 1 *Betreiben und Instandhalten von gebäudetechnischen Anlagen*, auf die sich z. B. die VDI 2047 an verschiedenen Stellen bezieht. Der Anwendungsbereich dieses Regelwerks deckt sich mit den Verdunstungskühlanlagen, welche nicht als industrielle Kühlsysteme Anwendung finden. In der VDI 3810 Blatt 1 werden grundlegende Anforderungen an das Betreiben und Instandhalten definiert, die auch auf den Betrieb zahlreicher Anlagen im Geltungsbereich der 42. BImSchV zutreffen. Die speziellen technischen Aspekte von Verdunstungskühlanlagen oder Kühltürmen betrifft dieses Regelwerk nicht. Stattdessen hebt es primär auf Anforderungen zu Themen, wie planerische Voraussetzungen für das Betreiben, Organisation und Dokumentation, ab. Zusammen mit den spezifischen Anforderungen aus den hier behandelten Regelwerken und den gesetzlichen Anforderungen aus der 42. BImSchV bietet die VDI 3810 Blatt 1 aber eine gute Grundlage, um den „ordnungsgemäßen Betrieb" im Sinne der 42. BImSchV zu organisieren. Nach der VDI 3810 Blatt 1 umfasst das Betreiben die im Bild 5.10 dargestellten Aufgaben.

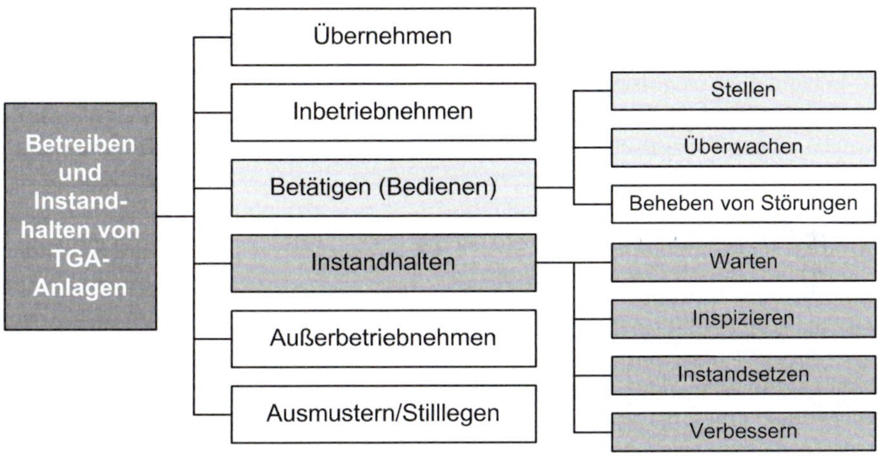

Bild 5.10: Betreiben und Instandhalten nach VDI 3810 Blatt 1

Als Ergänzung zur VDI 3810 Blatt 1 bedarf es der Konkretisierung der Begriffe zu Betrieb und Instandhaltung, wie sie in der DIN 31051 *Grundlagen der Instandhaltung* sowie der DIN EN 13306 *Instandhaltung – Begriffe der Instandhaltung* zu finden sind. Beide definieren allgemeingültig weitere notwendige Begriffe zu diesem Thema. Nach VDI 3810 Blatt 1 ist das Betreiben danach die „Gesamtheit aller Tätigkeiten an gebäudetechnischen Anlagen, beginnend mit dem Übernehmen und endend mit dem endgültigen Ausmustern der Anlage". Entsprechend der Darstellung im Bild 5.10 sind die Instandhaltung als auch die Inbetriebnahme Aufgaben des eigentlichen Betriebs einer Anlage. Diese Zuordnung weist damit auf die Bedeutung der Inbetriebnahme für den weiteren Betrieb hin und ist ein klarer Fingerzeig in Richtung des späteren Betreibers, diese Aufgabe mit der notwendigen Ernsthaftigkeit anzugehen, anstatt sie allein dem Anlagenplaner und/oder dem Anlagenerrichter hauptverantwortlich zu übergeben.

Insbesondere für die Organisation des Betriebs und damit für die Aufgaben- und Verantwortungszuordnung ist es erforderlich, die notwendige Klarheit durch die Definition der verwendeten Begriffe in die Dokumentation zu bringen. Gerade weil sich bestimmte Aufgaben, wie z. B. das Überwachen und Inspizieren, nur in eingeschränktem Maße abgrenzen lassen, ist hier eine entsprechende Festlegung der Aufgaben über eine entsprechend notwendige Detailtiefe erforderlich. In der Folge dieses Kapitels werden die Anforderungen aus den in Kapitel 5.2 beschriebenen technischen Regeln den einzelnen Aufgaben des im Bild 5.10 beschriebenen Begriffs des Betreibens zugeordnet.

5.4.1 Übernehmen

Der eigentliche Betrieb, im Sinne einer Nutzung der Anlage durch den Betreiber, startet mit der Übernahme. Diese ist nach VDI 3810 Blatt 1 und VDI 6039 der „Beginn der Ausübung tatsächlicher Sachherrschaft über eine Anlage durch den Auftraggeber". In der Regel wird dieser Schritt im Rahmen der Inbetriebnahme bzw. vor oder nach dieser stattfinden. Wann dieser Schritt konkret erfolgt, sollte vertraglich eindeutig geregelt werden. Es ist darüber hinaus der Prozess der Übernahme mit den Aufgaben und Verantwortungen festzulegen. In der Praxis wird gerade auch dieser Schritt wenig strukturiert und nachlässig umgesetzt.

Die hier behandelten technischen Regelwerke zu Kühltürmen und Verdunstungskühlanlagen stellen keine über die grundsätzlichen Anforderungen an die Inbetriebnahme hinausgehenden Forderungen an den Prozessschritt der Übernahme durch den Auftraggeber der Anlage.

5.4.2 Inbetriebnahme

Die Inbetriebnahme ist nach VDI 3810 Blatt 1 „die Bereitstellung einer funktionsfähigen Anlage oder von Teilen einer Anlage zur Nutzung". Als „Inbetriebnahme" im Sinne der 42. BImSchV ist nach § 2 *Begriffsbestimmungen* als „die erstmalige Aufnahme des Betriebs einer neu errichteten Anlage" definiert. Sie unterscheidet sich damit grundlegend vom dort gleichfalls definierten Vorgang der „Wiederinbetriebnahme", bei dem es sich um „die erneute Aufnahme des Betriebs einer Anlage nach einer Änderung gemäß Nummer 1" (42. BImSchV, § 2, Nr. 1) handelt. Die 42. BImSchV (siehe auch Kapitel 4.4) stellt hinsichtlich der Voraussetzungen für die Inbetriebnahme verschiedene Anforderungen, wie die Durchführung einer Gefährdungsbeurteilung und die Bearbeitung der Prüfschritte aus der 42. BImSchV Anlage 2. Die festgelegten Anforderungen weisen im Grundsatz auf die besondere Bedeutung der Inbetriebnahme für die hygienische Sicherheit und den weiteren ordnungsgemäßen Betrieb hin. Inwieweit von der Inbetriebnahme einer Anlage noch ein möglicher Probebetrieb abzugrenzen ist, lässt die 42. BImSchV offen. In der Regel ist davon auszugehen, dass es sich bei der Inbetriebnahme um die Aufnahme des „bestimmungsgemäßen Betriebs" handelt. Da Wasser im Kühlprozess genutzt wird, weist aber bereits der Probebetrieb naturgemäß ein Risikopotenzial auf. Das gilt vor allem dann, wenn es möglicherweise noch Anlagenteile, wie die Wasseraufbereitung oder -behandlung gibt, welche noch nicht bestimmungsgemäß funktionieren. Es sind daher auch bei einem Probebetrieb entsprechende Vorkehrungen zur Vermeidung des Eintrags, der Vermehrung und der Ausbreitung von relevanten Mikroorganismenkonzentrationen zu treffen. Um mögliche Folgeprobleme zu vermeiden, sollten die Anforderungen der 42. BImSchV bereits mit Beginn des Probetriebs vorliegen. Erforderlich sind die nach Anlage 2 der 42. BImSchV aufgeführten Prüfschritte, wie z. B.:

- Verunreinigungen, Ablagerungen sowie gegebenenfalls vorhandene Rückstände sind aus der Anlage entfernt.
- Die chemische und mikrobiologische Beschaffenheit des Zusatzwassers wurde bestimmt und entspricht den Anforderungen der 42. BImSchV.
- Zwischen Befüllen der Anlagen und der Feststellung der Zusatzwasserqualität liegen nicht mehr als 7 Tage.
- Wasserbehandlung und Wasseraufbereitung sind betriebsbereit.

- Die hygienerelevante Ausführung wurde auf Übereinstimmung mit der Anlagenplanung geprüft und die Übereinstimmung mit den Anforderungen der 42. BImSchV festgestellt.
- Die Anforderungen des Anlagenherstellers an die Wasserqualität werden erfüllt.

Die Anforderungen an die *Inbetriebnahme von Kühltürmen* hinsichtlich der Hygiene decken sich in den technischen Regelwerken sinngemäß mit den denen der 42. BImSchV. Konkret auf die Hygiene bezogene Anforderungen zur Inbetriebnahme der Kühltürme macht dabei aber ausschließlich die VDI 2047 Blatt 3. Sowohl die Richtlinie VGB-R 455 als auch das BVT-Referenzdokument sprechen diese Aspekte nicht direkt an. Die VDI 2047 Blatt 3 definiert den bestimmungsgemäßen Betrieb als Zeit der Aufnahme des Betriebs mit thermischer Last. Daraus könnte man schließen, dass zu diesem Zeitpunkt die Inbetriebnahme im Sinne des Regelwerks beginnt. Der „hygienerelevante Betrieb" beginnt entsprechend der Richtlinie aber schon mit der Erstbefüllung der Anlage mit Kühlwasser.

Neben der Reinigung vor der Inbetriebnahme fordert diese Richtlinie vor der Befüllung des Kühlturms auch die Durchführung einer sogenannten „Hygiene-Erstinspektion", ein Begriff, der der VDI 6022 Blatt 1 entlehnt ist. Diese hatte bis zum Erscheinen der VDI 2047 Blatt 2 die hygienischen Anforderungen von Verdunstungskühlanlagen im Anwendungsbereich. Eine vergleichbare Forderung für Kühltürme gab es in der Vergangenheit im technischen Regelwerk nicht. Diese Hygiene-Erstinspektion sollte sinngemäß der Prüfung und Feststellung der ordnungsmäßen hygienerelevanten Ausführung der Anlage entsprechen, wie sie auch die 42. BImSchV fordert. Einen Prüf- oder Inspektionsumfang schreibt aber auch die VDI 2047 Blatt 3 nicht vor und bleibt damit eher im Allgemeinen. Es bedarf daher im Vorfeld einer Inbetriebnahme der Konkretisierung welcher Prüfumfang heranzuziehen ist. Während die 42. BImSchV als Qualifikationsmerkmal für diese Prüfung die hygienisch fachkundige Person mit einer Schulung nach VDI 2047 fordert, stellt die VDI 2047 selbst dazu keine Anforderungen. Grundsätzlich erscheint es aber zweifelhaft, inwieweit eine Tagesschulung als alleinige Qualifikationsvoraussetzung zur Feststellung der Übereinstimmung eines Kühlturms mit den hygienischen Anforderungen der Planung ausreicht (siehe auch Kapitel 5.4). Weitere Anforderungen aus der VDI 2047 Blatt 3 hinsichtlich der Voraussetzungen für eine Inbetriebnahme betreffen:

- die Einweisung des Betriebspersonals
- die chemische und mikrobiologische Beschaffenheit des zur Befüllung verwendeten Wassers
- mikrobiologische Untersuchungen (mindestens auf Legionellen und allgemeine Koloniezahl) des zur Befüllung genutzten Wassers

Für die *Inbetriebnahme von Verdunstungskühlanlagen* gibt es sowohl in der VDI 2047 Blatt 2 als auch der VDMA 24649 hygienerelevante Anforderungen. So fordert die VDMA 24649 als eine Voraussetzung für die Inbetriebnahme das Vorliegen einer Gefährdungsbeurteilung. Vergleichbar der 42. BImSchV Anlage 2 gibt es in der Anlage „Betriebstagebuch" der VDMA 24649 eine Checkliste zur Erstinbetriebnahme von Verdunstungskühlanlagen. Diese findet sich im Abschnitt *Hygieneanforderungen bei Inbetriebnahme und Betrieb* und ist vor der Erstinbetriebnahme auszufüllen, rechtsverbindlich zu unterschreiben und mindestens zehn Jahre aufzubewahren. Die Checkliste deckt sich in weiten Teilen mit der 42. BImSchV Anlage 2. So finden sich auch dort Anforderungen z. B. hinsichtlich:

- der Entfernung von Ablagerungen,
- der chemischen und mikrobiologischen Beschaffenheit des Zusatzwassers.

Allerdings wird in der Checkliste bei den einzelnen Anforderungen zwischen den verschiedenen Funktionsmodi, welche die Betriebsweise beschreiben, unterschieden (siehe auch Kapitel 5.2.3). Das bedeutet, dass nicht alle Anforderungen für jede Anlagen- bzw. Betriebsart umzusetzen sind. Somit liegt hier ein gewisser Widerspruch zu den Anforderungen der 42. BImSchV vor, die hier nicht in dieser Weise nach Anlagen- bzw. Betriebsart unterscheidet. Da sich der Funktionsmodus einer Anlage im Betrieb ändern kann, erscheint diese Festlegung wenig zielführend.

Umfänglicher widmet sich die VDI 2047 Blatt 2 den hygienischen Anforderungen im Rahmen der Inbetriebnahme. In Teilen decken sich die dort beschriebenen Anforderungen für Verdunstungskühlanlagen mit denen im Blatt 3 für Kühltürme. Das Blatt 2 definiert dabei die Inbetriebnahme als „Vorgang des Bereitstellens einer Anlage zur vorgesehenen Nutzung". Die Richtlinie unterscheidet dabei die Inbetriebnahme von der „Testphase (Probelauf)", in der eine Verdunstungskühlanlage über einen festgelegten Zeitraum ohne „Funktionsstörung" betrieben werden muss. Die VDI 2047 Blatt 2 verweist dabei auf die Richtlinie VDI 6039, welche den Prozess des Inbetriebnahmemanagements von gebäudetechnischen Anlagen behandelt. Anforderungen aus der VDI 2047 Blatt 2 sind z. B.:

- Die Anlage muss komplett errichtet sein.
- Bei der Errichtung angefallene Verschmutzungen müssen vor Befüllung entfernt werden.
- Betriebsmedien sind vollständig vorzuhalten.
- Im Rahmen der Inbetriebnahme ist der Gefahrenübergang zu dokumentieren.
- Die Dokumentation ist vollständig an den zukünftigen Betreiber übergeben.
- Die Einweisung des Betriebspersonals ist erfolgt.

Nach VDI 2047 Blatt 2 beginnt der hygienerelevante Anlagenbetrieb mit deren Erstbefüllung. Dazu muss die Beschaffenheit des für die Befüllung eingesetzten Wassers feststehen. Das gilt sowohl für die chemischen als auch die mikrobiologischen Parameter. Hinsichtlich Letzterer sind mindestens die allgemeine Koloniezahl sowie *Legionella spp.* zu bestimmen. Darüber hinaus wird auch die Bestimmung von *Pseudomonas aeruginosa* empfohlen. Die Untersuchungsergebnisse dürfen nicht älter als sieben Tage sein. Sofern die mikrobiologischen Vorgaben der 42. BImSchV sowie der VDI 2047 Blatt 2 (siehe Kapitel 5.4) für das Wasser zur Erstbefüllung nicht erfüllt werden, ist vor dessen Nutzung eine geeignete Wasseraufbereitung und -behandlung durchzuführen. Um diese Forderung umzusetzen, müssen mit Erstbefüllung der Verdunstungskühlanlage die Einrichtungen zur Wasseraufbereitung und -behandlung sowie zur gegebenenfalls geplanten Desinfektion vollständig errichtet und auch betriebsbereit sein. Auch im Probebetrieb muss die hygienische Sicherheit der Anlage gewährleistet sein.

Die VDI 2047 Blatt 2 erhebt die Forderung im Vorfeld der Erstbefüllung, eine Erstinspektion der Verdunstungskühlanlage durchführen zu lassen. Ziel ist die Überprüfung, ob die konstruktiven Eigenschaften der Verdunstungskühlanlage den hygienischen und technischen Anforderungen entsprechen. Dabei wird hier speziell auch auf die Besonderheiten des Aufstellorts verwiesen. „Gravierende" Mängel müssen vor der Erstbefüllung beseitigt werden. Wie schon im Fall der VDI 2047 Blatt 3 für die Hygiene-Erstinspektion von Kühltürmen gibt es auch im Blatt 2 für Verdunstungskühlanlagen keine definierten Festlegungen, welchen Umfang diese Erstinspektion haben muss. Noch weniger erfolgen hier Konkretisierungen über mögliche Mängelfestlegungen und -bewertungen. Hier obliegt es der Freiheit des Inspektors, den Inspektionsumfang und die Inspektionstiefe sowie die Bewertung von Mängeln vorzunehmen. Auch in dieser Richtlinie wird lediglich festgelegt, dass die Erstinspektion durch geschultes Fachpersonal durchzuführen ist, und verweist dabei auf die Tagesschulung nach VDI 2047 Blatt 2.

Vor dem Hintergrund der eher eingeschränkten Anforderungen und Konkretisierungen der Inbetriebnahme sollte diese in einem angemessenen Inbetriebnahmeplan festgelegt und dokumentiert werden. Hier eignet sich die in der VDI 6039 vorgeschlagene Vorgehensweise für ein Inbetriebnahmemangement. Dieser Prozessvorschlag kann mit den jeweils für die spezifische Anlage relevanten technischen, organisatorischen sowie hygienischen Aspekten der Inbetriebnahme gefüllt werden. Auf diese Weise wird nicht nur den hygienischen Anforderungen Rechnung getragen. Leider zeigt sich in der Praxis, dass diese notwendige strukturierte Inbetriebnahme gerade bei kleineren Verdunstungskühlanlagen häufig unterbleibt. Im Ergebnis kann das zu Anlagendefiziten führen, die unentdeckt im günstigsten Fall nur wirtschaftliche Auswirkungen haben.

5.4.3 Betätigen (Überwachen, Stellen, Störungsbeseitigung)

Das *Betätigen* oder *Bedienen* umfasst nach VDI 3810 Blatt 1 die „Gesamtheit aller Tätigkeiten bei der ordnungsgemäßen Nutzung der Anlagen. Diese Aufgabe schließt das Stellen als Handhaben von Stellteilen zum Ingangsetzen, Inganghalten und Stillsetzen“, das Beheben von Störungen als fehlende, fehlerhafte oder unvollständige Erfüllung einer geforderten Funktion sowie das Überwachen als „Überprüfen ausgewählter Systeme oder Teile von Systemen auf Einhaltung vorgegebener Werte, Wertebereiche oder Betriebszustände“ ein (alle Definitionen nach VDI 3810 Blatt 1).

Hinsichtlich der Teilaufgaben des *Stellens* und des *Behebens* von Störungen erheben die technischen Regelwerke keine spezifischen hygienischen Anforderungen. Grundsätzlich durchzieht das Regelwerk die Forderung im Rahmen des Betriebs und damit natürlich auch der hier angesprochenen Teilaufgaben sicherzustellen, dass es nicht zu Betriebsbedingungen mit hygienischen Risiken kommt.

Deutlich umfänglicher sind die Anforderungen der technischen Regelwerke an das *Überwachen*, insbesondere vor dem Hintergrund möglicher hygienerelevanter Untersuchungsparameter. Bei der Formulierung dieser Anforderungen tritt je nach Regelwerk eine gewisse Vermischung mit den Aufgaben der Inspektion auf (siehe nachfolgende Kapitel). An dieser Stelle werden nur die Aufgaben der Überwachung beschrieben, welche sich auf das Überprüfen der Anforderungen an vorgegebene Werte, Wertebereiche oder Betriebszustände für das im Prozess verwendete Wasser beziehen. Hier beschreiben die technischen Regelwerke Anforderungen und Empfehlungen, die sich teilweise mit denen der 42. BImSchV (siehe Kapitel 4) decken, über diese hinausgehen bzw. diese konkretisieren oder diesen auch widersprechen. In den technischen Regelwerken wird zwischen chemischen, physikalischen und biologischen Untersuchungen zur Überwachung unterschieden. Gefordert werden sowohl betriebsinterne Überprüfungen als auch externe Überprüfungen.

5.4.3.1 Chemisch-physikalische Untersuchungen zur Überwachung von Verdunstungskühlanlagen

Anforderungen an die chemisch-physikalische Überwachung von Betriebsparametern in Verdunstungskühlanlagen finden sich in der VDI 2047 Blatt 2 sowie der VDMA 24649. Letztere beschränkt auf Empfehlungen zur Kontrolle der Wasserqualität und -aufbereitung mit der Angabe von Mindestparametern für das Zusatzwasser sowie das Sprühwasser (siehe auch Kapitel 5.5), wie:

- pH-Wert
- Gesamthärte
- Chlorid- und Sulfat-Konzentration
- Härtestabilisatoren, Korrosionsschutzmittel, Biozide (falls diese eingesetzt werden)
- Leitfähigkeit

Empfohlen werden vierzehntägige Messungen für die Leitfähigkeit, während alle weiteren Parameter monatlich bestimmt werden sollen. Sofern die Wasserqualität stabile Werte aufweist, können nach VDMA 24649 die Untersuchungsfristen auf vierteljährlich verlängert werden. Als Maßstab für den Soll-Wert sind die Vorgaben des jeweiligen Anlagenherstellers heranzuziehen.

In der Richtlinie VDI 2047 Blatt 2 beschreibt das Kapitel 9.3 *Hygienekontrollen* unter anderem Anforderungen an chemische und chemisch-physikalische Untersuchungen zur Überwachung des Betriebs. Als Begründung für die Notwendigkeit dieser Untersuchungen werden Wirtschaftlichkeit, mögliche Korrosionsschäden sowie die Bildung von Biofilmen angeführt. Letzteres erfolgt aufgrund des maßgeblichen Einflusses auf die Hygienesicherheit von Verdunstungskühlanlagen (siehe auch Kapitel 3). In der Richtlinie wird daher gefordert, dass die Leitfähigkeit im Nutzwasser kontinuierlich gemessen wird, sofern das Zusatzwasser diskontinuierlich zugeführt wird. Bei kontinuierlicher Zugabe von Zusatzwasser wird die kontinuierliche Leitfähigkeitsmessung nur empfohlen. Alle weiteren in der Richtlinie aufgeführten Parameter sind prozess- und anlagenspezifisch zu bestimmen. Aus dieser Forderung leitet sich ab, dass vor der Inbetriebnahme eine entsprechende Überwachungsstrategie für die jeweilige Anlage festgelegt werden muss. Diese ist an den Vorgaben des Anlagenherstellers, der Wasseraufbereitung, der Zusatzwasserqualität sowie der Betriebsweise der Anlagen festzumachen. In der VDI 2047 Blatt 2 finden sich dazu Parameter, die abhängig vom Prozess und von der Anlage als Beispiele für die Überwachung benannt werden. Es handelt sich dabei um:

> Kalzium, Chlorid, Sulfat, Eisen, Nitrat, Ammonium, Silikat, Gesamtphosphat, TOC, abfiltrierbare Stoffe oder Trübung, Gesamthärte oder Summe Erdalkali, Säurekapazität (KS4,3), pH-Wert und Konzentration der Konditionierungsmittel.

Hinsichtlich der Untersuchungshäufigkeit macht die Richtlinie lediglich die Vorgabe, dass aufeinanderfolgende Messungen maximal zwei Monate auseinanderliegen dürfen. Dies gilt auch nur unter der Voraussetzung ausreichender Betriebserfahrungen mit der Kühlwasserqualität und einem stabilen Verlauf der Stoffgehalte und Wasserqualität. Keinerlei Angaben oder Forderungen finden sich hinsichtlich des Probenumfangs, der Probenahmestellen, des Zeitpunkts der Probenahme sowie der Probenahmemethode. Dies gilt in gleicher Weise für alle anderen hier betrachteten technischen Regelwerke. Hier wird es dem Betreiber oder dem von ihm beauftragten Wasseraufbereiter bzw. Instandhalter überlassen, eine geeignete Auswahl an Methoden etc. zu treffen. An dieser Stelle muss sich jeder Betreiber darüber im Klaren sein, dass die Richtigkeit der vorliegenden Messwerte und auch deren Aussagekraft ganz maßgeblich von diesen Randbedingungen inkl. des repräsentativen Charakters der Wasserprobe für die Situation im Gesamtkühlsystem abhängen. Es ist daher unbedingt erforderlich, qualifizierte Festlegungen zu treffen und nicht dem erstbesten Messwert zu vertrauen. Ungeeignete oder gar falsche Messergebnisse führen zwangsläufig zu Maßnahmen, die nicht zielführend sind. Im günstigsten Fall ist das nur der unwirtschaftliche Einsatz von Konditionierungsmittel. Fatal wären dagegen auf diese Weise ausgelöste Anlagenschäden oder auch die Förderung einer mikrobiellen Vermehrung im System.

Hinsichtlich weiterer chemischer Untersuchungen verweist die VDI 2047 Blatt 2 auf die eingesetzten Werkstoffe für die jeweiligen Anlagen. Ein damit verbundener Einsatz von Konditionierungsmitteln erfordert gegebenenfalls auch die Untersuchung diesbezüglicher Parameter. Darüber hinaus kann es notwendig sein, im Kreislaufwasser auch die Parameter Chrom, Kupfer, Nickel oder Zink zu bestimmen. Wichtig ist dabei, die Vorgaben der Anlagenhersteller hinsichtlich der Grenzen bestimmter Messgrößen zu berücksichtigen. Die chemisch-physikalischen Wasseruntersuchungen sind in ihrer Bedeutung für den wirtschaftlichen und sicheren Betrieb nicht zu unterschätzen. Es ist daher notwendig, sich diesem Thema mit ausreichend Zeit, wirtschaftlichen Mitteln und Qualifikation zu widmen.

5.4.3.2 Mikrobiologische Untersuchungen zur Überwachung von Verdunstungskühlanlagen

Die Überwachung des hygienischen Zustands erfolgt durch die Bestimmung der Anzahl von Mikroorganismen. Dazu sind mikrobiologische Untersuchungen des Kühlwassers erforderlich. Sie dienen der Kontrolle der Zusatz- und Nutzwasserqualität, der Überprüfung der Wirksamkeit aller hygienerelevanten Maßnahmen zur Reduktion der Keimzahlvermehrung sowie der Beurteilung des Hygienerisikos, welches von einer konkreten Anlage ausgeht. Wie bereits in Kapitel 3.1 ausführlich dargestellt, gibt es verschiedene Randbedingungen für eine geeignete mikrobiologische Überwachung und aussagefähige Ergebnisse. Deren Wichtigkeit lässt sich auch daraus ableiten, dass die 42. BImSchV diese an verschiedenen Stellen aufgreift und sehr konkrete Festlegungen hinsichtlich dieser Überwachung macht. Das geschieht primär, indem die Verordnung im § 3, Absatz 8, den Betreiber dazu verpflichtet, die Probenahmen und Laboruntersuchungen des Kühlwassers durch ein nach DIN EN ISO/IEC 17025 akkreditiertes Labor durchführen zu lassen. Auf diese Weise sind bereits Festlegungen für die eingangs angesprochenen Randbedingungen erfolgt, da ein akkreditiertes Labor die Probenahmen nur nach festgelegten Verfahren durchführen darf. Dies betrifft ausschließlich die regelmäßigen Laboruntersuchungen zur Bestimmung der allgemeinen Koloniezahl sowie der Legionellenanzahl. Neben den regelmäßigen Laboruntersuchungen fordert die 42. BImSchV im § 4 Absatz 2 regelmäßig mindestens zweiwöchentliche betriebsinterne Überprüfungen des Nutzwassers, die über chemische, physikalische oder mikrobiologische Kenngrößen erfolgen können.

Das VDMA-Einheitsblatt 24649 behandelt das Thema mikrobiologischer Untersuchungen im Kapitel 6.6 *Kontrolle der Wasserqualität und -aufbereitung*. Die Empfehlungen der VDMA 24649 hinsichtlich der Kontrolle der allgemeinen Koloniezahl unterscheiden im Text nicht zwischen den betriebsinternen Überprüfungen und den regelmäßigen Laboruntersuchungen. Weitere Fragen wirft die dort beschriebene Bestimmung des *Normalzustands* auf, welcher durch wöchentliche Untersuchungen über einen Zeitraum von zehn Wochen erfolgen soll. Sofern der Normalzustand aus der VDMA dem Referenzwert nach § 4 Absatz 1 der 42. BImSchV entspricht, liegt hier ein Widerspruch zwischen den Regelwerken vor. Gleichzeitig geht das VDMA-Einheitsblatt von einem vierzehntägigen Untersuchungsrhythmus aus, was wiederum den betriebsinternen Überprüfungen der 42. BImSchV entspricht. Mit dem Hinweis auf die Bestimmungsmethoden der Laboruntersuchungen (DIN EN ISO 6222 oder TrinkwV 2001/2016) sowie die ausschließliche Überprüfung von Anlagen der Funktionsmodi A und C wird das durch die VDMA 24649 vermittelte Bild leider nicht klarer. Da auch die vorgeschlagenen Maßnahmen bei einem Anstieg der allgemeinen Koloniezahl von der 42. BImSchV abweichen, ist die Eignung der VDMA als Hilfestellung für den Betrieb an dieser Stelle zweifelhaft. Insbesondere, da das Regelwerk ein halbes Jahr nach der 42. BImSchV veröffentlicht wurde, sind die Abweichungen und Unklarheiten schwer nachvollziehbar. Bei der Überprüfung der Legionellen gibt es bezüglich der Überprüfungsfrist von drei Monaten eine Übereinstimmung mit der 42. BImSchV. Hinsichtlich der Empfehlungen der VDMA bei Überschreitung der Prüf- und Maßnahmenwerte liegen aber auch hier Abweichungen sowohl in der Terminologie als auch den eigentlichen Maßnahmen vor. In der VDMA 24649 werden auch Empfehlungen zur Probenahme beschrieben, die aber keinen konkreten Bezug auf die mikrobiologischen Untersuchungen nehmen. Es findet also keine Differenzierung der Probenahme im Hinblick auf die chemisch-physikalischen Untersuchungen statt. Insgesamt ist die VDMA 24649 hinsichtlich der mikrobiologischen Überprüfungen als Regelwerk nur bedingt geeignet, dem Betreiber Orientierung zu geben, um die 42. BImSchV umzusetzen. Hier muss jedem Betreiber klar sein, dass die Regelungen der 42. BImSchV als Mindeststandard für ihn verbindlich sind. Überall dort, wo diese keine konkreten Vorgaben macht, kann der Betreiber, wie im Fall der betriebsinternen mikrobiologischen Untersuchungen, eine eigene Auswahl treffen.

Anders als bei der VDMA 24649 sieht dies hinsichtlich der Empfehlungen der VDI 2047 Blatt 2 aus, auf die sich die Begründung zur 42. BImSchV an verschiedenen Stellen bezieht. Im Kapitel 9.3.2 *Mikrobiologische Untersuchungen* hat die VDI 2047 Blatt 2 bereits die Forderung erhoben, dass für die regelmäßigen Laboruntersuchungen

- das Labor für die mikrobiologischen Untersuchungsverfahren nach DIN EN ISO/IEC 17025 akkreditiert sein muss,
- es die entsprechende Zulassung für die Schutzstufe 2 nach BioStoffV haben muss,
- die Probenahme durch eine Person erfolgen muss, die in die Akkreditierung des Labors eingebunden ist.

Hinsichtlich der Probenahme der Wasserproben für die mikrobiologischen Laboruntersuchungen verweist die VDI 2047 Blatt 2 auf die DIN EN ISO 19458 sowie die Empfehlungen des Umweltbundesamtes (siehe auch Kapitel 3.1). Als Probenahmestellen für die Entnahme des Nutzwassers in Verdunstungskühlanlagen empfiehlt die VDI 2047 Blatt 2 eine geeignete und desinfizierbare Probenahmearmatur zwischen Pumpe und Verrieselung. Falls dies nicht möglich ist, wird empfohlen, alternativ eine Schöpfprobe aus der Nutzwasserwanne zu entnehmen. In der VDI 2047 Blatt 2 wird ferner ausführlich auf den Einfluss von Bioziden auf die mikrobiologischen Untersuchungen eingegangen. Wie auch in der 42. BImSchV gefordert, erfolgt der Hinweis auf die Mitteilungspflicht des Betreibers an das beauftragte Labor hinsichtlich der Informationen über Art und Dosierung der eingesetzten Biozide.

Die VDI 2047 Blatt 2 fordert bzw. empfiehlt mit dem Nachweis von *Legionella spp.*, der allgemeinen Koloniezahl sowie von *Pseudomonas aeruginosa* drei mikrobiologische Laboruntersuchungen. Es wird ein enger Untersuchungszyklus, zum Beispiel monatlich, empfohlen. Der Mindestzyklus für Legionellen wird auf vierteljährlich festgelegt, was der 42. BImSchV entspricht. Sowohl der Nachweis der allgemeinen Koloniezahl als auch von *Legionella spp.* dienen der „Überprüfung der hygienisch-mikrobiologischen Beschaffenheit sowie der Überwachung des Nutzwassers“. Der Nachweis von *Pseudomonas aeruginosa* sollte zusätzlich erfolgen, da er Hinweise auf den mikrobiologischen Status der Anlage gibt (siehe auch Kapitel 3.1). Im Unterschied zum vierteljährlichen Mindestintervall für *Legionella spp.* weicht die VDI 2047 Blatt 2 bei der allgemeinen Koloniezahl von der 42. BImSchV ab, indem sie eine Empfehlung für die monatliche Untersuchung abgibt. Mit dem Nachweis von *Pseudomonas aeruginosa* geht sie beim Untersuchungsumfang über diese hinaus.

Unterschiede bzw. Unklarheiten kommen bei den in der VDI 2047 Blatt 2 bzw. der 42. BImSchV festgelegten Maßnahmen auf, die nach Überschreiten der Referenz-, Prüf- bzw. Maßnahmenwerte umzusetzen sind. Bei Überschreitung des Referenzwerts für die allgemeine Koloniezahl unterscheiden sich die Maßnahmen lediglich in den textlichen Formulierungen. Im Fall der Legionellennachweise wird dagegen nicht abschließend deutlich, ob alle aufgeführten Maßnahmen bereits bei Überschreitung der regelmäßigen Untersuchungen oder erst bei Bestätigung der Überschreitung der Prüf- oder Maßnahmenwertüberschreitung durch die Nachuntersuchung umzusetzen sind. Es ist aber davon auszugehen, dass die VDI 2047 Blatt 2 hier sinngemäß der 42. BImSchV entspricht.

Tabelle 5.1: Maßnahmen aus der VDI 2047 Blatt 2 sowie der 42. BImSchV in Abhängigkeit von der allgemeinen Koloniezahl

allg. Koloniezahl (Änderung gegenüber Referenzwert)	**Maßnahmen**	
	VDI 2047-2	**42. BImSchV**
< 100-fach	• nicht erforderlich	• nicht erforderlich
≥ 100-fach	• Nachuntersuchung und gegebenenfalls Ausweitung des Untersuchungsumfangs, Biozidbehandlung • Ursachenermittlung und Mängelbeseitigung	• unverzügliche Untersuchungen zur Ursachenaufklärung • Maßnahmen für einen ordnungsgemäßen Betrieb • Sofortmaßnahmen zur Verminderung der mikrobiellen Belastung • Dokumentation der Ursachen und Maßnahmen

Tabelle 5.2: Maßnahmen aus der VDI 2047 Blatt 2 sowie der 42. BImSchV (siehe auch Kapitel 4) in Abhängigkeit vom Legionellenergebnis (PW = Prüfwert; MW = Maßnahmenwert)

Wert	Legionellen in KBE / 100 ml	Maßnahmen VDI 2047-2	Maßnahmen 42. BImSchV
	≤ 100	• nicht erforderlich	• nicht erforderlich
PW 1	> 100 bis 1000	• zusätzliche Laboruntersuchung • bei Bestätigung des Ergebnisses, monatlicher Prüfzyklus Legionellen und allg. Koloniezahl	• unverzüglich zusätzliche Laboruntersuchung **bei Bestätigung der Überschreitung des PW 1:** • Ursachenaufklärung • Maßnahmen für ordnungsgemäßen Betrieb • wöchentliche betriebsinterne Untersuchungen • monatliche Untersuchung von Legionellen/allg. Koloniezahl
PW 2	> 1000 bis 10.000	• Nachuntersuchung im monatlichen Prüfzyklus • gegebenenfalls Erhöhung der Anzahl der Probenahmestellen • unverzügliche Biozidstoßdosierung • Ursachenermittlung und Mängelbeseitigung	• unverzüglich zusätzliche Laboruntersuchung **bei Bestätigung der Überschreitung des PW 2:** • Ursachenaufklärung • Maßnahmen für ordnungsgemäßen Betrieb • wöchentliche betriebsinterne Untersuchungen • monatliche Untersuchung von Legionellen/allg. Koloniezahl • technische Maßnahmen nach dem Stand der Technik zur Verminderung der Konzentration unter den PW 2
MW	> 10.000	• unverzügliche Gefahrenabwehr • unverzügliche Umsetzung der Maßnahmen aus dem Störfallmanagement für die spezifische Anlage, z. B. Reinigung und Desinfektion • mikrobiologische Untersuchungen des Roh- und Zusatzwassers • Prüfung der chem.-physikalischen Prozessparameter auf Auffälligkeiten	• unverzüglich zusätzliche Laboruntersuchung • Legionellen-Differenzierung • Ursachenaufklärung • Maßnahmen für ordnungsgemäßen Betrieb, speziell Legionellenreduktion • technische Maßnahmen zur Legionellenreduktion < PW 2

Tabelle 5.2: Maßnahmen aus der VDI 2047 Blatt 2 sowie der 42. BImSchV (siehe auch Kapitel 4) in Abhängigkeit vom Legionellenergebnis (PW = Prüfwert; MW = Maßnahmenwert) (Forts.)

Wert	Legionellen in KBE / 100 ml	Maßnahmen	
		VDI 2047-2	42. BImSchV
			• wöchentliche betriebsinterne Überprüfungen • monatliche Untersuchung von Legionellen/allg. Koloniezahl • Dokumentation der Maßnahmen und Ergebnisse **bei Bestätigung der Überschreitung des MW:** • zusätzliche Gefahrenabwehrmaßnahmen, insbesondere zur Vermeidung der Freisetzung keimbelasteter Aerosole

Tabelle 5.3: Maßnahmen nach VDI 2047 Blatt 2 in Abhängigkeit von der Anzahl an *Pseudomonas aeruginosa*

Pseudomonas aeruginosa (KBE/100 ml)	Empfohlene oder verbindliche Maßnahmen
< 100	• nicht erforderlich
100 bis < 1000	• Nachuntersuchung, bei Bestätigung Prüfzyklus auf monatlich setzen • Wasserbehandlung und -aufbereitung prüfen und Abweichungen beheben
> 1000	• unverzügliche Nachuntersuchung und Prüfzyklus auf monatlich setzen • unverzügliche Ursachenermittlung und Mängelbeseitigung • unverzüglich Wasserbehandlung und -aufbereitung prüfen und Abweichungen beheben

Um die Einhaltung des Normalzustands der allgemeinen Koloniezahl im Rahmen der betriebsinternen Überprüfungen in vierzehntägigem Zyklus zu überprüfen, beschreibt die VDI 2047 Blatt 2 die Anwendung von Eintauch-Nährmedien (Dip-Slides) (siehe auch Kapitel 3.1.6). Es wird empfohlen, dazu dauerhaft die gleichen Nährmedien einzusetzen. Für die Anzucht soll ein geeigneter Inkubator genutzt werden. Die Inkubation der beprobten Nährmedien soll bei einer Temperatur von 30 ± 2 °C über eine Dauer von 44 ± 4 Stunden erfolgen. Die Probenahme für diese Untersuchung mittels Eintauch-Nährmedien findet sich im Anhang C der Richtlinie. Es wird sowohl das notwendige Material für die Probenahme als auch die Durchführung beschrieben. Bei diesen Vorgaben muss berücksichtigt werden, dass es vonseiten der Hersteller von Dip-Slides durchaus andere Gebrauchsanweisungen geben kann. Wie bereits im Kapitel 3.1.6 erörtert, gibt es hinsichtlich der Eintauch-Nährmedien den Bedarf einer Vereinheitlichung. Bei der Auswertung und Nutzung der Ergebnisse soll hier nochmals darauf hingewiesen werden, dass es sich methodisch bedingt hier eher um eine Abschätzung als eine exakte Messung handelt. Daher lässt sich mittels der Dip-Slides-Untersuchungen nicht auf die Einhaltung des Normalzustands (Referenzwert nach 42. BImSchV) schließen.

5.4.3.3 Chemisch-physikalische Untersuchungen zur Überwachung von Kühltürmen

Die Richtlinie VGB-455 R empfiehlt im Rahmen der Überwachung die Durchführung von chemischen Untersuchungen, um kurzfristige Veränderungen des Kühlwassers zu erfassen, die zu Betriebsstörungen führen könnten. Langfristig sollen die Untersuchungen auch Korrosionsprozesse im Kühlsystem detektieren. Da die Bedeutung der Untersuchungsparameter für die Beurteilung des Kühlwassers und des Kühlsystems sehr unterschiedlich ausfallen, empfiehlt die Richtlinie eine systemabhängige, individuelle Festlegung der chemischen Überwachungsparameter. Während chemische Kühlwasseruntersuchungen in Durchlaufkühlsystemen nur sehr eingeschränkt durchgeführt werden, besteht im Umlaufkühlsystemen in jedem Fall der Bedarf der chemischen Überwachung. Als Mindestüberwachungsumfang für Kreislaufwasser bei Umlaufkühlung mit offenem Kühlwasserkreislauf empfiehlt die Richtlinie folgende Parameter:

- Temperatur: kontinuierlich (vor sowie hinter den Kühlstellen)
- Leitfähigkeit: kontinuierlich bzw. täglich (direkte Messung)
- pH-Wert: kontinuierlich bzw. täglich
- $K_{S\,4,3}$ / $K_{S\,8,2}$: täglich bzw. wöchentlich
- Ca + Mg: wöchentlich bzw. nach Bedarf

Inwieweit weitere Untersuchungsparameter notwendig sind, muss individuell für die jeweilige Anlage festgelegt werden.

Bei Systemen der Umlaufkühlung mit geschlossenem Kühlkreislauf empfiehlt die VGB-455 R bei Verwendung von salzfreiem Zusatzwasser nachfolgende Parameter, alle nach Bedarf:

- Leitfähigkeit; als direkte Messung oder hinter einem starksauren Probenahme-Kationenaustauscher
- Sauerstoff
- Dosierchemikalien
- TOC (Total Organic Carbon)
- Fe / Cu

Als weitere Untersuchungsmethoden führt die Richtlinie den Einbau von Materialproben an, die zur Abschätzung des Korrosionspotenzials in das Kühlsystem eingebaut werden können. Als bewährte Systeme werden Versuchswärmetauscher in Form der verwendeten Materialien für das Kühlsystem aufgeführt. Sie sollen in einem Bypassstrom des Kühlwassers eingebaut werden und über Langzeittests eine Bestimmung der Korrosionsrate erlauben. Derartige Untersuchungen machen wirtschaftlich naturgemäß vor allem bei entsprechend kostenintensiven Kühlsystemen wie Kühltürmen Sinn. Bei kleineren Anlagen ist der Nutzen im Einzelfall zu prüfen.

Die Anforderungen an chemisch-physikalische Untersuchungen sind in der VDI 2047 Blatt 3 im Kapitel 6.4 *Hygienekontrollen* beschrieben. Das impliziert bereits, dass diese Überwachungsparameter Teil der hygienischen Anforderungen an den Betrieb von Kühltürmen sind. Die Richtlinie führt dazu in wenigen Sätzen aus, dass diese Untersuchungen zur Verminderung von Ablagerungen auf den wasserberührenden Oberflächen notwendig sind. Als Grund werden die

Beeinflussung des Wärmeübergangs, Korrosion und Biofilmbildung angegeben. Hinsichtlich der weiteren Konkretisierung der Untersuchungen der Kühlwasserbeschaffenheit wird auf das Blatt 2 der VDI 2047 (siehe auch Kapitel 5.4.4.1) verwiesen.

Das BVT-Referenzdokument widmet sich in seinem Kapitel 3.4.6.2 der Kühlwasserüberwachung mit den Schwerpunkten Kesselstein- und Korrosionsschutz sowie den Dispergiermitteln. Darüber hinaus beschreibt es Maßnahmen zur Überwachung des Bewuchses. Die chemisch-physikalische Kühlwasserüberwachung wird im BVT-Referenzdokument vor allem vor dem Hintergrund des wirtschaftlichen Anlagenbetriebs (Reduktion der Chemikaliendosierung in das Kühlwasser) und möglicher Emissionen gesehen, wie z. B. Wasserbehandlungsmittel, die in das Oberflächengewässer gelangen. Es heißt dort, dass „sie als kostensparende Methode angesehen werden kann, wo die Behandlung von Abflusswasser, falls sie überhaupt möglich ist, in der Regel teurer ist". Im BVT-Referenzdokument wird die Anwendung von Chemikalien primär als Schutzmittel gesehen und ist spezifisch für jeden Einzelfall zu betrachten. Für die Überwachung der Parameter spielt daher eine Reihe von Faktoren eine Rolle, wie z. B.:

- „der Qualität des Kühlwassers und der Optionen für die vorhergehende Aufbereitung (Enthärtung, Filtrierung), die wiederum von der erforderlichen Durchflussmenge abhängig sind
- der Notwendigkeit, den Wasserbedarf durch die Erhöhung der Anzahl der Zyklen zu vermindern gegenüber der Zunahme der Probleme mit Kesselstein aufgrund der erhöhten Konzentrationen
- der Kühlwassertemperatur gegenüber der Löslichkeit von Salzen
- der Wechselwirkung zwischen den Zusätzen"

Das BVT-Referenzdokument führt verschiedene Methoden zur Kontrolle der Dosierung von Kühlwasserzusätzen in rezirkulierenden Kühlwassersystemen auf:

- „manuelles Prüfen und Einstellen
- Ablassen und Zuführen (durch Abfluten aktivierte Zuführung)
- durch Wasserzähler gesteuerte Zyklen
- chemische Analysatoren (auf der Basis von Mikroprozessoren)
- Fluoreszenz"

Das Referenzdokument weist an verschiedenen Stellen, vergleichbar den anderen hier behandelten Themen, auch bei der Überwachung auf die Notwendigkeit und die Möglichkeiten hin. Konkrete Vorgaben finden sich nicht. Einen Schwerpunkt setzt das Papier bei der Überwachung von eingesetzten Bioziden sowohl aus Gründen der Wirtschaftlichkeit (Verbrauch), der Wirksamkeit (Reduktion von Mikro- und Makroorganismen) als auch der ökologischen Folgen im Falle der Einleitung in Oberflächengewässer über den Abwasserstrom. Eine konkrete Handlungsanleitung und Vorgabe für die chemisch-physikalische Überwachung sucht man im BVT-Referenzdokument aber vergebens. Man überlässt es hier dem jeweiligen Anlagenbetreiber, unter den spezifischen Randbedingungen seiner Anlage eine geeignete Überwachung einzurichten.

5.4.3.4 Mikrobiologische Untersuchungen zur Überwachung von Kühltürmen

Alle technischen Regelwerke, in deren Anwendungsbereich Kühltürme fallen, heben die Bedeutung der mikrobiologischen Untersuchungen zur Überwachung von Kühltürmen hervor. Dabei wird nicht nur auf das Hygienerisiko eines Legionellenaustrags abgehoben, sondern auch auf die wirtschaftlichen Aspekte, wie die Verschlechterung des Wärmeübergangs im Wärmeübertrager beim Auftreten von verstärkten Biofilmen oder die mikrobiell verursachte Korrosion. Außerdem wird die Betriebssicherheit als weiterer Grund für die Bedeutung dieses Themas benannt.

Die Richtlinie VGB-R 455 geht primär auf die notwendige Überwachung zur Vermeidung betrieblicher Störungen ein. Ein gesundheitliches Gefährdungspotenzial durch Hygienerisiken, z. B. durch Legionellen, wird nur erwähnt. Vorschläge, wie eine solche Überwachung aussehen könnte, erfolgen nicht. Art und Häufigkeit der mikrobiologischen Untersuchungen sollen in Abhängigkeit von der mikrobiologischen Aktivität und der Art des Kühlwassers erfolgen. Als Beispiele für Einflussfaktoren und die damit verbundene Entscheidung der mikrobiologischen Überwachung werden angeführt:

- die Kühlungsart (Durchlauf-/Umlaufkühlung)
- die Kühlwasserbeschaffenheit (Meerwasser, Oberflächenwasser, ...)
- die Baumaterialien des Kühlturms mit Wasserkontakt
- der Nährstoffgehalt des Kühlwassers
- die Sonneneinstrahlung
- die Strömungsverhältnisse im Kühlsystem

In der Richtlinie werden folgende Untersuchungsparameter als Beispiele benannt:

- *Allgemeine Koloniezahl*, mit dem Hinweis auf einen störungsfreien Betrieb bei $< 10^4$ KBE/ml
- *Nachweis von ATP (Adenosin Tri-Phosphat)*, als Schnelltest für die qualitative Bestimmung der mikrobiologischen Aktivität
- *Leuchtbakterientest*, zur Bestimmung der Biozidwirkung im Kühlwasser

Ohne dass die Richtlinie es näher anspricht, wird der Leuchtbakterientest sicherlich eher vor dem Hintergrund der Einleitung des Kühlwassers in ein Oberflächengewässer erfolgen, um z. B. die Wirkung des verbliebenen Biozids für die Lebewesen dort abzuschätzen. Zusammenfassend lässt sich feststellen, dass die VGB-R 455 Art und Umfang der mikrobiologischen Überwachung vollständig dem Betreiber überlässt. Alle Inhalte haben mehr beschreibenden denn empfehlenden oder gar verbindlichen Charakter. Aufgrund des Veröffentlichungsdatums (01/2000) der Richtlinie kann eine Konformität mit den aktuellen gesetzlichen Anforderungen auch nicht vorliegen. Auch hier gilt, dass die Anforderungen an die mikrobiologische Überwachung, wie sie in der 42. BImSchV festgelegt ist, vom Betreiber umzusetzen ist. Die VGB-R 455 hat hier keine Relevanz.

Das BVT-Referenzdokument behandelt sowohl im Kapitel 3.4 *Emissionen* aus der Kühlwasserbehandlung sowie dem Kapitel 3.7 *Risiken* in Verbindung mit industriellen Kühlsystemen die Überwachung der hygienischen Qualität des Kühlwassers. Im erstgenannten Kapitel werden Vorschläge für die Überwachung des Bewuchses (Kapitel 3.4.6.2.2) unterbreitet. Diese soll auf der „Grundlage der Überwachung der mikrobiologischen Aktivität im Kühlsystem ebenso wie auf dem Niveau der tatsächlichen Behandlung mit Mikrobiozid" erfolgen. Es wird dort deutlich herausgestellt, dass zur Überwachung der Wirksamkeit des jeweiligen Biozidprogramms die mikrobiologische Aktivität im Kühlsystem schnell und genau zu messen sein muss. Es wird daher im BVT-Referenzdokument eine Überwachungsstrategie für Durchlaufsysteme vorgeschlagen. Aufgrund des weiten Spektrums an verwendetem Kühlwasser (Salz- und Brackwasser, Fluss- und Seewasser etc.) liegt der Fokus der Überwachung bei Durchlaufsystemen weniger bei den gesundheitsrelevanten Mikroorganismen wie Legionellen als bei Makroorganismen wie Muscheln. Es wird daher vorgeschlagen, eine Problemanalyse der Zielorganismen vorzunehmen und jahreszeitliche Unterschiede im Auftreten (z. B. Fortpflanzungszeit von Muscheln) zu charakterisieren. Dabei soll die jeweilige Wassertemperatur und -qualität (Süß-/Salzwasser) berücksichtigt und das Überwachungsprogramm entsprechend ausgelegt werden. Nach dem BVT-Referenzdokument könnte eine ähnliche Strategie auch auf offene rezirkulierende Nass-Systeme zutreffen. Insgesamt zielen diese Überwachungsmaßnahmen primär auf die Betriebssicherheit und Wirtschaftlichkeit (Dosierung von Bioziden und anderen Mitteln zur Wasserbehandlung) der Anlagen ab. Das BVT-Referenzdokument sieht bei offenen rezirkulierenden Kühlsystemen die Mikro-Verschmutzung viel gravierender als die Makro-Verschmutzung. Entsprechend muss hier auch das Überwachungsprogramm entsprechend angepasst werden. Auch bei rezirkulierenden Kühlsystemen gilt die Überwachung über das Bewuchskontrollprogramm als eine Voraussetzung für die Optimierung der Verwendung von Bioziden. Hinsichtlich mikrobiologischer Risiken durch das Auftreten von Mikroorganismen in Kühlsystemen verweist das BVT-Referenzdokument auf Legionella pneumophila (Lp) und die Amöbe Naegleria fowleri (Nf). Im Kapitel 3.7.3.2 *Überwachung von Bakterien* wird lediglich auf Legionellen eingegangen und eine regelmäßige Überwachung gefordert.

Für die Häufigkeit der Überwachung wurde mit Bezug auf den Kühlturmstandort eine Risikobewertung vorgeschlagen, die auf der betroffenen Bevölkerung „und ihrer potenziellen Anfälligkeit" beruht. Nachfolgende Bewertungskategorien schlägt das BVT-Referenzdokument vor:

Kategorie 1: Höchstes Risiko – Kühlturm, der ein Krankenhaus, Pflegeheim oder eine andere Einrichtung der Gesundheitspflege versorgt, die Personen pflegt, die immunologisch geschädigt sind, oder ein Kühlturm in deren Nähe (< 200 m).

Kategorie 2: Kühlturm, der eine Ruhstandsgemeinschaft, Hotel oder andere Gebäude versorgt, die eine große Zahl von Menschen beherbergen oder ein Kühlturm in deren Nähe < 200 m).

Kategorie 3: Kühlturm in einem Industriegebiet in Nachbarschaft zu einem Wohngebiet.

Kategorie 4: Niedriges Risiko – Kühlturm, der von Wohngebieten isoliert ist (> 600 m von Wohngebieten).

Abhängig von der jeweiligen Bewertungskategorie schlägt das BVT-Referenzdokument folgende Inspektionszyklen für das Vorhandensein von Legionellen vor:

- Kategorie 1: monatlich (höchstes Risiko)
- Kategorie 2: monatlich bis vierteljährlich
- Kategorie 3: vierteljährlich bis jährlich
- Kategorie 4: einmal im Jahr nach dem Sommer

Nähere Angaben zum Probenumfang, der Probenahme und mikrobiologischen Analytik macht das BVT-Referenzdokument nicht.

Im Unterschied zu den beiden vorgenannten Regelwerken geht die VDI 2047 Blatt 3 auf diese Aspekte ein. Die Anforderungen an die mikrobiologische Überwachung des Kühlwassers finden sich im Kapitel 6.4.2 *Mikrobiologische Untersuchungen*. Vergleichbar der VDI 2047 Blatt 2 für Verdunstungskühlanlagen (siehe Kapitel 5.4.4.2) fordert auch Blatt 3 für Kühltürme, dass alle regelmäßigen Laboruntersuchungen durch Prüflabore durchzuführen sind, die eine Akkreditierung nach DIN EN ISO/IEC 17025 besitzen.

Bei den Vorgaben für die Probenahme der Kühlwasserproben wird auf die DIN EN ISO 19458 sowie die Empfehlung des Umweltbundesamts zur Probenahme von Legionellen verwiesen (siehe auch Kapitel 3.1.6). Die Kühlwasserprobe soll an einer geeigneten Probenahmeeinrichtung zwischen der laufenden Kühlwasserpumpe und der Verrieselung entnommen werden. Sofern das nicht möglich ist, soll sie als Schöpfprobe aus der Kühlturmtasse, möglichst im Bereich der Ansaugung der Kühlwasserpumpe, beprobt werden. Ist dem Kühlwasser Biozid zugesetzt, muss ein geeignetes Neutralisationsmittel im Probenahmegefäß enthalten sein.

Als Untersuchungsparameter fordert die VDI 2047 Blatt 3 den Nachweis von Legionellen mindestens im monatlichen Zyklus. In Abhängigkeit von der Legionellenkonzentration werden in der Richtlinie die Umsetzung von Maßnahmen gefordert (siehe Tabelle 5.4). Die Richtlinie weist bei den durchzuführenden Maßnahmen im Falle der Überschreitung des Prüfwerts 2 bzw. des Maßnahmenwerts im Unterschied zur 42. BImSchV nicht darauf hin, dass die Maßnahmen erst bei Bestätigung der Überschreitung durch die erneute Legionellenuntersuchung umzusetzen sind. Damit hätte die VDI 2047 die Anforderungen an den Betreiber hier über das gesetzliche Maß hinaus verschärft. Inwieweit das im Sinne der Richtlinie ist oder auf einer Unschärfe der Textformulierung beruht, bleibt zu klären. Natürlich kann sich der Betreiber hier auch auf die Anforderung der 42. BImSchV berufen.

Tabelle 5.4: Maßnahmen nach VDI 2047 Blatt 3 und 42. BImSchV in Abhängigkeit von der Legionellenzahl in Kühltürmen

Wert	Legionellen in KBE/100 ml	Maßnahmen	
		VDI 2047-3	**42. BImSchV**
	≤ 500	• nicht erforderlich	• nicht erforderlich
PW 1	> 500–5000	• empfohlen: erneute Untersuchung, bei Unterschreitung keine Maßnahmen	• nicht erforderlich
PW 2	> 5000–50.000	• unverzüglich erneute Untersuchung • Kontrolle der Wasseraufbereitung und -behandlung • Ursachenermittlung und Mängelbeseitigung • gegebenenfalls Erhöhung der Anzahl Probenahmestellen	• unverzüglich erneute Untersuchung **bei Bestätigung der Überschreitung des PW 2:** • Ursachenaufklärung • Maßnahmen für ordnungsgemäßen Betrieb, speziell Legionellenreduktion • technische Maßnahmen zur Legionellenreduktion unter PW2 • Dokumentation der Maßnahmen und Ergebnisse

Tabelle 5.4: Maßnahmen nach VDI 2047 Blatt 3 und 42. BImSchV in Abhängigkeit von der Legionellenzahl in Kühltürmen (Forts.)

Wert	Legionellen in KBE/100 ml	Maßnahmen	
		VDI 2047-3	**42. BImSchV**
MW	> 50.000	• unverzügliche Gefahrenabwehr • Legionellen-Serotypisierung • unverzüglich erneute Untersuchung • Umsetzung des Maßnahmenkatalog Störfallmanagement	• Legionellen-Serotypisierung • Ursachenaufklärung • Maßnahmen für ordnungsgemäßen Betrieb, speziell Legionellenreduktion • technische Maßnahmen zur Legionellenreduktion unter PW2 • Dokumentation der Maßnahmen und Ergebnisse • unverzüglich erneute Untersuchung **bei Bestätigung der Überschreitung des MW:** • unverzüglich zusätzliche Gefahrenabwehrmaßnahmen

Anforderungen an die in der 42. BImSchV § 7 Absatz 1 aufgeführten betriebsinternen mikrobiologischen Überprüfungen finden sich in der VDI 2047 Blatt 3 nicht. Das überrascht insoweit nicht, da diese Untersuchungen von den betroffenen Verkehrskreisen als nicht hilfreiche Methodik für die Überprüfung der mikrobiologischen Kühlwasserqualität betrachtet werden.

5.4.4 Instandhalten

Das Instandhalten ist nach DIN 31051 das „Zusammenwirken aller technischen und administrativen Maßnahmen und Maßnahmen des Managements mit dem Ziel, die bestimmungsgemäße Funktion einer Einheit sicherzustellen". Als zentraler Baustein des Betreibens ist die Instandhaltung somit eine wichtige Voraussetzung für die technische Funktionalität, die Verfügbarkeit, die Wirtschaftlichkeit und die Sicherheit des Anlagenbetriebs. Alle hier zugrundeliegenden technischen Regelwerke greifen die Instandhaltung daher an verschiedenen Stellen auf. Dies geschieht allerdings für die jeweiligen Teilaufgaben der Instandhaltung, wie die Wartung, die Inspektion, die Instandsetzung und die Verbesserung in unterschiedlichem Maße. Hinzu kommt, dass die Ausführungen der technischen Regelwerke und ihre jeweiligen Anforderungen an die Instandhaltung unterschiedliche Schwerpunkte aufweisen.

Zur Teilaufgabe Instandsetzung nach DIN 31051 *Maßnahmen an einer Betrachtungseinheit zur Sicherstellung des bestimmungsgemäßen Zustands* werden lediglich allgemeine Anforderungen getroffen. In der Regel wird es sich bei den jeweiligen Maßnahmen um sehr spezifische Tätigkeiten wie Reparaturen oder ein Austausch von Komponenten handeln. Die Betrachtungseinheiten können beliebige Anlagenkomponenten oder -teile (Pumpen, Leitungen, Tropfenabscheider etc.) sein. Damit wird schnell deutlich, dass konkrete normative Vorgaben für diese

Art von Aufgaben wenig zielführend sind. In der Regel sind diese Aufgaben anlagen- und/ oder komponentenspezifisch. Insofern richten sich entsprechende Anforderungen hier eher an die Anlagenhersteller, konkrete Instandsetzungsdokumente vorzuhalten und dem Betreiber zur Verfügung zu stellen. Nicht zu verwechseln ist die hier angesprochene Instandsetzung mit der Behebung von Störungen im grundsätzlichen Sinne einer Wiederherstellung der Funktionsfähigkeit. Hinsichtlich der Störungsbeseitigung finden sich in der VDI 2047 Blatt 2 und 3 für Verdunstungskühlanlagen und Kühltürme die Forderungen nach der Vorhaltung entsprechender Maßnahmenpläne zur Vermeidung hygienischer Probleme im Rahmen von Betriebsphasen, die z. B. zu längeren Stagnationsphasen des Kühlwassers führen können. Die Richtlinie VGB-R 455 macht zur Instandsetzung keine Aussagen. Das BVT-Referenzdokument weist im Gegensatz dazu an verschiedenen Stellen auf die Bedeutung der planerischen Vorkehrungen für spätere Instandsetzungen hin. Diese beziehen sich primär auf technische und wirtschaftliche Aspekte. Hinsichtlich der Verminderung des biologischen Risikos verweist das BVT-Referenzdokument im Kapitel 4.10.1 explizit auf die Stillstandzeiten für die Instandsetzung als mikrobiologisch kritische Zeitfenster. Insgesamt halten sich alle hier behandelten technischen Regelwerke mit Anforderungen oder Empfehlungen zur Instandsetzung zurück.

Das gilt in noch größerem Maße für die Instandhaltungsaufgabe der Verbesserung, die in der DIN 31051 als „Kombination aller technischen und administrativen Maßnahmen sowie Maßnahmen des Managements zur Steigerung der Funktions- und Betriebssicherheit einer Betrachtungseinheit, ohne die von ihr geforderte Funktion zu ändern" definiert ist. Eine Anforderung zur systematischen Verbesserung findet sich in den technischen Regelwerken für Verdunstungskühlanlagen und Kühltürmen nicht. Gleichwohl kann man aus vielen grundlegenden Anforderungen ableiten, dass die Forderung nach einer steten Verbesserung besteht. Das bezieht sich nicht vordergründig auf die baulich-konstruktiven Anlagenmerkmale und damit verbundene Umbauten, sondern eher auf betriebliche Aspekte und Prozesse.

Die Bedeutung der Wartung als „Maßnahmen zur Verzögerung des Abbaus des vorhandenen Abnutzungsvorrats" nach DIN 31051 wird in den technischen Regelwerken an verschiedenen Stellen hervorgehoben. Dabei steht im Vordergrund, der Abnutzung von Werkstoffen oder Bauteilen, hervorgerufen durch chemische und/oder physikalische Prozesse, entgegen zu wirken. Ursachen können unterschiedliche Beanspruchungen, wie z. B. Korrosion oder Alterung, sein. Weiterhin fallen aber auch alle Reinigungsmaßnahmen mechanischer oder chemisch-physikalischer Art darunter. Konkrete Anforderungen hinsichtlich hygienerelevanter Wartungsmaßnahmen finden sich für Kühltürme in der VDI 2047 Blatt 3. Dort werden im Abschnitt 6.3 *Maßnahmen zur Verbesserung des hygienegerechten Betriebs* beschrieben, die im Schwerpunkt auf die mechanische und chemische Reinigung der Systeme und Komponenten abheben. Es wird darauf hingewiesen, dass auch für den Erfolg von chemischen Reinigungen mit Bioziden eine saubere Anlage Voraussetzung für die Wirksamkeit der Desinfektion ist. Diese Erfahrungen wurden in vielen anderen Bereichen beim Einsatz von Desinfektionsmitteln bereits gemacht. Dabei sind aber natürlich die genehmigungsrechtlichen Anforderungen, z. B. an die Einleitkonzentration von Bioziden, zu beachten. In der VDI 2047 Blatt 3 werden die zu reinigenden Anlagen bzw. Komponenten konkret aufgeführt. Dazu gehören einerseits der Kühlturm selbst mit seiner Kühlturmtasse, dem Kühlwasserverteilsystem (inkl. Pumpensystem) sowie den Kühlturmeinbauten, wie den Tropfenabscheidern. Daneben wird auf das Hauptkühlwasser und die damit verbundenen Systeme abgehoben, wie die zentralen Komponenten: Kondensatoren und Kondensatorreinigungsanlagen oder Filter und andere Anlagen der Wasseraufbereitung und -behandlung. Die VDI 2047 Blatt 3 weist hier darauf hin, dass gezielte Maßnahmen für die Systeme durchzuführen sind. Die Reinigungsintervalle sind vom Betreiber zu ermitteln und die Umsetzung zu dokumentieren. Als geeignete Maßnahmen werden beispielhaft die mechanische Entfernung von Ablagerungen und Verschmutzungen oder der Austausch verbrauchter Filtermedien benannt.

Die Richtlinie VGB-R 455 weist lediglich auf die Notwendigkeit der Wartung, z. B. in Form von Reinigungsmaßnahmen, hin. Das BVT-Referenzdokument macht an verschiedenen Stellen, so z. B. im Kapitel 3.7 zur Verhinderung von Leckagen oder den Techniken zur Verminderung mikrobieller Risiken Vorschläge für Wartungsaufgaben. Eine Checkliste für Wartungstätigkeiten mit konkreten Maßnahmen bieten die Regelwerke nicht. Im BVT-Referenzdokument wird stattdessen empfohlen, ein anlagenspezifisches Wartungsdokument zu erstellen. Dieses sollte einen Wartungsplan umfassen, der auf die spezifischen Belange des jeweiligen Betriebs oder der Einheit abgestellt ist und hierfür verbindlich gilt. Der Wartungsplan sollte z. B. Angaben über Ort, Termin, Maßnahmen und zu beachtende Merkmalswerte enthalten. Diese Vorschläge zielen auf eine anlagenspezifische Wartung ab, die im Wesentlichen auf den Herstellervorgaben für einzelne Komponenten beruht. Ergänzt um die medien- und prozessspezifischen Bedingungen einer Anlage sowie möglichen Genehmigungsanforderungen liegt für Kühltürme eher ein sehr konkreter, einzelfallspezifischer Wartungsplan als ein typischer normativer Standard vor. Das bedeutet nicht, dass es hier zu keinen Standardisierungen kommt. Allerdings nehmen die technischen Regelwerke hier Abstand davon, solche vorzuschlagen.

Für den Anwendungsbereich der Verdunstungskühlanlagen setzt die VDMA 24649 im Abschnitt 6.5. *Inspektion und Wartung* Anforderungen zur Wartung. Diese beziehen auch die Schutzmaßnahmen für das Wartungspersonal ein und fordern diesbezügliche organisatorische Maßnahmen sowie eine adäquate persönliche Schutzausrüstung. Hinsichtlich der Wartungsmaßnahmen selbst sind diese laut Empfehlung auf die Betriebserfordernisse angemessen abzustellen. Konkrete Wartungstätigkeiten und -fristen werden nicht vorgeschlagen. Stattdessen wird auf die Herstellerangaben verwiesen, die natürlich anlagenspezifisch sind und nicht weiter ausgeführt werden. Im Anhang der VDMA 24649 liegt ein Vorschlag für die Dokumentation der Wartung vor. In Tabelle 5.5 findet sich exemplarisch ein Auszug aus dem Wartungsplan eines Anlagenherstellers.

In der VDI 2047 Blatt 2 finden sich im Abschnitt 9 *Betrieb und Instandhaltung* keine spezifischen Anforderungen an die Wartung. Hier wird ausschließlich auf die Bedeutung dieser Maßnahmen im Zuge der Instandhaltung hingewiesen. Hinsichtlich der spezifischen Wartungsmaßnahmen zielt die Richtlinie auf die anlagenspezifischen Aufgaben, die vom Hersteller zu definieren sind.

Im Unterschied zur Wartung greifen die technischen Regelwerke die Teilaufgabe der Inspektion in Form konkreter Empfehlungen auf. Sinngemäß umfasst die Inspektion gemäß DIN 31051 alle „Maßnahmen zur Feststellung und Beurteilung des Istzustands einer Betrachtungseinheit einschließlich der Bestimmung der Ursachen der Abnutzung und dem Ableiten der notwendigen Konsequenzen für die weitere Nutzung". Der Begriff der *Abnutzung* bezieht sich auch hier, vergleichbar der Wartung, auf chemische oder physikalische Prozesse, welche die Funktionsfähigkeit einer Anlage oder Komponente reduzieren.

Tabelle 5.5: Auszug aus einem Wartungsplan der Fa. BAC

Art der Maßnahme	Maßnahme	beim Einschalten	wöchentlich	monatlich	vierteljährlich	alle sechs Monate	jährlich	beim Abschalten
Überprüfungen und Einstellungen	Kaltwasserbecken und Beckenlochblechsiebe	x			x			
	Betriebspegel und Frischwasser	x		x				
	Absalzung	x		x				
	Wannenheizung	x				x		
	Riemenspannung	x		x				
	Antriebsausrichtung	x					x	
	Antriebssystem					x		
	Exzenterverriegelung	x						
	Drehung der Lüfter und Pumpen	x						
	Motorspannung und -strom	x					x	
	ungewöhnliche Geräusche und/oder Schwingungen	x		x				
Inspektionen und Überwachung	Allgemeinzustand	x		x				
	Füllkörper mit Tropfenabscheider	x				x		
	Lufteintritts-Schutzelemente	x			x			
	Wasserverteilung	x				x		
	Lüfterwelle und Axiallüfter	x			x			
	Lüftermotor	x			x			
	elektrische Wasserstandsregelung (optional)	x				x		
	TAB-Test (Dip-Slides)	x	x					
	Qualität des Umlaufwassers	x		x				
	Systemüberblick	x					x	
	Aufzeichnung				je nach Ereignis			
Schmierung	Lüfterlager	x			x			x
	Motorlager*	x				x		
	verstellbare Motorkonsole	x				x		x
Reinigungsverfahren	mechanische Reinigung	x					x	x
	Desinfektion	(x)					(x)	(x)
	Ablaufbecken							x

Nach DIN 31051 kann eine Inspektion zum Beispiel nachfolgende Maßnahmen umfassen:

- „Erstellen eines Planes zur Feststellung des Istzustandes, der auf die spezifischen Belange des jeweiligen Betriebes oder der Einheit abgestellt ist und hierfür verbindlich gilt. Dieser Plan sollte u. a. Angaben über Ort, Termin, Methode, Gerät, Maßnahmen und zu betrachtende Merkmalswerte enthalten.

- Durchführung, vorwiegend die quantitative Ermittlung bestimmter Merkmalswerte,
- Vorlage des Ergebnisses der Istzustandsfeststellung,
- Auswertung der Ergebnisse zur Beurteilung des Istzustands und Fehleranalyse,
- Entscheidung für eine Lösung (Instandsetzung, Verbesserung oder andere Maßnahmen)."

Das Inspektionsziel kann dabei durchaus unterschiedlich ausgerichtet sein und z. B. auch die Konformitätsbewertung einer Anlage mit einem definierten Standard umfassen. Zu unterscheiden ist die Inspektion vom Überwachen als einer Teilaufgabe des Betätigens.

Für Kühltürme spezifiziert die VDI 2047 Blatt 3 im Abschnitt 6.4 *Hygienekontrollen* die Inspektionen, bezeichnet sie aber als regelmäßige Überwachungen, was nicht den Begriffsdefinitionen der Instandhaltungsnormen entspricht. Diese Vermischung wird auch deutlich, wenn die einzelnen Inspektionsaufgaben aus der Richtlinie betrachtet werden. Sie liefert dazu eine Checkliste für regelmäßige Inspektionen, die lediglich der Orientierung dienen und auf die spezifischen Belange der individuellen Anlage angepasst werden müssen. Im Fall von Kühltürmen und den damit verbundenen individuellen Anlagen erscheint dies als sinnvolle Vorgehensweise. Neben den Inspektionsaufgaben und Inspektionszyklen sind die Maßnahmen bei festgestellten Abweichungen von vorgegebenen Merkmalen individuell festzulegen. Die Richtlinie empfiehlt eine automatisierte Inspektion zu bevorzugen, sofern dies möglich ist.

Tabelle 5.6: Beispiele für die Inspektion von Kühltürmen nach VDI 2047 Blatt 3

Inspektion auf	Komponente	Maßnahme	Zyklus		
			1 Monat	3 Monate	12 Monate
Funktion	Kondensator-reinigungsanlage	Instandsetzen, Neubestückung	x		
Ablagerungen (mineralisch, biologisch, Schmutz)	Filter	Entfernen, gegebenenfalls Instandsetzen		x	
	Wärmetauscher				x
	Tropfenabscheider				x
Beschädigung oder Korrosion	alle Teile	Instandsetzen			x

Im Unterschied zur VDI 2047 Blatt 3 machen die Richtlinie BVG 455-R sowie das BVT-Referenzdokument keine spezifischen Inspektionsempfehlungen, sondern erheben lediglich die grundsätzliche Forderung nach regelmäßigen Anlageninspektionen.

Für Verdunstungskühlanlagen liegen sowohl in der VDMA 24649 sowie der Richtlinie VDI 2047 Blatt 2 Inspektionsempfehlungen vor. Vergleichbar dem Blatt 3 werden auch in Blatt 2 typische Inspektionsaufgaben im Sinne der DIN 31051 und überwachende Aufgaben im Sinne des Betätigens vermischt. Die VDMA 24649 behandelt in ihrem Abschnitt 5.6.1 Inspektionen und empfiehlt dort visuelle Inspektionen, die primär auf die Kontrolle von sichtbaren Belägen, wie Biofilmen oder Kalkablagerungen, abzielt. Darüber hinaus wird, sofern vorhanden, die Funktionsprüfung der Desinfektionsanlage gefordert. Im Anhang A 4.1 der VDMA 24649 liegt ein umfangreicher Vorschlag für die Anlageninspektion vor, der zwischen Zustandskontrollen, Funktionskontrollen und Überwachungen unterscheidet. Die Inspektionsaufgaben sind abhängig vom Funktionsmodus (siehe Kapitel 5.2.4) und damit vom hygienischen Risiko der Verdunstungskühlanlage. Neben den Inspektionsmaßnahmen werden Fristen vorgeschlagen. Insgesamt ist die VDMA 24649 hier eine gute Handlungshilfe, um auf pragmatische Weise Struktur in die Instandhaltung von Verdunstungskühlanlagen zu bekommen. Grundsätzlich verweist das Regelwerk aber darauf, dass die herstellerspezifischen Anforderungen für die jeweiligen Anlagen zu berücksichtigen sind. Diese sind mit den Empfehlungen der VDMA und den Anforderungen der 42. BImSchV abzugleichen.

Tabelle 5.7: Beispiele für die Inspektion von Verdunstungskühlanlagen nach VDMA 24649

Inspektion auf	Funktions-modus	Zyklus		
		14-tägig	1 Monat	6 Monate
Zustandskontrollen				
Ablagerungen	A B C			x
Chemikalien	A B C		x	
Funktionskontrollen				
Absalzung	A	x		
Filter	A B C		x	
Überwachung				
Leitfähigkeit	A	x		
Wasserqualität	A B C		x	

Die Anforderungen an die Inspektion von Verdunstungskühlanlagen aus der VDI 2047 Blatt 2 umfasst der Abschnitt 9.3.1 *Inspektionen*. Dieser weist in wenigen Sätzen auf die Notwendigkeit von anlagenspezifischen Inspektionen hin und wird durch eine Checkliste für regelmäßige Aufgaben ergänzt (siehe Tabelle 5.8). Auch hier erfolgt der Hinweis darauf, dass die Herstellervorgaben zu berücksichtigen sind.

Tabelle 5.8: Beispiele der Inspektion von Verdunstungskühlanlagen nach VDI 2047 Blatt 2

Inspektion auf	Komponente	Maßnahme	Zyklus		
			1 Monat	3 Monate	12 Monate
Funktion	Pumpen	Instandsetzen	x		
Ablagerungen	Sprühdüsen	Entfernen		x	
Beschädigung	alle Teile	Instandsetzen			x

5.4.5 Außerbetriebnehmen / Ausmustern / Stilllegen

Hinsichtlich von Anforderungen zu den Teilaufgaben Außerbetriebnehmen, Ausmustern und Stilllegen finden sich in den technischen Regelwerken nur wenige Hinweise und Anmerkungen. So erheben z. B. sowohl Blatt 2 als auch Blatt 3 der VDI 2047 die Forderung, dass bereits in der Planung für Verdunstungskühlanlagen und Kühltürme Vorkehrungen getroffen werden müssen, Betriebsunterbrechungen und Stillstände zu berücksichtigen. Wie diese aussehen sollen oder könnten, dazu lassen sich die Regelwerke nicht aus. Hier muss anlagenspezifisch bereits in der Planung ein entsprechendes Konzept entwickelt werden, um z. B. im Zeitfenster bis zur Wiederinbetriebnahme hygienische Probleme in Form von mikrobieller Vermehrung zu verhindern.

5.4.6 Anforderung an die Schulung und Qualifikation des Personals

Die technischen Regelwerke VDI 2047 Blatt 2 und Blatt 3 fordern vom Betreiber, dass die an den Kühlanlagen tätigen Personen über geeignete Qualifikationen für die jeweilige Tätigkeit verfügen müssen. Das gilt sowohl für das eigene Personal als auch das von Auftragnehmern. Die Forderung zielt auf alle Arten von Tätigkeiten, also die Planung, die Errichtung, die Instandhaltung sowie den Betrieb selbst. Im Weiteren muss das Personal zusätzlich die notwendigen Kenntnisse hinsichtlich der Hygiene von Kühlsystemen besitzen. Gemäß der VDI 2047 eignet sich dazu z. B. eine Schulung, wie sie in der Richtlinie beschrieben ist. Diese Schulung ist entsprechend der Festlegungen in der 42. BImSchV auch eine Voraussetzung für die Befähigung als hygienisch fachkundige Person.

Inhaltlich soll diese Hygieneschulung nach VDI 2047 alle Hygieneanforderungen bzgl. der Planung, der Errichtung, der Instandhaltung sowie des Betriebs abdecken. Damit sollen die jeweils handelnden Personen in die Lage versetzt werden, die Anforderungen aus den technischen Regelwerken in ihre betriebsspezifische Praxis zu übertragen. Im Ergebnis soll das zu einer „hygienegerechten Verfahrenspraxis auf allen Stufen des Umgangs mit derartigen Systemen" führen. Zukünftig sollte das dann auch zu einer deutlichen Reduktion von hygienischen Problemen führen.

In der Schulung sollen die Teilnehmer insbesondere die hygienischen Hintergründe, die möglichen Probleme und ihre Ursache erkennen lernen, um die Risiken auf ein akzeptables Maß zu reduzieren. Schulungsinhalte sind daher die technischen Grundlagen mit dem Aufbau und Funktionsprinzip von Verdunstungskühlanlagen bzw. Kühltürmen sowie die relevanten hygienischen Betriebsgrundlagen. Das schließt die Grundlagen der Wasserchemie, der Korrosionsvorgänge, der Instandhaltung der Anlagen sowie deren Überwachung ein. Gesetzliche Anforderungen und die technischen Regelwerke sind ein weiteres Thema. Die Schulungsdauer ist ein Tag und schließt mit einer Prüfung ab.

5.5 Gefährdungsbeurteilung und Anlagenprüfung

5.5.1 Gefährdungsbeurteilung

Mit der Gefährdungsbeurteilung greift die 42. BImSchV im § 3 Absatz 4, eine Forderung auf, die bereits in der ersten Ausgabe der VDI 2047 Blatt 2 (01/2015) formuliert wurde und sich inzwischen auch in der VDI 2047 Blatt 3 und der VDMA 24649 wiederfindet.

> 42. BImSchV § 3 Abs. 4: Der Betreiber hat sicherzustellen, dass vor der Inbetriebnahme oder der Wiederinbetriebnahme für die Anlage eine Gefährdungsbeurteilung unter Beteiligung einer hygienisch fachkundigen Person erstellt wird; diese umfasst die Schritte Risikoanalyse, die mögliche Gefährdungen identifiziert und das Risiko hinsichtlich des potenziellen Schadensausmaßes und der Eintrittswahrscheinlichkeiten für Gefährdungen betrachtet, und der Risikobewertung, die Risiken hinsichtlich ihrer potenziellen Auswirkungen auf die hygienische Sicherheit und die daraus abzuleitenden Maßnahmen priorisiert. [...]

Wie bereits im Kapitel 4.4 diskutiert, stellt sich bei der Forderung nach einer Gefährdungsbeurteilung die Frage zu deren Anwendungsbereich. Aufgrund des Geltungsbereichs der 42. BImSchV als Teil des Immissionsschutzrechts ist anzunehmen, dass eine dort verankerte Gefährdungsbeurteilung entsprechend ihren Fokus hinsichtlich der Risiken im Immissionsschutz aufweist. Da der Betrieb der betrachteten Anlagen auch arbeitsschutzrechtliche Relevanz besitzt, ist aber zusätzlich den Anforderungen aus dem Arbeitsschutzrecht Rechnung zu tragen.

Diese Sichtweise lässt sich auch aus der aktuellen VDI 2047 Blatt 2 ableiten, die im Kapitel 8.1 *Anforderungen an Planung, Herstellung und Errichtung* fordert, dass die Planung auch eine Risikoanalyse einschließen muss. Diese kann Baustein der späteren Hygiene-Gefährdungsbeurteilung sein. Nach VDI 2047 Blatt 2 muss die Risikoanalyse folgende Aspekte behandeln:

- „Hygienische Sicherheit (Emissionsschutz, Arbeitsschutz)
- Prozesssicherheit (Zuverlässigkeit, Verfügbarkeit)
- Anlagensicherheit
- Rohwasseranalyse (Maximalwerte oder Bandbreite)"

Damit wird deutlich, dass die VDI 2047 Blatt 2 einen umfassenden Ansatz für das Ziel der Gefährdungsbeurteilung von Verdunstungskühlanlagen vorsieht und diese nicht auf den Arbeitsschutz reduziert. Ähnlich formuliert das auch die VDI 2047 Blatt 3 für den Anwendungsbereich der Kühltürme. Bei der im Kapitel 6.2 der VDMA 24649 beschriebenen Gefährdungsbeurteilung ist der Anwendungsbereich weniger deutlich formuliert, da unter anderem unklar bleibt, worauf mit der dort erhobenen Forderung „das nähere Umfeld der Verdunstungskühlanlage ist entsprechend zu würdigen" wirklich abgehoben wird. Grundsätzlich soll nach VDMA 24649 die Gefährdungsbeurteilung spätestens bis zur Inbetriebnahme erstellt sein und hygienische sowie chemische Risiken, insbesondere aber das Auftreten von Legionellen und mögliche Folgen, erfassen.

Im Weiteren verweist die VDI 2047 Blatt 2 im Kapitel *Rechtliche Rahmenbedingungen* auf die Notwendigkeit der Gefährdungsbeurteilung nach § 5 Arbeitsschutzgesetz. Diese kann auf den Arbeitsplatz oder die Tätigkeit bezogen sein. Im Fall des Betriebs von Verdunstungskühlanlagen und Kühltürmen ist aufgrund des Umgangs mit Biostoffen in jedem Fall die Biostoffverordnung zu berücksichtigen. In gleicher Weise wird das auch für die Gefahrstoffverordnung gelten, die beim Einsatz von Gefahrstoffen Anwendung findet. Dieser wird bei vielen Anlagen die Regel sein, da die Zusatzstoffe, wie Biozide, im Rahmen der Wasserbehandlung in diesen Anwendungsbereich fallen. Die VDI 2047 Blatt 2 gibt dazu Hinweise auf die relevanten TRBA bzw. TRGS, wie die TRBA 400, mit Hinweisen zur Gefährdungsbeurteilung beim Umgang mit Biostoffen (siehe auch Kapitel 3.2).

Im Kapitel *Betrieb und Instandhaltung* geht die VDI 2047 Blatt 2 im Abschnitt 9.2 *Hygiene-Gefährdungsbeurteilung* auf Zweck und Inhalte der Gefährdungsbeurteilung ein. Als Basis für diese verweist sie auf die eingangs angesprochenen gesetzlichen Regelwerke mit Bezug zu Gefährdungsbeurteilungen. Diese sind nach VDI 2047 um die hygienischen Aspekte zu ergänzen und unter Beteiligung einer nach dieser Norm geschulten Person durchzuführen.

Gemäß VDI 2047 umfasst die Hygiene-Gefährdungsbeurteilung die Aspekte der Risikoanalyse sowie der Risikobewertung. Sowohl vom Umfang (Identifizierung der Gefährdungen sowie Einschätzung von Schadensausmaß und Eintrittswahrscheinlichkeit) als auch der Ausformulierung der Risikoanalyse decken die VDI 2047 und die 42. BImSchV sich inhaltlich annähernd. Offensichtlich hat sich Letztere hier aus dem technischen Regelwerk bedient. Gleiches gilt für den Begriff der Risikobewertung als „Priorisierung von Risiken hinsichtlich ihrer potenziellen Auswirkungen auf die hygienische Sicherheit und die daraus abzuleitenden Maßnahmen". Im Fokus steht das Ziel, Verdunstungskühlanlagen mit „möglichst geringem hygienischen Risiko zu betreiben". Als eine wesentliche Voraussetzung für eine aussagefähige Risikobewertung betrachtet die VDI 2047 dabei eine vollständige Dokumentation der Anlage. Als Umsetzungsbeispiel wird ein Betriebshandbuch benannt, das nach VDI 2047 mindestens folgende inhaltliche Anforderungen beinhalten muss:

- Anlagenschema
- technische Daten
- eingesetzte Werkstoffe
- Behandlungsprogramme
- Betriebsweise
- Reinigungs- und Instandhaltungsintervalle
- Wasserbeschaffenheit
- Bewertung des Aufstellorts im Hinblick auf mögliche Exposition

Die VDI 2047 greift hier weder den Begriff des „Betriebstagebuchs" der 42. BImSchV auf noch deren inhaltliche Anforderungen. Sinngemäß kommt es dem aber nahe. Als Hilfsmittel stellt die VDI 2047 im Anhang eine beispielhafte Checkliste für die Risikoanalyse als zentralem Baustein der Gefährdungsbeurteilung zur Verfügung. Diese soll für „interne Hygieneaudits" herangezogen werden und bei der Identifizierung von möglichen hygienerelevanten Gefährdungen helfen. Dabei wird darauf verwiesen, dass Änderungen der Bautechnik oder des Betriebs, die sich auf die Hygiene auswirken, eine Wiederholung der Risikoanalyse erfordern. In vergleichbarer Weise findet sich eine solche Forderung in der 42. BImSchV, bei der nach „Änderungen" der Anlage gemäß § 2 eine Wiederinbetriebnahme mit Anpassung der Gefährdungsbeurteilung gefordert wird. Die VDI 2047 Blatt 2 geht insoweit darüber hinaus, dass sie spätestens nach zwei Jahren auch ohne hygienerelevante Änderungen eine Wiederholung der Risikoanalyse einfordert.

Ausgenommen dem Hinweis, dass das ermittelte Risiko einer Anlage in Form einer Risikomatrix (z. B. nach Nohl) eingestuft werden kann, macht die VDI 2047 keine weitere inhaltliche Konkretisierung zur Risikobewertung bei der Gefährdungsbeurteilung. Eine inhaltliche Ausgestaltung und einen Vorschlag für die Vorgehensweise bei der Durchführung einer Gefährdungsbeurteilung für Verdunstungskühlanlagen sowie Kühltürme vor dem Hintergrund biologischer Gefährdungen finden sich in Kapitel 3.2.

5.5.2 Anlagenprüfung

Im Unterschied zu der im vorhergehenden Abschnitt behandelten Gefährdungsbeurteilung gibt es in den technischen Regelwerken keine Forderung nach einer Anlagenprüfung, wie sie in der 42. BImSchV im § 14 *Überprüfung der Anlagen*, Absatz 1 aufgestellt wurde.

> (1) Der Betreiber hat nach der Inbetriebnahme regelmäßig alle fünf Jahre von
> 1. einem öffentlich bestellten und vereidigten Sachverständigen oder
> 2. einer akkreditierten Inspektionsstelle Typ A
>
> eine Überprüfung des ordnungsgemäßen Anlagenbetriebs durchführen zu lassen.

Die VDI 2047 Blatt 2 und 3 sowie die VDMA 24649 fordern lediglich eine Inspektion der Anlagen als regelmäßige Überwachung aller aufgeführten Komponenten, um deren Hygienezustand präventiv zu erfassen (siehe auch Kapitel 5.4.5). Damit handelt es sich in den technischen Regelwerken eher um eine Inspektion/Kontrolle im Rahmen der Instandhaltung, die der Betreiber oder ein von ihm beauftragtes Instandhaltungsunternehmen übernimmt.

Dem Ziel der Überprüfung einer Anlage im Sinne des § 14 der 42. BImSchV kommt in Teilen die „Erstinspektion“ (nach VDI 2047 Blatt 2) im Vorfeld der Erstbefüllung der Verdunstungskühlanlage nahe. Im Rahmen der „Erstinspektion“ soll überprüft werden, ob die konstruktiven Eigenschaften der Verdunstungskühlanlage den hygienischen und technischen Anforderungen entsprechen. Das ist auch vergleichbar der Forderung aus der Anlage 2, Pkt. 5 der 42. BImSchV, die hygienerelevante Ausführung der Anlage auf Übereinstimmung mit der Anlagenplanung und den Anforderungen gemäß § 3 Abs. 2 bis 4 zu überprüfen (siehe auch Kapitel 4.4).

Weder in den technischen Regelwerken noch der 42. BImSchV liegen damit Konkretisierungen des Prüfumfangs für die Prüfung nach § 14 vor. Vergleichbares gilt für den Umgang mit Abweichungen vom Stand der Technik bei den überprüften Anlagen, im speziellen der Bewertung hinsichtlich der Hygienesicherheit. Bis zur Klärung dieser Punkte ist bei der Umsetzung der 42. BImSchV mit einer erheblichen Unsicherheit zu rechnen (siehe auch Kapitel 4.4).

Grundsätzlich sollte bei der Überprüfung der Anlagen nach § 14 auf den ordnungsgemäßen Betrieb eine Anlageninspektion erfolgen, die vor Ort die Einhaltung des Stands der Technik und der baulich-konstruktiven Vorgaben aus der 42. BImSchV überprüft, z. B.:

- das Vorhandensein einer Wasseraufbereitung und/oder -behandlung, sofern für die Wasserqualität erforderlich
- die Eignung der Werkstoffe bei vorhandener Wasserqualität
- die Installation und Eignung der Tropfenabscheider
- die Installation und Eignung der Rieselkörper
- mögliche Stagnationszonen im Kühlsystem

Einen breiten Raum wird unweigerlich die Überprüfung der Dokumentation einnehmen, da nur sie hinsichtlich zahlreicher Aspekte Aussagen zum ordnungsgemäßen Betrieb macht. Dazu gehören z. B.:

- die Überprüfung der Vollständigkeit und Plausibilität der Angaben im Betriebstagebuch
- die aus Störungen oder Prüf-/Maßnahmenwerten abgeleiteten Maßnahmen
- die Eignung der Gefährdungsbeurteilung zur Beurteilung der Hygienesicherheit und der daraus abgeleiteten Maßnahmen
- die Betriebszustände und deren möglicher Einfluss auf die Hygienesicherheit
- die Nachweise der betriebsinternen Kontrollen sowie der Laboruntersuchungen
- die Organisation des Anlagenbetriebs

Die Beispiele zeigen auf, dass die Überprüfung der Anlagenmerkmale und Dokumentation eine umfangreiche Aufgabe ist. Hinsichtlich der Anlagenüberprüfung durch die öffentlich bestellten und vereidigten Sachverständigen liegt inzwischen eine Empfehlung für den Prüfumfang vor, die durch das Institut für Sachverständigenwesen IfS veröffentlicht wurde.

Anhang: Normen und Vorschriften

42. Verordnung zur Durchführung des Bundes-Immissionsschutzgesetzes (Verordnung über Verdunstungskühlanlagen, Kühltürme, Nassabscheider – 42 BImSchV), Bundesgesetzblatt 2017 Teil I Nr. 47, 19.07.2017

Begründung zur 42. Bundes-Immissionsschutzverordnung:2017-03-23, Bundesrat, Drucksache 242/17

Gesetz zum Schutz vor schädlichen Umwelteinwirkungen durch Luftverunreinigungen, Geräusche, Erschütterungen und ähnliche Vorgänge (Bundes-Immissionsschutzgesetz – BImSchG), Bundesgesetzblatt 2013 I S. 1274, 13.05.2013

Fachkundenachweis für Ermittlungen im Bereich der 42. BImSchV (Fachmodul 42. BImSchV), in der Fassung des Beschlusses der Bund/Länderarbeitsgemeinschaft Immissionsschutz vom 11.04.2018

Verordnung über Sicherheit und Gesundheitsschutz bei Tätigkeiten mit Biologischen Arbeitsstoffen (Biostoffverordnung – BioStoffV), Bundesgesetzblatt 2013 I S. 2514, 15.07.2013

Verordnung (EU) Nr. 528/2012 des Europäischen Parlaments und des Rates vom 22. Mai 2012 über die Bereitstellung auf dem Markt und die Verwendung von Biozidprodukten (Biozid-Verordnung), ABL EU 2012 L 167/1, 27.06.2012

Bund-/Länderarbeitsgemeinschaft für Immissionsschutz:2018-04 Fachkundenachweis für Ermittlungen im Bereich der 42. BImSchV – Fachmodul 42. BImSchV

Umweltbundesamt:2017-06 Empfehlung des Umweltbundesamtes zur Probenahme und dem Nachweis von Legionellen in Verdunstungskühlanlagen, Kühltürmen und Nassabscheidern. Dessau-Roßlau: UBA

Institut für Sachverständigenwesen e. V.: Fachliche Bestellungsvoraussetzungen – Verdunstungskühlanlagen, Kühltürme und Nassabscheider. Köln 2018

Deutsche Industrie- und Handelskammer DIHK: Muster-Sachverständigenordnung. Berlin 2015

BVT-Merkblatt: 2001-12 Integrierte Vermeidung und Verminderung der Umweltverschmutzung (IVU) – Referenzdokument über die Besten Verfügbaren Techniken bei industriellen Kühlsystemen. Berlin: Umweltbundesamt

DIN EN 481:1993-09 Festlegung der Teilchengrößenverteilung zur Messung luftgetragener Partikel. Berlin: Beuth

DIN 31051:2019-01 Grundlagen der Instandhaltung. Berlin: Beuth

DIN EN 13623:2010-10 Chemische Desinfektionsmittel und Antiseptika – Quantitativer Suspensionsversuch zur Bestimmung der bakteriziden Wirkung gegen Legionella von chemischen Desinfektionsmitteln für wasserführende Systeme – Prüfverfahren und Anforderungen (Phase 2, Stufe 1). Berlin: Beuth

DIN EN ISO 846:1997-06 Bestimmung der Einwirkung von Mikroorganismen auf Kunststoffe. Berlin: Beuth

DIN EN ISO 6222:1999-07 Quantitative Bestimmung der kultivierbaren Mikroorganismen. Berlin: Beuth

DIN EN ISO 16266:2008-05 Wasserbeschaffenheit – Nachweis und Zählung von Pseudomonas aeruginosa – Membranfiltrationsverfahren. Berlin: Beuth

DIN EN ISO 11731:2019-03 Wasserbeschaffenheit – Zählung von Legionellen. Berlin: Beuth

DIN EN ISO 19458:2006-12 Wasserbeschaffenheit – Probenahme für mikrobiologische Untersuchungen. Berlin: Beuth

DIN EN ISO/IEC 17020:2012-07 Konformitätsbewertung – Anforderungen an den Betrieb verschiedener Typen von Stellen, die Inspektionen durchführen. Berlin: Beuth

DIN EN ISO/IEC 17025:2018-03 Allgemeine Anforderungen an die Kompetenz von Prüf- und Kalibrierlaboratorien. Berlin: Beuth

DVGW W 270:2007-11 Vermehrung von Mikroorganismen auf Werkstoffen für den Trinkwasserbereich – Prüfung und Bewertung. Bonn: DVGW

DVGW W 294-1:2006-06 UV-Geräte zur Desinfektion in der Wasserversorgung; Teil 1: Anforderungen an Beschaffenheit, Funktion und Betrieb. Bonn: DVGW

DVGW W 294-3:2006-06 UV-Geräte zur Desinfektion in der Wasserversorgung; Teil 3: Messfenster und Sensoren zur radiometrischen Überwachung von UV-Desinfektionsgeräten; Anforderungen, Prüfung und Kalibrierung. Bonn: DVGW

VDI 2047 Blatt 2:2015-01 Rückkühlwerke Sicherstellung des hygienegerechten Betriebs von Verdunstungskühlanlagen (VDI-Kühlturmregeln). Berlin: Beuth

VDI 2047 Blatt 2:2019-01 Rückkühlwerke Sicherstellung des hygienegerechten Betriebs von Verdunstungskühlanlagen (VDI-Kühlturmregeln), Berlin: Beuth

VDI 2047 Blatt 3:2018-04 Rückkühlwerke Sicherstellung des hygienegerechten Betriebs von Verdunstungskühlanlagen, Kühltürme über 200 MW Kühlleistung (VDI-Kühlturmregeln). Berlin: Beuth

VDI-MT 2047 Blatt 4:2019-01 Rückkühlwerke Sicherstellung des hygienegerechten Betriebs von Verdunstungskühlanlagen, Qualifikation von Personal zum Betreiben von Verdunstungskühlanlagen (VDI-Kühlturmregeln). Berlin: Beuth

VDI 3810 Blatt 1.1:2014-09 Betreiben und Instandhalten von Gebäuden und gebäudetechnischen Anlagen; Grundlagen Betreiberverantwortung. Berlin: Beuth

VDI 3810 Blatt 1:2012-05 Betreiben und Instandhalten von gebäudetechnischen Anlagen, Grundlagen. Berlin: Beuth

VDI 4250 Blatt 2:2015-11 Umweltmedizinische Bewertung von Bioaerosol-Immissionen – Risikobeurteilung von legionellenhaltigen Aerosolen. Berlin: Beuth

VDI 6026 Blatt 1:2008-05 Dokumentation in der Technischen Gebäudeausrüstung; Inhalte und Beschaffenheit von Planungs-, Ausführungs- und Revisionsunterlagen. Berlin: Beuth

VDI 6028 Blatt 1:2002-02 Bewertungskriterien für die Technische Gebäudeausrüstung; Grundlagen. Berlin: Beuth

VDI 6039:2011-06 Facility-Management; Inbetriebnahmemanagement für Gebäude; Methoden und Vorgehensweisen für gebäudetechnische Anlagen. Berlin: Beuth

VDMA-Positionspapier:2017-09 Interpretation der Zweiundvierzigsten Verordnung zur Durchführung des Bundes-Immissionsschutzgesetzes (Verordnung über Verdunstungskühlanlagen, Kühltürme und Nassabscheider – 42.BImSchV) durch die Fachabteilung Rückkühltechnik des VDMA. Frankfurt: VDMA

VDMA 24649:2005-05 Hinweise und Empfehlungen zum wirksamen und sicheren Betrieb von Verdunstungskühlanlagen. Berlin: Beuth

VDMA 24649:2018-01 Betriebsempfehlungen für Verdunstungskühlanlagen. Berlin: Beuth

VGB-R 455:2000-01 Kühlwasser-Richtlinie – Wasserbehandlung und Werkstoffeinsatz in Kühlsystemen. Essen: VGB PowerTech Service GmbH

TRBA 400:2017-03 Handlungsanleitung zur Gefährdungsbeurteilung und die Unterrichtung der Beschäftigten beim Umgang mit biologischen Arbeitsstoffen. GMBl 2017, Nr. 10/11

TRBA 500:2012-04 Grundlegende Maßnahmen bei Tätigkeiten mit biologischen Arbeitsstoffen

Literaturverzeichnis

[2-1] Rack, Th.: Rückkühlsysteme im Kühlkreislauf, Vorstellung, Bewegung, Wirtschaftlichkeitsberechnung. Jäggi/Güntner (Schweiz) AG, Büro Süddeutschland

[2-2] Gringel, M.: Durchführung von Energetischen Inspektionen an Kälteanlagen. VDE VERLAG, Berlin Offenbach, 2018

[2-3] VDMA 24247-2:2011-05 Energieeffizienz von Kälteanlagen – Teil 2: Anforderungen an das Anlagenkonzept und die Komponenten

[2-4] VDMA 24247-8:2011-05 Energieeffizienz von Kälteanlagen – Teil 8: Komponenten – Wärmeübertrager

[2-5] VDMA 24247-5:2011-05 Energieeffizienz von Kälteanlagen – Teil 5: Industriekälte

[3-1] Kramer, A.; Assadian, O. (Hrsg.): Wallhäußers Praxis der Sterilisation, Desinfektion, Antiseptik und Konservierung, Stuttgart, Georg Thieme Verlag 2008

[3-2] Kayser, F. H. et al.: Medizinische Mikrobiologie, Stuttgart Georg Thieme Verlag 2014

[3-3] Schoenen, D.: Mikrobiologie des Trinkwassers: Grundlegendes Fachwissen zum Betrieb einer seuchenhygienisch einwandfreien Trinkwasserversorgung, Essen: Vulkan Verlag 2011

[3-4] Walser, S. M. et al.: Assessing the environmental health relevance of cooling towers – A systematic review of legionellosis outbreaks. In: International Journal of Hygiene and Environmental Health (2017), H. 217, S. 145–154

[3-5] Fuchs, G. (Hrsg.): Allgemeine Mikrobiologie, Stuttgart, Georg Thieme Verlag 2017

[3-6] Graevenitz von A.: Die Familie der Legionellaceae, Stuttgart, Jena, New York 1994

[3-7] Exner, M. et al.: Gutachten zum Ausbruchmanagement des Legionellenausbruches in Warstein 2013- Charakterisierung, Lehren und Konsequenzen aus hygienisch-medizinischer Sicht - 2015

[3-8] Werner, H.-P.: Vorkommen und Bedeutung von Legionellen in Kraftwerkskühlsystemen, Stuttgart 1987

[3-9] Rowbotham 1980, 1984

[3-10] Dilger, T.: Untersuchungen zu Legionellen-Kontaminationen in Warmwassersystemen, Regensburg 2018

[3-11] Harmuth, M.: Untersuchungen über das Vorkommen von Legionellen in Warmwassersystemen von Ein- und Zweifamilienhäusern, Münster 2006

[3-12] Costerton, J. W. et al.: Microbial biofilms. In: Annu Rev Microbiol 49 (1995), S. 711–745

[3-13] Wingender, J. et al. (Hrsg.): Microbial extracellular polymeric substances, Berlin Heidelberg New York, Springer Verlag 1999

[3-14] Costerton, J. W. et al.: Bacterial biofilms in nature and disease. In: Annu Rev Microbiol 41 (1987), S. 435–464

[3-15] Flemming, H. C.: Biofilme und Wassertechnologie Teil 1: Entstehung, Aufbau, Zusammensetzung und Eigenschaften von Biofilmen. In: GWF Wasser- Abwasser 132 (1991), S. 197–207

[3-16] Di Bonaventura, G. et al.: Biofilm formation by the emerging fungal pathogen Trichosporon asahii: development, architecture, and antifungal resistance. In: Antimicrob Agents Chemother 50 (2006), S. 3269–3276

[3-17] Flemming, H.-C., Wingender, J.: Biofilme - die bevorzugte Lebensform der Bakterien: Flocken, Filme und Schlämme. In: Biologie in unserer Zeit 3 (31) 2001, S. 169–180

[3-18] O'Toole, G. et al.: Biofilm formation as microbial development. In: Annu Rev Microbiol 54 (2000), S. 49–79

[3-19] Grandjean, E.; Joshi, S.: Immissionen von Naturzugkühltürmen aus der Sicht der Umwelthygiene, Literaturbericht. In: Borneff, J. et al.: Mikrobielle Emission und Immission sowie Keimzahländerungen im Kühlwasser beim Betrieb von Naßkühltürmen. In: ZbL Bakt. Hyg. B169 (1979), S. 1–38

[3-20] Borneff, J. et al.: Mikrobielle Emission und Immission sowie Keimzahländerungen im Kühlwasser beim Betrieb von Naßkühltürmen. In: Zbl. Bakt. Hyg. B169 (1979), S. 1–38

[3-21] Werner, H. P. et al.: Mikrobielle Emission und Immission sowie Keimzahländerungen im Kühlwasser beim Betrieb von Naßkühltürmen, II. Mitteilung: Meßmethoden, Emissionswerte und Keimzahländerungen im Kühlsystem. In: Zbl. Bakt. Hyg. B169 (1979), S. 39–134

[3-22] Baer, E. et al.: Mikrobielle Emission und Immission sowie Keimzahländerungen im Kühlwasser beim Betrieb von Naßkühltürmen, III. Mitteilung: Laboratoriumsuntersuchungen zur Bestimmung der Absterbekinetik von Escherichia coli in Kühlturmschwaden. In: Zbl. Bakt. Hyg. B169 (1979), S. 135–163

[3-23] Werner, H. P.; Pietsch, M: Bewertung des Infektionsrisikos durch Legionellen in Kühlkreisläufen von Kraftwerken. In: VGB Kraftwerkstechnik 71 (1991); S. 785–787

[3-24] https://www.vgb.org/legionellen.html: Veröffentlichung von Werten aus der Selbstüberwachung auf Legionellen in Kraftwerkskühlsystemen von Kraftwerken mit Kühltürmen in NRW (2014)

[3-25] Bayerisches Landesamt für Gesundheit und Lebensmittelsicherheit (Hrsg.): Untersuchungen zur mikrobiologischen Belastung von Verdunstungskühlanlagen in Bayern (2007)

[3-26] Borneff, J.; Borneff, M.: Hygiene, Stuttgart, Georg Thieme Verlag 1991

[3-27] Krawitsch, T.: Untersuchungen zum mikrobiologischen Gefährdungspotenzial von Raumlufttechnischen Anlagen. Diplomarbeit an der Ruhr Universität, Bochum 2007

[3-28] Robert Koch Institut: Legionärskrankheit in Deutschland (2001-2013). In: Epidemiologisches Bulletin 13, 2015

[3-29] Robert Koch Institut: Infektionsepidemiologisches Jahrbuch meldepflichtiger Krankheiten für 2017, Berlin 2018

[3-30] Exner, M. et al.: Gutachten zum Ausbruchmanagement des Legionellenausbruches in Warstein 2013 – Charakterisierung, Lehren und Konsequenzen aus hygienisch-medizinischer Sicht - 2015

[3-31] Neuhaus, W.: Vortrag Legionellenausbruch in Warstein – Maßnahmen zur Gefahrenabwehr und zur Vorsorge. In: Tagungsunterlagen der DMT GmbH & Co. KG 2014

[3-32] Exner, M.; Pleischl, S.: Empfehlungen zur Gefährdungsbeurteilung und zur Prävention und Kontrolle von Legionellen in Rückkühlwerken. In: Umweltmed Forsch Prax 15 (4) 2010, S. 193–201

[4-1] Kürzel, K.: Der Betreiberbegriff im Umweltrecht. In: Europäische Hochschulschriften, Reihe II, Band 5667, 2013

[4-2] Ramming, B.: Der Anlagenbetreiber des Umweltstrafrechts im Lichte des Gefahrenabwehrrechts, Hamburg, Verlag Dr. Kovac 2010

[4-3] Urteil des Verwaltungsgerichtshofs München vom 4. Mai 2005, AZ 22 B 99.2208

[4-4] Ossenbühl, I.: Umweltgefährdungshaftung im Konzern, Berlin, Verlag Duncker & Humblot, Band 93, 1999

[4-5] Urteil des Oberlandesgericht Frankfurt/M. vom 14. Juli 2006, AZ 24 U 2/06

[4-6] Pieper, R.: Kommentar zum Arbeitsschutzrecht, BUND Verlag, 6., erweiterte und überarbeitete Auflage, S. 131 Rd. 1a Frankfurt/M. 2017

[4-7] Kollmer, N.; Klindt, T.: Kommentar zum Arbeitsschutzgesetz, 2. Auflage, § 6 ArbSchG Rd. 38, München, Verlag C.H. Beck 2011

[4-8] Schulze-Fielitz, H.: Technik und Umwelt. In: Schulte, M.; Schröder, R.: Handbuch des Technikrechts, 2. Auflage, S. 474, Berlin Heidelberg, Springer-Verlag 2011

[4-9] Jarass, H. D.: Kommentar zum Bundes-Immissionsschutzgesetz, 11. Auflage, München, Verlag C.H. Beck 2015

[4-10] Storm, P.-C.: Umweltrecht, 9., völlig neu bearbeitete Auflage, Berlin, Erich Schmidt Verlag 2010

[4-11] Kötz, H., Wagner, G.: Deliktsrecht, 13. Auflage, Vahlen Verlag 2016

[4-12] Palandt, O. (Hrsg.): BGB Kommentar, 78. Auflage, München, Verlag C.H. Beck 2018

[4-13] Fischer, T.: StGB Kommentar, 66. Auflage, München, Verlag C.H. Beck 2018

[4-14] Bayerlein, W. et al. (Hrsg.): Praxishandbuch Sachverständigenrecht, 5. Auflage, München, Verlag C.H. Beck 2015

[5-1] Seibel, M.: Abgrenzung der „allgemein anerkannten Regeln der Technik“ vom „Stand der Technik“, NJW 2013, S. 3000/3001

[5-2] Boldt, A.; Zöller, M.: Anerkannte Regeln der Technik, Inhalt eines unbestimmten Rechtsbegriffs, Stuttgart, Fraunhofer IRB Verlag 2017

[5-3] Jarass, H. D.: Kommentar zum Bundes-Immissionsschutzgesetz, 11. Auflage, München, Verlag C.H. Beck 2015

Stichwortverzeichnis

W

Z

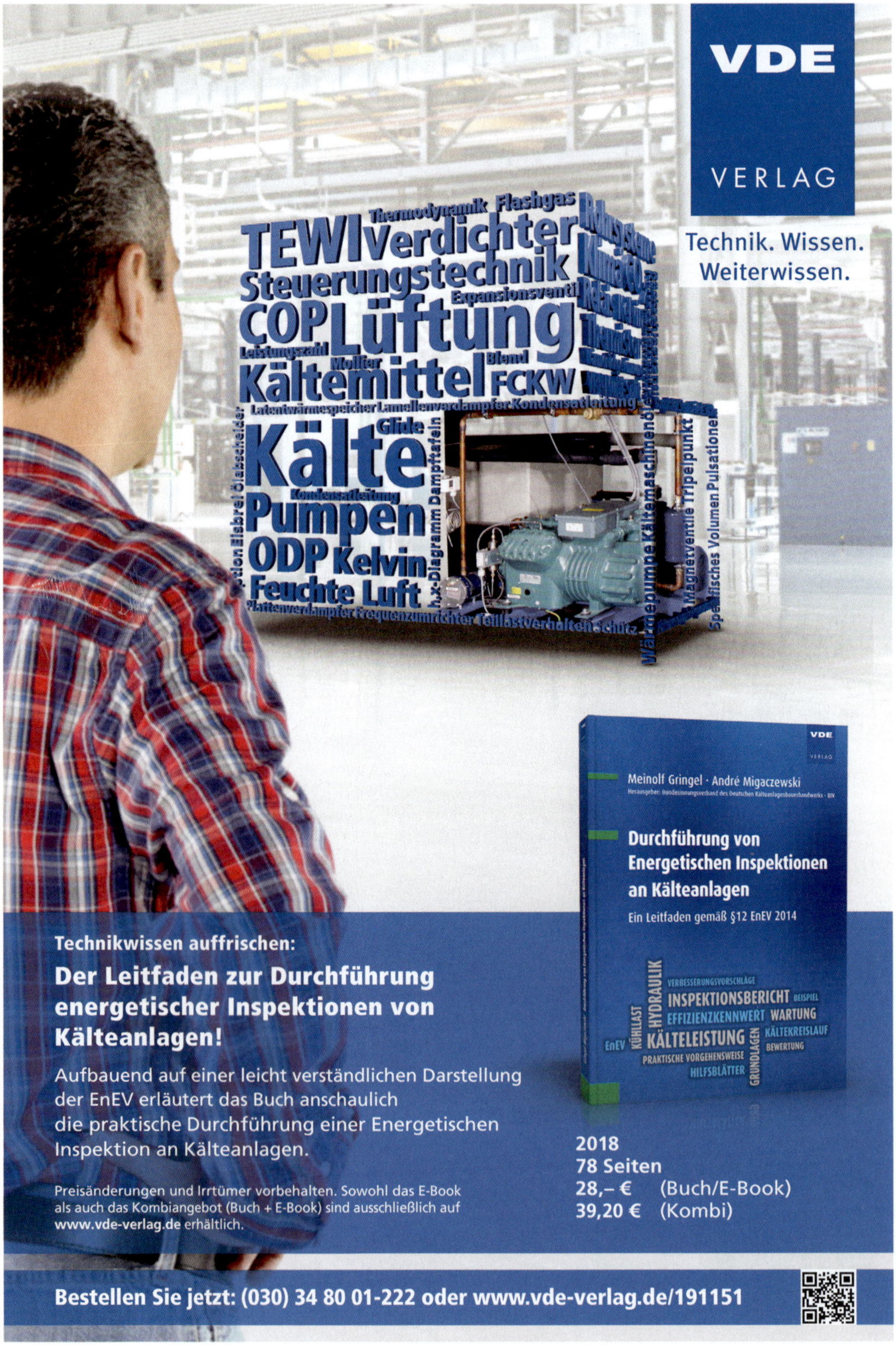
VDE
VERLAG
Technik. Wissen. Weiterwissen.
TEWI Verdichter
Steuerungstechnik
COP Lüftung
Kältemittel FCKW
Kälte
Pumpen
ODP Kelvin
Feuchte Luft
VDE VERLAG
Meinolf Gringel · André Migaczewski
Durchführung von Energetischen Inspektionen an Kälteanlagen
Ein Leitfaden gemäß §12 EnEV 2014
Technikwissen auffrischen:
Der Leitfaden zur Durchführung energetischer Inspektionen von Kälteanlagen!
Aufbauend auf einer leicht verständlichen Darstellung der EnEV erläutert das Buch anschaulich die praktische Durchführung einer Energetischen Inspektion an Kälteanlagen.
Preisänderungen und Irrtümer vorbehalten. Sowohl das E-Book als auch das Kombiangebot (Buch + E-Book) sind ausschließlich auf www.vde-verlag.de erhältlich.
2018
78 Seiten
28,– € (Buch/E-Book)
39,20 € (Kombi)
Bestellen Sie jetzt: (030) 34 80 01-222 oder www.vde-verlag.de/191151